Língua(gem) e Linguística
Uma introdução

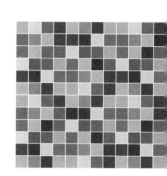

CB040453

Respeite o direito autoral

O GEN | Grupo Editorial Nacional – maior plataforma editorial brasileira no segmento científico, técnico e profissional – publica conteúdos nas áreas de ciências humanas, exatas, jurídicas, da saúde e sociais aplicadas, além de prover serviços direcionados à educação continuada e à preparação para concursos.

As editoras que integram o GEN, das mais respeitadas no mercado editorial, construíram catálogos inigualáveis, com obras decisivas para a formação acadêmica e o aperfeiçoamento de várias gerações de profissionais e estudantes, tendo se tornado sinônimo de qualidade e seriedade.

A missão do GEN e dos núcleos de conteúdo que o compõem é prover a melhor informação científica e distribuí-la de maneira flexível e conveniente, a preços justos, gerando benefícios e servindo a autores, docentes, livreiros, funcionários, colaboradores e acionistas.

Nosso comportamento ético incondicional e nossa responsabilidade social e ambiental são reforçados pela natureza educacional de nossa atividade e dão sustentabilidade ao crescimento contínuo e à rentabilidade do grupo.

Língua(gem) e Linguística
Uma introdução

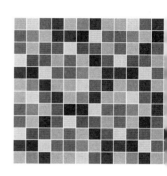

John Lyons
Professor de Linguística, Universidade de Sussex

Tradução:

Marilda Winkler Averburg
Mestre em Linguística – Museu Nacional, UFRJ
Professora do Departamento de Letras e
Doutoranda em Linguística Aplicada – PUC-Rio

Clarisse Sieckenius de Souza
Mestranda do Departamento de Letras – PUC-Rio

O autor e a editora empenharam-se para citar adequadamente e dar o devido crédito a todos os detentores dos direitos autorais de qualquer material utilizado neste livro, dispondo-se a possíveis acertos caso, inadvertidamente, a identificação de algum deles tenha sido omitida.

Não é responsabilidade da editora nem do autor a ocorrência de eventuais perdas ou danos a pessoas ou bens que tenham origem no uso desta publicação.

Apesar dos melhores esforços do autor, das tradutoras, do editor e dos revisores, é inevitável que surjam erros no texto. Assim, são bem-vindas as comunicações de usuários sobre correções ou sugestões referentes ao conteúdo ou ao nível pedagógico que auxiliem o aprimoramento de edições futuras. Os comentários dos leitores podem ser encaminhados à **LTC — Livros Técnicos e Científicos Editora** pelo e-mail faleconosco@grupogen.com.br.

Título do original:
Language and Linguistics

Tradução autorizada da primeira edição inglesa, publicada em 1981
por Cambridge University Press, Inglaterra
Copyright © by Cambridge University Press 1981
All rights reserved

Direitos exclusivos para a língua portuguesa
Copyright © 1987 by
LTC — Livros Técnicos e Científicos Editora Ltda.
Uma editora integrante do GEN | Grupo Editorial Nacional

Reservados todos os direitos. É proibida a duplicação ou reprodução deste volume, no todo ou em parte, sob quaisquer formas ou por quaisquer meios (eletrônico, mecânico, gravação, fotocópia, distribuição na internet ou outros), sem permissão expressa da editora.

Travessa do Ouvidor, 11
Rio de Janeiro, RJ – CEP 20040-040
Tels.: 21-3543-0770 / 11-5080-0770
Fax: 21-3543-0896
faleconosco@grupogen.com.br
www.grupogen.com.br

Capa: Design Monnerat
Editoração Eletrônica: Design Monnerat

CIP-BRASIL. CATALOGAÇÃO-NA-FONTE
SINDICATO NACIONAL DOS EDITORES DE LIVROS, RJ.

L997L

Lyons, John
Lingua(gem) e linguística : uma introdução / John Lyons ; tradução Marilda Winkler Averburg, Clarisse Sieckenius de Souza. - [Reimpr.]. - Rio de Janeiro : LTC, 2018.

Tradução de: Language and linguistics, 1st ed
Inclui bibliografia e índice
ISBN 978-85-216-1298-8

1. Linguística. 2. Linguagem e línguas. I. Título.

| 09-1424. | CDD: 410 |
| | CDU: 81'1 |

Sumário

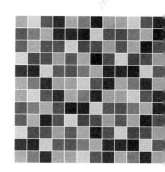

NOTA DAS TRADUTORAS vii

PREFÁCIO ix

CAPÍTULO 1 Linguagem 1
    1.1 O que é a língua(gem)? 1
    1.2 Algumas definições de 'língua(gem)' 3
    1.3 Comportamento linguístico e sistemas linguísticos 7
    1.4 Língua e fala 9
    1.5 O ponto de vista semiótico 14
    1.6 A ficção da homogeneidade 19
    1.7 Não há línguas primitivas 21

CAPÍTULO 2 Linguística 27
    2.1 Ramificações da linguística 27
    2.2 A linguística é uma ciência? 29
    2.3 Terminologia e notação 36
    2.4 A linguística é descritiva, não prescritiva 37
    2.5 Prioridade da descrição sincrônica 42
    2.6 Estrutura e sistema 46

CAPÍTULO 3 Os Sons da Língua 53
    3.1 O meio fônico 53
    3.2 Representação fonética e ortográfica 55
    3.3 Fonética articulatória 58
    3.4 Fonemas e alofones 67
    3.5 Traços distintivos e fonologia suprassegmental 71
    3.6 Estrutura fonológica 76

CAPÍTULO 4 Gramática 81
    4.1 Sintaxe, flexão e morfologia 81
    4.2 Gramaticalidade, produtividade e arbitrariedade 84
    4.3 Partes do discurso, classes formais e categorias gramaticais 88
    4.4 Outros conceitos gramaticais 92
    4.5 Estrutura de constituintes 95
    4.6 A gramática gerativa 101

Sumário

CAPÍTULO 5 Semântica 111

- **5.1** A diversidade do significado 111
- **5.2** Significado lexical: homonímia, polissemia, sinonímia 118
- **5.3** Significado lexical: sentido e denotação 123
- **5.4** Semântica e gramática 127
- **5.5** Significado de sentença e significado de enunciado? 133
- **5.6** Semântica formal 138

CAPÍTULO 6 Mudança Linguística 145

- **6.1** Linguística histórica 145
- **6.2** Famílias de línguas 149
- **6.3** O método comparativo 155
- **6.4** Analogia e empréstimo 162
- **6.5** As causas da mudança linguística 167

CAPÍTULO 7 Algumas Escolas e Movimentos Modernos 173

- **7.1** O historicismo 173
- **7.2** O estruturalismo 175
- **7.3** O funcionalismo 179
- **7.4** O gerativismo 182

CAPÍTULO 8 A Linguagem e a Mente 191

- **8.1** A gramática universal e sua relevância 191
- **8.2** Mentalismo, racionalismo e inatismo 194
- **8.3** A linguagem e o cérebro 199
- **8.4** Aquisição da linguagem 202
- **8.5** Outras áreas da psicolinguística 206
- **8.6** Ciência cognitiva e inteligência artificial 210

CAPÍTULO 9 Linguagem e Sociedade 215

- **9.1** Sociolinguística, etnolinguística e psicolinguística 215
- **9.2** Sotaque, dialeto e idioleto 217
- **9.3** Padrões e vernáculos 223
- **9.4** Bilinguismo, mudança de código e diglossia 227
- **9.5** Aplicações práticas 231
- **9.6** Variação estilística e estilística 233

CAPÍTULO 10 Linguagem e Cultura 243

- **10.1** O que é cultura? 243
- **10.2** A hipótese Sapir-Whorf 245
- **10.3** Termos que denominam cores 252
- **10.4** Pronomes de tratamento 255
- **10.5** Justaposição cultural, difusão cultural e possibilidade de tradução .. 259

BIBLIOGRAFIA 269

ÍNDICE 289

Nota das Tradutoras

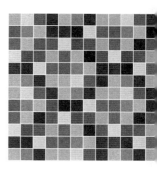

A exemplificação em inglês, do original, foi mantida toda vez que a tradução para o português acarretasse uma adaptação de maneira a servir aos propósitos de explanação teórica. Nos demais casos, optamos por apresentar os exemplos em português.*

Agradecemos aos colegas do Departamento de Letras da PUC-Rio que nos prestaram assistência, nas dúvidas que tivemos em relação à terminologia específica de suas áreas.

M.W.A
C.S.S.

---

*Na parte dos exercícios, eliminamos os que se destinam a falantes nativos do inglês e adaptamos alguns para o português. Quanto à bibliografia, acrescentamos as traduções em língua portuguesa de que temos conhecimento para alguns originais em inglês.

PREFÁCIO

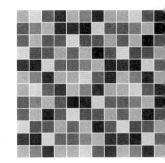

Este livro destina-se ao curso 'Lingua(gem) e Linguística' que damos a alunos do primeiro ano na Universidade de Sussex. Poucos são aqueles que entram na Universidade com o propósito de formar-se em Linguística. Alguns, cujo interesse despertou com o curso, na realidade transferem-se de outras áreas para a nossa. A maioria, entretanto, segue o programa de graduação na disciplina que originalmente escolheu como área de concentração ao candidatar-se para a admissão na faculdade. Nosso objetivo, portanto, em 'Lingua(gem) e Linguística' é apresentar aos alunos alguns dos conceitos teóricos e das descobertas empíricas mais importantes da linguística moderna. Mas queremos adotar um nível técnico relativamente baixo, enfatizando as conexões entre a linguística e muitas outras disciplinas acadêmicas que, por seus próprios motivos e de acordo com pontos de vista específicos, se interessam pelo estudo da língua. Acredito que este livro venha a ser igualmente adequado para cursos semelhantes a este, que atualmente são dados em muitas universidades, escolas politécnicas e faculdades de educação, tanto aqui quanto no exterior. Da mesma forma espero que seja de algum interesse para o leitor leigo que queira inteirar-se de certos aspectos da linguística moderna.

Este livro é mais abrangente e menos profundo do que o meu *Introduction to Theoretical Linguistics* (1968). É igualmente menos detalhado no tratamento de muitos tópicos. No entanto, anexei a cada capítulo uma lista de sugestões para leituras complementares. Ela deverá ser suficientemente ampla para ser usada por conferencistas e professores, que farão uma seleção de acordo com seu conhecimento do assunto e suas preferências teóricas; poderão acrescentar à minha lista de livros diversos artigos importantes que, a não ser que tenham sido reimpressos em publicações mais acessíveis, foram excluídos por questões políticas. A bibliografia está concentrada nas sugestões para leituras complementares, representativas da maior parte, senão de todos os pontos de vista. Para o proveito de estudantes que utilizem

Prefácio

este livro sem uma orientação especializada, e o auxílio ao leitor leigo interessado em aprofundar-se no assunto, selecionei aproximadamente 20 livros didáticos ou coletâneas de artigos, marcados com um asterisco na Bibliografia. Também aqui, tive o cuidado de escolher um material representativo – não só dos diferentes pontos de vista teóricos, como também dos diferentes níveis de exposição.

A cada capítulo segue-se uma série de Perguntas e Exercícios. Em alguns casos trata-se de meras revisões, podendo ser solucionadas sem maior pesquisa. Em outros – especialmente naqueles contendo citações de outros trabalhos linguísticos – o aluno será obrigado a considerar e a avaliar opiniões diferentes daquelas que apresento neste livro. Algumas perguntas são bem difíceis; não espero que seja possível respondê-las sem uma orientação, com base em dez semanas de curso sobre linguística. Por outro lado, parece-me importante que nesses cursos o indivíduo receba a noção do que seja a Linguística nos níveis mais avançados, embora não necessariamente mais técnicos; e é impressionante ver o que se pode conseguir com um pouco de maiêutica socrática!

O mesmo comentário se aplica ao problema que acrescentei (no final do capítulo sobre Gramática). Ele foi elaborado por mim há muitos anos, quando lecionava na Universidade de Indiana, e desde então vem sendo utilizado, por mim e por outros, como um exercício bastante complexo, em termos de análise linguística. Aquele que conseguir apresentar uma solução que satisfaça às exigências de adequação empírica e explanatória em menos de duas horas será dispensado de ler os capítulos do meio deste livro!

Embora *Lingua(gem) e Linguística* seja bem diferente de minha *Introduction to Theoretical Linguistics*, é permeado do mesmo sentido de continuidade na teoria linguística desde seus primórdios até os dias de hoje. Não fiz constar um capítulo sobre a história da linguística como tal, mas, respeitando o espaço disponível, tentei enquadrar algumas das questões mais importantes em seus devidos contextos históricos. Escrevi também um pequeno capítulo sobre o estruturalismo, o funcionalismo e o gerativismo, na linguística, já que me parece que as relações entre movimentos vêm sendo negligenciadas ou distorcidas na maioria dos livros. Particularmente a gramática gerativa, que é comumente confundida, por um lado, com uma certa gramática gerativo-transformacional, formalizada por Chomsky, e, por outro lado, com o que chamei aqui de "gerativismo", também amplamente divulgado por Chomsky. Em um rápido tratamento da questão da gramática gerativa neste livro, como também em meu *Chomsky* (1977a) e em outras ocasiões, tentei manter as distinções necessárias. Pessoalmente, encontro-me totalmente comprometido com os objetivos dos que utilizam gramáticas gerativas como modelos para a descrição – para fins teóricos, mais do que práticos – da estrutura gramatical das línguas naturais. Como ficará patente neste livro, rejeito muitos dos princípios do gerativismo, embora não todos. Contudo, apresentei-os com a maior justiça e objetividade possíveis. Meu propósito constante foi dar pesos iguais tanto à base cultural quanto à base biológica da linguagem. Recentemente vem-se dedicando uma maior ênfase a esta em detrimento daquela.

Prefácio

Devo registrar aqui os meus agradecimentos aos colegas Dr. Richard Coates e Dr. Gerald Gazdar, que me auxiliaram na elaboração deste livro. Ambos leram todo o manuscrito e fizeram valiosos comentários críticos, além de aconselhar-me em certas áreas em que seus conhecimentos superavam o meu. É dispensável dizer que não são responsáveis por quaisquer das opiniões expressas na versão final desta obra, tanto mais que – e alegro-me em afirmá-lo publicamente – ainda discordamos sobre alguns pontos teóricos.

Gostaria igualmente de expressar minha gratidão à minha esposa, que não só me deu o apoio moral e o carinho necessários para que eu escrevesse este livro, como também serviu de modelo como leitora leiga para muitos capítulos, corrigindo ainda para mim a maior parte das provas. Uma vez mais contei com o aconselhamento editorial especializado e compreensivo do Dr. Jeremy Mynott e da Sra. Penny Carter, da Cambridge University Press, a quem agradeço imensamente.

Falmer, Sussex
Janeiro de 1981

Capítulo 1
Linguagem

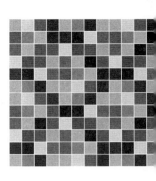

1.1 O que é a língua(gem)?

A linguística é o estudo científico da língua(gem). À primeira vista essa definição – que se encontra na maior parte dos livros e tratamentos gerais do assunto – é suficientemente direta. Porém, qual o significado exato de "língua(gem)" e de "científico"? Poderá a linguística, tal como é praticada atualmente, ser corretamente descrita como uma ciência?

A pergunta "O que é a língua(gem)?" é comparável – e alguns diriam quase tão profunda quanto – a "O que é a vida?", cujas pressuposições circunscrevem e unificam as ciências biológicas. Evidentemente, "O que é a vida?" não é o tipo de pergunta que um biólogo tenha constantemente diante de si em seu trabalho cotidiano. Tem uma natureza muito mais filosófica. E, assim como outros cientistas, o biólogo normalmente está por demais imerso nos detalhes de algum problema específico para poder pesar as implicações de questões tão gerais. Contudo, o suposto significado da pergunta "O que é a vida?" – a pressuposição de que todos os seres vivos compartilham de algumas propriedades ou de algum conjunto de propriedades que os distinguem das coisas não vivas – estabelece os limites das investigações do biólogo e justifica a autonomia, ou a autonomia parcial, de sua disciplina. Embora se possa dizer que a pergunta "O que é a vida?", nesse sentido, fornece à biologia a sua própria razão de ser, não se trata tanto da pergunta em si quanto da interpretação particular que o biólogo a ela atribui e do desvendar de suas implicações mais detalhadas dentro de uma estrutura teórica atualmente aceita que alimentam a pesquisa e as especulações diárias desses cientistas. O mesmo ocorre com o linguista em relação à pergunta "O que é a língua(gem)?".

Capítulo 1

A primeira observação sobre "O que é a lingua(gem)?" é que a palavra "lingua(gem)" aparece no singular e precedida de artigo definido.* Assim formulada, ela difere gramaticalmente, senão pelo sentido, da pergunta "O que é uma lingua(gem)?", superficialmente semelhante. Diversas línguas europeias têm duas traduções, e não uma, para o vocábulo inglês *language*: haja vista o francês *langage: langue*, o italiano *linguaggio: lingua* e o espanhol *lenguaje: lengua*. Em cada um dos casos, a diferença entre as duas palavras está correlacionada, até certo ponto, com a diferença entre os dois sentidos da palavra inglesa "*language*".** Por exemplo, em francês a palavra *langage* é usada com referência à linguagem em geral, e a palavra *langue* aplica-se às diferentes línguas. De tal forma que o inglês permite a seus falantes dizer de alguma pessoa que não só "*he possesses a language*" ["ele possui uma língua] (inglês, chinês, malaio, suaíli etc.), mas que "*he possesses language*" ["ele é dotado de linguagem"]. Filósofos, psicólogos e linguistas frequentemente salientam que é a posse da linguagem o que mais claramente distingue o homem dos outros animais. No presente capítulo analisaremos a essência dessa afirmação. Quero enfatizar aqui o fato óbvio, mas importante, de que não se pode possuir (ou usar) a linguagem natural sem possuir (ou usar) alguma língua natural específica.

Acabo de mencionar os termos 'lingua(gem) natural', o que levanta uma outra questão. A palavra 'lingua(gem)' aplica-se não apenas ao inglês, malaio, suaíli etc. – ou seja, ao que todos concordariam em chamar adequadamente de línguas –, mas a uma série de outros sistemas de comunicação, notação ou cálculo, sobre o qual se possa discutir. Por exemplo, matemáticos, lógicos e engenheiros de sistemas frequentemente elaboram, por motivos específicos, sistemas de notação que, legítima ou ilegitimamente chamados de linguagens, são artificiais, e não naturais. É o que acontece, embora seja baseado em línguas naturais preexistentes e seja inequivocamente uma língua, ao esperanto, inventado no final do século XIX para servir à comunicação internacional. Há outros sistemas de comunicação, tanto humanos como não humanos, que são sem dúvida naturais em vez de artificiais, mas que não parecem ser linguagens no sentido estrito do termo, embora a palavra 'linguagem' seja normalmente utilizada para fazer referência a eles. Consideremos expressões como "linguagem de sinalização", "linguagem corporal", ou a "linguagem das abelhas" nesse âmbito. A maioria diria que aqui a palavra 'linguagem' está sendo utilizada metaforicamente, ou no sentido figurado. O interesse é que a expressão que traduziria esses casos em francês seria "*langage*" e não "*langue*". O que traduziria esses casos em francês seria "*langage*". O vocábulo francês "*langage*" (como o italiano "*linguaggio*" e o espanhol "*lenguaje*") é mais geral que o outro elemento do par, não só porque é usado para se referir à linguagem em geral, mas também porque é aplicado a sistemas de

---

* A pergunta em questão no original é "*What is language?*". Ciente da ambiguidade do termo '*language*' no inglês, o autor apresenta uma explanação sobre os dois significados possíveis, que em português são dois vocábulos distintos: 'língua' e 'linguagem'. (N.T.)

** Eis por que optamos por traduzir *language* no contexto deste capítulo e de outros a ele referentes como 'lingua(gem)', recurso que aparece inclusive no título deste livro. (N.T.)

Linguagem

comunicação, sejam naturais ou artificiais, humanos ou não, para os quais a palavra inglesa "*language*" é empregada, no que parece ser seu sentido mais amplo.

O linguista a princípio lida com as línguas naturais. A pergunta "O que é a lingua(gem)?" traz em si a pressuposição de que cada uma das milhares de línguas naturais reconhecidamente distintas, faladas em todo o mundo, é um caso específico de algo mais geral. O que o linguista quer saber é se as línguas naturais, todas, possuem em comum algo que não pertença a outros sistemas de comunicação, humano ou não, de tal forma que seja correto aplicar a cada uma delas a palavra "língua", negando-se a aplicação desse termo a outros sistemas de comunicação – exceto na medida em que, assim como o esperanto, eles sejam baseados em línguas naturais preexistentes. Esta será a questão abordada no presente capítulo.

1.2 Algumas definições de 'lingua(gem)'

Não é difícil encontrar definições de lingua(gem). Vejamos algumas. Cada uma das seguintes afirmações sobre a lingua(gem), seja ela uma definição ou não, salienta um ou mais pontos que serão retomados adiante. Todas foram extraídas de trabalhos clássicos de linguistas famosos. Vistas como um todo, servirão para dar algumas indicações preliminares sobre as propriedades que pelo menos os linguistas tendem a considerar essenciais à lingua(gem).

(i) Conforme Sapir (1929:8), "A linguagem é um método puramente humano e não instintivo de se comunicarem ideias, emoções e desejos por meio de símbolos voluntariamente produzidos". Tal definição apresenta alguns defeitos. Por mais ampla que seja nossa concepção dos termos "ideia", "emoção" e "desejo", parece claro que há muito que se pode comunicar pela linguagem e que não é coberto por nenhum deles; particularmente "ideia", que é inerentemente impreciso. Por outro lado, há muitos sistemas de símbolos voluntariamente produzidos que só consideramos linguagens no que nos parece um sentido amplo ou metafórico da palavra "linguagem". Por exemplo, o que popularmente se conhece hoje por "linguagem corporal" – fazendo uso de gestos, posturas, olhares etc. – parece satisfazer a esse ponto da definição de Sapir. Se se trata de um sistema puramente humano e não instintivo já é uma questão aberta a dúvidas. Mas também, como veremos, há que se questionar se as línguas, corretamente assim chamadas, são puramente humanas e não instintivas. Esse é o principal ponto a se considerar na definição de Sapir.

(ii) Em seu *Outline of Linguistic Analysis*, Bloch e Trager (1942:5) escreveram: "Uma língua é um sistema de símbolos vocais arbitrários por meio dos quais um grupo social coopera." O que é impressionante nessa definição, em contraste com a de Sapir, é que ela não faz alusão, a não ser indiretamente e por implicação, à função comunicativa da lingua(gem). Em vez disso coloca toda a sua ênfase na função social; fazendo isso, como veremos mais adiante, apresenta uma visão bastante restrita do

3

Capítulo 1

papel da lingua(gem) na sociedade. A definição de Bloch e Trager difere da de Sapir na medida em que salienta a arbitrariedade e explicitamente restringe a lingua(gem) à língua falada (com o que a expressão " língua escrita" é contraditória). O termo "arbitrariedade" está sendo usado aqui em uma acepção bastante especial: voltaremos ao assunto brevemente. Também retomaremos a questão da relação entre língua e fala. O que se deve dizer agora é que, no que tange às línguas naturais, há uma estreita ligação entre língua e fala. Logicamente, esta pressupõe aquela: não se pode falar sem usar a língua (isto é, sem falar um determinada língua), mas é possível usar a língua sem falar. No entanto, dado que a língua é logicamente independente da fala, há boas razões para se dizer que, nas línguas naturais tais como as conhecemos, a fala é historicamente, e talvez biologicamente, anterior à escrita. E essa é a posição da maior parte dos linguistas.

(iii) Em seu *Essay on Language*, Hall (1968:158) nos diz que a lingua(gem) é "a instituição pela qual os humanos se comunicam e interagem uns com os outros por meio de símbolos arbitrários orais-auditivos habitualmente utilizados". Entre os pontos a considerar aqui, primeiramente estão o fato de que são introduzidos nessa definição os fatores comunicação e "interação" (sendo a interação mais ampla e, a esse respeito, melhor que "cooperação") e, em segundo lugar, o fato de que o termo "oral-auditivo" pode ser tomado *grosso modo* como um equivalente de "vocal", diferindo apenas na medida em que oral-auditivo faz referência ao ouvinte bem como ao falante (isto é, ao receptor bem como ao emissor dos sinais vocais que identificamos como enunciados linguísticos). Hall, como Sapir, trata a linguagem como instituição puramente humana; e o termo "instituição" explicita a visão de que a língua que é usada por uma determinada sociedade é parte da cultura daquela sociedade. A propriedade da arbitrariedade é, novamente, digna de ser mencionada.

O mais notável da definição de Hall, entretanto, é o emprego que ele faz da expressão "habitualmente utilizados"; e há razões históricas para tal. A linguística e a psicologia da linguagem foram fortemente influenciadas, durante aproximadamente trinta anos, especialmente nos Estados Unidos, pelas teorias de estímulo e resposta dos behavioristas; e dentro do quadro teórico do behaviorismo o termo "hábito" ganhou uma conotação um tanto especial. Foi usado para referir-se a partes do comportamento identificáveis como respostas estatisticamente previsíveis a determinados estímulos. Muito do que não poderíamos normalmente conceber como uma questão de hábito entrou no escopo da terminologia behaviorista; e muitos livros de linguística refletem esse uso mais ou menos técnico do termo, por cuja adoção se comprometem, ao menos por implicação, com alguma das versões da teoria de estímulo e resposta aplicada ao uso e à aquisição da linguagem. Hoje em geral se aceita que tal teoria é, senão totalmente inaplicável, muito pouco aproveitável tanto na linguística quanto na psicologia da linguagem.

Hall possivelmente utiliza os "símbolos" linguísticos para referir-se aos sinais vocais que são na realidade transmitidos do emissor para o receptor no processo de comunicação e interação. Mas agora é evidente que não há qualquer acepção

Linguagem

do termo "hábito", seja técnica ou não, em que se possa dizer que um enunciado linguístico seja em si um hábito, ou construído por meio de um hábito. Se a palavra "símbolo" estiver sendo usada para referir-se não a enunciados linguísticos, mas a palavras ou sintagmas de que estes se compõem, ainda assim seria errôneo afirmar que um falante utiliza tal vocábulo, por uma questão de hábito, em tal e tal ocasião. Um dos fatos mais importantes da linguagem é que não há, em geral, qualquer conexão entre as palavras e as situações em que são utilizadas, de tal forma que a ocorrência de determinados vocábulos seja previsível, como se prevê um comportamento habitual, a partir das próprias situações. Por exemplo, não temos o hábito de produzir um enunciado contendo a palavra pássaro a cada vez que nos encontramos em uma situação na qual vemos um pássaro; na realidade, nossa probabilidade de usar a palavra 'pássaro' nessa situação não é maior do que a de utilizá-la em qualquer outro contexto. Como veremos mais tarde, a linguagem **é independente de estímulo**.

(iv) Robins (1979a:9-14) não oferece uma definição formal de lingua(gem); com razão, ele aponta que tais definições "tendem a ser triviais e a não trazer grande informação, a menos que pressuponham... alguma teoria geral da linguagem e da análise linguística". Entretanto, ele lista e discute uma série de fatos mais salientes dos quais "se deve dar conta em qualquer teoria da linguagem que se queira levar a sério". Em várias edições sucessivas desse livro-padrão, o autor ressalta que as línguas são "sistemas de símbolos... quase totalmente baseados em convenções puras ou arbitrárias", enfatizando contudo sua flexibilidade e adaptabilidade.* É possível que não haja incompatibilidade lógica entre a visão de que as línguas são sistemas de hábitos ('hábito' tomado em um sentido especial) e a visão expressa por Robins. Afinal, é concebível que um sistema de hábitos venha a se alterar com o tempo, respondendo às mudanças nas necessidades de seus usuários. Porém o termo 'hábito' não é comumente associado ao comportamento adaptável. Mais tarde deveremos examinar um pouco mais de perto a noção de extensibilidade infinita. Veremos então que será necessário traçar uma distinção entre a capacidade de ampliação e modificação de um sistema e a capacidade de ampliação e modificação dos produtos daquele sistema. Também é importante reconhecer que, no que tange ao sistema, alguns tipos de ampliação e modificação são teoricamente mais interessantes que outros. Por exemplo, o fato de que o vocabulário de uma língua possa sempre acrescer-se de novas palavras é teoricamente muito menos importante do que o fato de que possam surgir, como de fato surgem, novas construções gramaticais, ao longo do tempo. Uma das questões centrais da linguística é investigar se há limites para a realização dessas modificações e, se houver, quais são eles.

(v) A última definição a ser citada aqui aborda um campo muito diferente; "Doravante considerarei uma lingua(gem) como um conjunto (finito ou infinito) de

---

* Em edições anteriores (1964:14; 1971:13) diz o seguinte: "As línguas possuem infinita capacidade de extensão e modificação, conforme variem as necessidades e condições de seus falantes." Na edição mais recente substituiu-se "infinita capacidade de extensão" por "adaptabilidade".

5

Capítulo 1

sentenças, cada uma finita em comprimento e construída a partir de um conjunto finito de elementos." Tal definição foi tirada de *Syntactic Structures* de Noam Chomsky (1957:13), cuja publicação lançou o movimento conhecido como gramática transformacional. Ao contrário das outras definições, pretende abranger muito mais do que as línguas naturais. Mas, de acordo com Chomsky, todas as línguas naturais são, seja na forma falada, seja na escrita, linguagens, no sentido de sua definição: uma vez que (a) toda língua natural possui um número finito de sons (e um número finito de letras em seu alfabeto – considerando que tenha um sistema alfabético para a escrita); e (b), embora possa haver um número infinito de sentenças distintas na língua, cada sentença pode ser representada como uma sequência finita desses sons (ou letras). É tarefa do linguista que descreva alguma língua natural determinar quais das sequências finitas de elementos são sentenças e quais não são. E é tarefa do linguista teórico que interpreta a pergunta "O que é a lingua(gem)?" como "O que é a língua natural?" descobrir, se puder, as propriedades estruturais, se houver, pelas quais as línguas naturais diferem do que, contrastando com elas, se pode chamar línguas não naturais.

Chomsky acredita – e vem enfatizando cada vez mais esse fato em seus trabalhos mais recentes – que não só tais propriedades estruturais realmente existem, mas que são de tal forma abstratas, complexas e altamente específicas quanto a seus propósitos que não poderiam absolutamente ser aprendidas do nada por uma criança às voltas com o problema da aquisição de sua língua materna. Devem ser de alguma forma conhecidas pela criança, antes e independentemente de sua experiência com qualquer língua natural, sendo usadas no processo de aquisição da linguagem. É por manter esse ponto de vista que Chomsky se diz ser racionalista, em vez de empirista. Voltaremos a este ponto (v. Seção 7.4).

A definição chomskiana de 'lingua(gem)' foi citada aqui em grande parte pelo contraste que estabelece com as outras, tanto no estilo quanto no conteúdo. Não menciona a função comunicativa das línguas, naturais ou não; não diz nada sobre a natureza simbólica dos elementos ou de suas sequências. Seu objetivo é chamar a atenção para as propriedades puramente estruturais das lingua(gens) e sugerir que tais propriedades podem ser investigadas em uma perspectiva matematicamente precisa. A maior contribuição de Chomsky para a linguística foi ter atribuído ênfase especial ao que ele chama de dependência estrutural dos processos pelos quais se constroem as sentenças nas línguas naturais e ter formulado uma teoria geral da gramática que se baseia em uma definição particular dessa propriedade (v. Seção 4.6).

As cinco definições de "lingua(gem)" aqui citadas e brevemente discutidas serviram para introduzir algumas das propriedades que alguns linguistas consideraram traços essenciais das línguas tais quais as conhecemos. A maioria deles adotou a visão de que as línguas são sistemas de símbolos projetados, por assim dizer, para a comunicação. E é assim que abordaremos as línguas, mais adiante, na seção intitulada 'O ponto de vista semiótico': a semiótica, como veremos, é a disciplina, ou o ramo de estudos, que se dedica à investigação do comportamento simbólico e comunicativo.

Linguagem

A questão que nos interessará então será saber se há alguma propriedade, ou conjunto de propriedades, que distinga as línguas naturais de outros sistemas **semióticos**. Algumas das propriedades citadas foram a arbitrariedade, a flexibilidade e capacidade de modificação, a independência de estímulo e a dependência estrutural. Em tempo, outras serão acrescentadas a essa lista. A relação entre língua e fala será tratada na Seção 1.4.

1.3 Comportamento linguístico e sistemas linguísticos

É hora, portanto, de traçarmos algumas distinções necessárias no sentido do termo 'língua(gem)'. Já me referi anteriormente à distinção entre linguagem em geral (*langage*, para usar o termo francês) e uma língua particular (*langue*). O adjetivo "linguístico" é semelhantemente ambíguo (mesmo quando relacionado à linguagem em vez de à linguística). Por exemplo, a expressão "competência linguística" [*language competence*], empregada por Chomsky e outros que o seguiram referindo-se ao domínio que uma pessoa tem de uma determinada língua, é construída com a mesma naturalidade para significar, em inglês, a capacidade ou a facilidade que uma pessoa poderia ter na aquisição ou uso não de uma língua, mas da linguagem. (E sempre que a palavra '*language*' é usada em posição adjetiva, em substantivos compostos, apresenta o mesmo tipo de ambiguidade: veja-se '*language-competence*', '*language-acquisition*'.) Na maioria das vezes a ambiguidade não traz maiores consequências ou é resolvida pelo contexto. Quando for importante separar os dois sentidos da palavra '*language*', cuidarei de notar.*

Usar uma determinada língua em vez de outra é comportar-se de uma forma em vez de outra. Tanto a linguagem quando as línguas específicas podem ser encaradas como comportamento, ou atividade, parcialmente observável e identificável como **comportamento linguístico**, não só pelos participantes-observadores (isto é, falantes e ouvintes na medida em que restringimos nossa atenção à língua falada), mas também por observadores que naquele momento não estão envolvidos nesse comportamento caracteristicamente interativo e comunicativo. Além do mais, embora seja pertinente à essência do comportamento linguístico que, em geral, senão a cada vez que ocorra, seja comunicativo, é normalmente possível a observadores externos reconhecer o comportamento linguístico como tal, mesmo quando não conhecem a língua específica que está sendo usada, não podendo interpretar os enunciados que são o produto do comportamento observado.

---

* Como no caso anterior, com o vocábulo inglês '*language*' em posição substantiva, o autor agora considera os significados de '*language*' em posição adjetiva. No português '*language competence*' traduz-se por 'competência linguística', expressão que também é ambígua no sentido de aplicar-se à língua ou à linguagem. Mas '*language acquisition*' traduz-se por 'aquisição da linguagem', o que já é uma escolha mais definida por uma, mais do que por outra, tradução de '*language*'. (N.T.)

7

Capítulo 1

A linguagem, portanto, pode ser legitimamente considerada sob um ponto de vista comportamental (embora não necessariamente comportamentista). Mas a linguagem e as línguas ainda podem ser consideradas sob pelo menos dois outros enfoques, um deles associado à distinção terminológica estabelecida por Chomsky entre 'competência' e 'desempenho'; o outro, com respeito à distinção um pouco diferente, estabelecida no início do século por Ferdinand de Saussure, em francês, entre *'langue'* e *'parole'*.

Quando dizemos de alguém que *ele fala inglês*, podemos nos referir a uma das seguintes alternativas: ou (a) ele, habitual ou ocasionalmente, adota um tipo específico de comportamento, ou (b) que ele tem a capacidade (exercendo-a ou não) de adotar esse tipo de comportamento. Referindo-nos ao primeiro como **desempenho** e ao segundo como **competência**, podemos afirmar que o desempenho pressupõe a competência, ao passo que a competência não pressupõe o desempenho. Assim enunciada, a distinção entre competência e desempenho fica relativamente livre de controvérsia. O mesmo acontece ao passo seguinte dado por Chomsky, ao dizer que, independentemente da abrangência do termo "competência linguística", deve-se reconhecer que o comportamento linguístico de determinadas pessoas em determinadas ocasiões é estabelecido por muitos outros fatores para além da competência linguística. Há muitos pontos altamente controvertidos na formulação mais detalhada de Chomsky da noção de competência linguística. Mas eles não nos devem preocupar agora (v. Seção 7.4). Aqui é suficiente notar que, para Chomsky, o que os linguistas descrevem, ao investigar uma determinada língua, não é o desempenho como tal (ou seja, comportamento), mas a competência dos falantes, na medida em que é puramente linguística, que está subjacente, possibilitando o desempenho. A competência linguística de um indivíduo é seu conhecimento de uma determinada língua. Uma vez que a linguística cuida de identificar e de dar conta satisfatoriamente, em termos teóricos, dos determinantes da competência linguística, de acordo com Chomsky ela deve figurar como ramo da psicologia cognitiva.

A distinção entre *'langue'* e *'parole'*, tal como foi originalmente estabelecida por Saussure, esteve subordinada a uma série de outras distinções logicamente independentes. As mais importantes foram, por um lado, a distinção entre o que é potencial e o que é real, e, por outro, a distinção entre o que é social e o que é individual (v. Seção 7.2). O que Saussure chamou de *"langue"* é qualquer língua particular que seja de posse comum a todos os membros de uma **comunidade linguística** determinada (ou seja, a todos os que se dizem falar a mesma língua). O termo francês *"langue"*, que, como vimos, é simplesmente uma das formas correntes para a tradução do inglês *"language"*, geralmente não se traduz para o inglês quando empregado tecnicamente em seu sentido saussuriano. Introduziremos o termo "sistema linguístico" em seu lugar e estabelecermos um contraste com "comportamento linguístico", pelo menos inicialmente, mantendo o paralelo com a distinção saussuriana entre *"langue"* e *"parole"*. Um **sistema linguístico** é um fenômeno social, ou instituição que, em si mesma, é puramente abstrata, na medida em que não apresenta uma

Linguagem

existência física, mas que em determinadas ocasiões é atualizada no **comportamento linguístico** dos indivíduos integrantes de uma comunidade linguística. Até certo ponto, o que Chomsky chama de competência linguística pode ser identificado, bastante diretamente, não com o sistema linguístico, mas com o conhecimento típico que o falante tem do sistema linguístico. Mas Saussure deu ênfase especial ao caráter social ou institucional dos sistemas linguísticos. Portanto, ele encarou a linguística como mais próxima da sociologia ou da psicologia social do que da psicologia cognitiva. Muitos outros linguistas adotaram a mesma perspectiva. Outros, todavia, sustentaram que os sistemas linguísticos podem e devem ser estudados independentemente de seus correlatos psicológicos ou sociológicos. Retomaremos essa questão no Capítulo 2. Agora observaremos simplesmente que, ao dizermos que o linguista se interessa pela língua, afirmamos que está primeiramente interessado na estrutura dos sistemas linguísticos.

1.4 Língua e fala

Um dos princípios fundamentais da linguística moderna é de que a língua falada é mais básica do que a língua escrita. Isso não significa, entretanto, que a língua deva ser identificada com a fala. Deve-se estabelecer uma diferença entre os sinais linguísticos e o **meio** em que tais sinais se realizam. Assim, é possível ler em voz alta o que está escrito e, em contrapartida, escrever o que é falado. Geralmente os falantes nativos alfabetizados, de uma determinada língua, podem dizer se esse processo de transferência de um sinal linguístico de um meio para outro foi bem executado ou não. Na medida em que, nesse sentido, a língua é independente do meio em que os sinais linguísticos se realizam, diremos que a língua tem a propriedade de passar por uma **transferência de meio**. Trata-se de uma propriedade importantíssima – à qual se vem prestando pouquíssima atenção nas discussões gerais sobre a natureza da linguagem. É uma propriedade que, como veremos adiante, depende de outras, com as quais contribui para a flexibilidade e adaptabilidade dos sistemas linguísticos.

Em que sentido, então, a língua falada é mais básica do que a escrita? E por que será que muitos linguistas tendem a estabelecer como traço definitivo das línguas naturais o fato de que deveriam ser sistemas de sinais vocais?

Em primeiro lugar, os linguistas sentem-se na obrigação de corrigir os vícios da gramática tradicional e do ensino tradicional da língua. Até pouco tempo os gramáticos vinham-se preocupando quase exclusivamente com a língua literária, ocupando-se muito pouco da língua coloquial cotidiana. Inúmeras são as vezes em que trataram as normas do padrão literário como normas de correção da própria língua, condenando o uso coloquial, na medida em que diferia do uso literário, classificando-o de agramatical, desleixado ou mesmo ilógico. Durante o século XIX verificou-se um grande progresso na investigação do desenvolvimento histórico das línguas. Os estudiosos compreenderam, mais claramente que antes, que as mudanças na língua

9

Capítulo 1

dos textos escritos correspondentes a diversos períodos – mudanças do tipo da que com os séculos transformou o latim em francês, italiano ou espanhol, por exemplo – poderiam ser explicadas em termos de mudanças que haveriam ocorrido na língua falada correspondente. A continuidade e onipresença da mudança linguística foram consideravelmente obscurecidas nos textos escritos do passado que chegaram até nós pelo conservantismo das tradições da escrita em muitas culturas, e pelo uso continuado, por longos períodos de tempo, em documentos religiosos e legais, bem como na literatura, de um estilo cada vez mais arcaico. Todas as grandes línguas literárias do mundo derivam, em última instância, da língua falada de certas comunidades. Além do mais, é uma questão de acidente histórico se o uso de uma região ou de uma classe social específica serviu de base para o desenvolvimento de uma língua literária padrão em determinadas comunidades e se, consequentemente, os dialetos de outras regiões de outras classes sociais hoje são tidos, como muitas vezes acontece, como inferiores, variedades-subpadrão da língua. A força do preconceito tradicional em favor da língua-padrão em sua forma escrita é tanta que é muito difícil para os linguistas convencer os leigos de que os dialetos-não padrão em geral têm a mesma regularidade ou sistematicidade que as línguas literárias-padrão, tendo suas próprias normas de correção, imanentes no uso de seus falantes nativos. Uma das primeiras e mais difíceis tarefas para os estudantes de linguística é adquirir a capacidade de considerar a língua falada em seus próprios fundamentos, por assim dizer, sem pensar que a pronúncia de uma palavra ou expressão seja, ou deva ser, determinada por sua ortografia.

O desejo de equilibrar a balança em favor de uma investigação sem preconceitos sobre fala e a língua falada, evidentemente, não justifica a adoção do princípio de que a língua falada seja mais básica que – e não simplesmente tão básica quanto – a língua escrita. Então, o que significa "básica"? A **prioridade histórica** da fala sobre a escrita admite pouca margem de dúvida. Não se sabe de nenhuma sociedade humana que exista, ou que tenha existido, em qualquer época, privada da capacidade da fala. Embora as línguas, tais como são conhecidas hoje em quase todo o mundo, possam ser ou faladas ou escritas, a grande maioria das sociedades, até pouco tempo, era totalmente ou em grande parte constituída por indivíduos analfabetos. A prioridade histórica, no entanto, é muito menos importante do que outros tipos de prioridade implicados pelo termo "básico" neste contexto: de ordem estrutural, funcional e, discutivelmente, biológica.

A **prioridade estrutural** da língua falada pode ser explicada da seguinte forma. Se deixarmos de lado por um momento as diferenças de estilo que possam existir entre as línguas falada e escrita correspondentes, presumindo que toda sentença falada aceitável pode se converter em uma sentença escrita aceitável, e vice-versa, não podemos conceber que, a não ser por uma questão de natureza histórica, uma derive da outra. A estrutura de sentenças escritas depende de distinções identificáveis na forma; a estrutura de sentenças faladas, de distinções identificáveis no som. No caso teoricamente ideal, em que há uma correspondência biunívoca entre as sentenças faladas e escritas de uma dada língua, cada sentença escrita será **isomórfica** (ou

Linguagem

seja, terá a mesma estrutura interna) da sentença falada correspondente. Por exemplo, se as sentenças escritas se valem de um sistema gráfico alfabético, determinadas letras corresponderão a determinados sons, e determinadas combinações de letras estarão em correspondência biunívoca, como no caso de palavras ou frases, com uma determinada combinação de sons. Nem todas as combinações entre as letras são aceitáveis; nem tampouco todas as combinações entre os sons. Mas há uma diferença importante entre letras e sons a esse respeito. A potencialidade de combinação entre os sons utilizados em uma língua específica depende em parte de propriedades do meio (certas combinações sonoras são impronunciáveis ou de difícil produção) e em parte das restrições mais específicas, aplicáveis somente àquela língua. A potencialidade de combinação das letras entre si é totalmente imprevisível em termos de sua forma. É previsível, contudo, em maior ou menor escala, em todas as línguas que se valem de um sistema alfabético na escrita, em termos da associação de determinadas formas com determinados sons e a potencialidade de combinação dos sons entre si na própria fala. Nesse âmbito, portanto, a língua falada é estruturalmente mais básica do que a escrita, embora ambas possam ser isomórficas, pelo menos numa situação teórica ideal, no nível de unidades maiores, como palavras e frases. Devemos notar que esse argumento é inaplicável às línguas que utilizam sistemas de escrita nos quais não há associação entre determinadas formas e determinados sons como tais, mas entre formas e palavras. Não se aplica, por exemplo, ao chinês clássico, escrito com os caracteres tradicionais, ou ao antigo egípcio, escrito em hieróglifos. É por não haver, em geral, prioridade estrutural da língua falada sobre a língua escrita, no que diz respeito ao chinês, que basicamente a mesma língua escrita pode corresponder a dialetos falados totalmente distintos e mutuamente incompreensíveis.

A **prioridade funcional** é mais fácil de se explicar e compreender. Mesmo hoje, nas sociedades modernas mais letradas do mundo industrializado e burocrático, a língua falada é utilizada em uma gama mais ampla de situações, servindo a escrita como substituta da fala apenas nas ocasiões em que a comunicação vocal-auditiva é impossível, inafiançável ou ineficiente. E a invenção do telefone e do gravador possibilitou o emprego da língua falada em situações em que no passado seria usada a língua escrita. Foi para fins de confiabilidade na comunicação a distância e de preservação de importantes documentos legais, religiosos e comerciais que se inventou originalmente a escrita. O fato de os textos escritos terem sido utilizados para fins tão importantes ao longo da história, e de serem mais confiáveis e duráveis do que os enunciados falados (ou pelo menos assim foram até que se desenvolveram os métodos modernos de gravação de sons), contribuiu para que a língua escrita gozasse de mais prestígio e formalidade em muitas culturas.

Chegamos então à questão mais controvertida da **prioridade biológica**. Há muitas indicações de que o homem seja geneticamente pré-programado, não só para adquirir a linguagem, mas também, como parte do mesmo processo, para produzir e reconhecer os sons da fala. Diversas vezes foi salientado que o que o linguista comumente chama de órgãos da fala (ou órgãos vocais) – pulmões, cordas vocais,

11

Capítulo 1

dentes, língua etc. –, todos, servem a alguma função biologicamente mais básica do que a de produzir sinais vocais. Esta questão é indiscutível: os pulmões se utilizam na respiração, os dentes, na mastigação; e assim por diante. Todavia, todos os bebês balbuciam com poucos meses de idade (a menos que sofram de algum distúrbio mental ou físico); e o balbucio, que envolve a produção de uma gama muito maior de sons do que aquela encontrada na fala dos que têm contato com a criança, não pode ser satisfatoriamente explicado em termos de uma mera imitação dos sons que o bebê ouve ao seu redor. Além do mais, demonstrou-se experimentalmente que os recém-nascidos, logo nas primeiras semanas de vida, podem distinguir sons da fala de outros sons, estando como que predispostos a prestar atenção a eles. Os parentes mais próximos do homem, dentre os primatas mais evoluídos, embora tenham basicamente o mesmo aparelho fisiológico, não apresentam a mesma predisposição a produzir ou a identificar os sons característicos da fala humana. Esta pode ser a principal razão por que as tentativas de ensinar chimpanzés a falar não obtiveram sucesso, embora se tenha conseguido, de forma relativamente bem-sucedida, ensinar-lhes línguas, ou sistemas paralinguísticos, cujos sinais são produzidos manualmente e interpretados visualmente. (Sabe-se agora que, em seu *habitat* natural, os chimpanzés se comunicam entre si por meio de gestos e de sinais vocais; e seus sinais gestuais parecem ser muito mais ricamente diferenciados do que suas chamadas vocais; v. Seção 1.7.) Finalmente, há o fato de que os dois hemisférios do cérebro humano são funcionalmente assimétricos após a infância, um deles sendo dominante em relação ao desempenho de determinadas operações. Na maioria das pessoas o lado esquerdo é dominante; e o hemisfério esquerdo realiza a maior parte do processamento dos sinais linguísticos, sendo melhor no processamento dos sons da fala, embora não no de outros tipos de som, do que o hemisfério direito (v. Seção 8.3).

Provas dessa natureza, embora não conclusivas, são altamente sugestivas. De acordo com uma hipótese plausível, a linguagem humana desenvolveu-se, em algum ponto da evolução da espécie, a partir de um sistema de comunicação gestual, e não vocal; há muitas razões para crer que isso tenha acontecido. Esteja essa hipótese correta ou não, os dados resumidos no parágrafo anterior levam à conclusão de que, em seu atual estado evolutivo, o homem tem no som, e mais especificamente na gama de sons audíveis produzidos pelos órgãos da fala, o meio natural, biologicamente básico, no qual a linguagem se realiza. Se assim for, os linguistas estarão justificados não apenas ao usar o termo "órgão da fala", mas ao postular uma relação não contingente entre as línguas e a fala.

Permanece o fato, entretanto, de que há uma diferença entre prioridade biológica e prioridade lógica. Como já se frisou anteriormente, a linguagem tem, em grande escala, a propriedade de se transferir de um meio para outro. No decurso natural dos acontecimentos, as crianças adquirem um comando da língua falada de forma natural (ou seja, em virtude de um dom biológico próprio e sem treinamento especial), ao passo que a leitura e a escrita são habilidades especiais, para as quais é dado um tipo especial de instrução baseado no conhecimento prévio que têm da língua falada.

Linguagem

No entanto, não apenas as crianças, mas também os adultos podem aprender a ler e escrever sem grande dificuldade; e é perfeitamente possível, embora raro, que se aprenda uma língua escrita sem haver um comando prévio da língua falada correspondente. Da mesma forma é possível aprender sistemas gestuais de comunicação que não se baseiam nem em uma língua falada, nem em uma língua escrita, tais como os sistemas utilizados pelos surdos-mudos. Se descobríssemos uma sociedade que usasse um sistema de comunicação gestual ou escrito, com todas as outras características distintivas de uma linguagem, mas que nunca se realizasse no meio falado, sem dúvida faríamos referência a esse sistema de comunicação como sendo uma língua. Portanto, não se deve colocar ênfase excessiva na prioridade biológica da fala.

Além do mais, quando chegamos ao problema de descrever determinadas línguas, há boas razões para que o linguista considere as línguas falada e escrita correspondentes como mais ou menos isomórficas, em vez de absolutamente isomórficas. Apenas em uma situação teórica ideal, como mencionei anteriormente, há isomorfismo completo. Nenhum sistema de escrita até hoje concebido (senão os sistemas de transcrição idealizados por foneticistas exatamente com essa finalidade) possibilita a representação de todas as distinções significativas da fala. Segue-se que, geralmente, há algumas formas não equivalentes de se pronunciar uma mesma sentença escrita, conforme variem acento, entonação etc. Os sinais de pontuação, bem como o uso de itálicos e letras maiúsculas, existem basicamente na língua escrita pelos mesmos motivos que há acento e entonação na língua falada, mas os primeiros nunca poderão representar adequadamente estes últimos. Deve-se também reconhecer que sempre há diferenças funcionais e estruturais entre línguas correspondentes faladas e escritas. A extensão de tais diferenças varia, por motivos históricos e culturais, de uma língua para outra. Em árabe e tâmil, por exemplo, a diferença tanto em termos gramaticais como vocabulares é considerável. Em inglês é menos gritante. Entretanto, mesmo em inglês há palavras, expressões e construções gramaticais que se julgam excessivamente coloquiais para a língua escrita (por exemplo, '*load of old cobblers*') ou, em contrapartida, excessivamente literárias para a língua falada (por exemplo, '*any arrangements made heretofore notwithstanding*').*

Os termos 'coloquial' e 'literário' são reveladores. Há uma clara distinção a fazer, em princípio, entre 'coloquial' e 'falado', por um lado, e entre 'literário' e 'escrito', por outro. A distinção na prática é difícil de se manter; e para algumas línguas a distinção entre diferenças de meio ('falado' × 'escrito') e diferença de estilo ('coloquial' × 'literário') não faz muito sentido. Da mesma forma acontece com diferenças de meio e diferenças de dialeto ('padrão' × 'não padrão' etc.). O postulado teórico do isomorfismo entre a língua falada e a escrita é parte do que é citado adiante como ficção da homogeneidade (v. Seção 1.6).

---

* Também em português, obviamente, há expressões que não se usam na língua escrita e outras que não se usam na língua falada. Um exemplo do primeiro caso poderia ser 'cambada de vagabundos', e do segundo caso, 'quanto ao conteúdo do referido item, segue em anexo...'; ambos correspondentes aos do inglês, no original. (N.T.)

13

Capítulo 1

1.5   O ponto de vista semiótico

A semiótica tem sido descrita da várias formas: como ciência dos signos, do comportamento simbólico e dos sistemas de comunicação. Houve muitas discussões, dentro da semiótica, quanto à diferença entre signos, símbolos e sinais; bem como sobre o escopo do termo 'comunicação'. Para nossos objetivos aqui, a semiótica estará relacionada a sistemas de comunicação; e conceberemos a 'comunicação', de forma bem abrangente, sem implicar necessariamente uma **intenção** de informar. Somente se o termo for concebido dessa maneira, poderemos falar de comunicação animal sem apelar para questões filosóficas um tanto controvertidas.

Há certos conceitos relevantes para a investigação de todos os sistemas de comunicação, humanos ou não, naturais ou artificiais. Um **sinal** é transmitido de um **emissor** para um **receptor** (ou grupo de receptores) através de um **canal** de comunicação. O sinal terá uma determinada **forma** e passará um determinado **significado** (ou **mensagem**). A conexão entre a forma do sinal e o seu significado é estabelecida pelo que (em um sentido bastante geral do termo) normalmente se chama em semiótica o **código**: a mensagem é codificada pelo emissor e decodificada pelo receptor.

Vistas nessa perspectiva, as línguas naturais são códigos, e podem ser comparadas a outros códigos segundo os mais diversos prismas: em termos do canal ao longo do qual os sinais são transmitidos; em termos da forma, ou estrutura, dos sinais; em termos do tipo ou da amplitude da mensagem que pode ser codificada, e assim por diante. O problema está em decidir que propriedades dos códigos, ou dos sistemas de comunicação em que operam, são significativas para fins de comparação, e que propriedades são insignificantes ou menos importantes. Tal dificuldade é agravada pelo fato de que muitas das propriedades que se poderiam selecionar como critério são graduáveis, de forma que pode ser mais importante comparar os códigos de acordo com o grau em que determinada propriedade nele se manifestado que simplesmente pela presença ou ausência da mesma. Fizeram-se comparações bastante absurdas entre as línguas e os sistemas de comunicação usados por determinadas espécies de pássaros e animais, baseadas na seleção de certas propriedades em detrimento de outras e na negligência do aspecto graduável das mesmas.

No que diz respeito ao canal de comunicação, não é preciso falar muito, a não ser que, ao contrário dos códigos usados por quase todos – senão todos – os animais, a língua possui, em altíssimo grau, a propriedade de se transferir de um meio para outro. Esse item já foi abordado na seção anterior. As noções de meio e canal são, evidentemente, intrinsecamente ligadas, na medida em que as propriedades do meio derivam das propriedades do canal normal de transmissão. Contudo, é importante distinguir as duas noções no que diz respeito à língua. Tanto a língua escrita como a falada podem ser transmitidas por uma série de canais. Ao usarmos o termo 'meio', em vez de 'canal', não estamos atentando para a transmissão de sinais propriamente dita, em determinadas ocasiões, mas para as diferenças funcionais e estruturais

14

Linguagem

sistemáticas entre o que é caracteristicamente escrito e o que é caracteristicamente falado. Por mais paradoxal que pareça a princípio, o inglês escrito pode ser transmitido por meio do canal vocal-auditivo (ou seja, por meio da fala), e o inglês falado pode ser transmitido na escrita (embora de uma forma insatisfatória nos recursos ortográficos normais).

Talvez a característica mais gritante da língua, se comparada a outros códigos ou sistemas de comunicação, seja a sua flexibilidade e versatilidade. Podemos usar a língua para dar vazão a nossas emoções e sentimentos, para solicitar a cooperação de nossos companheiros; para ameaçar ou prometer; para dar ordens, fazer perguntas ou afirmações. Podemos referir-nos ao passado, presente e futuro; a realidades remotas em relação à situação de enunciação – até mesmo a coisas que não precisam existir ou não podem existir. Nenhum outro sistema de comunicação, humano ou não, parece ter sequer de longe o mesmo grau de flexibilidade e versatilidade. Entre as propriedades mais específicas que contribuem para a flexibilidade e versatilidade da língua (ou seja, em todo e qualquer sistema linguístico), há quatro que frequentemente foram mencionadas: arbitrariedade, dualidade, descontinuidade e produtividade.

(i) O termo 'arbitrário' está sendo utilizado aqui em um sentido um tanto especial, significando algo como "inexplicável em termos de algum princípio mais geral". O caso mais óbvio de **arbitrariedade** da língua – que é mencionado na maioria das vezes – diz respeito à relação entre forma e significado, entre sinal e mensagem. Há em todas as línguas casos esporádicos do que tradicionalmente se chama de onomatopeia: veja-se a conexão não arbitrária entre forma e significado dos vocábulos ingleses *cuckoo* [cuco], *peewit* [pio], *crash* [estrondo].* Mas a grande maioria de palavras em todas as línguas é não onomatopaica: a conexão entre sua forma e significado é arbitrária visto que, dada a forma, é impossível prever o significado, e dado o significado, é impossível prever a forma.

É óbvio que a arbitrariedade, nesse sentido, aumenta a flexibilidade e a versatilidade de um sistema de comunicação na medida em que a extensão do vocabulário não é restrita pela necessidade de combinação entre forma e significado, em termos de algum princípio mais geral. Por outro lado, o fato de que a ligação entre forma e significado em nível das unidades vocabulares dos sistemas linguísticos é, geralmente, arbitrária tem como efeito dotar a memória com uma tarefa considerável no processo de aquisição da linguagem. A associação de uma determinada forma a um determinado significado deve ser aprendida independentemente para cada unidade do vocabulário. Desse ponto de vista semiótico, portanto, uma arbitrariedade dessa espécie apresenta vantagens e desvantagens: torna o sistema mais flexível e adaptável, mas também torna o aprendizado mais difícil e laborioso. Há ainda um ponto a acrescentar; ou seja, o de que essa arbitrariedade no sistema semiótico faz com que

---

* Exemplos de onomatopeias em português seriam tique-taque, ronronar, piar. (N.T.)

15

Capítulo 1

os sinais sejam mais difíceis de se interpretar para quem os intercepte sem conhecer o sistema. Também esse fator traz vantagens e desvantagens para o usuário normal. Presume-se que as vantagens tenham pesado mais que as desvantagens no desenvolvimento da língua. Na maioria dos sistemas de comunicação animais há uma ligação não arbitrária entre a forma de um sinal e o seu significado.

A arbitrariedade, no que diz respeito à língua, não se restringe à ligação entre forma e significado. Aplica-se também, consideravelmente, a grande parte da estrutura gramatical das línguas, na medida em que estas diferem gramaticalmente umas das outras. Se assim não fosse, seria muito mais fácil aprender uma língua estrangeira do que realmente é.

Ainda mais controvertida é a tese chomskiana de que grande parte do que é comum à estrutura gramatical de todas as línguas humanas, inclusive a operação de um tipo muito específico de dependência estrutural, é também arbitrária na medida em que não pode ser explicada ou prevista em termos das funções da língua, das condições ambientais em que se adquire e se usa a linguagem, da natureza dos processos cognitivos humanos em geral, ou qualquer fator dessa espécie. Na opinião de Chomsky, os seres humanos são geneticamente dotados de um conhecimento dos princípios gerais ditos arbitrários, que determinam a estrutura gramatical de todas as línguas. Sobre tal hipótese, basta dizer aqui que nem todos os linguistas concordam que tais princípios gerais possíveis de se estabelecer sejam arbitrários no sentido já esclarecido, e que muitas pesquisas atuais na área da linguística teórica estão tentando mostrar que não são. Voltaremos a esse assunto no Capítulo 8.

(ii) Por **dualidade** entende-se a propriedade de possuir dois **níveis** de estrutura, de tal forma que as **unidades** do primeiro são compostas de **elementos** do segundo e cada um dos dois níveis tem seus próprios princípios de organização. Note-se que introduzi uma distinção terminológica entre 'elemento' e 'unidade'. Tal distinção não é padronizada na terminologia linguista. Entretanto, apresenta maior conveniência para a exposição e será mantida em todo este livro.

No presente momento podemos pensar nos elementos da língua falada como sons (mais precisamente como o que será identificado no Capítulo 3 por fonemas). Os sons em si não trazem qualquer significado. Sua única função é combinar-se com outros para formar unidades que, em geral, têm um significado específico. É por serem os elementos menores, de nível mais baixo, privados de significado, ao passo que as unidades maiores, de nível mais alto, geralmente, senão invariavelmente, têm um significado identificável, que os elementos são descritos como secundários e as unidades como primárias. Todos os sistemas de comunicação possuem tais unidades primárias; mas elas não são necessariamente compostas por elementos. Somente se um sistema dispuser de unidades e de elementos ele terá a propriedade da dualidade. Aparentemente, a maioria dos sistemas de comunicação animais não tem; e os que têm são tais que as unidades não se combinam entre si como as palavras para formar sintagmas e sentenças em todas as línguas humanas.

A vantagem da dualidade é óbvia: um grande número de unidades diferentes pode-se formar a partir de um número reduzido de elementos – muitos milhares de palavras, por exemplo, com trinta ou quarenta sons. Se as unidades primárias puderem se combinar sistematicamente de diversas maneiras, o número de sinais distintos que se podem transmitir – e consequentemente o número de mensagens diferentes – aumentará enormemente. Como veremos a seguir, não há limites para o número de sinais linguísticos distintos que se podem construir nas várias línguas.

(iii) A **descontinuidade** opõe-se à variação contínua. No caso da língua, a descontinuidade é uma propriedade dos elementos secundários. Para ilustrar: as palavras *bit* [porção] e *bet* [aposta] diferem quanto à forma tanto na língua escrita como na falada. É perfeitamente possível produzir um som vocálico que esteja a meio caminho entre as vogais que normalmente ocorrem na pronúncia dessas duas palavras. Mas se substituirmos esse som intermediário pela vogal de '*bit*' ou '*bet*' no mesmo contexto, não teremos com isso pronunciado uma terceira palavra distinta das duas, ou partilhando das características de ambas. Teremos pronunciado algo que não é absolutamente reconhecido como uma palavra ou, alternativamente, algo que será considerado uma pronúncia errada de uma ou outra palavra. A identidade da forma na língua, geralmente, é uma questão de tudo ou nada, não de mais ou menos.

Embora a descontinuidade não seja logicamente dependente da arbitrariedade, interage com ela para aumentar a flexibilidade e a eficiência dos sistemas linguísticos. Por exemplo, seria em princípio possível que duas palavras diferindo descontinuamente um mínimo na forma tivessem um significado semelhante. Em geral isso não acontece: '*bet*' e '*bit*' não têm uma semelhança maior de significado do que qualquer outro par de palavras inglesas aleatoriamente escolhidas. O fato de que as palavras que diferem de maneira mínima na forma normalmente apresentarão uma diferença considerável, em vez de desprezível, no significado, tem por efeito aperfeiçoar o caráter descontínuo da diferença formal entre elas: na maioria dos contextos a ocorrência de uma será muito mais provável do que a ocorrência da outra, o que reduz a possibilidade de engano quando as condições para a transmissão de sinais são deficientes. Nos sistemas de comunicação animais a não descontinuidade (ou seja, a variação contínua) muitas vezes é associada à não arbitrariedade.

(iv) A **produtividade** de um sistema de comunicação é a propriedade que possibilita a construção e a interpretação de novos sinais: isto é, de sinais que não tenham sido anteriormente encontrados e que não constam de alguma lista – seja qual for a sua dimensão – de sinais pré-fabricados, à qual o usuário tenha acesso. A maior parte dos sistemas de comunicação animais parece ser altamente restrita no tocante ao número de sinais que seus usuários podem enviar e receber. Todos os sistemas linguísticos, por outro lado, possibilitam a seus usuários construir e compreender um número indefinido de enunciados que jamais ouviram ou leram antes.

A importância da produtividade tem sido muito frisada na literatura linguística recente, especialmente nos trabalhos de Chomsky, referindo-se particularmente ao problema de se dar conta da aquisição da linguagem por parte das crianças. O fato

17

Capítulo 1

de que elas, com poucos anos de vida, sejam capazes de produzir enunciados que nunca ouviram é a prova de que a língua não se aprende unicamente por meio da imitação e memorização.

Devemos enfatizar, na discussão da produtividade, que não é tanto a capacidade de construir enunciados novos que é de vital importância na avaliação dos sistemas linguísticos. Por exemplo, dizer que o sistema de comunicação usado pelas abelhas ao indicar a fonte do néctar tenha a propriedade de ser produtivo é enganoso, se tal afirmação significar que, nesse particular, o sistema é como as línguas humanas. A abelha produz um número indefinido de sinais diferentes (variando de acordo com a vibração do corpo e o ângulo que se coloca em relação ao sol). Mas há uma variação contínua dos sinais, uma ligação não arbitrária entre sinal e mensagem, e o sistema não pode ser usado pela abelha para transmitir informações outras que a distância e a direção da fonte do néctar.

O que é impressionante na produtividade das línguas naturais, na medida em que é manifesto na estrutura gramatical, é a extrema complexidade e heterogeneidade dos princípios que a mantêm e constituem. Mas como insistiu Chomsky, mais do que ninguém, essa complexidade e heterogeneidade não é irrestrita: é **regida por regras**. Dentro dos limites estabelecidos pelas regras da gramática, que são em parte universais e em parte específicos de determinadas línguas, os falantes nativos de uma língua têm a liberdade de agir criativamente – de uma maneira que Chomsky classificaria de distintivamente humana – construindo um número indefinido de enunciados. O conceito de criatividade regida por regras é muito próximo do de produtividade (v. Seção 7.4); teve grande importância para o desenvolvimento do gerativismo.

As quatro propriedades gerais que foram listadas e brevemente discutidas anteriormente – arbitrariedade, dualidade, descontinuidade e produtividade – estão todas interligadas de formas diversas. Não só são encontradas, pelo que sabemos, em todas as línguas, mas existem em alto grau em todas elas. Se se encontram todas em qualquer outro sistema de comunicação que não a língua, resta saber. Mas se existirem, não parecem estar no mesmo grau ou interligadas da mesma forma.

Vale a pena ressaltar, no entanto, que essas quatro propriedades, que são totalmente independentes de canal e de meio, são menos características da parte não verbal dos sinais linguísticos. Os enunciados não são simplesmente sequências de palavras. Superpostos à cadeia de palavras (ou seja, a parte **verbal**) em qualquer enunciado falado, haverá dois tipos de fenômenos vocais mais ou menos distinguíveis: **prosódicos** e **paralinguísticos**. Os traços prosódicos constam de coisas como acento e entonação; os paralinguísticos, de fenômenos como ritmo, altura etc. Haverá também, associada ao enunciado falado, toda uma série de fenômenos não vocais (movimentos do olhar, movimentos de cabeça, expressões faciais, gestos, postura etc.) que determinarão mais profundamente a estrutura ou significado do enunciado, podendo da mesma forma ser identificados como paralinguísticos. São apenas os fenômenos prosódicos que normalmente o linguista, com os traços verbais, considera serem determinados pelo sistema linguístico como tal. Tanto as

Linguagem

características prosódicas como as paralinguísticas, contudo, são parte integrante de todo comportamento linguístico normal no meio falado. Na medida em que não apresentam as quatro propriedades gerais da arbitrariedade, dualidade, descontinuidade e produtividade – ou pelo menos não as manifestam na mesma intensidade em que aparecem na parte verbal da linguagem – os traços prosódicos e paralinguísticos do comportamento linguístico aproximam-se mais dos traços existentes nos vários tipos de comunicação animal.

Será então a língua propriedade exclusiva do homem? A resposta a essa pergunta, como a que daremos à indagação "Será o homem um ser ímpar entre os animais?", depende muito das propriedades selecionadas como critério para a definição de língua. É tão legítimo enfatizar as diferenças gritantes, em termos de grau e de tipo, entre língua e não língua, quanto seria enfatizar as não menos gritantes semelhanças. O linguista, o psicólogo e o filósofo poderão tender a concentrar-se nas primeiras; o etnólogo, o zoólogo e o semioticista possivelmente escolheriam as últimas.

1.6 A ficção da homogeneidade

Até agora vimos operando com o que chamarei de ficção da homogeneidade: a crença ou pressuposição de que todos os membros de uma mesma comunidade linguística falam exatamente a mesma língua. É evidentemente possível definir o termo 'comunidade linguística' de tal forma que por uma questão de definição não deva haver diferenças sistemáticas na pronúncia, gramática ou vocabulário no falar de cada integrante. Mas se interpretarmos o termo como referente a qualquer grupo de pessoas das quais normalmente se diria que falam a mesma língua, por exemplo inglês, francês ou russo, torna-se uma questão de descoberta empírica deliberar se todos os membros de uma certa comunidade linguística falam da mesma forma ou não.

Em todas as comunidades linguísticas do mundo, a não ser nas muito pequenas, há diferenças mais ou menos óbvias de **sotaque** e **dialeto**. Dos termos 'sotaque' e 'dialeto' o primeiro é mais restrito que o segundo: refere-se unicamente à forma como a língua é pronunciada e não traz quaisquer tipos de implicações com respeito à gramática e ao vocabulário. Por exemplo, é possível, e de maneira nenhuma raro, que um estrangeiro seja imediatamente identificado pelo sotaque, ainda que, no tocante à gramática e ao vocabulário, fale como um nativo. E é possível que dois falantes nativos usem o mesmo dialeto, falando-o, contudo, com um sotaque claramente diferente. Isso é especialmente comum se o dialeto em questão, por motivos históricos, adquiriu o *status* de padrão regional ou nacional. Por exemplo, a maioria dos habitantes cultos nascidos na Inglaterra fala um dialeto do inglês que se aproxima mais ou menos de um determinado tipo de inglês-padrão, mostrando entretanto um sotaque revelador de suas origens geográficas ou sociais. Há uma distinção a se fazer, pelo menos no uso comum dos termos, entre 'sotaque' e 'dialeto'. Muitos linguistas, no entanto, subordinam as diferenças de sotaque às diferenças de dialeto.

19

Capítulo 1

Esse problema puramente terminológico, em si, não tem maiores consequências. Mas é importante compreender que o que, sob todos outros aspectos, é um mesmo dialeto pode ser pronunciado de maneiras marcantemente diferentes. Nem é menos importante notar que onde não há um padrão regional ou nacional conhecido e de há muito estabelecido as diferenças de dialeto, não só na pronúncia mas na gramática e no vocabulário, tendem a ser muito mais marcantes do que é a maior parte da comunidade linguística inglesa hoje.

Muito embora o linguista use o termo 'dialeto' e, como os leigos, o relacione ao termo 'língua' dizendo que esta pode ser composta de vários dialetos diferentes, ele não aceita as implicações comumente associadas ao termo 'dialeto' no uso comum. Sobretudo não aceita que o dialeto de uma determinada região ou classe social seja uma versão adulterada ou degenerada do dialeto-padrão: sabe que de um ponto de vista histórico o padrão – ao qual o leigo poderá preferir aplicar o termo 'língua', em vez de 'dialeto' – não difere originalmente, embora possa diferir em seu desenvolvimento subsequente, dos dialetos-não padrão, em termos de tipo. Sabe também que, enquanto servirem a uma gama razoavelmente vasta de funções na vida cotidiana da localidade ou classe social em que operam, os dialetos-não padrão não são menos sistemáticos que o padrão regional ou nacional. Essas questões já foram salientadas anteriormente. Voltaremos a desenvolvê-las e exemplificá-las – e ocasionalmente introduzir certas qualificações – em capítulos posteriores: encarado sob um ponto de vista social e cultural contemporâneo, um padrão regional ou nacional tem razão de ser tido por muito diferente, em seu caráter, dos dialetos-não padrão a que está relacionado historicamente.

Muito frequentemente, no uso cotidiano dos termos 'dialeto' e 'língua', a distinção entre eles se baseia em considerações políticas ou culturais. Por exemplo, o mandarim e o cantonês são chamados de dialetos do chinês, mas são mais diferentes um do outro do que, digamos, o dinamarquês do norueguês, ou, ainda mais marcadamente, o holandês do flamengo ou do africâner, que frequentemente se descrevem como línguas estanques. Poder-se-ia pensar que o critério da intercompreensibilidade bastaria para traçar uma divisória cultural e política neutra entre as várias línguas. Esse é, aliás, o critério principal que um linguista aplicaria na prática para delimitar uma comunidade linguística. Mas há problemas. Acontece com grande frequência que um dialeto varie gradualmente, e mais ou menos continuamente, sobre uma área bastante extensa. Assim, falantes de duas regiões muito afastadas poderiam não compreender um ao outro, porém poderia não haver nenhum ponto entre dois dialetos adjacentes em que a intercompreensibilidade não fosse possível. Em seguida há o problema ainda maior e mais intrincado, de que a compreensibilidade nem sempre é simétrica; nem tampouco uma questão de tudo ou nada. É perfeitamente possível, e aliás bastante comum, que **x** compreenda quase tudo o que diz **y** e que **y** entenda pouco ou nada do que diz **x** quando um fala com o outro no seu dialeto próprio. Por diversas razões, então, é muito difícil, frequentemente, estabelecer uma distinção inequívoca entre línguas diferentes e dialetos diferentes de uma mesma língua.

Na realidade, muitas vezes não se pode distinguir o dialeto de uma região e o de uma outra, normalmente vizinha, de uma maneira precisa. Por mais estreita que seja a nossa demarcação da área dialetal, segundo critérios sociais, bem como geográficos, deveremos sempre identificar, se investigarmos o assunto, uma certa quantidade de variação sistemática na fala daqueles que foram circunscritos como falantes de uma mesma língua. Em última instância, deveríamos admitir que cada um tem seu dialeto individual: que tem seu próprio **idioleto**, como dizem os linguistas. Cada idioleto será diferente do outro, certamente no vocabulário e na pronúncia, e possivelmente também, em menor escala, na gramática. Além do mais, o idioleto de um indivíduo não é fixado de uma vez por todas no final de um período que normalmente chamamos de aquisição da linguagem: está sujeito a modificações e ampliações durante a vida toda.

Além do que se pode dar conta em termos da escala língua-dialeto-idioleto, há uma outra dimensão de variação sistemática nos enunciados dos integrantes de uma mesma comunidade linguística: a dimensão do **estilo**. As diferenças de estilo já foram citadas em relação à distinção entre o literário e o coloquial – distinção esta que provém da diferença – de forma alguma coincidindo com ela, porém – entre língua escrita e língua falada. Mas há muito mais na variação estilística. Toda vez que falamos ou escrevemos em nossa língua nativa, escolhemos um estilo em vez de outro, conforme a situação, as relações que existem entre nós e a pessoa a quem nos dirigimos, o objetivo e a natureza do que temos a comunicar e vários outros fatores. Sejam nossas opções estilísticas conscientes ou inconscientes, ainda assim são sistemáticas e identificáveis: a escolha apropriada do estilo é uma parte importante do uso correto e eficaz da língua. Em certo sentido, portanto, todo falante nativo de uma língua é estilisticamente multilíngue. Da mesma forma que em princípio é possível pensar em cada dialeto como um sistema linguístico separado, é igualmente possível, e não menos razoável, pensar em cada estilo como sendo um sistema linguístico distinto.

1.7 Não há línguas primitivas

É bastante comum ouvir leigos falarem sobre línguas primitivas, repetindo até o mito já desacreditado de que há certos povos cujas línguas consistem apenas em umas poucas palavras complementadas por gestos. A verdade é que todas as línguas até hoje estudadas, não importa o quanto primitivas ou incivilizadas as sociedades que as utilizam nos possam parecer sob outros aspectos, provaram ser, quando investigadas, um sistema de comunicação complexo e altamente desenvolvido. Evidentemente toda a questão da evolução cultural desde o barbarismo até a civilização é em si mesma altamente questionável. Porém não cabe ao linguista pronunciar-se sobre sua validade. O que ele pode afirmar é que ainda não se descobriu uma correlação entre os diferentes estágios de desenvolvimento cultural por que as sociedades passam e

Capítulo 1

o tipo de língua falado durante eles. Por exemplo, não há uma língua da Idade da Pedra; ou, no tocante a sua estrutura gramatical geral, um tipo de língua característico das sociedades essencialmente agrícolas por um lado e das modernas sociedades industrializadas por outro.

Houve muitas especulações no século XIX quanto ao desenvolvimento das línguas passando estruturalmente da complexidade à simplicidade ou, alternativamente, da simplicidade à complexidade. A maior parte dos linguistas hoje se exime de especular sobre o desenvolvimento evolutivo das línguas em termos tão gerais. Sabem que, se tiver havido qualquer direcionamento na evolução linguística desde suas origens na pré-história até os nossos dias, não há nenhum sinal de tal direcionamento, recuperável a partir do estudo das línguas contemporâneas ou das do passado, das quais nos reste algum conhecimento. Muitas das antigas especulações dos estudiosos sobre a evolução linguística eram tendenciosas em favor das chamadas línguas flexionais como o latim e o grego.

Algo deveria ser dito, então, sobre a origem das línguas, problema que vem exercitando a mente e a imaginação do homem desde tempos imemoriais. O assunto foi amplamente discutido em termos seculares, em oposição a religiosos e sobrenaturais, pelos filósofos gregos, e várias vezes desde então, notadamente no século XVIII, de um ponto de vista basicamente semelhante. As primeiras discussões tiveram um papel preponderante no desenvolvimento da gramática tradicional. No final do século XVIII, as discussões do filósofo francês Condillac e as do alemão Herder prepararam o campo para uma compreensão melhor da interdependência entre linguagem, pensamento e cultura. Desde o século passado, quase todos os linguistas, à exceção de muito poucos, abandonaram a questão da origem das línguas por estar para sempre fora do escopo de uma investigação científica. A razão para isso foi que, como acabamos de ver, durante o século XIX eles notaram que, por mais longe que se voltasse na história de determinadas línguas nos textos que duraram até nossos dias, era impossível discernir quaisquer sinais de evolução de um estado mais primitivo para outro mais avançado.

Mas há outras comprovações, algumas das quais novas. E a origem das línguas, uma vez mais, volta ao palco da discussão para os estudiosos. Talvez seja prematuro falar em soluções. O que se pode dizer é que agora parece muito mais plausível acreditar que a língua se originou como sistema de comunicação gestual, e não vocal. Uma prova seria o sucesso que alguns psicólogos obtiveram ensinando a chimpanzés a compreensão e o uso de sistemas gestuais bastante complexos, e até certo ponto semelhantes à língua. Parece agora que a impossibilidade de os chimpanzés adquirirem a fala em experiências semelhantes realizadas anteriormente se explica, pelo menos em parte, por diferenças relativamente pequenas, mas importantes, entre o aparelho fonador do chimpanzé e o do homem. Parece também, a partir de estudos de fósseis, que o aparelho fonador do homem de Neandertal estava mais próximo que o nosso do dos chimpanzés e de outros primatas, que têm uma gama restrita de chamadas vocais, mas que se comunicam selvagemente uns com os outros bastante

Linguagem

intensamente, por meio de gestos. O que esse e outros fatos sugerem é que a língua pode a princípio ter evoluído a partir de um sistema gestual numa época em que os ancestrais do homem adotavam a postura vertical, liberando com isso as mãos, o cérebro aumentando de tamanho e adquirindo potencial para a especialização de complexas funções de processamento no hemisfério dominante. Em algum ponto, por motivos biologicamente plausíveis, o sistema gestual se teria convertido em sistema vocal, tendo subsequentemente adquirido a propriedade da dualidade, que, como vimos, permite um aumento considerável do vocabulário. Consequentemente, pode ser que as propriedades características das línguas, como as conhecemos, não tenham estado presentes desde o início, e que a língua tenha evoluído de uma não língua.

No entanto, permanece o fato de que não só em todas as línguas conhecidas o canal vocal-auditivo é o que é primeira e naturalmente utilizado para a transmissão de sinais, como também todas as línguas conhecidas são, *grosso modo*, igualmente complexas, no tocante à sua estrutura gramatical.

A única exceção que se deve fazer em relação a essa última generalização diz respeito às línguas ***pidgins***. São línguas especializadas, usadas no comércio ou em atividades semelhantes, por aqueles que não dispõem de qualquer outra língua em comum. É característico dos *pidgins* ter uma gramática simplificada e um vocabulário altamente restrito, se comparados à língua ou às línguas de que provêm. Porém são usados para fins muito restritos; e quando, como aconteceu diversas vezes, o que se originou como *pidgin* vem a ser usado como língua-mãe de uma comunidade linguística, ele não só se mune de um vocabulário mais extenso como desenvolve sua própria complexidade gramatical. É sob esse prisma, mais do que em relação à sua origem, que os *pidgins* são diferenciados pelos linguistas das chamadas línguas **crioulas**. Tais línguas podem parecer ou soar muito semelhantes aos *pidgins*, mas não estão mais próximas de ser primitivas – ou seja, de uma estrutura rudimentar – do que qualquer uma das milhares de línguas naturais que, pelo que sabemos, não se originaram como *pidgins* (v. Seção 9.3).

Evidentemente há diferenças consideráveis nos vocabulários das diferentes línguas. Portanto, é possível que seja necessário aprender uma outra língua ou pelo menos um vocabulário especializado para que se possa estudar um assunto específico ou discorrer satisfatoriamente sobre ele. Nesse sentido, uma língua pode adaptar-se melhor do que outra a determinados fins específicos. O que não significa, entretanto, que uma seja intrinsecamente mais rica ou pobre que a outra. Todas as línguas vivas, pode-se presumir, são por natureza sistemas eficientes de comunicação. À medida que se modificam as necessidades de comunicação de uma sociedade, também se modificará a língua por ela falada, para atender às novas exigências. O vocabulário será ampliado, seja tomando emprestadas palavras estrangeiras, seja criando-as a partir de seus próprios vocábulos já existentes. O fato de que muitas línguas faladas nos, por vezes, chamados países subdesenvolvidos não dispõem de palavras correspondentes a conceitos e produtos materiais oriundos da moderna ciência e

Capítulo 1

tecnologia não implica que tais línguas sejam mais primitivas do que as que têm tais iters. Demonstra tão somente que certas línguas, pelo menos até agora, não foram ainda utilizadas por aqueles que estão envolvidos no desenvolvimento da ciência e da tecnologia.

Concluindo, é preciso enfatizar que o princípio de não haver línguas primitivas não é tanto um achado da pesquisa linguística quanto uma hipótese operacional. É preciso deixar margem à possibilidade de que as línguas realmente difiram em complexidade gramatical e que tais diferenças não tenham sido até hoje descobertas pelos linguistas. É tão anticientífico negar tal possibilidade quanto seria dizer que o latim é intrinsecamente mais nobre e expressivo que o hotentote ou alguma língua aborígine australiana.

LEITURAS COMPLEMENTARES

A maioria das introduções à lingua(gem) e à linguística cobre com maior ou menor detalhe, e sob pontos de vista diferentes, os tópicos tratados no Capítulo 1: consta da Bibliografia uma série desses trabalhos.

Os alunos sem grande conhecimento do assunto poderiam começar com Aitchison (1978), Capítulos 1-2; Akmajian, Demers & Harnish (1979), Capítulos 1-5; Chao (1968); Crystal (1971), Capítulo 1; Fowler (1964), Capítulo 1; Fromkin & Rodman (1974), Capítulos 1-2; Lyons (1970), Capítulo 1; Robins (1974); Smith & Wilson (1979), Capítulo 1. Poderiam então passar a alguns livros e artigos marcados com asterisco na Bibliografia, muitos dos quais contêm capítulos ou seções relevantes.

Sobre fala e escrita, ver também Basso (1974); Gelb (1963); Haas (1976); Householder (1971), Capítulo 13; Lyons (1977b), Seções 3.1-3.3; Uldall (1944); Vacheck (1949, 1973); e alguns dos trabalhos gerais sobre fonética, listados nas Leituras Complementares do Capítulo 3, adiante.

Sobre o ponto de vista semiótico (inclusive a comunicação animal), ver também Aitchison (1976); Cherry Eco (1976); Hinde (1972), Capítulos 1-3; Hockett (1960); Hockett & Altmann (1968); Householder (1971), Capítulo 3; Lyons (1977b), Seções 3.4, 4.1-4.2; McNeill (1970), Capítulo 4; Sebcok (1968), 1974a); Thirpe (1974).

Sobre trabalhos recentes com chimpanzés, ver Akmajian, Demers & Harnish (1979), Capítulo 14; Brown (1970); Clark & Clark (1977; 520-3); Linden (1976); Premack (1977); Rumbaugh (1977).

Sobre os sistemas de sinais usados pelos surdos, ver Klima & Bellugi (1978); Siple (1978); Stokoe (1961).

Sobre a origem da linguagem, ver também Hewes (1977); Lieberman (1975); Stam (1977); Wescott (1974).

Outros tópicos tratados neste capítulo são abordados em mais detalhe nos Capítulos 8-10, onde são dadas mais referências.

PERGUNTAS E EXERCÍCIOS

1. Explique o que se quer dizer com **independência de estímulo**.
2. "O desempenho pressupõe a competência, ao passo que a competência não pressupõe o desempenho" (p. 8). Discuta.
3. Que distinção, se houver, você traçaria entre **competência linguística** e **fluência**?

Linguagem

4. "É bastante frequente que o leigo pense que a escrita é de alguma forma mais básica que a fala. Por pouco, o inverso é verdade" (Hockett, 1958:4). Discuta (referindo-se em especial a 'básica' e 'por pouco').

5. A língua é por vezes chamada de 'comportamento verbal'. Discuta a adequação desse termo quanto a (a) 'verbal' e (b) 'comportamento'.

6. Em que sentido, e em que medida, a língua escrita é a mesma que a falada? Que tipo de informação é possível, ou muito difícil, de se codificar na escrita, embora seja natural e normalmente codificada na fala?

7. Você poderia apresentar sentenças que sejam ambíguas escritas mas distintas na língua falada? Da mesma forma, há sentenças ambíguas na língua falada que não o sejam na escrita? (Como essa questão de transferência de meio é afetada (a) por diferenças de sotaque e dialeto e (b) por se reconhecer devidamente a distinção entre componentes linguísticos e não linguísticos?)

8. Como a língua se compara a outras de seu conhecimento em relação ao elo que existe entre ortografia e pronúncia? Quais os argumentos contra e a favor de uma reforma ortográfica?

9. Apresente alguns exemplos do dia a dia ilustrando a transmissão da língua escrita pelo canal vocal-auditivo e, por outro lado, da transmissão da língua falada por meio da escrita.

10. "Se eu mudar a pronúncia do meu nome a lei não se incomoda...; mas se mudar a grafia..., devo ir a um tribunal para legitimá-lo. E os advogados têm 100% da opinião pública a seu favor..." (Householder, 1971:353; v. também Hockett, 1958:549). Normalmente é mesmo apenas a língua escrita que goza de reconhecimento legal?

11. Que outros tipos de não arbitrariedades existem nas línguas naturais além da **onomatopeia**?

12. Haverá alguma conexão necessária entre **dualidade** e significação?

13. Explique o que se quer dizer com **descontinuidade** com respeito (a) à escrita e (b) à fala.

14. Que distinção, se houver, você estabeleceria entre **produtividade** e **criatividade**?

15. "O paralelismo mais extenso e impressionante é o que há entre a linguagem e a dança das abelhas, que compartilham ambas de produtividade, um certo deslocamento, e uma certa especialização" (Hockett, 1958:581). Discuta.

16. "Todos os seres humanos normais adquirem a linguagem, enquanto a aquisição de até mesmo os mais primitivos rudimentos linguísticos está totalmente fora da capacidade de um chimpanzé, senão por isso, inteligente" (Chomsky, 1972a:66). Tal asserção foi falsificada pelos recentes trabalhos realizados com esses animais?

17. "Tanto as crianças surdas quanto os chimpanzés aprendem seu primeiro sinal muito antes que as crianças normais digam a primeira palavra, o que sustenta a noção de que ontogeneticamente e filogeneticamente estamos equipados para uma linguagem gestual antes de estarmos equipados para falar" (Linden, 1976:72). Discuta.

18. Os sistemas de sinalização usados pelos surdos têm o direito de se chamar língua natural ou não?

19. Geralmente, como se diferenciam sotaques de dialetos? Que sentido podemos dar, como linguistas, à afirmação de que (a) um estrangeiro e (b) um nativo "não têm sotaque"? (Tais perguntas podem ser discutidas de um ponto de vista não técnico, agora, mas ver Seção 9.2.)

20. "Há lugar para dialetos regionais e para o inglês da Rainha. O lugar do sotaque regional é onde ele nasceu; é adequado ao bar da esquina, ao campo de futebol, aos bailes da cidadezinha. O inglês da Rainha é para uma emissão da BBC sobre o Existencialismo, o coquetel, a entrevista para um melhor emprego" (Burgess, 1975:16). Discuta.

Capítulo 2
Linguística

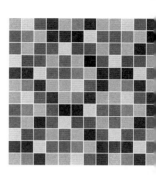

2.1 Ramificações da linguística

Como vimos, tanto a linguagem quanto as línguas podem ser estudadas sob diferentes pontos de vista. Portanto, o campo total da linguística pode ser dividido em diversos subcampos segundo o ponto de vista adotado ou a ênfase especial dada a um conjunto de fenômenos, ou premissas, em vez de outro.

A primeira distinção a se estabelecer é entre a linguística **geral** e a **descritiva**. É bastante direta em si mesma. Corresponde à que existe entre estudar a linguagem e descrever determinadas línguas. A pergunta "O que é a lingua(gem)?", que, no capítulo anterior, dissemos ser a indagação central e definidora de toda a disciplina, é mais adequadamente considerada a indagação central da linguística geral. A linguística geral e a descritiva não são absolutamente estanques. Cada uma depende explícita ou implicitamente da outra: a linguística geral fornece conceitos e categorias em termos dos quais as línguas serão analisadas; a linguística descritiva, por sua vez, fornece dados que confirmam ou refutam as proporções e teorias colocadas pela linguística geral. Por exemplo, o linguista geral poderia formular a hipótese de que todas as línguas possuem nomes e versos. O linguista descritivo poderia refutá-la com base em uma comprovação empírica de que houvesse pelo menos uma língua em cuja descrição tal distinção não se verificasse. Porém, para refutar ou confirmar a hipótese, o linguista descritivo deve operar com determinados conceitos como "nome" e "verbo" que lhe foram fornecidos pelo linguista geral.

Evidentemente há toda uma gama de motivos pelos quais se desejaria descrever uma certa língua. Muitos dos que trabalham com linguística descritiva o fazem não porque estão interessados em fornecer dados para a linguística geral, ou em testar teorias e hipóteses conflitantes, mas porque querem apresentar uma gramática de referência ou um dicionário para fins práticos. No entanto, tal fato não afeta a

Capítulo 2

interdependência dos dois subcampos complementares da linguística, a geral e a descritiva.

Durante o século XIX, os linguistas ocuparam-se muito da investigação sobre os detalhes do desenvolvimento histórico de línguas específicas e da formulação de hipóteses gerais sobre as mudanças das línguas. O ramo da disciplina que trata desses assuntos é hoje conhecido, naturalmente, por linguística **histórica**. É óbvio que na linguística histórica, como na não histórica, o interesse pode estar na linguagem em geral ou nas línguas em particular. É conveniente mencionar agora os termos 'diacrônica' e 'sincrônica', mais técnicos para o caso. Foram inicialmente usados por Saussure (cuja distinção entre *'langue'* e *'parole'* já foi mencionada no capítulo anterior). Uma descrição **diacrônica** de uma língua percorre o seu desenvolvimento histórico e registra as mudanças que nela ocorreram entre pontos sucessivos no tempo: "diacrônico", portanto, é equivalente a "histórico". A descrição **sincrônica** é não histórica: apresenta uma imagem da língua tal qual ela se encontra em determinado ponto no tempo.

Uma terceira dicotomia é a que se verifica entre linguística **teórica** e **aplicada**. Essencialmente, a linguística teórica estuda a linguagem e as línguas com vistas a construir uma teoria de sua estrutura e funções, independentemente de quaisquer aplicações práticas que a investigação da linguagem e das línguas possa ter, enquanto a aplicada se ocupa da aplicação dos conceitos e descobertas da linguística a uma série de tarefas práticas, inclusive o ensino de línguas. Em princípio, a distinção entre linguística teórica e aplicada independe das outras duas até agora estabelecidas. Na prática, pouca diferença há entre os termos "linguística teórica" e "linguística geral": a maioria dos estudiosos que utilizam o termo "linguística teórica" parte do pressuposto de que o objetivo desta é formular uma teoria satisfatória da estrutura da linguagem em geral. No que diz respeito à linguística aplicada, fica claro que ela se vale tanto do aspecto geral quanto do descritivo.

A quarta e última dicotomia refere-se a uma visão mais estreita ou mais ampla do escopo do assunto. Não há uma distinção terminológica universalmente aceita para tal caso: usaremos os termos 'microlinguística' e 'macrolinguística', dizendo que na **microlinguística** se adota a visão mais estreita e na **macrolinguística**, a mais ampla. De forma mais estreita, a microlinguística trata unicamente de sistemas linguísticos, sem contar a forma pela qual as línguas são adquiridas, armazenadas no cérebro ou utilizadas em suas várias funções; sem contar a interdependência entre língua e cultura; sem contar os mecanismos fisiológicos e psicológicos envolvidos no comportamento linguístico; em suma, independentemente de tudo que não seja um sistema linguístico, considerado (como Saussure, ou melhor, seus editores diriam) em si e por si. De forma mais ampla, a macrolinguística trata de tudo o que é pertinente, de alguma forma, seja qual for, à linguagem ou às línguas.

Uma vez que, além da linguística, muitas outras disciplinas se ocupam da lingua(gem), não causa surpresa que várias áreas interdisciplinares se tenham

Linguística

identificado com a macrolinguística, recebendo nomes distintivos: sociolinguística, psicolinguística, etnolinguística, estilística etc.

Um ponto que se deve enfatizar é que a distinção entre microlinguística e macrolinguística depende da diferenciação entre linguística teórica e aplicada. Há, em princípio, um aspecto teórico em cada ramificação da macrolinguística. De tal maneira que em certas áreas da linguística aplicada, como o ensino de línguas, é essencial adotar-se a visão mais ampla da estrutura e funções das línguas, em vez da mais estreita. É por isso que alguns autores incorporaram à linguística aplicada o que aqui denominamos macrolinguística.

Examinaremos algumas áreas da macrolinguística em capítulos posteriores. Poder-se-ia pensar que, em face da reconhecida importância da língua em tantas disciplinas, a linguística deveria adotar a visão mais abrangente possível de seu objeto de estudo. Em certo sentido é verdade. O problema é que ainda não há, e pode ser que não haja nunca, um quadro teórico satisfatório dentro do qual se possa ver a linguística, simultaneamente, sob o ponto de vista psicológico, sociológico, cultural, estético e neurofisiológico (para não falar em outros igualmente relevantes). A maior parte dos linguistas defende hoje que é microlinguística sincrônica teórica que constitui o cerne de sua disciplina, dando-lhe toda unidade e coerência que tem. Praticamente metade deste livro será dedicada a esse núcleo central; o restante tratará da linguística histórica e de áreas selecionadas da macrolinguística.

2.2 A linguística é uma ciência?

A linguística é normalmente definida como ciência da linguagem, ou, alternativamente, como estudo científico da linguagem (v. Seção 1.1). O próprio fato de que há uma seção neste livro e em outras introduções à linguística explicitamente dedicada à discussão do *status* científico dessa disciplina não deve deixar de ser comentado. Afinal, disciplinas cujo *status* científico é inquestionável – a física, a química, a biologia etc. – não têm necessidade de justificar sua reivindicação de se chamar ciência. Por que deveria a linguística se preocupar tanto em defender a validade de seu título? E por que, ao defender suas credenciais científicas, o linguista tantas vezes dá a impressão de protestar em demasia? O leitor tem todo o direito de levantar suspeita.

O primeiro ponto a se salientar é que a palavra inglesa 'science' tem uma abrangência muito menor do que muitas de suas traduções convencionais em outras línguas, tais como '*Wissenschaft*' em alemão, '*nauka*' em russo e mesmo '*science*' em francês. A linguística, mais do que a maioria das outras disciplinas, sofre das implicações muito específicas das palavras inglesas '*science*' e '*scientific*', que se referem, antes de mais nada, às ciências naturais e aos métodos de investigação que lhes são característicos. Isso ainda é verdade, apesar de que expressões como 'ciências sociais', 'ciências do comportamento' e 'ciências humanas' se façam cada vez mais comuns. Deveríamos,

Capítulo 2

pois, interpretar a palavra 'ciência' no título desta seção como simplesmente 'disciplina acadêmica devidamente constituída'?

Há bem mais nessa questão do que nos sugeria tal interpretação. A maioria dos linguistas que adotam a definição de sua disciplina como sendo o estudo científico da língua o faz por ter em mente uma distinção entre uma forma científica e acientífica de realizar a tarefa. Podem discordar sobre algumas das implicações da palavra 'científico', como os filósofos e historiadores da ciência. Mas concordam unanimemente sobre as principais diferenças entre o estudo científico da língua e o estudo não científico. Comecemos, então, com os pontos unânimes.

O primeiro e mais importante deles é que a linguística é **empírica**, em vez de especulativa e intuitiva: opera com dados publicamente verificáveis por meio de observações e experiências. Ser empírica, nesse sentido, é para a maioria a própria marca registrada da ciência. Estreitamente relacionada à propriedade de ser empiricamente embasada está a da objetividade. A língua é algo que normalmente não nos preocupa: algo familiar desde a infância, de uma maneira prática e irrefletida. Tal familiaridade prática com a língua tende a representar uma barreira para um exame objetivo. Há diversos tipos de preconceitos sociais, culturais e nacionalistas associados à visão leiga da linguagem e das línguas. Por exemplo, um sotaque ou dialeto de determinada língua pode ser considerado inerentemente mais puro que outro; ou, uma vez mais, certa língua pode ser tida por mais primitiva que outra. A objetividade exige, no mínimo, que se lance um desafio contra tais concepções e que termos como 'puro' e 'primitivo' sejam claramente definidos ou abandonados.

Muitas das concepções sobre a língua que o linguista coloca em questão, se é que não as abandona totalmente, podem parecer um princípio de mero bom senso. Porém, como observou Bloomfield (1935:3), a respeito do bom senso na abordagem de questões linguísticas: "como muito do que se disfarça em bom senso, é na realidade altamente sofisticada e provém, sem grande distanciamento, das especulações dos filósofos da Antiguidade e da Idade Média." Nem todos os linguistas têm uma opinião tão desfavorável sobre essas especulações filosóficas da linguagem quanto Bloomfield. Mas seu parecer geral é válido. Os termos usados pelos leigos para falar sobre a língua, bem como suas atitudes em relação a ela, têm a sua história. Muitas vezes pareceriam menos obviamente aplicáveis ou evidentes se soubessem algo sobre suas origens históricas.

Não entraremos neste livro pelos caminhos históricos da linguística. Alguns comentários gerais, em contrapartida, são pertinentes. As introduções à linguística costumam traçar uma distinção nítida entre **gramática tradicional** e linguística moderna, contrastando o *status* científico desta com o *status* não científico daquela. Há boas razões para haver essa diferenciação e para ressaltar que muitas das concepções erradas sobre a língua, populares em nossa sociedade, podem-se explicar, historicamente, em termos das premissas filosóficas e culturais que determinaram o desenvolvimento da gramática tradicional. Algumas dessas concepções serão apontadas e discutidas na seção adiante. Deve-se frisar, entretanto, que a linguística, como

Linguística

qualquer outra disciplina, constrói sobre o passado, não só desafiando e refutando doutrinas tradicionais, mas também desenvolvendo-as e reformulando-as. Muitos trabalhos recentes, descrevendo os grandes avanços na investigação científica da linguagem feitos nos últimos cem anos, mais ou menos, deixaram de enfatizar a continuidade da teoria linguística ocidental desde seus primórdios até os dias de hoje. Muitas vezes foram também anacrônicos, por não tratar a gramática tradicional em termos dos objetivos que ela estabeleceu para si mesma. Não se deve esquecer que os termos 'ciência' e 'científico' (ou seus precursores) foram concebidos de forma diferente em diferentes épocas.

Também deveria ser salientado que o que geralmente se conhece por 'gramática tradicional' – ou seja, a teoria linguística ocidental voltando pela Renascença e pela Idade Média até a erudição romana e, antes dela, a grega – é muito mais rico e variado do que normalmente se supõe. Além do mais, inúmeras vezes o que se ensinou foi uma versão equívoca e distorcida da gramática tradicional, para muitas gerações de alunos relutantes e desinteressados. Ultimamente os linguistas vêm adotando uma perspectiva mais equilibrada quanto à contribuição que a gramática tradicional – continuaremos com esse termo – vem prestando ao desenvolvimento de sua disciplina. Há ainda muito a se pesquisar sobre as fontes originais que sobreviveram dos períodos mais antigos. Porém há hoje várias histórias da linguística dando conta mais satisfatoriamente dos fundamentos e desenvolvimento da gramática tradicional, mais do que havia à disposição da geração de Bloomfield e de seus sucessores imediatos.

Voltemos, pois, ao estado atual da linguística. Sem dúvida alguma ela é hoje mais empírica e objetiva, em suas atitudes e premissas expressas, pelo menos, do que a gramática tradicional. Examinaremos algumas de tais atitudes e premissas na seção seguinte, de uma forma mais detalhada. Entretanto, será que na prática ela é tão empírica e objetiva quando afirma ser? Eis aqui, por certo, uma possibilidade de dúvida. Existe também a possibilidade de uma contenda, em nível mais sofisticado de discussão, quanto à natureza da objetividade científica e à aplicabilidade ao estudo da língua daquilo que se conhece comumente como método científico.

Na realidade, cientistas e filósofos da ciência já não aceitam mais tão unanimemente a existência de um único método de investigação, aplicável a todos os ramos da ciência. O próprio termo 'método científico' tem uma aura antiquada, até mesmo de século passado. Por vezes é dito que a investigação científica deve necessariamente proceder de uma generalização indutiva com base na observação teoricamente não controlada. Realmente, isso é o que muitos afirmam estar implicado no termo 'método científico'. Mas poucos são os que, mesmo nas ciências naturais, trabalharam dessa forma. Seja qual for o significado do conceito de objetividade científica, ele certamente não implica que o cientista deva evitar a elaboração de teorias e a formulação de hipóteses gerais até que tenha levantado uma quantidade suficiente de dados. Os dados científicos, como diversas vezes foi indicado, não são oferecidos gratuitamente pela experiência, mas sim dela extraídos. Observação acarreta atenção seletiva. Não há observação e coleta de dados que não estejam ligadas a uma

Capítulo 2

teoria e a uma hipótese. Para usar uma frase da moda, que surgiu com Popper, a observação, por necessidade e desde o início, pressupõe a teoria.

A frase é sugestiva, mas controvertida. Surgiu como reação ao enfoque fortemente empirista dado à ciência, lançado pelos positivistas lógicos no período que procedeu a Segunda Guerra Mundial. Os estudantes de linguística deveriam conhecer um pouco o **empirismo** e o **positivismo**. Sem esse conhecimento – embora não precise ser muito detalhado ou profundo – não se pode esperar que compreendam algumas das questões teóricas e metodológicas que atualmente dividem as escolas linguísticas. Segue-se uma informação mínima necessária, apresentada, na medida do possível, imparcialmente e sem comprometimento com qualquer um dos lados em áreas de sabida controvérsia. Controvérsias, deveríamos acrescentar, são necessárias não só à linguística, mas a toda a ciência. No entanto, elas têm uma relevância especial para a linguística, na medida em que certos progressos recentes, na linguística e na filosofia da linguagem, associados aos trabalhos e às ideias de Chomsky, causaram um impacto considerável na discussão mais geral do empirismo e positivismo, tanto da parte de filósofos e psicólogos, quanto de outros cientistas sociais (v. Seção 7.4).

O empirismo é muito mais do que a adoção de métodos empíricos de verificação e confirmação: portanto, há uma distinção crucial a se traçar entre 'empirista' e 'empírico'. O termo 'empirismo' refere-se à concepção de que todo conhecimento provém da experiência – o vocábulo grego *'empeiria'* significa, aproximadamente, "experiência" – e, mais particularmente, de dados da percepção e dos sentidos. Opõe-se, em uma controvérsia filosófica de longa data, ao 'racionalismo' – do latim *'ratio'*, que significa, neste contexto, "mente", "intelecto" ou "razão". Os **racionalistas** enfatizam o papel da mente na aquisição do conhecimento. Sustentam, particularmente, a existência de certos conceitos ou proposições aprioristicas (*'a priori'* significa, em uma interpretação tradicional, "conhecido independentemente da experiência") em função dos quais a mente interpreta os dados da experiência. Voltaremos a certos aspectos mais específicos da controvérsia entre empirismo e racionalismo ao discutirmos o gerativismo (v. Seção 7.4).

Não é preciso, para nossos fins, estabelecer uma distinção entre empirismo e positivismo. O primeiro apresenta um histórico mais longo e é muito mais amplo, em escopo, como atitude filosófica. Mas os dois são aliados naturais e estreitamente associados em tudo o que nos interessa no momento. O positivismo repousa sobre a distinção entre os chamados positivos da experiência e as especulações transcendentais de diversos tipos. Tem uma visão mais secular e antimetafísica, rejeitando qualquer apelo a entidades não físicas. O objetivo dos positivistas lógicos do Círculo de Viena era chegar a um sistema único de uma ciência unificada, em que todo o corpo do conhecimento positivo estaria representado, em última análise, como um conjunto de proposições precisamente formuladas.

Dois outros princípios mais específicos eram ainda centrais nessa proposta. O primeiro era o agora famoso **princípio de verificação**: o princípio de que nenhuma formulação tinha significado a menos que pudesse ser verificada pela observação ou

Linguística

por métodos científicos padronizados, aplicados aos dados fornecidos pela observação. O segundo era o princípio do **reducionismo**: o princípio de que, entre as ciências, algumas eram mais básicas que outras – a física e a química sendo mais básicas que a biologia, a biologia mais básica que a psicologia e a sociologia e assim por diante – e de que na grande síntese da ciência unificada os conceitos e proposições das ciências mais básicas seriam reduzidos aos conceitos e proposições (isto é, reinterpretados em termos destes) das ciências mais básicas. O reducionismo, ao contrário do princípio de verificação, caracterizou um grupo de cientistas muito mais amplo do que o Círculo de Viena há quarenta anos.

O princípio de verificação foi abandonado (embora tenha tido o seu papel na formação da teoria de condições de verdade do significado: v. Seção 5.6) e o princípio do reducionismo é muito menos aceito por cientistas e filósofos da ciência do que foi quando Bloomfield escreveu seu livro clássico da linguística em 1933. Menciono aqui a figura de Bloomfield porque, sem causar surpresa, ele era um seguidor convicto do empirismo e do positivismo, o que fica muito claro no segundo capítulo de seu livro. Estava, na realidade, estreitamente ligado ao movimento Unidade da Ciência e aceitava irrestritamente o princípio do reducionismo. Foi Bloomfield mais do que ninguém aquele que estabeleceu para a linguística, especialmente na América, o ideal de ser verdadeiramente científica. Há, portanto, um legado historicamente explicável de empirismo e positivismo na linguística.

O reducionismo, e, de uma forma mais geral, o positivismo, já não é mais tão atraente para a maior parte dos cientistas como foi antigamente. Hoje em dia é amplamente aceito o fato de que não há um método científico único aplicável a todos os campos; de que enfoques diversos devem não só ser tolerados, por questão de necessidade a curto prazo, em diferentes disciplinas, como podem ser justificáveis, também a longo prazo, em virtude de diferenças irredutíveis nos assuntos tratados. Já desde o século XVII – do tempo de Descartes e Hobbes – houve dúvidas, expressas por alguns filósofos da ciência, sobre o programa positivista que propunha dar conta dos processos mentais em termos dos métodos e conceitos característicos das ciências físicas. Muito da psicologia e da sociologia de nosso século, como também grande parte da linguística do século XX, é positivista em espírito. Mas nas três disciplinas, e mais obviamente na linguística, o positivismo foi recentemente atacado por ser inaplicável ou estéril.

Em suma, a questão de uma disciplina ser ou não ser científica já não pode ser, se é que foi um dia, solucionada satisfatoriamente fazendo-se referência ao chamado método científico. Toda ciência bem-estabelecida emprega seus próprios construtos característicos e seus próprios métodos de obtenção e interpretação de dados. O que apareceu no capítulo anterior como ficção – o sistema linguístico – pode ser descrito, em termos cientificamente mais respeitáveis, como **construto teórico**. Pode-se questionar a realidade de tais construtos, assim como se pode questionar a realidade dos construtos teóricos da física e da bioquímica. É mais proveitoso, no

Capítulo 2

entanto, investigar a respeito de cada construto teórico que se postule qual o objetivo explanatório que está preenchendo em relação aos dados.

Tudo o que acaba de se dizer sobre o empirismo, o positivismo e o atual *status* do chamado método científico pretende ser mais ou menos fatual e indiscutível. Agora passaremos a pontos controvertidos.

O primeiro refere-se à implicação da noção popperiana de observação pressupor do teoria. Há controvérsia no uso do termo 'teoria'. O que Popper tinha em mente, e atacava, era a nítida distinção traçada pelos positivistas lógicos entre observação, que em si era tida por neutra teoricamente, e construção de uma teoria, tida por uma questão de generalização indutiva. Ele estava indubitavelmente certo ao desafiar a nitidez da distinção e, mais especialmente, a posição de que a observação e a coleta de dados podem, e devem, acontecer antes da formulação da hipótese. Comumente ocorre que a seleção dos dados é determinada por alguma hipótese que o cientista deseja testar; e não importa como se chegou a tal hipótese. O fato de que a noção positivista de uma observação e coleta de dados não seletiva seja pré-teóricos e teóricos. Trata-se de um abuso para com o termo 'teoria' agrupar dentro de seu significado todas as concepções e expectativas prévias com que se enfoca o observável e se faz a seleção. Recorreremos à distinção entre conceitos pré-teóricos e teóricos em vários pontos dos capítulos seguintes; e partiremos do princípio de que a observação, embora necessariamente seletiva, pode sujeitar-se a controles metodológicos satisfatórios, tanto na linguística como em outras ciências de base empírica.

Um segundo ponto controvertido – que é de especial importância na linguística atual – refere-se ao papel da intuição e aos problemas metodológicos que surgem a esse respeito. O termo 'intuição' leva consigo certas associações corriqueiras bastante desfavoráveis. Tudo o que se quer dizer ao mencionar as intuições de um falante nativo sobre sua própria língua são seus julgamentos espontâneos e naturais sobre a aceitabilidade ou inaceitabilidade de enunciados, sobre sua equivalência ou não, e assim por diante. Houve época em que os linguistas acreditaram que era em princípio possível fugir à necessidade de pedir a falantes nativos que fizessem julgamentos intuitivos sobre sua língua, simplesmente por coletar-se um *corpus* suficientemente grande de dados naturalmente produzidos, submetendo-os em seguida a uma análise exaustiva e sistemática. Pouquíssimos linguistas adotam hoje tal posição. Ficou claro que muitos enunciados que ocorrem naturalmente são, por motivos linguisticamente irrelevantes, inaceitáveis e que também nenhum *corpus*, seja qual for sua extensão, poderá conter exemplos de todos os tipos de enunciados aceitáveis. Mas o recurso a evidências intuitivas continua controvertido. E há dois aspectos na questão.

O primeiro diz respeito ao problema de intuições a que o linguista se refere serem parte da competência linguística como tal, do falante nativo. Se for o caso, na definição chomskiana de 'competência' e em sua formulação dos objetivos da linguística, as próprias intuições tornam-se parte do que qualquer descrição linguística deve diretamente cobrir. A maioria dos linguistas provavelmente não gostaria de afirmar

Linguística

que a descrição de uma língua deva tratar a intuição dos falantes nativos como dado. Voltaremos a esta discussão ao falar do gerativismo (v. Seção 7.4).

O segundo aspecto da controvérsia diz respeito à confiabilidade dos julgamentos dos falantes nativos, considerados como relatos ou previsões do comportamento linguístico seu e de outros falantes. O consenso entre os linguistas parece ser de que tais julgamentos são altamente, pelo menos em determinadas situações, não confiáveis. Não só os falantes nativos frequentemente discordam uns dos outros, sobre o que é ou não é aceitável, quando não há qualquer outra razão para crer que falam dialetos diferentes, como também seus próprios julgamentos variam com o tempo. Além disso, acontece muitas vezes de um falante nativo rejeitar um enunciado como inaceitável, a ele apresentado pelo linguista descritivo, e depois ser ouvido produzindo aquele mesmo enunciado em um contexto natural do uso da língua. No que diz respeito às introspecções que o linguista tem sobre sua própria língua, são pelo menos tão pouco confiáveis, embora muitas vezes por outras razões, quanto as intuições do leigo. O linguista pode estar menos preocupado que o leigo com os padrões convencionais do uso correto da língua (por exemplo, admitindo abertamente que ele diz 'It's me' em vez de 'It's I').* Porém, seus julgamentos têm uma probabilidade maior de serem distorcidos por sua própria consciência das implicações que têm para uma ou outra questão teórica. As introspecções do linguista sobre o comportamento linguístico seu e de outros podem muito bem estar impregnadas de teoria, mesmo se a observação direta da conversação espontânea não estiver.

Há na realidade problemas metodológicos bastante sérios quanto à coleta de dados confiáveis, devido a uma série de questões existentes na linguística teórica. Mas não são mais sérios que os problemas metodológicos que se interpõem no caminho dos que trabalham com psicologia, sociologia ou, em geral, com qualquer ciência social. E sob certos aspectos o linguista está em melhores condições do que a maior parte dos cientistas sociais, uma vez que é suficientemente clara a parte pertinente ao comportamento linguístico, e a parte não pertinente, em tudo o que é observável. Acresça-se que há áreas bastante vastas, na descrição de qualquer língua, para as quais a confiabilidade das intuições dos falantes, ou mesmo das introspecções dos linguistas, não representa maior problema. Não se deve, portanto, exagerar nos problemas metodológicos que surgem ao longo da pesquisa linguística.

No parágrafo anterior foi feita uma referência à psicologia, à sociologia e a outras ciências sociais. Muitos linguistas, talvez a maioria deles, classificariam sua disciplina no grupo das ciências sociais. Mas a linguística não se presta a uma classificação direta dentro de qualquer divisão da pesquisa acadêmica que tome por fundamental, seja a distinção entre ciência e arte, seja a distinção tripartite entre 'ciências da vida', 'ciências do comportamento', 'ciências humanas' ou 'ciências naturais, sociais

---

* Um exemplo equivalente em português seria admitir abertamente que usa 'para mim fazer' em vez de 'para eu fazer'. (N.T.)

Capítulo 2

e humanas'. A utilização cada vez maior de expressões como 'ciências da vida', 'ciências do comportamento', 'ciências humanas' ou 'ciências da terra' indica que muitas disciplinas sentem a necessidade de um reagrupamento estratégico ou tático que pouco tem a ver com as distinções convencionais. Que a linguística, como cadeira na Universidade, seja colocada em uma área e não na outra é muito uma questão de conveniência administrativa. Como já se frisou anteriormente, ela mantém ligações com uma gama bastante vasta de disciplinas acadêmicas. Dizer que a linguística é uma ciência não é negar que, em virtude de seu objeto de estudos, ela esteja estreitamente ligada a disciplinas eminentemente humanistas como a filosofia e a crítica literária.

Nas seções seguintes serão discutidos diversos princípios que geralmente são aceitos pacificamente pelos linguistas de hoje. Na maior parte das vezes poderão ser tomados como produto do ideal científico de objetividade. Como a linguística moderna, ao afirmar sua objetividade, tantas vezes proclamou sua individualidade a esse respeito, em face da gramática tradicional, eles são frequentemente apresentados em contraste com os princípios que determinaram as atitudes e premissas características do gramático tradicional.

2.3 Terminologia e notação

Toda disciplina dispõe de um vocabulário técnico próprio. A linguística não é exceção. A maioria dos termos técnicos usados pelos linguistas aparece durante o seu trabalho e é facilmente compreendida pelos que encaram o assunto com simpatia e sem preconceito.

Muitas vezes se objeta que a terminologia, ou o jargão, da linguística é desnecessariamente complexa. Por que o linguista tem tanta facilidade de criar novos termos? Por que não se contenta de falar em sons, palavras e partes da fala, em vez de inventar termos técnicos novos como 'fonema', 'morfema' e 'classe formal'? A resposta é que a maior parte dos termos corriqueiros que se usam com referência à língua – muitos dos quais, aliás, surgiram como termos técnicos da gramática tradicional – é imprecisa ou ambígua. O que não quer dizer que o linguista, como todos os especialistas, não possa ser acusado, por vezes, de um pedantismo terminológico improcedente. Em princípio, entretanto, o vocabulário linguístico especializado, se controlado e adequadamente empregado, serve mais para esclarecer do que para mistificar. Elimina muitas ambiguidades e possíveis equívocos.

Com a notação se dá o mesmo que com a terminologia. Usamos o termo *'language'* tanto para falar na linguagem quanto para falar nas línguas. Com isso, precisamos poder identificar exatamente que partes ou traços de uma língua estamos mencionando. O uso de convenções especiais de notação facilita muito essa missão. Por exemplo, poderíamos querer diferenciar o significado de uma palavra de sua forma,

Linguística

e ambos – significado e forma – da palavra em si. Infelizmente não há um sistema de notação universalmente aceito pelo qual se estabeleçam essas e outras distinções. No presente trabalho, faremos um uso distintivo de aspas simples, aspas duplas e itálicos. Por exemplo, diferenciaremos "mesa" de *mesa*, a primeira sendo o significado e a última a forma (ou uma das formas) da palavra 'mesa'. Por meio de tais convenções, poderemos manter distintos, como veremos mais adiante, pelo menos dois dos sentidos da palavra 'palavra': no primeiro, refere-se a algo que esperamos ver listado no dicionário da língua; no segundo, refere-se ao que estaria impresso espaçadamente como uma sequência de letras em um texto escrito.

Outras convenções serão introduzidas mais tarde, possibilitando a distinção entre formas faladas e escritas; e formas faladas de um tipo (fonéticas) e formas faladas de outro tipo (fonológicas); e assim por diante. O ponto que se defende aqui é o de que várias convenções de notação são, senão absolutamente essenciais, pelo menos muito úteis para a referência de dados da língua e para o esclarecimento sobre o que se está discutindo. Têm ainda outra vantagem, a de forçar o linguista a pensar cuidadosamente sobre certas diferenciações que de outra forma passariam despercebidas. Muitas vezes é difícil ser absolutamente coerente na aplicação de determinadas convenções; e essa dificuldade leva a uma nova avaliação da distinção teórica para a qual fora estabelecida primeiramente a convenção de notação. Eis uma das vias pelas quais se atingem os progressos em qualquer disciplina.

2.4 A linguística é descritiva, não prescritiva

O termo 'descritiva' está sendo empregado aqui em uma acepção diferente do que aquela que se opõe seja a 'geral', por um lado, seja a 'histórica', por outro. O contraste relevante nesse caso é o que existe entre *descrever* como as coisas são e *prescrever* o que devem ser. Uma alternativa para 'prescritiva', na acepção que contrasta com 'descritiva', é 'normativa'. Dizer que a linguística é uma ciência descritiva (ou seja, não normativa) é dizer que ela tenta descobrir e registrar as regras segundo as quais se comportam os membros de uma comunidade linguística, sem tentar impor-lhes outras regras ou normas, de correção exógena.

Talvez seja confuso utilizar o termo 'regra', como acabo de fazer, nesses dois sentidos tão diferentes. Com ou sem razão, os linguistas falam nesses termos. Portanto, é possível que valha a pena ilustrar a diferença entre os dois tipos de regra – chamemos a uma imanente e a outra transcendente, respectivamente – com um exemplo outro que o uso da língua. Vejamos o comportamento sexual em uma determinada sociedade. Se adotarmos o ponto de vista puramente descritivo (isto é, não normativo) na investigação do comportamento sexual, tentaremos descobrir como as pessoas realmente se comportam: se praticam o sexo antes do casamento, e, nesse caso, que tipo e desde que idade; se os esposos e esposas são igualmente fiéis ou infiéis uns aos outros; e assim por diante. Na medida em que o comportamento de certos grupos

Capítulo 2

dentro da comunidade é, na prática, governado por princípios determináveis – seja que os membros de tais grupos professem, ou mesmo estejam conscientes de tais princípios, ou não –, podemos dizer que seu comportamento é regido por regras: as regras são **imanentes** a seus comportamentos reais. Mas estas (se têm o direito de serem chamadas de regras) diferem muito quanto ao *status*, senão quanto ao conteúdo das regras de conduta que a lei, a religião ou simplesmente a moral convencional explícita pode haver prescrito. As pessoas podem obedecer ou não ao que chamo de regras **transcendentes** (isto é, exteriores e não imanentes) do comportamento sexual. Além do mais, pode haver diferenças entre o seu comportamento real e o comportamento que dizem, ou mesmo pensam, ter. Todas essas diferenças têm um correspondente no comportamento linguístico. Contudo, a distinção mais importante é a que existe entre regras transcendentes (isto é, prescritivas) e regras imanentes (isto é, descritivas). Um *dizer* e um *não dizer*, se prescritivo, é uma ordem (**Diga/Não diga X!**); se descritivo, é uma afirmação (**As pessoas dizem/não dizem X.**).

A razão pela qual os linguistas de hoje são tão insistentes com a distinção entre regras descritivas e prescritivas é simplesmente que a gramática tradicional tinha um caráter acentuadamente normativo. O gramático acreditava que sua missão era formular os padrões de correção e impor, se necessário, aos falantes da língua tais normas de comportamento. Muitos dos preceitos normativos da gramática tradicional serão conhecidos do leitor falante de inglês: "Nunca se deve usar uma negativa dupla" (*I didn☐t do nothing* [eu – auxiliar de negação no passado – fazer – nada]; "Não se termina uma sentença por preposição" (*That☐s the man I was speaking to* [literalmente, "aquele é o homem (que) eu estava falando com"]; "O verbo '*to be*' exige o mesmo caso antes e depois dele" (de forma que, pela aplicação dessa regra, *It's me* [pronome reto neutro de 3ª pessoa – é – pronome oblíquo de 1ª pessoa] deveria ser corrigido para *It's I* [pronome reto neutro de 3ª pessoa – é – eu]; "*Ain☐t* [forma coloquial de registro baixo equivalente a '*isn't*: 'não é/está'] é errado"; "Não se deve dividir o infinito" (como em *I want you to clearly understand* [eu quero (que) você – partícula de infinitivo – claramente – entender], em que *clearly* está inserido entre *to* e *understand*).*

Considerando tais exemplos, rapidamente notamos que são bastante heterogêneos. Há certos dialetos do inglês em que as chamadas negativas duplas nunca se empregam (ou seja, em que *I didn☐t do nothing* nunca é usado com equivalente do inglês-padrão *I didn☐t do anything* [Eu não fiz nada; literalmente: eu – auxiliar de negação no passado – fazer – algo]); há outros em que, de um ponto de vista meramente descritivo, essa é a construção correta. Quando se apresentam razões para a

---

* As regras da gramática tradicional no português, embora não exatamente as mesmas que em inglês, prescrevem por exemplo: (a) que pronome oblíquo tônico não ocupa posição de sujeito ('Isto é para eu fazer', e não 'Isto é para mim fazer'); (b) que a preposição e o fato de o pronome ser objeto pedem caso oblíquo e não reto em contextos como 'Este assunto fica entre mim e você' (e não 'entre eu e você'), 'Ontem não o vi na escola' (e não 'não vi ele na escola'); e (c) que não se inicia um período por pronome átono ('Disseram-me que vinhas', e não 'Me disseram que vinhas') entre outras. (N.T.)

Linguística

condenação de uma negativa dupla como incorreta, em termos de algum princípio prescritivo em referência ao qual o uso comum é julgado e considerado devedor, recorremos à lógica em última instância. A lógica diz, supomos, que duas negativas valem uma positiva. O que merece diversos comentários. Primeiro, denuncia uma compreensão errônea do que seja a lógica e de como ela opere; mas não precisamos entrar na questão da natureza dos axiomas lógicos e na complexidade de como a chamada lógica natural do comportamento linguístico comum se relaciona com os sistemas lógicos, construídos e investigados pelos cientistas. O problema é que não há nada de inerentemente ilógico nas chamadas construções com negativas duplas. Nos dialetos em que são regularmente empregadas, elas operam de forma bastante sistemática, conforme as regras e princípios gramaticais de interpretação, imanentes no comportamento da comunidade dialetal em questão. Um segundo ponto a ser lembrado é o de que a chamada negativa dupla não pode ser adequadamente descrita, da forma como opera em determinados dialetos do inglês, sem se levar em consideração determinados traços de ênfase e entonação. As regras do inglês-padrão (ou seja, regras imanentes ao comportamento linguístico dos falantes de um determinado dialeto do inglês) permitem a existência de *I didn't do nothing* (significando, mais ou menos, "*It is not true that I did nothing*" [Não é verdade que eu não fiz nada]) contanto que *didn't* seja enfatizado ou, alternativamente, e com outras implicações ou pressuposições, que *do* ou *nothing* sejam pronunciados com uma ênfase especialmente forte. Nos dialetos em que *I didn't do nothing* (com a ênfase normal da fala) pode significar *I didn't do anything*, há também os significados que o inglês-padrão apresenta, mas a ênfase e entonação evitam que se misturem. Finalmente, podemos notar que há muitas línguas em que a chamada negativa dupla ocorre no dialeto literário padrão: por exemplo, o francês, o italiano, o espanhol, o russo – só para mencionar algumas das línguas europeias mais modernas e conhecidas. Mesmo o dialeto mais prestigiado do grego antigo – o grego clássico usado por Platão, Sófocles, Tucídides ou pelo próprio pai da lógica, Aristóteles – apresentava uma construção com negativa dupla. E, afinal, a gramática tradicional originou-se da descrição dos dialetos literários da Grécia Antiga!

Outros preceitos normativos da gramática tradicional – como por exemplo a condenação da cisão do infinitivo (... *to clearly understand*) ou a de *It's me* – provêm da aplicação ao inglês de princípios e categorias estabelecidos originalmente para a descrição do grego e do latim. O fato é que as formas a que se aplica o termo 'infinitivo' são formas compostas de um único vocábulo em grego e latim, bem como em francês, alemão, russo etc. Tradicionalmente, as formas compostas de dois vocábulos, como *to understand*, *to go* etc., também são chamadas de infinitivos, se bem que suas funções sejam apenas parcialmente comparáveis às funções, digamos, dos infinitivos latinos. Como veremos adiante, o fato de uma forma poder ser dividida (no sentido que falamos em dividir o infinitivo) é um dos principais critérios que o linguista aplica para decidir se uma forma é composta de um ou dois vocábulos. Visto que, por outros critérios e por convenções ortográficas da língua escrita, os infinitivos ingleses são

Capítulo 2

compostos de duas palavras, não se pode objetar à sua cisão, em princípio. Quanto a condenar um *It's me* etc., o fato é que o que se denomina na gramática tradicional de diferenças de casos (*I vs. me, she vs. her, he vs. him* [respectivamente, caso reto *vs.* oblíquo] etc.) não é encontrado em todas as línguas; nem tampouco algo que se possa identificar em termos de suas funções e características gramaticais como verbo significando *"to be"*. Além disso, nas línguas em que há tanto um caso quanto um verbo, identificável como sendo equivalente do latim '*esse*', ou inglês '*to be*', a diversidade das construções é tamanha que a regra tradicional "O verbo '*to be*' exige o mesmo caso antes e depois dele" imediatamente se denuncia como é – uma regra normativa de base latina que não se sustenta em âmbitos mais gerais.

O que é interessante é que muitos falantes do que os gramáticos tradicionais classificariam de um bom inglês dizem e escrevem formas como *between you and I* [entre você e eu], *He told you and I* [Ele disse a você e eu] etc. Tais construções violam outra regra prescritiva tradicional do inglês: "Verbos e preposições levam o seu objeto para o acusativo." Resultam, presume-se, do que muitas vezes é chamado de **hipercorreção**: a extensão de alguma regra ou princípio, com base em uma má compreensão de seu domínio de aplicação, a uma gama de fenômenos aos quais originalmente não se aplicam. A natureza da regra prescritiva foi mal compreendida – tanto mais que muitos falantes que diriam naturalmente *You and me will go* [literalmente, "você e mim iremos"] jamais diriam *Me will go* ou *He told I* [literalmente, "Mim irei" e "Ele disse a eu", respectivamente]. Interpretamos, pois, como instrução (sob pena de sermos considerados falantes de um inglês ruim) a substituição por *you and I* [você e eu] de *you and me* [você e mim] (ou *me and you* [mim e você]) em todas as posições de ocorrência. Isso resulta na produção não só do que gramático tradicional classificaria de correto, *You and I will go together* [Você e eu iremos juntos] etc., mas também do que ele condenaria, *between you and I* [entre você e eu], *He told you and I* [Ele disse a você e eu] etc. Evidentemente não queremos dizer que todos os falantes de inglês que dizem *between you and I, He told you and I* etc. efetuaram a operação de aplicação correta e depois incorreta da regra tradicional. Tais construções são hoje tão comuns na fala de indivíduos de classes média e alta, falantes do inglês-padrão na Inglaterra, que devem ter sido aprendidas naturalmente no processo de aquisição de linguagem, possivelmente pela maioria dos que as utiliza. Restam poucas dúvidas quanto ao fato de que se originem em um processo de hipercorreção.*

Nem a lógica nem a gramática do latim podem servir de árbitros adequados quando vem a questão de decidir se determinado enunciado é correto ou incorreto em inglês. Nem tampouco a autoridade inquestionada da tradição pela tradição ("Foi isso que aprendi, que meus pais e meus avós aprenderam") ou o costume dos considerados melhores autores literários da língua. É uma visão bastante comum de nossa sociedade, ou pelo menos foi até recentemente, dizer que a mudança linguística

---

* Veja-se o caso da sentença, citada anteriormente: 'Este assunto fica entre eu e você.' (N.T.)

Linguística

necessariamente acarreta um abalo ou corrupção da língua. Tal posição é indefensável. Todas as línguas estão sujeitas a mudanças. É um fato empírico; e é tarefa dos linguistas históricos investigar os detalhes da mudança linguística, caso sejam acessíveis, construindo uma teoria explanatória para o fenômeno, a fim de contribuir para a nossa compreensão da natureza da lingua(gem). Os fatores determinantes da mudança linguística são complexos e, até agora, apenas parcialmente compreendidos. Mas hoje sabemos o suficiente – conhecimento que temos desde meados do século XIX – para que qualquer observador sem preconceitos veja claramente na mudança linguística que o que é condenado em qualquer época como degeneração e corrupção dos padrões tradicionais do uso pode sempre ser alinhado com uma modificação anterior da mesma espécie, que fez surgir o uso que os próprios tradicionalistas tratam de inalteravelmente correto.

Quanto ao princípio de conformidade aos padrões estabelecidos pelos melhores literatos da língua, também este é insustentável – insustentável, quer dizer, em relação ao uso que normalmente se faz deles. Não há razão para crer que um escritor, por mais genial que seja, tenha sido investido, por graça especial, de um conhecimento certo e seguro das regras transcendentes de correção, dom negado a nós outros. O fato é que a gramática tradicional tinha uma inclinação literária muito acentuada. A razão é que em vários períodos importantes da cultura europeia – desde o período da erudição alexandrina, no século segundo antes da era cristã, até o humanismo renascentista – a descrição gramatical, primeiro do grego, depois do latim, estava subordinada à tarefa prática de tornar a literatura de uma época mais antiga acessível àqueles que não falavam, e devido à natureza das coisas nem podiam falar, naturalmente o dialeto do grego ou do latim em que se baseava a língua dos textos clássicos. A inclinação literária da gramática tradicional é não só explicável do ponto de vista histórico, como também perfeitamente justificável, no tocante à descrição do grego e do latim. Torna-se totalmente injustificável quando trata da descrição gramatical das línguas faladas modernamente.

Não há na língua padrões de correção absolutos. Podemos dizer que um estrangeiro cometeu um erro se ele disser algo que vá contra as regras imanentes ao uso dos falantes nativos. Podemos também afirmar, se quisermos, que um falante de um dialeto inglês social ou regional não padrão falou agramaticalmente se seu enunciado transgride as regras imanentes do inglês-padrão. Mas, ao dizermos isso, estamos evidentemente partindo do princípio de que ele pretendia, ou pelo menos deveria pretender, usar o inglês-padrão. E essa é uma posição que requer uma justificativa.

Devemos agora frisar – e este ponto é muitas vezes mal-entendido – que, ao traçarmos uma distinção entre descrição e prescrição, não estamos dizendo que não haja lugar para o estabelecimento e a prescrição de normas de uso. Obviamente há vantagens administrativas e educacionais, no mundo moderno, para a padronização do dialeto principal empregado em um determinado país ou região. Esse processo de padronização estendeu-se por um longo período de tempo em muitos países do Ocidente, com ou sem a intervenção do governo. Agora vem sendo efetuado

Capítulo 2

aceleradamente, como parte de uma política oficial, em alguns dos países em desenvolvimento da África e da Ásia. O problema de selecionar, padronizar e promover uma determinada língua ou dialeto em detrimento de outros está envolto em dificuldades políticas e sociais. É parte do que se tornou conhecido por **planejamento linguístico** – uma área importante no campo da sociolinguística aplicada.

Nem tampouco se deve pensar que ao negar que toda mudança na língua seja para pior o linguista esteja afirmando que deve ser para melhor. Ele está simplesmente questionando o apelo impensado a critérios empiricamente desacreditados. Concorda que, em princípio, pode ser possível avaliar dialetos e línguas em termos de sua flexibilidade, amplitude de expressão, precisão e estética potencial relativas; e com certeza ele aceita que o uso que falantes e escritores individuais fazem de seu dialeto ou língua pode ser mais ou menos eficaz. Entretanto, ele só pode relatar, com base nos trabalhos mais científicos feitos sobre língua e linguagem recentemente, que a maior parte dos julgamentos feitos a esse respeito é extremamente subjetiva. Como membro individual de uma comunidade linguística, o linguista terá seus próprios preconceitos, sejam pessoais, sejam resultantes de uma formação social, cultural e geográfica; e, por temperamento, ele pode ser conservador ou progressista. Suas atitudes a respeito de sua própria língua não serão menos subjetivas, nesse particular, do que as dos leigos. Ele poderá achar um determinado sotaque ou dialeto agradável ou desagradável. Ele poderá mesmo corrigir a fala de seus filhos se os vir usando uma pronúncia, palavra ou construção gramatical desaprovada pelos puristas. Mas ao fazê-lo, se for honesto consigo mesmo, saberá que o que está corrigindo não é inerentemente incorreto, mas apenas relativamente a um padrão que, por motivos de prestígio social ou de vantagens educacionais, ele quer que os filhos adotem.

No tocante a sua atitude em face da língua literária, o linguista está simplesmente salientando que a língua é usada para diversos fins e que seu uso em relação a tais fins não deve ser julgado por critérios aplicáveis única ou primeiramente à língua literária. Isso não quer dizer absolutamente que ele seja hostil à literatura, ou contrário ao estudo desta nas escolas e universidades inglesas. De forma alguma; muitos linguistas, até, têm um interesse especial na investigação dos fins literários aos quais a língua serve e no sucesso que alcança satisfazendo a tais objetivos. Essa é uma parte – e, aliás, muito importante – de um ramo da macrolinguística conhecido por **estilística**.

2.5 Prioridade da descrição sincrônica

O princípio de prioridade da descrição sincrônica, característico da maior parte da teoria linguística de nosso século, implica que as considerações históricas são irrelevantes para a investigação de determinados estados temporais de uma língua. Os termos saussurianos 'sincrônico' e 'diacrônico' foram introduzidos anteriormente neste

Linguística

capítulo (v. Seção 2.1). Podemos usar uma das analogias de Saussure para explicar o significado da prioridade do sincrônico sobre o diacrônico.

Comparemos o desenvolvimento histórico de uma determinada língua com um jogo de xadrez que se desenrola perante nós. O estado do tabuleiro está em constante modificação, na medida em que cada jogador movimenta suas peças. Mas o estado do jogo pode ser descrito a qualquer momento em termos das posições que as peças ocupam. (Na realidade não é bem assim. Por exemplo, o estado do jogo é afetado, no tocante às possibilidades de um roque, pelo ato de se retirar o rei de sua posição original e depois devolvê-lo. Mas podemos deixar de lado tais detalhes menores em que a analogia de Saussure não funciona.) Não importa por que caminho os jogadores atingiram um certo estado no jogo. Independentemente do número, da natureza e da ordem das jogadas anteriores, o estado atual do jogo é sincronicamente descritível sem qualquer referência a elas. O mesmo acontece, conforme Saussure, com o desenvolvimento histórico das línguas. Todas estão em constante modificação. Mas cada um dos estados sucessivos de uma língua pode, e deve, ser descrito em seus próprios termos, sem referência àquilo a partir do que se desenvolveu, nem àquilo rumo a que, provavelmente, evoluirá.

Tudo isso pode parecer altamente teórico e abstrato. Contudo, tem consequências bastante práticas. A primeira refere-se ao que chamo de **falácia etimológica**. A etimologia é o estudo da origem e desenvolvimento das palavras. Iniciou, no tocante à gramática tradicional ocidental, com a especulação de certos filósofos gregos do quinto século antes de Cristo. O próprio termo 'etimologia' é em si mesmo revelador. Trata-se de uma transcrição latinizada de uma das formas do vocábulo grego '*etumos*', que significa "verdadeiro" ou "real". De acordo com uma escola de filósofos do século quinto, na Grécia, todas as palavras associavam-se naturalmente, e não convencionalmente, com aquilo que significavam. É possível que isso não fosse evidente para o grego, diziam; mas poderia ser demonstrado pelo filósofo, capaz de discernir a realidade subjacente às aparências das coisas. Penetrar as muitas vezes enganosas aparências, analisando cuidadosamente as modificações ocorridas no desenvolvimento da forma ou do significado de uma palavra, descobrir a origem do vocábulo e com isso o seu real significado, era revelar uma das verdades da natureza. O que classifico de falácia etimológica é a crença de que a forma ou o significado original de uma palavra é, necessariamente, e em virtude desse mesmo fato, sua forma ou significado correto. Essa pressuposição é amplamente divulgada. Quantas vezes não presenciamos uma discussão em que alguém defende que por tal ou tal palavra originar do grego, latim ou árabe, ou seja qual for a língua em questão, o significado correto daquele vocábulo deve ser o que existia na língua de origem! O argumento é falacioso porque a pressuposição tácita de que há uma correspondência originalmente verdadeira ou apropriada entre forma e significado, sobre o qual se sustenta, não pode ser substanciada.

A **etimologia** recebeu um embasamento mais sólido no século XIX. Já não é mais justo dizer, como se afirma que Voltaire teria dito, que a etimologia é uma

Capítulo 2

ciência em que as vogais não servem para nada, e as consoantes, para muito pouco! Tal como é hoje praticada, ela constitui um ramo respeitável de linguística histórica, ou diacrônica como veremos no Capítulo 6, tem seus próprios princípios metodológicos, cuja confiabilidade depende da qualidade e quantidade dos dados a partir dos quais se formulam. Em condições favoráveis, a confiabilidade das reconstruções etimológicas é sem sombra de dúvida muito alta.

Um ponto que ficou evidente para os etimólogos do século XIX, que é hoje ponto pacífico para todos os linguistas, é o de que a maioria das palavras no vocabulário de qualquer língua não permite que se trace sua origem. Os deliberadamente criados, a partir de formas emprestadas ou pelo uso de algum outro princípio, são atípicos no vocabulário global, e com certeza também do que se pode qualificar de vocabulário básico, não técnico, da língua. O que o etimólogo atual faz é relacionar palavras de um estado de língua sincronicamente descritível a palavras, atestadas ou reconstituídas, de algum estado anterior da mesma língua ou de alguma outra. Mas as palavras do estado anterior da mesma língua ou de alguma outra, por sua vez, derivaram de outras, mais antigas. O fato de a forma ou o significado dessas palavras ser recuperável pelas técnicas etimológicas dependerá dos dados que houverem sobrevivido no tempo. Por exemplo, podemos relacionar a palavra inglesa atual 'ten' [dez] à palavra do inglês antigo cujas formas eram *ten* (com vogal longa) ou *tien*. E podemos relacionar o vocábulo do inglês antigo, através de vários estados hipotéticos sucessivos, a uma palavra reconstituída do protoindo-europeu com a forma *dekm̂*, que também significava "dez". Mas não podemos nos aprofundar mais sem perder a confiança. E mesmo assim, a palavra do protoindo-europeu *dekm̂*– o asterisco no prefixo indica que se trata de uma reconstituição, não de um fato atestado (v. Seção 6.3) – obviamente não é a origem, em um sentido absoluto, de todas as palavras que evoluíram a partir dela, em todas as línguas que podemos apontar como pertencentes à família indo-europeia. Ela própria deve ter evoluído a partir de outra (que pode ter significado o mesmo que 'ten' ou não – não se pode saber), parte do vocabulário de alguma outra língua; e essa palavra, por sua vez, de alguma outra anterior, de outra língua: e assim por diante. De uma forma geral, os etimólogos hoje não se ocupam das origens. Na realidade, eles diriam que em muitos casos (por exemplo o da palavra 'ten') não faz sentido investigar as origens de um vocábulo. Tudo o que o etimólogo nos pode dizer, com maior ou menor segurança, dependendo das provas, é que a forma ou o significado do ancestral mais antigo, ou mesmo hipotético, de uma determinada palavra é tal.

Com isso chegamos ao ponto em que a analogia de Saussure mais obviamente falha. Todo jogo de xadrez, se jogado conforme as regras e se completado, tem início e fim determinados. As línguas não. Não só (pelo que sabemos) não aconteceu de todas as línguas começarem de um mesmo estado do tabuleiro, por assim dizer, e de então desenvolverem de forma diversa, como também é impossível datar o início de uma língua, a não ser por uma convenção arbitrária e muito aproximativa. Não podemos afirmar, por exemplo, quando o latim falado tornou-se francês antigo, ou italiano, ou espanhol. Nem tampouco podemos localizar o ponto em que uma determinada língua deixou de existir – a não ser nos casos de línguas que se extinguiram, mais ou menos repentinamente, quando morreram seus últimos falantes. As línguas, do ponto de vista diacrônico, não têm começo e fim determinados. Em última análise, é por uma questão de convenção e conveniência que dizemos que o inglês antigo e o moderno são dois estados de uma mesma língua, ou duas línguas diferentes.

Há ainda outro particular em que a analogia saussuriana vem falhar. O jogo de xadrez é formado por regras explicitamente formuladas, e dentro dos limites por elas impostos os jogadores determinam o curso de qualquer partida que esteja sendo disputada entre os dois, com referência a um objetivo reconhecido. Pelo que se sabe, não há direção preestabelecida no desenvolvimento diacrônico das línguas. É bem possível que haja certos princípios gerais determinando a transição de um estado linguístico para outro. Mas se houver tais princípios, eles não se compararão às regras de um jogo concebido pelo homem, como o xadrez. Examinaremos as chamadas leis da mudança linguística no Capítulo 6.

Normalmente acredita-se que o princípio de prioridade da descrição sincrônica implica que, ao passo que esta independe da descrição diacrônica, a descrição diacrônica pressupõe a análise sincrônica anterior dos estados sucessivos pelos quais as línguas passaram ao longo de sua evolução histórica. É possível que essa não tenha sido a visão de Saussure. Mas é consequência das hoje amplamente aceitas premissas sobre a natureza dos sistemas linguísticos.

Às vezes de forma enganosa, os linguistas falam como se o passar do tempo fosse em si suficiente para explicar a mudança linguística. Há diversos fatores, tanto internos quanto externos à língua, que podem causar a passagem de um estado sincrônico para outro. Alguns desses fatores, provavelmente os mais importantes, são de ordem social. O passar do tempo simplesmente permite que sua complexa interação propicie o que é posteriormente reconhecido como transição entre dois estados de língua.

Além do mais, o conceito de desenvolvimento diacrônico entre estágios sucessivos de uma língua só tem sentido se aplicado a estados linguísticos relativamente distanciados no tempo. Já me referi anteriormente ao que chamei de ficção da homogeneidade (v. Seção 1.6). Em certa medida, ela é útil e necessária. Entretanto, se partimos do princípio de que a mudança linguística acarreta uma transformação constante ao longo do tempo do que a qualquer momento escolhido é um sistema perfeitamente homogêneo, todo o processo de mudança da língua fica muito mais misterioso do que realmente é. O que caracteriza a fala de uma minoria aparentemente insignificante de uma comunidade linguística em determinada época pode espalhar-se por quase todos os falantes em questão de uma ou duas gerações. Pode-se considerar bastante legítimo da parte do linguista que descreva sincronicamente a língua em qualquer um desses dois pontos, que desconte a fala da minoria divergente. Mas se o fizer, e em seguida passar a falar diacronicamente de um sistema linguístico sincronicamente homogêneo que se transforma em outro igualmente homogêneo, estará distorcendo os fatos. Pior que isso, estará incorrendo no risco de criar para si mesmo

Capítulo 2

pseudoproblemas teóricos insolúveis. Uma vez que compreendamos que nenhuma língua é estável, ou uniforme, teremos dado o primeiro passo para dar conta, teoricamente, da ubiquidade e continuidade da mudança linguística. Se tomarmos dois estados de uma língua, diacronicamente determinados, que não estejam suficientemente distanciados no tempo, temos grande probabilidade de achar que a maior parte das diferenças entre eles também se apresenta como variações sincrônicas tanto no estado anterior como no posterior. Do ponto de vista microscópico – que se distingue do macroscópico normalmente adotado na linguística histórica –, é impossível traçar uma distinção nítida entre uma mudança diacrônica e uma variação sincrônica.

Em suma, o princípio de prioridade da variação sincrônica é válido. Porém, na medida em que repousa sobre a ficção da homogeneidade, deve ser aplicado com bom senso e com plena consciência do *status* teórico do sistema linguístico. É a esse ponto que agora retornamos.

2.6 Estrutura e sistema

Uma das definições de 'língua(gem)' que citei no Capítulo 1 foi a de Chomsky: "um conjunto (finito ou infinito) de sentenças, cada uma finita em comprimento e construída a partir de um número finito de elementos" (v. Seção 1.2). Adotemos essa formulação como definição parcial do termo 'sistema linguístico', que foi introduzido, vale lembrar, para eliminar-se a ambiguidade do vocábulo inglês '*language*'.

Na medida em que são por definição estáveis e uniformes, os sistemas linguísticos não podem identificar-se com as línguas naturais reais: são construtos teóricos, postulados pelos linguistas para dar conta das regularidades por ele encontradas no comportamento linguístico dos membros de uma determinada comunidade linguística – mais precisamente nos sinais linguísticos que são o produto de seu comportamento linguístico. Como já pudemos ver, as línguas naturais reais não são nem estáveis nem homogêneas. No entanto, há estabilidade e homogeneidade suficientes na fala daqueles que normalmente são considerados falantes de uma mesma língua para que a postulação do linguista, de que há um sistema linguístico comum subjacente, seja útil e cientificamente justificável, a não ser na questão específica da variação sincrônica e diacrônica. Nos próximos três capítulos, pressuporemos a validade do conceito de sistema linguístico tal qual fica aqui definido e explicado.

Entre os sinais linguísticos produzidos por um falante inglês, durante um certo período de tempo, alguns seriam classificados como **sentenças** da língua, outros não. Precisamos nesse estágio investigar quais os critérios em virtude dos quais se faz tal divisão entre sentenças e não sentenças. Obviamente há princípios determinadores da elaboração de textos e discursos maiores. Além disso, esses princípios são tais que qualquer pessoa que os desrespeite pode ser, com razão, acusada de transgredir as regras da língua. Embora não tenha passado sem sofrer ataques, recentemente, a

Linguística

premissa tradicional de que a maior parte, senão a totalidade, dos elementos envolvidos no conhecimento de uma língua pode ser descrita em termos de construção e interpretação de sentenças ainda é aceita pela maioria dos linguistas.

As sentenças, digamos, são o que seria convencionalmente pontuado como tal na língua escrita. Como vimos, as línguas naturais possuem a propriedade de transferência de meio (v. Seção 1.4). Isso significa que, em geral, qualquer sentença da língua escrita pode ser posta em correspondência com uma da língua falada, e vice-versa. As sentenças faladas, obviamente, não se pontuam como tal com qualquer sinal que seja estritamente equivalente à maiúscula inicial ou ao ponto final, ou ponto simples, das sentenças escritas. Contudo, em face de nossos atuais objetivos, podemos estabelecer uma equivalência aproximativa entre os sinais de pontuação da língua escrita e os **padrões entoacionais** da língua falada correspondente.

O termo 'estrutura' tem o mesmo destaque na linguística moderna que em muitas outras disciplinas. Se adotarmos o ponto de vista que foi primeiramente, de maneira muito clara, expresso por Saussure e é atualmente aceito por todos os que se identificam com os princípios do **estruturalismo**, diremos que não só um sistema linguístico tem uma estrutura, como também que ele é uma estrutura. Por exemplo, na medida em que o inglês escrito e o falado são isomórficos (isto é, têm a mesma estrutura), são a mesma língua: não há nada senão a estrutura para compartilharem em comum. O sistema linguístico em si é, a princípio, independente do meio em que se manifesta. Nesse sentido, trata-se de uma estrutura puramente abstrata.

Os sistemas linguísticos são estruturas em dois níveis: têm a propriedade da dualidade (v. Seção 1.5). As sentenças faladas não são meras combinações de elementos fonológicos; são também combinações de unidades sintáticas. A definição parcial de Chomsky, de um sistema linguístico como um conjunto de sentenças, cada uma das quais finita em comprimento e construída a partir de um conjunto finito de elementos, deve ser ampliada para dar conta dessa propriedade essencial das línguas naturais. É logicamente possível que dois sistemas linguísticos sejam isomórficos em um nível sem sê-lo no outro. Na realidade, conforme já foi ressaltado, é pelo fato de os chamados dialetos do chinês estarem suficientemente próximos de serem sintaticamente isomórficos (embora estejam longe de ser fonologicamente isomórficos) que a mesma língua escrita, não alfabética, pode ser colocada em uma correspondência mais ou menos igual com cada um deles. Também é possível haver um isomorfismo fonológico sem um isomorfismo sintático entre as línguas. Tal possibilidade concretiza-se, em maior ou menor escala, quando um falante nativo do inglês, digamos, fala um francês gramaticalmente perfeito com um sotaque inglês especialmente ruim. O mais interessante é que a independência da sintaxe em relação à fonologia é demonstrada muitas vezes de forma bem acentuada no processo de crioulização (v. Seção 9.3).

As línguas naturais, logo, possuem dois níveis de estrutura que são independentes entre si, na medida em que a estrutura fonológica de uma língua não é determinada pela estrutura sintática e a estrutura sintática não é determinada pela estrutura fonológica. É improvável, na melhor das hipóteses, que haja duas línguas naturais tais que

Capítulo 2

todas as sentenças, escritas ou faladas, de uma possam ser lidas ou ouvidas como sentenças pertencentes à outra (com ou sem o mesmo significado). Entretanto, acontece frequentemente, como consequência da independência entre as estruturas sintática e fonológica, de a mesma combinação de elementos (sons na fala e letras na escrita) realizar não apenas uma, mas duas ou mais sentenças. Estas podem ser distintas uma da outra pela entoação ou pontuação, dependendo de cada caso. Assim,

(1) *John says Peter has been here all the time*

[John disse (que) Pedro esteve aqui o tempo todo]

é diferente de

(2) *John, says Peter, has been here all the time**

[John, disse Pedro, esteve aqui o tempo todo]

na língua escrita por meio da pontuação; e seriam enunciados normalmente distintos na língua falada por meio do padrão entoacional a que cada um obedece. Mas, mesmo sem diferenças de entoação ou pontuação, a mesma combinação de elementos pode atualizar mais de uma sentença. Por exemplo,

(3) *We watched her box*

[Vimos a caixa dela]

[Vimos ela lutar (boxe)]

poderia ser qualquer uma das seguintes sentenças em inglês; uma em que *her* está na forma adjetiva (v. *his* [dele]) e *box*, na forma substantiva (v. *suitcase* [mala]); outra em que *her* está na forma pronominal (v. *him* [o]) e *box* na forma verbal (v. *wrestle* [lutar]).** Não é necessário nos preocuparmos com a análise sintática tradicional de (3) à qual me referi indiretamente. É algo que será retomado mais adiante. Agora basta que estabeleçamos que as sentenças, tais como são tradicionalmente definidas, não podem ser identificadas, e diferenciadas umas das outras, em termos dos elementos fonológicos de que se compõem. Na realidade, como podemos concluir de (3), elas não podem sequer ser identificadas em termos das unidades sintáticas de que se compõem sem que se considerem outros aspectos da estrutura sintática, inclusive com a designação de unidades sintáticas às tradicionalmente chamadas **partes do discurso** (nome, verbo, adjetivo etc.).

As unidades sintáticas a partir das quais são constituídas as sentenças, ao contrário dos elementos fonológicos, são muito numerosas. Contudo, assim como os elementos fonológicos, existem em número finito. Digamos que todo sistema linguístico pressupõe a existência de um **inventário** finito de elementos e de um **vocabulário** finito de unidades (simples), juntamente com um conjunto de regras (ou talvez vários tipos)

---

* Vejam-se em português os casos de (a) e (b)
(a) As moças, que são mais educadas, não falam alto.
(b) As moças que são mais educadas não falam alto. (N.T.)
** Em português esse caso não tem um equivalente direto. (N.T.)

Linguística

que inter-relacionam os dois níveis de estrutura, dizendo-nos quais as combinações de unidades que constituem sentenças e, por dedução, senão explicitamente, quais não. Devemos notar, como será retomado mais tarde, que o vocabulário de uma língua natural é muito mais do que um conjunto de unidades sintáticas. Nenhuma das modificações ou dos refinamentos terminológicos que serão introduzidos nos capítulos seguintes afetará a essência do que foi dito aqui.

No momento, o que vimos chamando de unidades sintáticas pode ser denominado **formas**: ou seja, combinações de elementos tais que cada diferente combinação se refere a uma diferente forma. Mas estas, nesse sentido do termo, possuem um significado, e este está longe de ser independente de sua função sintática. Esse fato fica claro nas formas *her* e *box* em (3) anteriormente. A abordagem tradicional defenderia que há (pelo menos) duas palavras distintas no vocabulário do inglês; representemos ambas (com aspas simples) da seguinte forma: 'box_1,' 'box_2,', respectivamente, diferentes tanto nos significados quanto na função sintática, mas compartilhando uma mesma forma, *box*. Mais adiante precisaremos melhor a distinção tradicional entre uma forma e a unidade à qual se refere; e, ao fazê-lo, veremos que o termo 'palavra', usado tanto por linguistas como por leigos, é extremamente ambíguo (v. Seção 4.1).

Por definição, toda sentença é **bem-formada**, tanto sintática como fonologicamente, no sistema linguístico em que se constitui como sentença. A expressão 'bem-formada' é mais abrangente do que, mas subordina-se a, o termo mais tradicional que é 'gramatical', bem como este, por sua vez, é mais abrangente do que, mas subordina-se a, o termo 'sintaticamente bem-formado'. A natureza e os limites da **gramaticalidade** (ou seja, a boa formação gramatical) serão discutidos no Capítulo 4. Aqui basta frisar que o princípio da boa formação (inclusive da gramaticalidade) não se deve confundir com o da aceitabilidade, potencialidade de utilização ou mesmo o da significação. Há um número indefinido de sentenças do inglês ou de outras línguas naturais que, por diversas razões, não ocorreriam normalmente: poderiam conter uma justaposição inaceitável de palavras obscenas ou blasfêmias; poderiam ser estilisticamente desajeitadas ou excessivamente complexas de um ponto de vista psicológico; poderiam ser contraditórias ou descrever situações que não ocorrem no mundo habitado pela sociedade falante da língua em questão. Qualquer combinação de elementos ou unidades de uma da língua, L, que não seja bem-formada em termos das regras de L é **malformada**, no que diz respeito a L. Tais combinações de elementos ou unidades poderão ser marcadas como malformadas por meio de um asterisco inicial.[†] Assim

(4)   * *He weren't doing nothing*

[literalmente, "ele não estavam fazendo nada"]

[†] O uso do asterisco para indicar a má-formação sintática não deve ser confundido com o uso igualmente comum que dele se faz, já há mais tempo, para indicar, na linguística histórica, as formas reconstruídas (v. Seção 2.5). O contexto esclarecerá de qual dos dois se trata.

Capítulo 2

é malformada, e de fato agramatical, em relação ao inglês-padrão. É, no entanto, bem-formada em determinados dialetos não padrão do inglês. Esse exemplo ilustra uma questão mais geral; qual seja, a de que diferentes línguas podem ser constituídas dos mesmos elementos e unidades, e o que é uma boa formação para uma pode não ser para outra. Embora a ilustração se refira a dois dialetos de uma mesma língua, a princípio vale para o que seria considerado duas línguas bastante diferentes.

Poderíamos dizer mais sobre a estrutura dos sistemas linguísticos. Mas é melhor deixar para os capítulos referentes à fonologia, à gramática e à semântica, onde as questões gerais podem ser introduzidas gradualmente e exemplificadas em mais detalhe.*

Começamos esta seção aceitando a definição chomskiana de lingua(gem) (ou seja, de sistema linguístico) como um conjunto de sentenças. Entretanto, é preferível conceber um sistema linguístico como sendo composto por um inventário de elementos, um vocabulário de unidades e de regras determinantes da boa formação das sentenças em ambos os níveis. E é isso que faremos daqui por diante. Sob a definição apropriada de 'sentença', as duas maneiras de conceber os sistemas linguísticos coincidem, o que é discutível.

LEITURAS COMPLEMENTARES

De uma forma geral, a mesma bibliografia do Capítulo 1. Acrescentar Crystal (1971), Capítulos 2-3; Lyons (1974).

Dos livros marcados por asterisco na Bibliografia, o de Robins (1979a) é o mais abrangente, e também o mais neutro na apresentação de questões controvertidas; Lyons (1968) enfatiza a continuidade entre a gramática tradicional e a linguística moderna, restringindo-se à microlinguística sincrônica, e sendo ligeiramente inclinado para (numa versão hoje ultrapassada) a gramática transformacional; Martinet (1960) é a tradição do estruturalismo europeu; Gleason (1961), Hill (1958), juntamente com Joos (1966), apresentam uma boa abordagem do campo do ponto de vista da chamada linguística pós-bloomfieldiana; Southworth & Daswani (1974) é especialmente bom no tratamento da linguística em relação à sociologia e à antropologia, como também na linguística aplicada; da mesma forma, embora menos abrangente, Falk (1973); Akmajian, Demers & Harnish (1979), Fromkin & Rodman (1974) e Smith & Wilson (1979) são todos coerentemente chomskianos por inspiração e, de uma forma geral, enfatizam o aspecto biológico da língua, mais que o cultural. Para a discussão das várias tendências e escolas da linguística moderna, e para outras referências, ver o Capítulo 7.

---

* Os termos 'estrutura' e 'sistema' são frequentemente utilizados, especialmente por linguistas britânicos, em um sentido bem especializado: 'sistema' para qualquer conjunto de elementos ou unidades que possam ocorrer em uma mesma posição; 'estrutura' para qualquer combinação de elementos ou unidades que resulte da seleção apropriada em determinadas posições. Assim definidos, os dois termos são complementares: cada um pressupõe o outro. Os sistemas são estabelecidos para determinadas posições de estruturas; e as estruturas são identificadas em termos das seleções feitas a partir dos sistemas (v. Berry, 1975). Neste livro, 'sistema' e 'estrutura' estão empregados em um sentido mais amplo.

Linguística

A linguística histórica (isto é, diacrônica) é tratada mais adiante (Capítulo 6). Da mesma forma, a maior parte das ramificações da macrolinguística (Capítulos 8 a 10).

Sobre a linguística aplicada, ver Corder (1973), e, para uma discussão mais detalhada, Allen & Corder (1975a, b, c).

PERGUNTAS E EXERCÍCIOS

1. Em que sentido a linguística é uma ciência? Isso implica que ela não seja parte das chamadas humanidades?
2. "Como todos os ramos do conhecimento utilizam a língua, pode-se dizer que a linguística, sob determinados aspectos, está no centro de todos eles, como estudo do instrumento de que devem se valer" (Robins, 1979a:7). Discuta.
3. "As únicas generalizações úteis sobre a lingua(gem) são as indutivas" (Bloomfield, 1935:20). Discuta.
4. Por que os linguistas geralmente criticam tanto a gramática tradicional?
5. "Muitas vezes, tanto filósofos quanto linguistas acreditam que... as intuições são 'acientíficas', não passíveis de uma observação direta, variáveis e indignas de confiança. Parece-nos que tal não é uma objeção válida..." (Smith & Wilson, 1979:40). Discuta.
6. Qual o erro, se é que há, em (a) *entre eu e você* e (b) *Ele pediu para mim fazer isso?* Poderão princípios lógicos ou baseados no latim auxiliar na nossa decisão?
7. Qual a diferença entre uma abordagem **descritiva** e uma abordagem **prescritiva** (ou normativa) na investigação da linguagem?
8. Exemplifique, se possível a partir de sua própria experiência, um fenômeno de **hipercorreção**.
9. "A palavra 'álibi' é hoje comumente mal empregada: trata-se de um termo legal vindo do latim, que significa 'em algum outro lugar', e não deveria ser usada como sinônimo da palavra 'desculpa'." Discuta.
10. Explique o que se quer dizer por prioridade do ponto de vista **sincrônico** sobre o **diacrônico** na linguística.
11. Apresente uma apreciação crítica da famosa analogia saussuriana entre a língua e o jogo de xadrez.
12. Uma visão simplificadora de o que seja **tradução literal** seria de que ela consiste na substituição palavra por palavra de formas vocabulares da língua-fonte por formas vocabulares da língua-meta. É esse o significado normal do termo 'tradução literal'? Você poderia identificar algumas das razões pelas quais a visão simplificadora é utópica no tangente às línguas naturais?
13. "O sistema linguístico em si... trata-se uma estrutura puramente abstrata" (p. 47). Considere tal afirmação em relação ao uso de códigos e cifras simples baseados em substituições (a) letra por letra e (b) palavra por palavra nas mensagens escritas. Tais técnicas criptográficas preservam ou destroem, necessariamente, o **isomorfismo**?
14. Você poderia elaborar um código ou um conjunto de cifras simples que explorasse a interdependência dos dois níveis de estrutura em um sistema linguístico, em que modificações feitas em um não afetassem o outro nível?

Capítulo 3
Os Sons da Língua

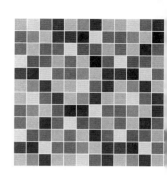

3.1 O meio fônico

Embora os sistemas linguísticos, de uma forma bastante ampla, sejam independentes do meio em que se manifestam, o meio natural primeiro da linguagem humana é o som. Por essa razão, o estudo dos sons tem uma importância maior na linguística do que o estudo da escrita, dos gestos ou de qualquer outro meio, real ou potencial, em que se desenvolve a língua. Mas não é o som em si, e nem toda a gama de sons possíveis, que interessa ao linguista. Ele está interessado nos sons produzidos pelo aparelho fonador humano, na medida em que estes desempenham um papel na língua. Chamemos a essa gama limitada de sons de **meio fônico**, e aos sons individuais existentes nessa faixa, de **sons da fala**. Com isso podemos definir a **fonética** como o estudo do meio fônico.

Precisamos frisar que fonética não é fonologia; e os sons da fala não devem ser identificados com os elementos fonológicos, aos quais já se fez referência em seções anteriores. A fonologia, conforme vimos, é uma das partes do estudo e da descrição dos sistemas linguísticos, sendo outra a sintaxe, e outra a semântica. A fonologia recorre às descobertas da fonética (embora de forma diferente, dependendo das diferentes teorias fonológicas); mas, ao contrário da fonética, não trata do meio fônico enquanto tal. As primeiras três seções do presente capítulo tratam, da forma mais simples possível, dos conceitos e categorias fonéticos básicos, conforme sejam essenciais à compreensão de tópicos levantados em outros pontos deste livro, e da notação empregada para esclarecê-los. Não têm a pretensão de servir como introdução satisfatória ao que se tornou, recentemente, um ramo abrangente e altamente especializado da linguística.

O meio fônico pode ser estudado sob pelo menos três aspectos: o **articulatório**, o **acústico** e o **auditivo**. A fonética articulatória investiga e classifica os sons da

Capítulo 3

fala em termos da maneira como são produzidos pelos órgãos da fala; a acústica, em termos das propriedades físicas das ondas sonoras criadas pela atividade do aparelho fonador e que se transferem no ar de falante para ouvinte; a auditiva, em termos da maneira como os sons da fala são percebidos e identificados pelo ouvido e cérebro do ouvinte. Desses três ramos, o que apresenta uma tradição mais longa, e que, até pouco tempo, era mais altamente desenvolvido, é o da fonética articulatória. Por essa razão, a maior parte dos termos empregados pelos linguistas com referência aos sons da fala originou-se dessa ramificação. Adotaremos a abordagem articulatória para dar conta desses sons neste livro.

Entretanto, há diversos fatos que foram descobertos ou confirmados pela fonética acústica ou auditiva – mais especialmente por aquela, que muito progrediu nos últimos 25 ou 30 anos – os quais ninguém que se interesse pela língua pode se permitir ignorar. O mais importante deles é, talvez, o de que dois enunciados repetidos, os quais acreditamos ser os mesmos, raramente – ou nunca – são idênticos sob o ponto de vista físico (acústico). A identidade fonética (ao contrário da identidade fonológica, como veremos no parágrafo seguinte) é um ideal teórico: na prática, os sons da fala produzidos por seres humanos – mesmo por foneticistas altamente treinados – conseguem apenas aproximar-se desse ideal, em maior ou menor escala. O critério com que operamos na análise fonológica das línguas é o de semelhança fonética, não o de identidade. E a semelhança fonética, considerada do ponto de vista articulatório, acústico ou auditivo, é multidimensional. Dados os sons da fala x, y e z: x pode ser mais semelhante a y do que z em uma determinada dimensão, mas mais semelhante a z do que a y em outra.

A fonética acústica também confirmou o que já havia sido estabelecido pela articulatória: o fato de que os enunciados falados, considerados sinais físicos transmitidos pelo ar, não são sequências de sons separados. A fala é constituída de explosões sonoras contínuas. Não só não há intervalos entre os sons constituintes das palavras; as próprias palavras geralmente não são separadas por pausas (exceto, evidentemente, quando o falante hesita momentaneamente ou adota um estilo especial de produção para ditados ou outras finalidades quaisquer). A fala contínua é segmentada em sequências de sons em termos das transições mais ou menos identificáveis entre um sinal em estado relativamente estável e outro, nas mesmas condições. Esse ponto será exemplificado em seguida ao ponto de vista articulatório. É importante notar, entretanto, que a segmentação baseada em critérios puramente acústicos daria frequentemente resultados bem diversos da segmentação realizada segundo critérios puramente articulatórios (ou auditivos).

A integração dos três ramos da fonética não é simples. Uma das descobertas mais importantes, e inicialmente mais surpreendentes, da fonética acústica foi a de que não se podia estabelecer uma correlação direta entre algumas das mais proeminentes dimensões articulatórias da fala e parâmetros acústicos tais como a frequência e amplitude das ondas sonoras. Para tornar a questão mais geral, em relação às três subdivisões da fonética: as categorias da fonética articulatória, acústica e auditiva,

Os Sons da Língua

não coincidem necessariamente. Por exemplo, o que poderia parecer diferenças articulatórias e auditivas óbvias entre os vários tipos de consoantes, digamos, entre os sons de *p, t* e *k*, não aparece como traço identificável único de qualquer espécie, nem sequer como feixe de traços, na análise acústica dos sinais que os contêm. As dimensões auditivas de altura e volume estão correlacionadas aos parâmetros acústicos de frequência e intensidade; mas a correlação entre altura e frequência, por um lado, e entre volume e intensidade, por outro, não pode ser estabelecida em termos de um quociente fixo válido para todos os sons da fala variando de acordo com as dimensões relevantes.

Isso não significa que as categorias de uma ramificação da fonética sejam mais ou menos confiáveis, ou intrinsecamente mais ou menos científicas que as categorias de qualquer outra ramificação. Falar e ouvir, devemos lembrar, não são atividades independentes. Uma precisa do *feedback* da outra. Podemos normalmente observar que quando uma pessoa se torna surda a sua fala também tende a deteriorar. Porque geralmente controlamos a fala à medida que a vamos produzindo e, basicamente de forma inconsciente, fazemos os ajustes necessários aos controles do que consideramos ser o aparelho articulatório, à proporção que o processo de regulagem informa ao cérebro que as normas auditivas não estão sendo satisfeitas. O sinal acústico contém todas as informações que são linguisticamente relevantes, porém carrega também muitas informações dispensáveis. Além disso, as informações acústicas que são linguisticamente relevantes devem ser interpretadas pelos mecanismos de fala e escuta humanos, controlados pelo cérebro. O recém-nascido parece vir dotado de uma certa predisposição para concentrar-se em determinados tipos de informação acústica, negligenciando outros. Ao adquirir a linguagem, ele aperfeiçoa a capacidade de reproduzir e identificar os sons que ocorrem na fala que ouve ao seu redor; refina, então, seu desempenho articulatório e auditivo pelo controle dos sinais acústicos que ele próprio produz. Em certo sentido, portanto, a criança, no processo normal de aquisição da linguagem, é, e deve ser, sem o auxílio de instrumentos científicos e sem treinamento específico em uma faixa limitada do meio fônico, um especialista competente de todos os três ramos da fonética, e, mais especialmente, da integração de informações tão disparatadas como as que esses três setores da fonética oferecem. Até hoje, os foneticistas profissionais apresentam apenas descrições incompletas e explicações parciais sobre a capacidade altamente integrativa que a maioria dos seres humanos adquire na infância e pratica durante toda a sua vida de falantes.

3.2 Representação fonética e ortográfica

Por volta do final do século XIX, época em que a fonética articulatória estava realmente progredindo no Ocidente (com base na tradição secular indiana, é justo lembrar), os especialistas começaram a sentir a necessidade de um sistema de transcrição fonética padronizado e internacionalmente aceito. Embora tenha havido, e ainda

55

Capítulo 3

haja, muito a se acrescentar sobre os sistemas de representação não alfabéticos, é o Alfabeto Fonético Internacional [*International Phonetic Alphabet*], o IPA, elaborado e promulgado pela Associação Internacional de Fonética, desde 1888, aquele que, com ou sem modificações, é o mais utilizado pelos linguistas. O princípio básico sobre o qual repousa o IPA é o de apresentar uma letra diferente para cada som distinto da fala. Uma vez que, de fato, não há limites para o número de tais sons distintos produzidos pelos órgãos fonadores humanos (ou pelo menos nenhum limite superior tipograficamente razoável), tal princípio não se pode coerentemente aplicar. O IPA, portanto, oferece a seus usuários uma série de **diacríticos** de diversos tipos que se podem acrescentar às **letras** para que se estabeleçam distinções mais refinadas do que as que as letras poderiam por si sós representar. Por meio de um emprego correto e sensato dos diacríticos, o foneticista treinado pode representar tantos refinamentos quantos necessários para seu fim específico. Não pode fielmente representar todas as nuances distintivas entre dois enunciados individuais; em geral nem há motivos para que ele queira fazê-lo. Para determinados fins, uma transcrição relativamente ampla é perfeitamente adequada; para outros, é necessária uma transcrição relativamente restrita.*

Doravante utilizaremos o IPA a cada vez que nos referirmos aos sons da fala ou a formas foneticamente transcritas. E respeitaremos a convenção padronizada de acordo com a qual as transcrições fonéticas aparecem entre colchetes. Logo, em vez de nos referirmos a sons de *p* e *k*, como fizemos anteriormente, faremos referência a [p] e [k]: deliberadamente escolhi letras do IPA que têm o mesmo valor fonético, de uma forma geral, que as letras *p* e *k* possuem nos sistemas de escrita da maioria das línguas europeias, inclusive no inglês. A maioria das letras do IPA provém dos alfabetos latino ou grego. Mas como qualquer pessoa que conheça, digamos, o inglês, o francês, o italiano e o espanhol sabe, letras iguais estão longe de ter valores fonéticos iguais em todas as línguas que usam essencialmente o mesmo alfabeto. Na realidade, uma mesma letra não tem necessariamente o mesmo valor fonético sequer dentro do sistema ortográfico de uma mesma língua. Uma das vantagens de se ter um alfabeto fonético padronizado e internacionalmente aceito é que não se precisa especificar a interpretação de um determinado símbolo para línguas específicas ou mesmo palavras específicas: "*a* do italiano", "*u* como na palavra francesa *lu*" etc. O preço a pagar por essa vantagem tão grande é o de que os usuários do IPA devem abandonar qualquer pressuposição que possam ter, por qualquer motivo, sobre a forma como uma determinada letra se deve pronunciar. Por exemplo, [c] é um som muito diferente de qualquer um dos sons representados pela letra *c* em inglês, francês, italiano ou espanhol. Nos parágrafos seguintes, serão introduzidos apenas umas poucas letras e diacríticos do IPA.

---

* A diferença entre a transcrição ampla e a restrita (que, pela própria natureza dos fatos é relativa, e não absoluta) é que a primeira apresenta menos detalhes que a segunda. Uma transcrição ampla não é necessariamente fonêmica (v. Seção 3.4).

Os Sons da Língua

Uma vez dispondo de um sistema de transcrição fonética, teremos duas maneiras de nos referir a formas: (a) em itálico, em sua ortografia convencional (ou respectiva transliteração) sem colchetes, por exemplo, as formas do inglês *led* [passado de *lead*, "liderar"] e *lead* [chumbo]; (b) em uma transcrição ampla do IPA, inserida em colchetes, por exemplo [led] e [li:d].* Podemos agora acrescentar uma terceira: (c) em itálico, em colchetes angulares, ou seja <*led*> e <*lead*>. Só será feito um uso restrito da alternativa (c). Mas a sua própria existência nos permite distinguir formas escritas, (c), de formas foneticamente transcritas, (b), e cada uma dessas de outras, cuja realização escrita ou falada não nos interessa, (a). Também possibilita afirmar, por exemplo: a forma escrita *lead* corresponde a duas formas faladas, [li:d] e [led]; e, em contrapartida, a forma falada [led] corresponde a duas formas escritas, <led> e <lead>.

A correspondência desse tipo, de uma forma para muitas, entre os conjuntos de elementos escritos e falados, é tradicionalmente definida como homofonia ("igualdade do som"): vejam-se *rode* [passado de *ride*, "cavalgar"] e *road* [estrada], *father* [pai] e *farther* [mais longe], *court* [corte] e *caught* [passado e particípio passado de *catch*, "capturar"] na chamada *Received Pronunciation* do inglês britânico (RP).** Em determinados sotaques escoceses, nenhum desses pares é homófono; da mesma forma como *father*: *farther* e *court*: *caught* não o são, embora *caught* e *cot* [cabana, maca] sejam homófonos, em certas pronúncias americanas. É importante frisar, a respeito do inglês-padrão, que ele é pronunciado de forma diversa em grupos diversos e que o que são pares homófonos em um podem não constituir homófonos em outro. O reverso da homofonia, ao qual os gramáticos tradicionais dedicaram uma atenção menor, é a **homografia** ("igualdade da ortografia"): vejam-se os homógrafos *import*$_1$ ["importar", com acento na segunda sílaba] e *import*$_2$, ["importado(s)", com acento na primeira sílaba], cujos correlatos na fala diferem quanto à posição da tonicidade.

É por haver em inglês, como em muitas outras línguas com um sistema ortográfico mais conservador, tanto homófonos que não são homógrafos, por um lado, quanto homógrafos não homófonos, por outro, que a homofonia e a homografia nos chamam a atenção na descrição de tais línguas. Porém, como veremos mais tarde, pode haver razões gramaticais ou semânticas para a distinção de formas idênticas tanto no meio fônico quanto no gráfico. Por exemplo, *found*$_1$ (passado do verbo '*find*' [encontrar]) e *found*$_2$ (uma das formas do presente de '*found*' [fundar]) são tanto homófonos quanto

---

* Os dois-pontos indicam o prolongamento do som denotado pela letra-símbolo imediatamente anterior.
** A RP é aquela pronúncia do inglês, originalmente baseada na fala culta de Londres e do Sudeste da Inglaterra, que por volta do século XIX foi considerada a única pronúncia socialmente aceitável na sociedade inglesa culta. Especialmente, tratava-se da pronúncia dos que eram recebidos na corte. Divulgada pelas escolas públicas (pagas) e adotada pelos locutores da BBC em 1930, ela é hoje bem menos baseada em características regionais do que qualquer outra pronúncia do inglês, em qualquer outra parte do mundo, embora já não goze do mesmo prestígio, especialmente entre os mais jovens. Todas as formas inglesas transcritas foneticamente neste livro são presumidamente pronunciadas conforme a RP.

Capítulo 3

homógrafos: as palavras de que ambos são formados, '*find*' e '*found*', são **homônimos** (parciais).*

3.3   Fonética articulatória

Já foi ressaltado que os chamados **órgãos da fala** têm outras funções, sem ligação com a fala ou sequer com a produção de sons, e que estas são biologicamente primárias. Os pulmões oxigenam o sangue; as cordas vocais (situadas na laringe ou no pomo de Adão) servem, quando reunidas, para fechar a traqueia, impedindo que a comida entre; a língua e os dentes servem para a alimentação; e assim por diante. Entretanto, os órgãos da fala realmente constituem o que se poderia descrever como sistema biológico secundário, e há uma certa comprovação de sua adaptação evolutiva para a produção da fala. Na fonética articulatória, os sons da fala são classificados de acordo com os órgãos que os produzem e a maneira como são produzidos.

A maior parte dos sons da fala, em quase todas as línguas, é produzida pela modificação, de uma certa forma, da corrente de ar que é expelida pelos pulmões através da traqueia, pela **glote** (espaço entre as **cordas vocais**) ao longo do **sistema vocal**. Tal sistema vai desde a laringe, em uma extremidade, até os lábios e narinas, na outra.

Se as cordas vocais são mantidas uma do lado da outra e se vibram à proporção que o ar vai passando pela glote, o som produzido é **sonoro**; se o ar passar sem vibração das cordas vocais, o som resultante é **surdo**. Com isso obtemos uma das principais variáveis articulatórias. A maioria das vogais, em quase todas as línguas, e todas as vogais inglesas (exceto quando na fala sussurrada) são sonoras. Mas as consoantes, tanto sonoras quanto surdas, são bem comuns nas línguas conhecidas, ainda que a distinção entre sonoro e surdo nas consoantes nem sempre sirva, como em inglês, à distinção de formas no ambiente fônico. As consoantes surdas são [p], [t], [k], [s], [f]; e sons sonoros correspondentes são [b], [d], [g], [z], [v]. Quando o IPA não oferece duas letras distintas para sons sonoros e surdos correspondentes, podem-se usar os sinais diacríticos para marcar a diferença. O diacrítico que marca o traço surdo é um pequeno círculo debaixo da letra. Por exemplo, o IPA parte do princípio de que as vogais são sonoras a menos que explicitamente marcadas como surdas, de forma que [ḁ], [e̥], [i̥] etc. são as contrapartes surdas das vogais sonoras [a], [e], [i] etc. É importante notar que, apesar do fato de se usarem os diacríticos em um caso, mas não no outro, a relação fonética entre [ḁ] e [a], ou [e̥] e [e], é exatamente a mesma do que entre [b] e [p], ou [d] e [t].

---

* Exemplos de homófonos em português são os pares 'seção:sessão' e 'sexta:cesta'. Homógrafos são, por exemplo, os pares 'almoço (verbo):almoço (refeição)' e 'manga (fruta):manga (de camisa)' sendo que este último par além de homógrafo é homófono, ou seja, é um homônimo. (N.T.)

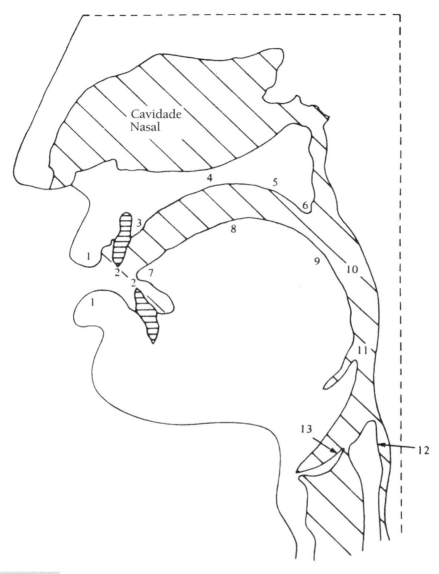

Figura 1   Os órgãos da fala. 1 Lábios; 2 Dentes; 3 Alvéolo (raiz dos dentes); 4 Palato duro; 5 Palato mole; 6 Úvula; 7 Ponta da língua; 8 Corpo da língua; 9 Parte posterior da língua; 10 Faringe; 11 Epiglote; 12 Passagem para a comida; 13 Cordas vocais.

Outra variável articulatória importante é a da nasalidade. Se o **véu palatino**, ou palato mole, é abaixado atrás na garganta para manter aberta a passagem para a cavidade nasal, o ar pode escapar pelo nariz ao mesmo tempo que sai pela boca. Os sons produzidos dessa forma são **nasais**, contrastando com os **não nasais** (ou **orais**), para cuja produção não há passagem de ar pelo nariz. As consoantes nasais

Capítulo 3

possíveis são [m], [n] e [ŋ], todas presentes no inglês, [ŋ] como som final de formas como *wrong* [errado(a)], *sing* [cantar] (na pronúncia RP de cada uma). As consoantes nasais são pressupostamente sonoras a menos que estejam marcadas como surdas com o diacrítico apropriado: [m̥], [n̥], [ŋ̊] etc. Assim como [b] contrasta com [p] e [m] com [m̥] na dimensão sonora, também [m] contrasta com [b] e [m̥] com [p] na dimensão nasal. Da mesma forma com os sons [d]:[t]::[n̥] e com [g]:[k]::[ŋ]:[ŋ̊]. As vogais são supostamente orais a menos que marcadas como nasais por meio de um til [~] acima da respectiva letra. Com isso, [ã], [ê] etc. são as contrapartes (sonoras) nasais de [a], [e] etc. Uma vez mais, é importante compreender que [b], [p] e [m], [d], [t] e [n], e [g], [k] e [ŋ] estão foneticamente relacionados uns com os outros exatamente da mesma maneira como [a], [ḁ] e [ã].

Uma terceira dimensão articulatória é a da aspiração. Os sons **aspirados** diferem de seus correspondentes **não aspirados,** pois os primeiros vêm acompanhados de um pequeno sopro. (Na realidade, a aspiração seria mais adequadamente tratada como um aspecto da distinção entre sonoro/surdo do que como algo completamente independente. Depende do tempo da comutação vocal relativa a processos articulatórios concomitantes. Há outras articulações secundárias que não abordaremos aqui: glotalização, palatização, labialização, velarização etc.) As consoantes aspiradas, normalmente surdas, aparecem em muitas línguas, inclusive no inglês, como veremos mais tarde. Em vez de usar o diacrítico da aspiração, seguiremos o que é uma prática mais comum hoje em dia colocando a letra agá como índice superior imediatamente após a letra do IPA. Assim [pʰ] é o correspondente aspirado de [p].

Até agora utilizamos a nomenclatura tradicional falando em 'consoantes' e 'vogais' sem maiores explicações. No que diz respeito à articulação, as **consoantes** diferem das **vogais** porque são produzidas por uma obstrução ou restrição temporária da corrente de ar que passa pela boca, ao passo que as vogais não sofrem nenhuma obstrução ou restrição na passagem do ar. A diferença fonética entre consoantes e vogais não é, de fato, absoluta; e há certos sons que apresentam um *status* intermediário. Na exposição breve e simplificada dos principais conceitos da fonética articulatória que aqui desenvolvemos, não são necessários tais detalhes.

As consoantes podem ser subdivididas em diversos grupos, conforme a natureza da obstrução à passagem do ar. Esta pode ser total, resultando em uma **oclusiva**, ou parcial; no caso de ser parcial, mas o suficiente para provocar uma fricção audível, o som resultante é classificado como **fricativo**. As oclusivas típicas são [p], [t] e [k]; as fricativas, [f] e [s]. As consoantes também se classificam, em outra dimensão articulatória, em termos de seu **ponto de articulação**: ou seja, de acordo com o lugar na boca em que a obstrução acontece. Há inúmeros pontos diferentes no sistema vocal onde o ar pode ser obstruído pelos **articuladores**: cordas vocais, língua, dentes etc. Nenhuma língua utiliza mais do que alguns poucos desses articuladores. Os seguintes pontos de articulação constam do conjunto utilizado em inglês e em outras línguas mais conhecidas (com ou sem articulações secundárias de diversos tipos):

Os Sons da Língua

bilabiais (ou simplesmente **labiais**), os lábios se juntam, por exemplo, em [p], [b], [m].

labiodentais, o lábio inferior toca os dentes de cima, por exemplo, em [f], [v]. Enquanto [p], [b], [m] são oclusivas, [f], [v] são fricativas. (As fricativas bilabiais e as oclusivas labiodentais são menos frequentes, mas aparecem.)

dentais, a ponta da língua toca os dentes de cima, por exemplo, em [t], [d], [θ], [ð].

alveolares, a ponta da língua toca o alvéolo (na altura da raiz dos dentes superiores), por exemplo, em [t], [d], [n], [s], [z]. Devemos notar que os mesmos símbolos podem ser usados, na transcrição ampla, tanto para as oclusivas dentais como para as alveolares, embora o IPA ofereça diacríticos para distinguir uma classe de outra, caso necessário. As consoantes iniciais do inglês *thick* [grosso] e *this* [este(a)] são fricativas dentais, respectivamente surda e sonora, possíveis de se transcreverem como [θ] e [ð], enquanto os sons [t], [d] e [n] de quase todos os sotaques do inglês (em quase todas as posições nas palavras) são alveolares (ao contrário dos sons [t], [d] e [n] em francês, espanhol ou russo, ou pelo menos os sons [t] e [d] em italiano).

palatais, a parte posterior da língua toca o palato duro, por exemplo, nas oclusivas [c] e [ɟ] e nas fricativas [ç] e [j].

velares, a parte posterior da língua toca o véu palatino, ou palato mole, por exemplo, nas oclusivas [k] e [g] e nas fricativas [x] e [ɣ]. A diferença entre palatais e velares, bem como entre dentais e alveolares, é uma questão de grau (mais do que, por exemplo, entre labiais e dentais, ou entre dentais e palatais). Embora as palatais não sejam comuns na maior parte das posições das palavras inglesas, a fricativa palatal surda, [ç], aparece no alemão (na maioria dos dialetos), castelhano, espanhol e grego moderno, sendo também uma das pronúncias RP possíveis da consoante inicial de uma forma inglesa como *hue* [matiz] (a letra <h> em inglês abrange uma faixa de sons cuja qualidade é em grande parte determinada pela vogal que a acompanha). Os sons que no sistema ortográfico inglês correspondem às letras <k> e <c> são, na maior parte dos ambientes fonéticos, variedades de velares, mas em certas posições (como acontece em muitas línguas) eles se aproximam de um som palatal, como em *key* [chave] e *cue* [indício]. A fricativa velar surda [x] não ocorre na pronúncia RP, mas acontece como consoante final na pronúncia escocesa de *loch* [lago], sendo comum em alemão e em alguns dialetos espanhóis.* A fricativa velar sonora [ɣ] é mais rara nas línguas europeias do que a sua correspondente surda, mas aparece no grego moderno (e em certos dialetos russos).

glotais, acontecem com a junção momentânea das cordas vocais, por exemplo, na oclusiva ['] e nas fricativas [h] e [ɦ], surda e sonora, respectivamente. Uma vez que as cordas vocais não podem vibrar quando totalmente fechadas, não há oclusiva glotal sonora, embora haja as fricativas glotais surda e sonora. As oclusivas glotais ocorrem como algo muitas vezes considerado variante socialmente estigmatizada do som [t]

---

* No espanhol de Castilha, entretanto, o som de jota em formas como **hija** "filha" é comumente pronunciado como fricativa pós-velar, ou uvular; o [χ] do IPA.

61

Capítulo 3

intervocálico, em formas como *city* [cidade], *united* [unido(a)], *butter* [manteiga], em diversos sotaques urbanos da Inglaterra e Escócia, inclusive o de Londres (*cockney*), o de Manchester, o de Birmingham e o de Glasgow (além de ocorrer despercebidamente, por assim dizer, em outros ambientes fonéticos, mesmo na RP). É importante enfatizar, portanto, que, do ponto de vista fonético, se trata de uma consoante perfeitamente respeitável e independente, que não se deve confundir com o [t], sendo bastante difundida nas línguas conhecidas.

Muitos outros pontos de articulação são reconhecidos pelo IPA na classificação das consoantes; alguns devem inclusive ser mencionados em uma descrição fonética do inglês. Para fins de ilustração dos princípios gerais da classificação articulatória, o que dissemos anteriormente será suficiente. Os símbolos até aqui introduzidos (e alguns outros) estão na Tabela 1. Note-se que, enquanto a dimensão vertical da tabela representa o que se pode considerar como parâmetro articulatório único (se deixarmos de lado a coarticulação e articulação secundária), a dimensão horizontal não representa. Há uma organização hierárquica entre oclusivas e fricativas, sendo as oclusivas subclassificadas em orais ou nasais, e ambas, tanto oclusivas quanto fricativas, subclassificadas em surdas e sonoras. O aspecto multidimensional do que se chama **modo de articulação**, contrastando com o aspecto essencialmente unidimensional do ponto de articulação, ficaria ainda mais óbvio se nos aprofundássemos mais na classificação das consoantes (distinguindo as classes das vibrantes, dos *flaps*, das líquidas etc.). Será bom lembrar esse ponto.

Passamos agora à análise articulatória das vogais. Uma vez que as vogais (na medida em que podem ser nitidamente diferenciadas das consoantes) se caracterizam pela ausência de obstrução à passagem do ar pela boca, não possuem um ponto de articulação como o das consoantes. É preciso considerar a configuração total da cavidade oral. Há uma variedade infinita segundo três dimensões foneticamente relevantes, convencionalmente estabelecidas como fechadas: abertas (alternativamente altas: baixas), anteriores: posteriores e arredondadas: não arredondadas.

Consoantes selecionadas na notação IPA. (A aspiração não aparece por ser sempre marcada com diacrítico. Também as nasais surdas se identificam pelo acréscimo de um diacrítico.)

Uma vogal **fechada** (ou **alta**) é aquela para cuja produção os maxilares são mantidos bem próximos um do outro (porque a língua está elevada na boca); em contrapartida, a produção de uma vogal **aberta** (ou **baixa**) implica a abertura da boca (por causa do abaixamento da língua). Tanto o [i] quanto o [u] são vogais fechadas (altas), e tanto o [a] quanto o [ɑ] são vogais abertas (ou baixas).

Uma vogal **anterior** é aquela produzida pela elevação da língua (mais precisamente, do ponto mais alto da língua, uma vez que evidentemente ela se encontra fixa na raiz no fundo da boca) na direção da parte dianteira da boca; uma vogal **posterior** implica a retração da língua. Tanto o [i] quanto o [a] são anteriores, assim como o [u] e o [ɑ] são posteriores.

Os Sons da Língua

Tabela 1 Consoantes selecionadas na notação IPA. (A aspiração não aparece por ser sempre marcada com diacrítico. Também as nasais surdas se identificam pelo acréscimo de um diacrítico.)

Modo de articulação Ponto de articulação	Oclusivas			Fricativas	
	Orais		Nasais		
	Surdas	Sonoras	Sonoras	Surdas	Sonoras
bilabial	p	b	m	ɸ	β
labiodental	π	b	ɱ	f	v
dental	t̪	d̪	n̪	θ	ð
alveolar	t	d	n	s	z
palatal	c	ɟ	ɲ	ç	j
velar	k	g	ŋ	x	ɣ
glotal	ʔ			h	ɦ

Uma vogal **arredondada** é produzida pelo arredondamento dos lábios; as não arredondadas não precisam do arredondamento. [u], [o] e [ɔ] são arredondadas; [i], [e], [ɛ] e [a] são não arredondadas. A vogal cardeal de número 5 [ɑ], por apresentar uma abertura máxima, é também não arredondada.

Poderemos levantar agora diversos pontos a respeito dessa classificação tridimensional das vogais. Primeiro, já que todas essas dimensões são contínuas, a diferença entre quaisquer duas vogais em termos de abertura, posterioridade e arredondamento será sempre uma questão de maior ou menor intensidade. Entretanto, a título de padronização de suas referências às vogais, os foneticistas utilizam o sistema de **vogais cardeais**. Estas não devem ser identificadas com qualquer vogal de qualquer língua real: são pontos teóricos em referência aos quais o foneticista treinado pode traçar os sons vocálicos das línguas específicas. Poderá afirmar o seguinte: a vogal da forma francesa *pie* [codorna], que podemos transcrever como [pi], aproxima-se mais do [i] cardeal do que a primeira parte da vogal da palavra *pea* [ervilha] na pronúncia RP do inglês, podendo também ser transcrita, de maneira ampla, como [pi], ou, mais restritamente (indicando a aspiração da consoante e a duração, mas não a qualidade não uniforme, ditongada, da vogal), como [pʰ i:]. As oito vogais cardeais são apresentadas na Figura 2: logo chegaremos às vogais cardeais secundárias. Poderemos observar que as vogais cardeais 1, 4, 5 e 8 – a saber, [i], [a], [ɑ] e [u] – são as extremidades teóricas nas dimensões de abertura e posterioridade. Nos pontos intermediários entre [i] e [a] e entre [u] e [ɑ], no que se julgam ser intervalos auditivamente iguais, encontramos as vogais **semifechadas** [e] e [o] e as semiabertas [ɛ] e [ɔ].

63

Capítulo 3

O próximo ponto a ser estudado é o de que, enquanto todas as vogais anteriores na Figura 2 são não arredondadas, todas as posteriores (exceto a vogal cardeal de número 5) são arredondadas. Isso não significa que vogais arredondadas anteriores, ou não arredondadas posteriores, não ocorram. Certamente que ocorrem. Mas são menos comuns – especialmente as não arredondadas posteriores – nas línguas europeias; tanto o IPA quanto o sistema de vogais cardeais, subsequentemente desenvolvido, apresentam uma certa tendenciosidade em favor das línguas europeias. No entanto, cada uma das vogais cardeais primárias tem sua contraparte entre as vogais cardeais secundárias (anterior arredondada e posterior não arredondada), numeradas de 9 a 16. Por exemplo, a correspondente secundária de [i] é a de número 9, a arredondada anterior [y], à qual a vogal da palavra francesa *tu* [tu/você] se aproxima; a correspondente secundária de [u] é a de número 16, a não arredondada posterior [ɯ]: o japonês apresenta vogais que são bem próximas da cardeal [ɯ].

Devemos posteriormente notar que as vogais da Figura 2 estão distribuídas ao longo dos lados de um quadrilátero cuja base é muito maior que o lado de cima. Esse diagrama representa esquematicamente o fato de que, por motivos fisiológicos, há, tanto do ponto de vista articulatório quanto do auditivo, menos diferença na dimensão anteroposterior com as vogais abertas do que no caso das fechadas: menos diferença, por exemplo, entre [a] e [ɑ] do que entre [i] e [u]. O mesmo princípio se verifica no que tange ao arredondamento. De maneira que [i] se diferencia de [u] mais do que [a] de [ɑ] em duas das três dimensões (sendo o arredondamento completamente irrelevante no caso de vogais com abertura máxima). Portanto, não surpreende que as línguas apresentem uma tendência a ter sistemas vocálicos assimétricos em que se fazem menos distinções entre as vogais abertas que entre as fechadas.

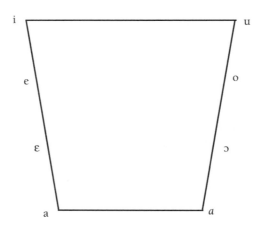

Figura 2   Vogais cardeais primárias.

Finalmente, devemos frisar ainda mais uma vez que o quadrilátero das vogais representa um contínuo tridimensional, dentro do qual, a não ser no ideal teórico, os símbolos vocálicos do IPA denotam regiões, mais do que pontos. Além disso, há regiões, especialmente no centro do contínuo, que não são absolutamente bem servidas pelo IPA ou pelo sistema de vogais cardeais.

O mesmo acontece, então, na articulação de consoantes e vogais. Tudo o que foi dito, por mais breve e seletivo que tenha sido nosso tratamento da questão, terá esclarecido exaustivamente um ponto. Tanto consoantes quanto vogais, consideradas **segmentos** da fala, são feixes de **traços** articulatórios, podendo cada um deles ser tratado como o valor de uma determinada variável em uma determinada dimensão. Por exemplo, [m] é uma oclusiva nasal, bilabial sonora: ou seja, tem o valor [sonoro] na dimensão da voz, o valor [labial] na dimensão do ponto de articulação (primário), [nasal] na dimensão da nasalidade, e [oclusiva] na dimensão da oclusão, ou obstrução.

Os colchetes delimitando os termos 'sonoro' etc., no parágrafo anterior, indicam que tais termos são rótulos usados para traços fonéticos. As Tabelas 2 e 3 reclassificam algumas das consoantes e vogais apresentadas anteriormente como conjuntos de traços. Esses traços, como poderemos verificar, são simultâneos, não sequenciais (de qualquer maneira mais relevante). Também poderemos verificar que se deve traçar uma distinção entre traços que sejam independentemente variáveis e os que não sejam. Assim, um som da fala não pode ser, seja em que caso for, ao mesmo tempo sonoro e surdo, nasal e oral. As Tabelas 2 e 3 utilizam os sinais de mais e de menos para dar conta desse fato: [sonoro], [nasal] etc. foram escolhidos para ser positivos, e [surdos], [oral] etc. como negativos, membros de pares de traços correlatos. No tocante ao ponto de articulação das consoantes, a situação é outra. É bem verdade que se uma consoante é (primariamente) labial ela não pode ser também (primariamente) dental ou velar. Mas não podemos tratar seja o traço [dental] seja o traço [velar] como negativos em relação ao traço [labial]. Assim sendo, se uma consoante é marcada positivamente com um sinal de mais para um dos valores da dimensão do ponto de articulação, aparece na Tabela 2 como neutra, e não negativa, para os outros valores. Da mesma forma no que diz respeito à diferença entre oclusivas e fricativas. A Tabela 3 representa apenas as três dimensões da classificação articulatória das vogais ligadas à configuração da boca: é fácil ampliar a Tabela 3 para que ela cubra, à luz de discussões anteriores, as sonoras: surdas e as nasais:orais, distinções aplicáveis também às vogais. As Tabelas 2 e 3 serão muito úteis para referências futuras.

Mas agora é preciso levantar a questão da própria segmentação. Como decidimos que uma determinada explosão de fala, analisada do ponto de vista da fonética articulatória, consiste em tal ou tal número de segmentos sequencialmente ordenados? O princípio determinante da segmentação fonética é muito simples de se enunciar, mas nem um pouco simples de se aplicar sem muitas decisões mais ou menos arbitrárias em determinadas instâncias. Delimitamos os segmentos (a partir do estabelecimento de uma fronteira entre eles) nos pontos em que há uma mudança no valor de uma ou mais variáveis articulatórias: por exemplo, passando de [labial] a [dental], de [sonoro]

Capítulo 3

a [surdo], de [posterior] a [anterior], de [nasal] a [oral]. Esse princípio muitas vezes é difícil de se aplicar, porque as mudanças de valor nem sempre são nítidas e as extensões sonoras entre mudanças de valor sucessivas não são estados perfeitamente estáveis.* Além disso, determinadas transições entre traços (por exemplo, o uso da voz ou da aspiração nas consoantes) não seriam normalmente levadas em conta para esse fim a menos que houvesse razões fonológicas para tal (v. Seção 3.4). Portanto, a questão de quantos sons há em uma determinada forma – considerada sem referência à estrutura fonológica de uma certa língua, ou dos sistemas linguísticos em geral – não se presta a uma resposta definida. Eis aí um ponto a ser constantemente lembrado quando se fazem referências a dados linguísticos foneticamente transcritos.

Tabela 2 Seleção de consoantes analisadas em traços articulatórios componentes. (Há exemplo de oclusivas surdas aspiradas, mas não de oclusivas sonoras aspiradas, também não aparecem orais ou nasais aspiradas sonoras, nem nasais surdas. Os pontos de articulação, a título de ilustração, são três apenas: labial, dental e velar. A tabela pode ser ampliada para cobrir todas as consoantes da Tabela 1 e respectivas aspiradas.)

Segmentos fonéticos Traços articulatórios	p	pʰ	b	m	Φ	β	t	tʰ	d	n	θ	ð	k	kʰ	g	ŋ	x	ɣ
sonoro	−	−	+	+	−	+	−	−	+	+	−	+	−	−	+	+	−	+
aspirado	−	+	−	−	0	0	−	+	−	−	0	0	−	+	−	−	0	0
nasal	−	−	−	+	0	0	−	−	−	+	0	0	−	−	−	+	0	0
oclusiva	+	+	+	+	0	0	+	+	+	+	0	0	+	+	+	+	0	0
fricativa	0	0	0	0	+	+	0	0	0	0	+	+	0	0	0	0	+	+
labial	+	+	+	+	+	+	0	0	0	0	0	0	0	0	0	0	0	0
dental	0	0	0	0	0	0	+	+	+	+	+	+	0	0	0	0	0	0
velar	0	0	0	0	0	0	0	0	0	0	0	0	+	+	+	+	+	+

Tabela 3 Seleção de vogais analisadas em traços componentes (a Tabela a seguir exclui [ɛ] e [ɔ]. Sem precisar distinguir o traço meio-aberto ou meio-fechado, trata [e] e [o] como nem abertos, nem fechados)

	i	e	a	ɑ	o	u	y	ü
aberta	−	0	+	+	0	−	−	−
posterior	−	−	−	+	+	+	+	+
arredondada	−	−	−	−	+	+	−	−

---

* Os ditongos diferem foneticamente das chamadas vogais puras, ou monotongos, na medida em que não são sons estáveis.

De fato, uma das desvantagens de um sistema de transcrição fonética alfabético é que ele dá ampla margem a que não especialistas pensem que a fala é constituída de cadeias de sons. Qualquer pessoa que utilizar um alfabeto fonético deverá exercitar-se no sentido de desalfabetizar, por assim dizer, as cadeias de sons que representam os enunciados falados. Por exemplo, ao deparar-se com [tɛ̥mãn], ela deve não só poder analisar o [t] em seus traços componentes simultâneos, [surdo], [dental] etc., seguindo o mesmo processo para cada um dos cinco sons da fala aqui representados, mas também deve imediatamente notar que o traço [surdo] se estende a dois segmentos, que [sonoridade] e [nasalidade] se estendem a três segmentos e assim por diante. Esses traços não mudam rapidamente entre [t] e [ɛ̥]; ou entre [m] e [ã] e entre [ã] e [n]. Quando dois ou mais segmentos compartilham de um mesmo traço, como neste exemplo (especialmente se for um traço consonantal ligado ao ponto de articulação), eles são normalmente considerados **homorgânicos** ("produzidos pelo mesmo órgão"). De maneira mais geral, podemos afirmar que há uma tendência nos segmentos sucessivos (se são segmentos distintos segundo o critério citado anteriormente) a serem **assimilados** uns aos outros seja quanto ao ponto ou ao modo de articulação, ou ambos. Esse fato tem uma importância considerável na análise fonológica das línguas.

Pelo que acaba de se dizer, deve ter ficado claro que praticamente qualquer traço fonético pode estender-se a segmentos sucessivos, podendo, portanto, ser, nesse sentido do termo, **suprassegmental.** Por exemplo, [sonoro] é suprassegmental em [amba] [nasal] é suprassegmental em [mãn]; e assim por diante. Entretanto, o termo 'suprassegmental' normalmente se restringe a traços como os que aparecem no que, fonologicamente mais do que foneticamente, é classificado como **duração, tom** e **acento**. Voltaremos à noção de suprassegmentação, em ambos os sentidos, em uma seção posterior.

Devemos frisar, entretanto, que o tratamento de segmentos e traços suprassegmentais que consta deste livro é altamente seletivo. No que diz respeito a segmentos potenciais, há classes inteiras de sons de vários tipos que não foram mencionadas: **líquidas, glides, africadas** etc. Não era meu objetivo apresentar uma classificação completa, sequer em um esquema mais amplo, das variáveis articulatórias, mas simplesmente ilustrar os princípios gerais.

3.4 Fonemas e alofones

Daqui por diante a fonética (estudo do meio fônico) só nos interessará na medida em que for relevante à análise **fonológica** dos sistemas linguísticos. Há várias teorias fonológicas. Podem distinguir-se por serem fonêmicas ou não fonêmicas, segundo considerem os **fonemas** como elementos básicos da análise fonológica ou não. Das

Capítulo 3

teorias fonêmicas da fonologia, aquela a que podemos nos referir como **fonêmica americana clássica**, embora já tenha sido abandonada pela maior parte dos linguistas, é especialmente importante para que se compreenda o desenvolvimento das teorias mais modernas. Além do mais, ela goza da vantagem pedagógica de ser conceitualmente mais simples que muitas outras. Portanto, esta seção é dedicada à explicação das noções-chave da fonêmica americana clássica, tais como foram elaboradas no período seguinte à Segunda Guerra Mundial. Concentraremos nossa atenção nos conceitos e termos que serão úteis a discussões posteriores. Muitos detalhes serão, pois, omitidos.

Na teoria que aqui ilustramos, os fonemas são definidos com referência a dois critérios principais: (a) **semelhança fonética** e (b) **distribuição** (sujeito ao critério que o anula, e que encontra aplicação em todas as teorias fonológicas, o do **contraste funcional**: ver adiante). Como vimos na seção anterior, a semelhança fonética é uma questão de mais ou menos, e é multidimensional. Segue-se que um determinado som pode se assemelhar a um segundo em uma ou mais dimensões, ao passo que dele difere, assemelhando-se a um terceiro, em uma ou mais outras dimensões. A consequência prática desse fato, no tocante à análise fonêmica, é a de que o analista muitas vezes se depara com soluções alternativas quando deve decidir quais sons foneticamente semelhantes devem ser agrupados como variantes, mais tecnicamente falando, como **alofones**, de um mesmo fonema. A essa altura podem-se aplicar diversos critérios suplementares (os quais deixaremos de lado). Contudo, pode ser que permaneçam as discordâncias quanto à quantidade de fonemas existentes em uma determinada língua e quanto a quais sejam seus alofones nos vários contextos de ocorrência, mesmo após serem invocados os critérios suplementares. Apesar da impressão que deixam muitos livros da época, há quase um consenso de que a fonêmica americana clássica não consegue apresentar uma análise da fonologia de muitas línguas que seja única e universalmente aceita.

Passamos agora à noção de distribuição que, como veremos mais adiante neste livro, é importante não só para a fonologia, mas também para a gramática e semântica. De uma forma resumida, podemos dizer que a distribuição de uma entidade é o conjunto de contextos em que ela aparece nas sentenças de uma língua. O termo 'entidade' deve ser interpretado no sentido mais amplo possível. No que toca a esta seção, podemos afirmar que ele abarca sons da fala e traços fonéticos, por um lado, e fonemas, por outro. A noção de distribuição pressupõe a de boa formação (v. Seção 2.6). O que isso significa, no âmbito da fonologia, é que devemos operar não apenas com as formas reais do sistema linguístico, mas com todo o conjunto de formas fonéticas e fonologicamente corretas, tanto real como potencialmente. Em todas as línguas naturais há formas reais mais ou menos utilizadas (muitas vezes emprestadas de outras línguas) que não se enquadram nos padrões fonológicos mais gerais, assim como há muitas formas inexistentes que os falantes da língua reconheceriam, no sentido que aqui interessa, como formas potenciais daquele sistema: ou seja, que

Os Sons da Língua

se adaptam aos padrões gerais. Para citar um exemplo hoje clássico, [brik] é tanto uma forma potencial como uma forma real do inglês (em uma transcrição fonética ampla), haja vista *brick* [tijolo]; [blik] é uma forma potencial, mas não real; *[bnik], por outro lado, não só não é uma forma real do inglês, como também uma má-formação fonológica (daí o asterisco): não há palavras bem-formadas do inglês que comecem por [bn]. †

Na medida em que as línguas são sistemas regidos por regras, toda entidade linguística sujeita às regras do sistema possui uma distribuição característica. Duas ou mais entidades têm a mesma distribuição se e somente se ocorrerem no mesmo ambiente – ou seja, se são substituíveis uma pela outra – **intersubstituíveis** – em todos os contextos (sujeitas às condições de boa formação). As entidades intersubstituíveis em alguns contextos, mas não em todos, possuem uma distribuição **sobreposta**: portanto, a identidade distribucional pode ser concebida como caso limítrofe da distribuição sobreposta, e, se "alguns" for entendido como "todos", no caso, ela pode ser definida de tal forma que caia na definição de 'sobreposição'. Doravante adotemos essa definição. As entidades que não forem intersubstituíveis em nenhum contexto estarão em **distribuição complementar**.

Podemos, pois aplicar essa noção ao problema da definição de fonemas e alofones. Primeiramente devemos notar que dois sons não podem estar em contraste funcional a menos que estejam em distribuição sobreposta: especificamente, sons que não se sobrepõem na distribuição não podem ter por função distinguir duas formas. Por exemplo, há diversos sons de [l] na pronúncia RP do inglês. A maioria classifica-se em dois conjuntos, de uma forma impressionista chamados de claros e escuros (os membros dos dois conjuntos podem basicamente ter o mesmo ponto de articulação, diferindo segundo a parte principal da língua dirija-se para a parte anterior ou posterior da boca), que nunca ocorrem na mesma posição nas formas vocabulares: os [l] claros aparecem antes de vogais anteriores, e os [l] escuros, nas demais posições. Com isso, a substituição de um [l] claro no lugar de um [l] escuro normal, por exemplo, em *feel* [sentir], não basta para transformar essa forma em outra (embora possa ter como consequência a transformação da forma em uma pronúncia irlandesa ou francesa); da mesma maneira, se um [l] escuro for colocado no lugar do [l] claro normal, digamos que na palavra *leaf* [folha], ele não poderá transformá-la em outra forma vocabular, real ou potencial. Alargando a afirmação, se todos os sons de [l], claros ou escuros, estão em distribuição complementar, não podem exercer um contraste funcional. Satisfazem ambas as condições citadas anteriormente como suficientes para definir um fonema, semelhança fonética e distribuição complementar, sendo universalmente designados a um mesmo fonema como seus alofones: variantes posicionais foneticamente distintas. É essencial aos elementos fonológicos que exerçam contraste funcional pelo menos em um ponto do sistema linguístico em questão.

---

† A não ser no que chamamos de 'allegro-forms', que são variantes que aparecem na fala rápida ou informal (p. ex., [bni:θ] como variante 'allegro' de [bəni:θ] beneath [por baixo de] na RP).

69

Capítulo 3

Os alofones são subfonêmicos. Mesmo assim, dispõem de uma distribuição regulada: pertencem, nesse particular, ao sistema linguístico à medida que é **atualizado** no meio fônico. Mas não são elementos do sistema. Estes (de acordo com as teorias fonológicas de base fonêmicas) são os seus respectivos fonemas. Os fonemas, por convenção, são representados pela letra-símbolo (com ou sem diacrítico) apropriada a uma transcrição ampla de um dos alofones foneticamente distintos, contida entre barras oblíquas. Por exemplo, o fonema inglês /l/ tem por alofones um conjunto de sons foneticamente distintos, podendo todos ser mantidos separados, se necessário, em uma transcrição mais restrita. Portanto, agora temos mais uma maneira de nos referirmos às formas: foneticamente, ou, de uma maneira mais geral, se generalizarmos o uso das barras oblíquas (como será o caso neste livro), fonologicamente. É importante que se compreenda que, como deveria ter ficado óbvio na explicação dada anteriormente, a representação fonêmica não é simplesmente uma transcrição fonética ampla.

Outro ponto merece atenção. Muito frequentemente, os livros de linguística apresentam uma definição imprecisa, quando não absurda, do princípio de contraste funcional. Eles podem dizer, por exemplo, que a mudança de um [l] escuro por um claro na forma *feel* não muda o significado da forma, enquanto a mudança de [l] por [r] em *lamb* muda o significado. Falando de uma forma bem estrita, está errado. O que a substituição de [l] por [r] faz, em inglês, no caso de *lamb* [cordeiro, ou carne de carneiro], é mudar a forma, não o significado; muda a forma *lamb* para uma forma *ram* [carneiro, o animal]. É verdade que '*lamb*' e '*ram*' (ou seja, as palavras de que *lamb* e *ram* são as formas) diferem no significado, de modo que os enunciados que as contiverem geralmente terão significados diferentes. Mas não é por mero pedantismo que chamo a atenção do leitor para essa formulação imprecisa do princípio de contraste funcional. Uma diferença de forma não implica garantidamente uma diferença de significado (veja-se o fenômeno da sinonímia). Nem tampouco é a diferença de significado o único critério segundo o qual se estabelecem as diferenças de forma. A questão de haver ou não a possibilidade de uma diferença de forma não correlacionada em algum ponto do sistema linguístico com uma diferença de significado é bastante controvertida, em parte ligada à definição que escolhemos para 'significado'. Mas não resta dúvida de que o que se discute no princípio do contraste funcional é a identidade e diferença da forma, não a identidade e diferença de significado.

A sobreposição distribucional é uma condição necessária, mas não suficiente para o contraste funcional. É bastante comum que sons foneticamente distintos sejam intersubstituíveis em um mesmo contexto e que ainda assim estejam em **variação livre**: ou seja, sem estar contrastando funções: por exemplo, [ʔ] e [t] são variantes livres, para muitos falantes da pronúncia RP inglesa, em formas como *brightness* [brilho, claridade], [...ʔ n...] em face de [...tn...] ou *that bloke* [aquele cara], [..ʔ b...] em face de [...tb...]; ou seja, antes de consoantes oclusivas, nasais ou orais. Aqui a substituição de um som por outro não muda *brightness* ou *that bloke* para alguma outra forma. Com efeito, poderia até muito bem passar despercebida. Em outros casos do que poderia ser normalmente considerado uma variação livre, para fins de uma análise fonêmica, a escolha de uma pronúncia em vez de outra pode ser determinada por fatores estilísticos de diversos tipos. No que diz respeito a análise fonêmica, o 'contraste funcional' pode restringir-se a uma **função distintiva**: ou seja, a função de distinguir uma forma de outra. Como bem insistiram os fonólogos da Escola de Praga, a questão de a descrição fonológica cobrir também a variação estilística é muito mais polêmica (v. Seção 7.3).

Uma das primeiras e mais importantes descobertas da fonologia foi a de que os sons que em uma língua se encontram em distribuição complementar ou variação livre podem em outra estar em contraste funcional. Por exemplo, [ð] e [d] exercem um contraste funcional em inglês (vejam *there* [lá] e *dare* [ousar], mas encontram-se em distribuição complementar (talvez com alguma variação estilística) no espanhol de Castilha (v. *nada* [naða], "nada" em face de *dos* [dɔs], "dois"). Poderíamos apresentar uma infinidade de exemplos. O importante é que as línguas diferem muito quanto às distinções fonéticas que operacionalizam, por assim dizer, na atualização (no meio fônico) das formas a partir das quais se constroem as sentenças. Esse ponto está acima de qualquer ligação a teorias fonológicas específicas.

3.5 Traços distintivos e fonologia suprassegmental

De acordo com a teoria da fonêmica americana clássica, anteriormente mencionada, os fonemas são os elementos fonológicos mínimos dos sistemas linguísticos. Essa não foi, no entanto, a visão de Trubetzkoy, um dos membros-fundadores da Escola de Praga, que desenvolveu uma versão própria do estruturalismo saussuriano, tendo grande influência, especialmente na fonologia e estilística, na década de 1930 (v. Seção 7.3). A noção básica da fonologia de Praga é a de que os fonemas, embora ainda sejam os elementos mínimos dos sistemas linguísticos, não são elementos mínimos em si: são feixes (ou conjuntos) de **traços distintivos** simultâneos. Essa formulação, acrescida de algumas modificações introduzidas posteriormente, foi retomada na década de 1960 pelos advogados da **gramática gerativa**, em cujas formalizações ela substituiu os conceitos da fonêmica americana clássica que esteve originalmente ligada à gramática gerativa como parte de sua herança **pós-bloomfieldiana** (v. Seção 7.4). A apresentação da teoria de traços distintivos que aqui desenvolvemos não tenta separar as diferentes fases históricas de seu desenvolvimento.

O termo 'distintivo' refere-se àquela parte do contraste funcional em sistemas linguísticos que está ligada à distinção entre duas formas (v. Seção 3.4): os fonólogos da Escola de Praga também dispensaram especial atenção a outros tipos de distinção fonológica, mas que não nos interessam no presente momento. O termo 'traço' já nos é conhecido desde a seção que tratou da fonética articulatória (v. Seção 3.3). Com efeito, podemos passar imediatamente à explicação das noções básicas da teoria de traços distintivos, com base no que foi anteriormente desenvolvido.

71

Capítulo 3

Os sons da fala podem ser representados como conjuntos de traços fonéticos. Os que utilizamos anteriormente eram traços articulatórios; mas poderiam perfeitamente ter sido acústicos ou auditivos, em princípio. O mesmo acontece com os traços fonológicos da teoria de traços distintivos, e foram empregados traços tanto acústicos quanto auditivos. Na medida em que a fonologia, ao contrário da fonética, pode ser concebida sem referência direta ao meio fônico (embora os teóricos partidários dos traços distintivos, de uma maneira geral, não adotem normalmente essa visão bastante abstrata da fonologia), deveríamos operar com traços fonológicos que não fossem nem articulatórios nem acústicos, mas que se relacionassem (embora de maneira bem complexa) igualmente bem com qualquer um dos dois, e também, quando a fonética auditiva estiver mais desenvolvida, com os traços auditivos. A título de simplicidade na exposição, empregaremos a nomenclatura articulatória. Para deixar bem claro que estamos falando de traços fonológicos e não fonéticos, usaremos as barras oblíquas, em vez dos colchetes, em volta dos rótulos articulatórios. (Essa prática não é padronizada, mas permite maior clareza conceitual e possibilita que se deixem em aberto certas opções teóricas.) Assim, enquanto o som [p] pode ser descrito, segundo a Tabela 2, como sendo conjunto {[+labial], [+oclusivo], [−sonoro], [nasal]}, da mesma forma o fonema inglês /p/, suponhamos, é analisável sendo {/+labial/, /+ oclusivo/, / − sonoro/}.

À primeira vista pode parecer que a única coisa que fizemos foi realizar um truque com o sistema de notação, substituindo os colchetes pelas barras oblíquas e chamando ao resultado final de traço fonológico, em vez de fonético. Deveríamos notar, entretanto, que para o inglês /p/ apenas três, e não quatro traços são distintivos. Não há um traço fonêmico /−nasal/ caracterizando /p/ porque a ausência da nasalidade em inglês é previsível (embora o mesmo não aconteça em todas as línguas) a partir da ausência da sonoridade; o traço /−nasal/ apareceria caracterizando /b/ para dar conta de sua função distintiva em *ban* [banir] em face de *man* [homem], *cub* [cria] face a *come* [vir] etc. Também, a descrição articulatória de [p] está muito incompleta (estando restrita aos traços articulatórios que constam da Tabela 2). Geralmente o conjunto de traços distintivos que definem e caracterizam um fonema será muito menor do que o conjunto de traços fonéticos que caracterizam qualquer um de seus alofones. Por exemplo, o fonema inglês /p/ tem como um de seus alofones uma oclusiva oral, bilabial, surda; aspirada − a saber [p^h] − cuja descrição articulatória mais completa acarretaria uma referência não só à aspiração, mas também ao grau de força com que o ar é liberado após a obstrução labial, à duração da obstrução e da aspiração, e a muitos outros traços que fazem com que o som se torne reconhecidamente um [p^h] inglês (em um determinado sotaque) para a posição em que ocorre. Mas nenhum desses outros traços é distintivo no sentido de servir para mudar uma determinada realização de uma forma fonética inglesa, a ponto de ela se tornar outra forma fonética inglesa.

Quanto aos três traços que anteriormente vimos compondo o conjunto relativo a /p/: /+labial/ (que coincide com [+labial]) distingue (uma pronúncia de) *pin* [alfinete] de (uma pronúncia) de *tin* [zinco], *kin* [parente] etc.; /+oclusivo/ distingue *pat* [palmada] de *fat* [gordo(a)] (uma vez que o inglês não tem fricativas labiais, a não ser como alofones de /p/ em outras posições, e não tem oclusivas labiodentais, podemos pensar em /f/ e /v/ como contrapartes /+fricativas/ de /p/ e de /b/), *tick* de *sick* (e de *thick*); /−sonoro/, de acordo com a abordagem convencional, é o traço que distingue *pin* de *bin* [celeiro], *pat* de *pad* [almofada]. Pode-se argumentar que o traço que distingue /p/, /t/, /k/, /s/, /θ/ etc. de /b/, /d/, /g/, /z/, /ð/ etc. em inglês não se deve relacionar à característica 'surdo', mas a alguma outra coisa, da qual tanto o aspecto 'surdo' quanto o 'aspirado' fossem integrantes fonéticos concomitantes. Entretanto, seja qual for a nossa posição nessa questão, permanece o fato de que não precisamos nem de /+ aspirado/ nem de /−sonoro/ na análise de traços distintivos para o inglês.

Utilizei o termo 'alofone' na explicação que acabei de dar sobre a relação entre os fonemas e os traços distintivos de que se compõem. Na realidade, o conceito de variação alofônica é tratado de forma bem diferente na teoria de traços distintivos, de tal maneira que a própria possibilidade de aplicação do termo é questionável. O ponto crucial da análise fonológica com base nos traços distintivos é o de que cada fonema deve ser distinguido de todos os outros por ter pelo menos um traço, presente ou ausente no conjunto de traços que o define no sistema linguístico, em relação ao qual ele se distingue; e o seu conjunto de traços definidores permanece constante em todos os pontos em que o fonema ocorre. Aquilo a que a fonêmica americana clássica se referia em termos de variação alofônica é tratado na teoria de traços distintivos (especialmente dentro do quadro da gramática) por meio de regras que (tendo convertido o feixe mínimo de traços fonológicos suficiente para distinguir todos os fonemas entre si em traços fonéticos: /+labial/ → [+labial], /+sonoro/ → [+sonoro] etc.) acrescentarão traços fonéticos não distintivos apropriados para determinadas posições de ocorrência. Por exemplo, o traço fonético [+aspirado] seria acrescentado para a atualização fonética do /p/ inglês em posição inicial (por exemplo, em *pit* [buraco] ou *pot* [pote]), mas não para sua atualização se ele vier depois de /s/ (por exemplo, *spit* [cuspir] ou *spot* [nódoa]; e o traço fonético [−sonoro] seria acrescentado para todas as posições de ocorrência.

Pudemos ver no parágrafo anterior que as línguas diferem muito quanto aos traços fonéticos que consideram distintivos e os que, se os tiverem, não consideram distintivos. Esse fato é verdadeiro independentemente do quadro teórico a que estivermos nos referindo. Afinal, é fato empírico que o traço [+aspirado] é distintivo em híndi e no chinês mandarim; que as vogais francesas podem ser simultaneamente tanto distintivamente anteriores quanto distintivamente arredondadas; que em muitas línguas australianas a nasalidade, e não a sonoridade, é distintiva e caracteriza mais fonemas do que em qualquer língua europeia, e assim por diante. Devemos notar, no entanto, que em cada um desses exemplos foram utilizados termos – 'aspirado', 'anterior', 'posterior', 'nasalidade' – que também são utilizados em centenas, para não dizer milhares, de outras línguas faladas. A teoria dos traços distintivos em si não seria

Capítulo 3

incompatível com a visão de que há um número ilimitado de possíveis traços distintivos dos quais os diferentes sistemas linguísticos fazem a sua seleção própria, como que única, combinando-os de formas imprevisíveis para construir seus próprios fonemas. Mas as formulações recentes da teoria de traços distintivos apresentaram certa tendência a considerar, com uma quantidade razoável de dados embasando essa premissa, que todas as línguas naturais podem ser satisfatoriamente descritas, no tocante à fonologia, com referência a uma lista-mestra de pouco mais do que uma dúzia de traços potencialmente distintivos. Certamente é fato que há muitos traços fisiologicamente fonéticos que não se tornam distintivos, pelo que sabemos, na fonologia de qualquer língua natural; e há muitas combinações fisiologicamente possíveis que são extremamente raras, ou absolutamente ausentes. Chomsky sugeriu que a razão para isso fosse que a fonologia das línguas naturais, assim como sua sintaxe e semântica, está profundamente direcionada por uma predisposição especificamente humana a operar com determinados tipos de distinção em vez de outros (v. Seção 7.4).

Uma das vantagens mais flagrantes da teoria dos traços distintivos em comparação com a fonêmica americana clássica é que ela dá conta de forma motivada dos princípios determinantes da boa formação de sequências de fonemas em muitos casos de muitas línguas. Por exemplo, entre o /s/ e o /r/ iniciais dentro de uma mesma forma inglesa podem ocorrer /p/, /t/ e /k/, mas /b/, /d/ e /g/ não (vejam-se *spray* [pulverizador], *stripe* [listra] e *scratch* [arranhão] em face de */sbr–/, */sdr–/, */sgr–/). Esse é apenas um dos muitos contextos em que /p/, /t/ e /k/ são intersubstituíveis, mas não /b/, /d/ e /g/. Essa parte da distribuição dos dois conjuntos de fonemas é descrita (de uma maneira foneticamente motivada) por meio de uma única regra que se refere a / −sonoro/ em face de /+sonoro/. Da mesma forma, a assimilação de /n/ a /m/ e /η/ (em determinadas circunstâncias) no contexto em que se seguem um /p/, /b/ ou /m/, por um lado, e /k/ ou /g/ por outro, pode ser atribuída à presença de /+labial/ em um caso, e /+velar/ no outro, como componentes do fonema que condiciona a assimilação: veja-se *unproductive* [improdutivo] [mp], *unbeatable* [imbatível] [mb], *unmistakable* [não passível de erro] [mm], *uncouth* [toco] [ηk], *ungarded* [desprotegido] [ηg]. (A ortografia nesse caso não é testemunha do processo assimilativo, como acontece em /n/ − /m/ nas formas derivadas do latim como *imponderable* [imponderável], *imbued* [imbuído], *immutable* [imutável].) Frequentemente acontece de um determinado traço, por exemplo, /+labial/, /+nasal/, /+sonoro/, poder ser encarado como suprassegmental, em determinados contextos: ou seja, como se se estendesse a dois ou mais segmentos (fonêmicos).

Mas o que dizer da possibilidade de um determinado traço nunca ser mais do que suprassegmental em uma dada língua? Não se trata de uma mera possibilidade teórica. Esse tipo de suprassegmental é encontrado em muitas línguas. Por exemplo, o que se conhece por **harmonia vocálica** não é fato raro. Da forma como opera no turco, envolve traços contrastivos /+posterior/ em oposição a /−posterior/ e /+arredondado/ em oposição a /−arredondado/. Se deixarmos de lado as formas vocabulares que não se enquadram no padrão (formas estas que em sua maior parte foram tomadas de empréstimo a outras línguas), podemos dizer que todas as vogais em posições sucessivas de uma palavra turca devem ter o mesmo valor para o contraste /±posterior/ e (sujeitando-se a uma condição posterior de que exclui a combinação de /+arredondado/ com o traço segmental /+aberto/ em todas as sílabas que não a inicial) para o contraste /±arredondado/. Não importa qual o comprimento da palavra – e por questões de estrutura gramatical o turco possui muitas palavras longas – /±posterior/ e /±arredondado/ são suprassegmentais no sentido já explicado.

Os traços distintivos suprassegmentais exemplificados anteriormente são aqueles a que se refere a **teoria prosódica**, em uma acepção especializada do termo, como **prosódias**. A teoria prosódica da fonologia, característica do que ficou conhecido como Escola Linguística de Londres, tem muito em comum com a teoria dos traços distintivos em suas versões mais recentes. Infelizmente, as diferenças terminológicas, para não mencionar as divergências na postura teórica com respeito a questões mais gerais, empanam as semelhanças. A principal diferença entre a teoria de traços distintivos ortodoxa, por assim dizer, e a teoria prosódica é que a primeira ainda é uma teoria essencialmente fonêmica, ou segmental, como era a fonêmica americana clássica. A teoria prosódica, por outro lado, permite que tanto elementos fonêmicos (segmentais) quanto prosódicos (suprassegmentais) sejam identificados e tenham um *status* igual, mas complementar, no inventário fonológico dos sistemas linguísticos. Além do mais, essa teoria reconhece que, embora haja uma tendência de se considerarem (por motivos fonéticos) determinados traços como segmentais e outros como suprassegmentais nas línguas, a noção de suprassegmentalidade é em princípio relativa a cada sistema linguístico em particular.

O termo 'suprassegmental', é necessário explicar agora, veio sendo empregado até agora em uma acepção não padrão. A maioria dos linguistas, se empregam o termo 'suprassegmental' alguma vez, utilizam-no com referência a acento, tom e duração, que foram um problema para a fonêmica americana clássica, cuja premissa básica era a de que a estrutura das palavras e sentenças podia ser totalmente descrita em termos de elementos fonológicos sequencialmente ordenados.

A diferença na acentuação da forma nominal inglesa *import* [importado(a)] em relação à forma verbal *import* [importar] na língua falada (sendo a primeira acentuada na primeira sílaba, e a segunda, na segunda sílaba) não pode ser tratada de uma forma natural como uma diferença entre fonemas segmentais. Há duas razões para esse fato, parcialmente independentes: primeiramente, a acentuação tônica é essencialmente uma questão da proeminência de uma sílaba em relação às outras sílabas de uma palavra de uma forma ou de formas que se acompanham; em segundo lugar, a atualização fonética da acentuação, ao contrário da atualização fonética de fonemas segmentais, não pode preceder ou suceder temporalmente a atualização fonética de seus elementos fonológicos vizinhos. Obviamente poderíamos decidir representar a diferença de acentuação entre as formas por uma marcação fonêmica mais ou menos arbitrária, em que o fonema de acentuação correspondente viria antes (ou depois)

Capítulo 3

do fonema vocálico correspondente ao núcleo da sílaba na atualização fonética. O importante é que, embora a segmentação sempre possa ser realizada em fonologia, ainda que a custo de decisões arbitrárias, se necessário, a própria arbitrariedade a que se vê forçado o linguista é prova da inadequação teórica da estrutura dentro da qual a análise está sendo realizada.

O que se disse em relação à acentuação se aplica também ao tom que, em muitas línguas (as chamadas **línguas tonais**), serve para distinguir formas de maneira bem semelhante à acentuação, embora não muito extensamente, tal como age em inglês. No que diz respeito à duração, pode haver consoantes longas, como há vogais longas, em determinadas línguas; e pode haver interdependência entre a duração de uma de outra. Mesmo em inglês (na pronúncia RP), a duração das vogais varia conforme a qualidade da consoante seguinte da mesma sílaba. O que tradicionalmente se chama de vogais longas, e assim é analisado por alguns fonólogos, mas não por outros, é atualizado como segmentos foneticamente encurtados diante de uma oclusiva /−sonora/: portanto, o segmento vocálico de *seat* [assento] é foneticamente mais curto que o de *seed* [semente] ou *see* [ver]. Com efeito pode ser menor, em sua realização fonética, que o da vogal fonologicamente curta de *sit* [sentar-se]. Esse fato servirá para ilustrar não só a diferença entre comprimento fonológico e duração fonética, mas, de maneira mais abrangente, a complexidade da relação entre a análise fonológica e a transcrição fonética.

3.6 Estrutura fonológica

Esta é uma discussão bem curta sobre um assunto bem longo. Nosso objetivo é simplesmente explicar o que significa 'estrutura', neste contexto, e enfatizar o fato de que há muito mais na análise fonológica do que a mera indicação dos inventários de elementos segmentais e suprassegmentais.

Dada a existência de um inventário de elementos fonológicos para uma determinada língua, a estrutura fonológica desse sistema linguístico é descritível em termos das relações entre os próprios elementos e as relações entre, por um lado, os conjuntos de elementos fonológicos e, por outro, complexos fonológicos ou formas ou unidades gramaticais maiores.

As relações dos elementos entre si são de dois tipos, comumente denominadas 'sintagmáticas' e 'paradigmáticas' na tradição saussuriana. O termo 'sintagmático', etimologicamente relacionado com 'sintático', mas sem dever ser confundido com este, significa tão somente "combinatório". Como 'paradigmático', embora historicamente explicável e amplamente utilizado, é possivelmente enganador, usaremos aqui o termo 'substitutivo', ao invés. Portanto, tanto neste ponto como mais adiante, a não ser que estejamos especificamente tratando do estruturalismo de Saussure, falaremos de relações **sintagmáticas** e **substitutivas**. A primeira é o tipo que

76

Os Sons da Língua

ocorre entre elementos que podem aparecer em combinação uns com os outros, em **sintagmas** bem-formados; a segunda é o tipo que ocorre entre conjuntos de elementos intersubstituíveis em determinados locais dos sintagmas. Uma das maiores contribuições de Saussure, como veremos na discussão sobre o estruturalismo, foi esclarecer, no início do século XX, a interdependência entre as relações sintagmáticas e substantivas e substitutivas (v. Seção 7.2).

Como vimos, os sistemas linguísticos podem diferenciar-se uns dos outros fonologicamente não apenas quanto ao número de elementos fonológicos de seus inventários (e à atualização fonética destes), mas também em termos das relações sintagmáticas que determinam a boa formação fonológica de combinações possíveis: isto é, sintagmas fonológicos. Falamos, a título de simplicidade, como se os sintagmas fonológicos pudessem ser satisfatoriamente definidos como sequências de fonemas: sabemos que nem todos os fonemas podem preceder ou suceder qualquer outro fonema. Há restrições de sequência que proíbem a ocorrência dos membros de um conjunto de fonemas ao lado dos membros de um outro conjunto. As regras determinantes da boa formação fonológica em determinadas línguas devem especificar quais sejam essas restrições; mais especificamente, devem explicitar que elementos podem ser colocados juntos em sintagmas bem-formados e de que forma se processa essa combinação.

Porém isso ainda não é tudo em uma descrição fonológica. O termo 'sintagma', que acaba de ser empregado, traz consigo a implicação de que há certas entidades maiores, os próprios sintagmas, de que os elementos fonológicos são partes componentes. É exatamente o que acontece. O que é mais polêmico é o fato de existirem em todas, ou mesmo em alguma língua natural, sintagmas puramente fonológicos tais como as **sílabas** (para não falar em frases fonológicas), que devem ser postuladas para descrever a estrutura fonológica da língua em questão, sendo definidas sem referência à estrutura sintática da mesma. É muito mais fácil formular as restrições sequenciais existentes entre as consoantes inglesas em termos de sua posição dentro de uma mesma sílaba ou em sílabas sucessivas do que seria formulá-las sem qualquer referência a elas. Entretanto, essa postura pressupõe uma definição teoricamente satisfatória das sílabas enquanto entidades fonológicas. Há ainda uma discórdia entre os linguistas quanto à possibilidade, ou ainda à necessidade, de se postularem as sílabas e outros sintagmas puramente fonológicos na estrutura do inglês e de outras línguas. É perfeitamente possível, até, que determinadas línguas tenham sintagmas puramente fonológicos e que outras não.

Muito menores são hoje as controvérsias sobre a necessidade de uma referência às unidades sintáticas na análise fonológica das diferentes línguas; ou, dizendo exatamente a mesma coisa em termos reconhecidamente mais modernos, de uma integração entre as regras fonológicas e sintáticas dos sistemas linguísticos. Em muitas línguas naturais, e presume-se mesmo que em todas, há **dependências entre diferentes níveis** de diversos tipos que pertencem à língua com a mesma legitimidade das relações puramente fonológicas ou puramente sintáticas. Com efeito, já em seções anteriores, havíamos incorporado essa questão de dependência entre níveis.

Capítulo 3

Não somente introduzimos a princípio o conceito de boa formação fonológica em relação a formas (ou seja, a sintagmas fonológicos que também são unidades sintáticas – seguindo as premissas simplificadoras da Seção 2.6), mas também muitas vezes nos referimos à posição dos fonemas – inicial, medial, final etc. – nas palavras; e estas neste sentido do vocábulo "palavra", são uma subclasse das formas.

A interdependência entre a sintaxe e a fonologia, contudo, é muito mais ampla do que se possa pensar a partir do que foi dito anteriormente. Existem fenômenos de juntura, como o que tradicionalmente se conhece por *liaison* em francês, cuja descrição necessita de uma referência não só ao limite da palavra, como também à relação sintática, se houver, que se processa pelas fronteiras entre vocábulos; por exemplo, a ocorrência de [z] em [lez 'm'] *les hommes*, "os homens", e [ʒelezevy] *Je les ai vus*, "eu os vi", contrastando com a sua ausência em [dcnleamaRi] *Donne-les à Marie*, "Dê-os a Maria". Muitos dos fenômenos com componente não verbal das línguas faladas a que nos referimos como prosódicos (v. Seção 1.5) – dos quais a acentuação e a entonação são os mais importantes – não podem ser adequadamente descritos a menos que seu domínio seja sintaticamente especificado; mas, ainda assim, trata-se de fenômenos fonológicos na medida em que abrangem os elementos segmentais e suprassegmentais do sistema linguístico. Como vimos, na proporção em que tais elementos prosódicos não possuem correlatos na língua escrita, as línguas escrita e falada correspondentes são não isomórficas. Agora ficará claro que, como há distinções fonológicas sintaticamente (e semanticamente) relevantes que são intransferíveis para o meio gráfico, línguas escritas e faladas correspondentes serão até certo ponto necessariamente diferentes, sintaticamente (e semanticamente).

LEITURAS COMPLEMENTARES

A maioria dos trabalhos marcados com asterisco na lista bibliográfica contém capítulos sobre fonologia. Alguns tratamentos introdutórios úteis no caso são: Crystal (1971: 167-87); Fudge (1970); Henderson (1971). Os mais abrangentes são:

a) para a fonética: Abercrombie (1966); Fry (1977); Ladefoged (1974, 1975); Malmberg (1968).

b) para a fonologia: Fischer-Jørgensen (1975); Sommerstein (1977).

As seguintes leituras exemplificam determinados pontos de teoria e prática fonológica: Bolinger (1972); Fudge (1973). Jones & Laver (1973); Makkai (1972); Palmer (1970).

Para uma seleção de exercícios em análise fonológica, ver Langacker (1972), no Capítulo 4; Robinson (1975).

Na fonética acústica: Fry (1979); Ladefoged (1962).

Para a fonética do inglês, especialmente na RP: Brown (1977); Gimson (1972); Jones (1975).

Na fonologia gerativa: uma introdução em Akmajian, Demers & Hamish (1979); Fromkin & Rodman (1974); Smith & Wilson (1979). Mais abrangentes são os trabalhos de: Hyman (1975) Kenstowicz & Kisseberth (1979); Schane (1973). O volume clássico é o de Chomsky & Halle (1968).

Na fonologia prosódica: Lyons (1962); Palmer (1970); Robins (1979a), na Seção 4.4.

Os Sons da Língua

Sobre a fonologia da Escola de Praga, temos o clássico de Trubetzkoy (1939); para fundamentos e exemplificações, ver Jakobson (1973); Vachek (1964, 1966). Próximo à Escola de Praga, em muitos aspectos, está Martinet (1960).

PERGUNTAS E EXERCÍCIOS

1. "Um determinado meio... em si, não é a língua; é um veículo para ela" (Abercrombie, 1967:2). Discuta.
2. De que maneira a **fonética** difere da **fonologia**?
3. Quais as três principais ramificações da fonética?
4. "A criança, no processo normal de aquisição da linguagem é, e deve ser... um especialista competente de todos os três ramos da fonética..." (p. 55) Explique e discuta.
5. Explique e exemplifique (usando formas, diferentes das que são apresentadas no texto, vindas de sua própria variedade linguística) (a) **homofonia** e (b) **homografia**.
6. "O que comumente denominamos 'órgãos vocais' ou 'órgãos da fala'... não são essencialmente órgãos da fala de maneira alguma" (O'Connor, 1973:22). Discuta.
7. Como (a) as **vogais** se distinguem das **consoantes** e (b) as **oclusivas** se distinguem das **fricativas** em termos de uma classificação articulatória dos sons da fala?
8. Que traço articulatório os seguintes conjuntos de sons da fala têm em comum: (i) [p], [b], [m]; (ii) [p], [t], [k]; (iii) [θ], [f], [s], [ð]; (iv) [m], [n], [ŋ]?
9. Quais as oito **vogais cardeais** essenciais? A que propósito serve esse sistema de classificação?
10. Apresente os símbolos existentes no IPA para: (a) uma vogal arredondada anterior fechada; (b) uma oclusiva nasal velar; (c) uma fricativa dental sonora; (d) uma oclusiva oral labial surda.
11. Apresente a transcrição fonética ampla de sua pronúncia de teoria, teatro, embrulhado, espécie (em 'ele foi pego'), desacato, janela, familiar, filhote, enfadonho, diário, desfalecer, perdizes, paz e transição.
12. Extraia das seguintes formas foneticamente representadas (pela desalfabetização das cadeias de símbolos: v. p. 67 todos os traços **homorgânicos** contíguos em termos da classificação de consoantes e vogais apresentada na Seção 3.3, especificando sua abrangência. (Por exemplo, em [amba], o traço fonético [sonoro] estende-se a todos os quatro segmentos, mas [labialidade] restringe-se apenas a [mb].); (i) [indi]; (ii) [mãnɔŋ]; (iii) [pate̥ti̥]; (iv) [ˆpti]; (v) [aŋkara].

Capítulo 4
Gramática

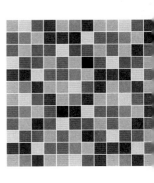

4.1 Sintaxe, flexão e morfologia

A primeira coisa que se deve dizer neste capítulo é que o termo 'gramática' será empregado aqui e em todos os pontos deste livro (a não ser nas expressões 'gramática tradicional' e 'gramática gerativa') em sentido bastante restrito, contrastando, por um lado, com 'fonologia' e, por outro, com 'semântica'. Esse é um dos sentidos tradicionais da palavra, e o que está mais próximo da acepção comum dada ao vocábulo 'gramatical'. Hoje em dia muitos linguistas classificam a 'fonologia', e mesmo a 'semântica', sob o rótulo de 'gramática', o que pode causar confusão.

Até aqui trabalhamos com a premissa de que as línguas possuem dois níveis de estrutura: sua fonologia e sua sintaxe. Tal premissa será abandonada no que se segue. Entretanto precisará ser modificada, a menos que estejamos preparados seja para ampliar nosso conceito de fonologia, seja para estender o de 'sintaxe' para além das fronteiras de suas interpretações tradicionais. Já pudemos observar que há em algumas línguas naturais, e possivelmente em todas, certas dependências entre os diferentes níveis que tornam impossível uma separação rígida entre a estrutura fonológica e a sintática. Agora veremos que, pelo menos em determinadas línguas, há uma defasagem, por assim dizer, entre a sintaxe (em sua acepção tradicional) e a fonologia. Essa defasagem é compensada na gramática tradicional pelo termo 'flexão'.*

---

* Ao contrário do que está em muitos livros de linguística, é a 'flexão' e não a 'morfologia' que se opõe à 'sintaxe' na gramática tradicional. O termo 'morfologia' não só é relativamente recente, mas quando contrasta com 'sintaxe' – especialmente se definido em termos do ainda mais recente 'morfema' – seu uso implica uma visão muito pouco tradicional da estrutura gramatical das línguas. Apesar de suas inegáveis falhas, a gramática tradicional não estava necessariamente errada quanto a esse particular. Se bem explicada e precisamente formulada, a abordagem tradicional é pelo menos tão boa quanto qualquer alternativa que tenha sido até agora apresentada.

Capítulo 4

Todos os dicionários-padrão das línguas europeias, antigas ou modernas, pressupõem uma distinção entre sintaxe e flexão. Essa distinção também aparece em nossa maneira de nos referirmos às línguas, conforme aprendemos na escola. Embora os termos reais 'sintaxe' e 'flexão' possam ser novos para nós, há uma certa medida em que todos sabemos o que significam. Estamos acostumados a trabalhar com o termo 'palavra' e a utilizá-lo, conforme a prática da gramática tradicional, em duas acepções bastante diversas que, em última análise, dependem da compreensão prática que temos em relação ao que recai dentro do escopo do termo 'flexão'. Portanto, comecemos pela 'palavra'.

Quantas palavras há no inglês? Essa pergunta é ambígua. De acordo com uma interpretação, *sing, sings, singing, sang* e *sung* são consideradas palavras distintas. De acordo com a outra, são consideradas **formas** diferentes de uma mesma palavra, ou seja, '*sing*' [cantar]. Geralmente, quando nos perguntam quantas palavras há em um dicionário, compreendemos por 'palavra' o que está na segunda interpretação. Por outro lado, se nos pedissem para escrever um ensaio com 2.000 palavras sobre um determinado assunto, é a primeira interpretação a que vale, inclusive contando cada ocorrência separada de *sing, sings* e *singing* etc., como itens que irão inteirar o total.

Seria bom, portanto, introduzir uma terminologia que mantivesse distintos os dois sentidos de 'palavra', quando isso se fizesse necessário. Diremos, para tanto, que *sing, sings, sang* etc. são **formas vocabulares** (ou seja, são formas que também são palavras): eventualmente empregamos essa expressão em seções anteriores. E diremos que 'sing' (note-se: 'sing' e não *sing*) é um **lexema**, ou palavra do vocabulário cujas formas são *sing, sings, sang* etc. São, na realidade, o que seria tradicionalmente descrito como **formas flexionais**. Mas *sing* ocupa uma posição privilegiada entre as formas de '*sing*': é ao mesmo tempo a **forma de citação** padronizada e também o que muitos linguistas consideram a **forma base** (forma primitiva). E é tão importante distinguir essas duas últimas formas entre si quanto é distinguir cada uma do próprio lexema. A forma de citação do lexema é aquela empregada para referência ao lexema; é também a que se utiliza nas listagens alfabéticas dos lexemas, que aparecem nos dicionários convencionais. A forma primitiva é aquela, se houver alguma, a partir da qual todas as outras formas do lexema podem ser derivadas, conforme as regras **morfológicas** da língua. A forma de citação se distingue da forma primitiva, no tocante aos verbos, em francês, alemão, russo e na maioria das línguas europeias modernas, e no tocante a todos os verbos e à maioria dos substantivos e adjetivos em latim e grego.

Da mesma forma que podemos nos referir aos lexemas, podemos fazer referência a qualquer uma de suas formas. Com efeito é o que vimos fazendo até aqui, e o que continuaremos fazendo, normalmente em itálico (sem os colchetes oblíquos; v. Seção 3.2), mas ocasionalmente em notação fonética ou fonêmica. As formas podem variar, em determinados campos, de acordo com o contexto em que ocorrem – sendo o grau e a natureza de sua variação fonética na língua falada determinados pelas regras fonológicas. Mas também dispõem de uma forma de citação por meio da qual

Gramática

podemos nos referir a elas; e o termo 'forma de citação' é frequentemente empregado por linguistas, e mais especificamente por foneticistas, com relação às formas de citação de formas foneticamente variáveis. Por exemplo, tanto *come* como *came* (formas do lexema 'come' [vir]) serão pronunciadas com um [m] nasal bilabial na posição final de suas formas de citação, mas podem perfeitamente ser pronunciadas com um [ɱ] nasal labiodental, no uso comum, imediatamente antes de uma outra consoante labiodental, como [f] ou [v].

Esse tipo de variação é subfonêmica, uma vez que a distinção entre bilabial e labiodental não é um dos contrastes fonologicamente distintivos do inglês; mas há também uma certa porção de variação contextualmente determinada que, dentro do quadro da fonêmica americana clássica, acarretaria a substituição de um fonema por outro. Em ambos os casos, é comum hoje em dia, especialmente na fonologia gerativa, falar-se da derivação ou da geração de todas as formas foneticamente variáveis a partir de uma **forma subjacente** comum, que será ou idêntica à forma de citação da forma foneticamente variável, ou mais semelhante a ela do que qualquer uma das outras variantes fonéticas.

Com base na distinção entre lexemas (mais precisamente um lexema de palavra) e suas formas, podemos agora formular a distinção tradicional entre **sintaxe** e **flexão** da seguinte maneira. Juntas, a sintaxe e a flexão são complementares e constituem a parte principal, senão a totalidade, do que vimos chamando de gramática. Juntas determinam a gramaticalidade (isto é, a boa formação gramatical) das sentenças: a sintaxe, especificando como os lexemas se combinam uns com os outros, em determinadas **construções**; as regras flexionais (na medida em que a gramática tradicional tinha regras, e não paradigmas), especificando qual das formas do lexema deve aparecer em vez de outra, em uma dada construção. Intermediando sintaxe e flexão, há um nível, ou subnível, de descrição em que nos valemos de expressões como 'terceira pessoa do singular, do presente (forma) de SING (lexema)' 'possessivo singular (forma) de BOY [menino] (lexema)'. Introduzo aqui propositadamente uma notação alternativa para os lexemas, a qual é empregada em vários trabalhos recentes: 'sing' e SING são variantes notacionais, que se referem exatamente à mesma entidade.*

A distinção moderna (mais particularmente pós-bloomfieldiana) entre **sintaxe** e **morfologia**, segundo a qual a sintaxe trata da distribuição das palavras (isto é, das formas vocabulares) e a morfologia de sua estrutura interna gramatical, é, a princípio, muito semelhante à distinção tradicional entre sintaxe e flexão. Mas difere em dois aspectos: (a) a morfologia encampa não só a flexão, mas também a **derivação**; (b) trata tanto a flexão quanto a derivação por meio de regras que operam sobre as mesmas unidades básicas – os morfemas. Por exemplo, da mesma maneira como a

---

* A rigor, não são palavras no sentido de lexemas, nem tampouco no sentido de formas vocabulares, cuja distribuição as regras sintáticas da gramática tradicional pretendem abarcar, mas palavras como entidades intermediárias: palavras morfossintáticas. Mas não precisamos cuidar de refinamentos terminológicos como esse no escopo deste trabalho (v. Matthews, 1974).

Capítulo 4

forma flexional *singing* é composta de duas unidades mais básicas (morfemas), quais sejam: *sing* e *ing* [sufixo de particípio presente], também a forma derivacional *singer* é composta de duas unidades mais básicas, quais sejam: *sing* e *er* [sufixo de agente]. Além do mais, trata-se do mesmo processo de **afixação**, isto é, do acréscimo de um afixo à forma primitiva, em cada um dos casos. Sob esse ponto de vista, os **morfemas** – formas mínimas – são considerados unidades básicas da estrutura gramatical; e grande parte da morfologia pode ser trazida para o interior da sintaxe pela demoção da palavra de sua posição tradicional de centro da teoria gramatical.

Há argumentos a favor de uma gramática com base nos morfemas, como há também argumentos contra. O mesmo se pode dizer sobre a gramática baseada no vocábulo mais tradicional. O problema é preservar as vantagens de cada uma dentro de uma teoria coerente, e a outros respeitos bem-motivada, da estrutura gramatical das línguas humanas. Nos últimos vinte anos, aproximadamente, fizeram-se mais progressos em direção a esse objetivo do que em qualquer outro período anterior da história da linguística. A maior parte desses progressos se pode atribuir direta ou indiretamente à formalização de uma determinada teoria da sintaxe, no quadro da gramática gerativa, realizada por Chomsky. Mais tarde desenvolveremos mais profundamente essa questão. Aqui é suficiente dizer que, embora a teoria chomskiana da sintaxe tenha por base o morfema, em vez da palavra, em seu estágio mais recente de desenvolvimento ela terminou por adotar uma visão mais tradicional sobre a complementaridade entre a sintaxe e a flexão em relação à abordagem dos primeiros estágios. Particularmente, ela trata atualmente a morfologia derivacional como algo que não é tratado pelo componente sintático central da gramática, mas antes como algo que se relaciona com a estrutura do vocabulário (ou **léxico**). Seja qual for a teoria com que operemos, na gramática, fica claro que já não podemos mais simplesmente afirmar, como fizemos em nossa formulação anterior do princípio da dualidade, que as unidades do nível primário são compostas de elementos do nível secundário (v. Seção 1.5). A relação entre esses dois níveis é bem mais complexa do que o que possa sugerir essa formulação. Entretanto, essa complexidade é regida por regras. Além do mais, a despeito das grandes diferenças entre as estruturas gramaticais e fonológicas das línguas humanas, há igualmente impressionantes semelhanças que parecem indicar que pelo menos algumas das regras que determinam e integram os dois níveis – regras estas que as crianças dominam em relativamente pouco tempo, durante o processo de aquisição da linguagem – são comuns a todas as línguas.

4.2 Gramaticalidade, produtividade e arbitrariedade

As sentenças, por definição, são **gramaticais** (isto é, gramaticalmente bem-formadas: v. Seção 2.6). Para os nossos fins no presente momento, elas podem ser consideradas **cadeias de palavras**, bem-formadas (ou seja, sequências bem-formadas), ou de formas vocabulares, tais que, por exemplo,

Gramática

(1) *This morning he got up late.*
 [Hoje de manhã ele levantou tarde.]

e

(2) *He got up late this morning.*
 [Ele levantou tarde hoje de manhã.]

são, por definição, sentenças diferentes da língua inglesa. De um ponto de vista teoricamente mais geral, e mais tradicional, as sentenças podem ser definidas como classes de cadeias de formas vocabulares, em que cada membro da classe possui a mesma estrutura sintática. Tal definição nos permitiria, sem obrigatoriedade, tratar (1) e (2) não como sentenças diferentes, mas como versões alternativas de uma mesma sentença.

Devemos também lembrar que todas as sentenças da língua falada terão, sobreposto à cadeia de formas vocabulares, um **contorno prosódico** característico (notadamente um certo padrão entoacional) sem o qual não é uma sentença. A parcela da estrutura prosódica dos enunciados falados atribuível à estrutura da sentença é objeto de controvérsia dentro da linguística. A maior parte dos linguistas defende que pelo menos os elementos prosódicos que distinguem um enunciado afirmativo de um interrogativo e de uma ordem deveriam fazer parte da estrutura das sentenças. Ainda aceitamos tacitamente esse ponto de vista. O que deixa em aberto a possibilidade de que (1) e (2) estejam em correspondência não com sentenças individuais, mas com conjuntos de sentença diversas do inglês falado. Segue-se, em vista do que foi dito anteriormente, que, se dermos um peso igual a diferenças na ordem das palavras e a diferenças no contorno prosódico, sendo indicadores potenciais de uma estrutura gramatical, a diferença entre duas versões entoacionais distintas de (1) ou de (2) conta, em princípio, tanto quanto a diferença que há entre (1) e (2). Esse ponto deve ser lembrado, embora, em quase todo este livro, consideremos as sentenças da língua falada satisfatoriamente representadas como cadeias de palavras.

Qual a diferença entre uma cadeia gramatical e uma agramatical? A resposta é simples, mas em si pouco acrescenta. Uma cadeia agramatical de palavras é aquela em cuja formação não se respeitam as regras gramaticais do sistema linguístico; essa formulação abarca não só as sentenças, mas também os sintomas: por exemplo, *morning this, *late got up he são agramaticais (daí o asterisco: v. Seção 2.6).[†] Vejamos as implicações dessa definição, e – o que não é menos importante – as não implicações, no tocante às sentenças.

Evidentemente, não implica uma atitude normativa, ou prescritiva, em relação à língua: estamos trabalhando com as regras imanentes que, na ausência de quaisquer fatores linguisticamente irrelevantes que causem inibição ou distorção, os falantes

---

[†] Sintagmas equivalentes malformados em português seriam '*amanhã hoje' de e '*saiu da ele cama'. (N.T.)

Capítulo 4

nativos da língua inconscientemente aplicam. Da mesma maneira não implica qualquer conexão muito direta entre gramaticalidade e probabilidade de ocorrência. Finalmente, não implica uma identificação entre a gramaticalidade e a significação; por outro lado, permite lançar a hipótese de que haja uma conexão estreita e essencial entre, pelo menos, a gramaticalidade das sentenças e a significação de enunciados reais ou potenciais.

A maneira como o significado, de diversos tipos, é veiculado nas diferentes línguas será um assunto mais amplamente desenvolvido no Capítulo 5. O que queremos salientar aqui é simplesmente que, seja qual for a conexão entre gramaticalidade e significação, as duas propriedades devem necessariamente ser distintas. O exemplo hoje clássico de Chomsky,

(3) *Colorless green ideas sleep furiously*

[Ideias verdes incolores dormem furiosamente]

é uma sentença perfeitamente bem-formada no inglês, embora não seja passível de uma interpretação literal coerente. Por outro lado,

(4) **Late got this morning he up*

[tarde – levantou – esta – manhã – ele – partícula que acompanha o verbo]

é sem dúvida alguma agramatical, embora se possa argumentar que é tão passível de interpretação quanto (1) ou (2), uma vez que se desconsidere o fato da violação de determinadas regras do inglês que controlam a posição de palavras de diversas classes, umas em relação às outras, dentro de uma sentença. Há muitíssimos outros casos bem mais sutis do que (3) e (4): sem dúvida há uma área muito ampla e teoricamente muito interessante em que se verifica uma interdependência entre a gramaticalidade e a significação. Mas essas duas propriedades das sentenças não devem ser identificadas entre si.

A gramática tradicional apresentou um tratamento apenas parcial e altamente impreciso da gramaticalidade. Conseguiu estabelecer muitos dos princípios mais específicos com que os linguistas ainda operam e, no caso de determinadas línguas bem-estudadas, pode codificar um grande número de construções gramaticais diversas, notando um número ainda maior de fatos marginais que, embora sancionados pelo uso e assim chegando de certa forma a uma determinada gramaticalidade, ficaram fora do escopo das regras do sistema linguístico como tal. A teoria gramatical moderna se propõe a ser mais explícita e abrangente, especialmente com respeito à formulação de regras sintáticas dos sistemas linguísticos, do que a gramática tradicional jamais aspirou ser. Uma das razões para isso foi que, como o latim e o grego eram línguas altamente flexionadas e grande parte do que é obviamente uma questão de gramaticalidade pode ser formulada, direta ou indiretamente, em termos de categorias flexionais (gênero, número, caso, tempo, modo etc.), a 'gramática', em uma interpretação tradicional, apresentava uma forte tendência para o lado do estudo da flexão. Daí a crença até comum de que as línguas não flexionadas, como o chinês clássico, não dispõem de uma gramática e de que o inglês, que possui uma morfologia relativamente pouco flexionada, dispõe de uma gramática mais curta que a do latim ou grego, ou mesmo a do francês ou do alemão. A teoria gramatical moderna opera com um conceito de 'gramática' que não tende em favor das línguas flexionadas.

Outra razão pela qual a gramática tradicional não só falhou, mas também nem sequer tentou apresentar uma descrição abrangente e totalmente explicada da sintaxe das línguas com que trabalhava, foi por tratar grande parte da sintaxe, implícita ou explicitamente, como algo determinado pelo bom senso ou, usando um termo mais grandioso, pelas leis do pensamento. O fato de se dizer *This morning he got up late* ou *He got up late this morning*, em vez de **Late got this morning he up*, em inglês, não precisava de qualquer outra explicação além da que a ordem das palavras reflete a ordem do pensamento. Tal visão dos fatos torna-se cada vez mais difícil de se sustentar quando se faz uma investigação criteriosa de uma amostra suficiente das várias línguas existentes. A ordem das palavras, dentro de certos limites, é muito uma questão de variação estilística no latim e no grego. Há muitas línguas, dentre as quais o inglês, em que o papel estilístico da ordem das palavras é muito menor, sendo sua função sintática proporcionalmente mais importante.

Podemos levantar uma questão interessante quanto ao fato de uma ordem de palavras estilisticamente variável, conforme os exemplos (1) e (2), ser determinada por fatores psicológicos e princípios lógicos, aos quais podemos nos referir, de uma forma menos rigorosa, como leis do pensamento. Mas como dar conta do fato de que em sentenças declarativas estilisticamente neutras do inglês o sujeito precede o verbo, ao passo que em sentenças comparáveis do irlandês o verbo vem primeiro? Ou ainda, do fato de que em sintagmas nominais o adjetivo normalmente precede o substantivo, em inglês (*red coat*) [casaco vermelho], mas que (na maioria dos adjetivos) ele normalmente vem depois do substantivo em francês (*manteau rouge*) [idem]? Explicações chauvinistas que alegam que uma determinada ordem de palavras esteja mais de acordo com as leis do pensamento do que outra, e que consequentemente a língua de uma certa nação é mais lógica que a de outra, logo vêm abaixo. O mesmo acontece à hipótese ainda mais desesperadora de que cada nação tenha a sua própria lógica, possivelmente diferente da de uma outra, e que essa lógica peculiar a cada uma determine os princípios do funcionamento sintático da ordem das palavras do sistema linguístico em questão. Se pedirmos a um inglês e a um francês para descrever um casaco vermelho, será que um pensa primeiro que o objeto é vermelho e depois que é um casaco, e que o outro opera mentalmente o processo inverso? Parece improvável.

O funcionamento sintático da ordem das palavras na sentença é apenas um dos muitos aspectos da estrutura gramatical que são, consideravelmente, **arbitrários** no sentido de que não se pode dar conta deles em termos de princípios lógicos e psicológicos mais gerais (v. Seção 1.5).

Mesmo assim a criança, no processo normal de aquisição da linguagem, consegue aprender, sem que lhe ensinem, as regras gramaticais de sua língua materna. Isso é

Capítulo 4

tanto mais surpreendente na medida em que as línguas naturais, em virtude de sua estrutura gramatical, têm também a propriedade da **produtividade** (v. Seção 1.5). A tarefa que se apresenta à criança durante o período de aquisição da linguagem é a de inferir a partir de uma amostra de enunciados numerosa, mas finita, princípios gramaticais altamente arbitrários em virtude dos quais um conjunto indefinidamente grande, e talvez infinito, de cadeias de palavras é considerado gramatical e outro, ainda maior, é considerado gramaticalmente malformado.

Foi Chomsky o primeiro, em meados da década de 1950, a avaliar a importância do domínio que tem a criança sobre os determinantes sintáticos da gramaticalidade. Foi também ele que lançou o que mais tarde provou ser a teoria mais influente já elaborada sobre a sintaxe, em qualquer período da história da linguística, antiga ou moderna. A sintaxe chomskiana é formalizada dentro do âmbito da gramática gerativa e, especialmente nas versões mais recentes, integra a sintaxe à fonologia e à semântica, em uma teoria global da estrutura da linguagem. Em um livro desta natureza não podemos entrar em mais detalhes técnicos sobre a gramática gerativa. Entretanto, um dos parágrafos deste capítulo será totalmente dedicado a um relato não técnico dos princípios mais importantes da **gramática gerativa** chomskiana (v. Seção 4.6), e posteriormente, em outro capítulo, examinaremos o que chamo de **gerativismo** dentro de seu contexto histórico (v. Seção 7.4).

O gerativismo, contrastando com o estruturalismo, o funcionalismo, o historicismo etc., é o que quase todos têm em mente ao fazerem referência, corretamente, à revolução chomskiana. Como toda revolução, esta também retoma o passado e deixa intacto muito mais do que pensam os próprios revolucionários e a maioria de seus contemporâneos. Assim como a filosofia aristotélica não pode ser compreendida a não ser no contexto do platonismo, e da mesma forma como Descartes não pode ser compreendido sem alguma referência à tradição escolástica contra a qual reagia e da qual ele, sem dúvida, aceitou tanto quanto rejeitou, também Chomsky se comporta em relação a ideias a ele muito familiares, devido à sua própria formação linguística, psicológica e filosófica. O gerativismo chomskiano é muito condicionado pelo contexto intelectual e cultural bastante peculiar em que surgiu. As questões ainda mais gerais, por enquanto, serão deixadas de lado.

4.3 Partes do discurso, classes formais e categorias gramaticais

O que tradicionalmente, e de forma bem enganadora, é denominado partes do discurso – substantivos, verbos, adjetivos, preposições etc. – desempenha um papel crucial na formulação das regras gramaticais da língua. É importante observar, entretanto, que a tradicional lista de dez partes do discurso, mais ou menos, é muito heterogênea em sua composição, refletindo, em muitos detalhes das definições que

Gramática

as acompanham, traços específicos da estrutura gramatical grega ou latina que estão longe de ser universais. Além do mais, as próprias definições são muitas vezes logicamente deficientes. Algumas são circulares: e a maioria combina critérios flexionais sintáticos e semânticos, chegando a resultados conflitantes quando aplicados a uma gama mais ampla de instâncias específicas das várias línguas. Com efeito, se tomarmos o valor real de tais definições, elas não funcionam perfeitamente sequer em grego ou em latim. Como a maioria das definições da gramática tradicional, elas dependem excessivamente do bom senso e da tolerância dos que as aplicam e interpretam.

É bastante fácil apontar falhas nas definições tradicionais: "Substantivo é o que se usa para dar nomes a pessoas, lugares e coisas", "Verbo é o que denota ação", "Adjetivo é o que modifica o substantivo", "O pronome é o que faz papel de um substantivo" etc. Ainda assim, a maioria dos linguistas ainda opera em termos de 'substantivos', 'verbos', 'adjetivos' etc., e os interpreta, implícita ou explicitamente, de forma bastante tradicional. E têm todos razão. É fato importante da estrutura das línguas naturais que os linguistas sejam capazes de formular princípios empiricamente verificáveis no sentido de afirmar que algumas línguas possuem uma distinção sintática entre adjetivos e verbos (inglês, francês, russo etc.), enquanto outras (chinês, malaio, japonês etc.) possivelmente não possuem; que a maioria das línguas apresenta uma distinção sintática entre substantivos e verbos (inglês, francês, russo, chinês, malaio, japonês, turco etc.) mais que algumas poucas (notadamente a língua indígena americana Nooka, como a descreveu Sapir) possivelmente não apresentam; que em certas línguas (latim, turco etc.) os adjetivos são gramaticalmente mais semelhantes aos substantivos e menos semelhantes aos verbos do que em outras (inglês, chinês, japonês etc.).

Porém há outro aspecto da teoria das partes do discurso, na abordagem tradicional, que deve ser logo esclarecido. Os termos 'substantivo', 'verbo', 'adjetivo' etc. são empregados com a mesma ambiguidade que o termo 'palavra'; e essa ambiguidade penetrou em muitos tratamentos, não fosse por isso modernos, da sintaxe, os quais preferem falar em classes de palavras em vez de partes do discurso. Se decidirmos restringir 'partes do discurso' a classe de lexemas, dizendo que '*boy*' ['menino'] é um substantivo, que '*come*' [vir] é verbo, e assim por diante, podemos dizer que *boy* [menino], *boys* [meninos] e *boy's* [do menino] são **formas nominais**, e que *come* [vir], *comes* [vem], *coming* [vindo], *came* [veio] são **formas verbais** e assim por diante.

Há muito mais nessa questão do que um simples desejo de coerência terminológica. Um dos problemas da teoria tradicional sobre as partes do discurso é que, por não traçar a distinção que acabamos de estabelecer, ela se viu obrigada a reconhecer que determinadas palavras (há aqui um equívoco proposital com 'palavra') pertenciam simultaneamente a duas partes do discurso. Esse é conhecidamente o caso dos particípios (cujo rótulo tradicional reflete seu *status* duplo). Examinados sob um prisma, o da morfologia flexional, eles são formas verbais; sob outro, em termos de seu funcionamento sintático, são adjetivos (veja-se *dancing* em *the dancing girls*,

Capítulo 4

construído como "*the girls who dance/are dancing*"). Da mesma forma os tradicionalmente chamados gerúndios (ou, de maneira mais reveladora, substantivos verbais) são formas verbais cuja função sintática é caracteristicamente a dos substantivos (ver *dancing* em *shoes for dancing*, e, em um passo adiante, a construção em que é um substantivo utilizado adjetivamente, *dancing shoes*).*

Mais interessante, ainda que somente por não ser tão amplamente reconhecido, seja na abordagem tradicional, seja na teoria gramatical moderna, é o fato de que determinadas formas nominais sejam, de um ponto de vista sintático, caracteristicamente adjetivas ou adverbiais. Por exemplo, o possessivo *bishop's* em *the bishop's mitre* (construído como "*the mitre of the kind that bishops wear*") é sintaticamente um adjetivo; veja-se *the episcopal mitre*.** Não podemos apresentar formulações coerentes a respeito de fatos como esses a menos que estabeleçamos uma distinção entre a designação de um determinado lexema a uma determinada parte do discurso e a identificação das funções sintáticas de suas formas em diferentes contextos.

Muitos trabalhos hoje falam em **classes formais** em vez de partes do discurso. Tendo reservado 'partes do discurso' para classes de lexemas, podemos apropriar o termo 'classe formal' (em um dos sentidos em que foi definido), convenientemente, às classes de formas que possuam a mesma função sintática. Podemos então dar o que se chama de uma interpretação distribucional à 'função sintática': duas formas têm a mesma função sintática se, e somente se, possuem a mesma distribuição (isto é, se são intercambiáveis: v. Seção 3.4) em todas as sentenças gramaticais (embora não necessariamente significativas) de uma língua. Definições distribucionais como essa desempenharam um papel sumamente importante no período final da linguística pós-bloomfieldiana, preparando o caminho para o desenvolvimento da gramática gerativa chomskiana.

Fica imediatamente claro que formas flexionalmente variantes de um mesmo lexema em geral não apresentam a mesma distribuição; e é por isso que a sintaxe e a flexão são partes complementares da gramática. Por exemplo, *boy* e *boys* diferem do ponto de vista distribucional sob vários aspectos, mas principalmente porque a primeira forma, mas não a última, pode ocorrer em uma variedade de contextos, inclusive.

(1) *The* ——————————— *is here*
    [O ——————————— está aqui]

e a última, mas não a primeira, em uma variedade de contextos, inclusive

---

* '*Dancing girls*' pode traduzir-se por (a) 'garotas dançarinas', ou (b) 'garotas que estão dançando'. '*Dancing shoes*' são 'sapatos para dançar (ou sapatos de dança)' que nessa formação sintática aparecem como a forma hipotética do português *sapatos dançantes. (Ver a construção portuguesa, bem próxima de *dancing shows*, que é 'jantar dançante'.) (N.T.)
** As expressões inglesas em questão traduzem-se por 'mitra de bispo' (mitra do tipo que os bispos usam) e 'mitra episcopal'. (N.T.)

Gramática

(2) *The* —————————— *are here.*
     [Os —————————— estão aqui]

Em virtude da função semântica da distinção entre *boy* e *boys*, na maior parte dos contextos, dizemos que *boy* é a forma singular e *boys*, a forma plural de 'boy'. Se essa distinção de significado não tivesse uma correlação com a diferença de distribuição (ou seja, se as formas singular e plural dos lexemas fossem intersubstituíveis em todas as sentenças do inglês, sem modificações em outros pontos, com os mesmos sentidos), não haveria uma regra sintática no inglês que dependesse dela. Embora haja uma ligação intrínseca entre o significado das formas e sua distribuição, é simplesmente a sua distribuição que interessa diretamente aos gramáticos. Qualquer um que queira compreender a moderna teoria gramatical, em seus desdobramentos mais distintivos e interessantes, deve poder conceber a distribuição das formas independentemente de seus significados.

Uma vez que o termo 'forma' é mais amplo que 'forma vocabular', mas inclui este último, o termo 'classe formal' é correspondentemente mais amplo do que 'classe de palavra' ou 'parte do discurso'. Os morfemas (formas mínimas) podem ser agrupados em classes formais com base no critério de intercambialidade; o mesmo acontece a sintagmas compostos de várias palavras. Em uma gramática com base no morfema, a denominação de parte do discurso, que atribuímos aos lexemas, seria a princípio designada ao que tradicionalmente se denomina **radical**, ou mesmo **raiz**. (A diferença entre radicais e raízes é que as raízes são morfologicamente não analisáveis, ao passo que os radicais podem ter, além da raiz, um ou mais afixos derivacionais.) Por exemplo, a forma *boy* seria classificada como substantivo em virtude de ser o radical de todo um conjunto de formas flexionadas, entre as quais *boy*, *boys* e *boy's*. Entretanto, é um fato meramente contingente da estrutura gramatical do inglês que os radicais nominais, verbais, adjetivos etc. sejam sempre formas vocabulares (e formas de citação: v. Seção 4.1). Da mesma forma é uma mera contingência do inglês (como, por exemplo, também no chinês, mas não no turco) que muitas formas possam servir de radicais nominais ou verbais (por exemplo, *walk* [caminhar; caminho], *turn* [virar; vez], *man* [homem], *table* [mesa], etc.). Sob ambos esses aspectos o inglês está longe de ser representativo da realidade das demais línguas. As versões atuais da gramática gerativa, por serem baseadas no morfema, operam com definições de 'substantivo', 'verbo', 'adjetivo' etc. que se aplicam, a princípio, a radicais de lexemas, e secundariamente a formas maiores que os contenham ou que a eles sejam sintaticamente equivalentes.

Na gramática tradicional com base na palavra, como a flexão é complementar da sintaxe, também as **categorias** flexionais, ou gramaticais, são complementares às partes do discurso. Por exemplo, 'singular' e 'plural' são termos da categoria de **número**; 'presente', 'passado' e 'futuro', termos da categoria de **tempo**; 'indicativo', 'subjuntivo', 'imperativo' etc., termos da categoria de **modo**; 'nominativo', 'acusativo', 'dativo' etc., termos da categoria de **caso**; e assim por diante. As denominações tradicionais como 'primeira pessoa do singular do presente do indicativo do

91

Capítulo 4

verbo *BE*' [ser, estar] exemplificam a forma como, para usar a terminologia tradicional, determinadas partes do discurso são flexionadas para um determinado conjunto de categorias gramaticais.

Há dois pontos importantes quanto às categorias flexionais da gramática tradicional. O primeiro é que nenhuma delas é verdadeiramente universal, no sentido de serem encontradas em todas as línguas. Há línguas sem tempo; línguas sem caso; línguas sem gênero; e assim, sem exceção, em todas as categorias tradicionais. Por outro lado, há muitas categorias não reconhecidas na abordagem tradicional que existem em certas línguas que foram investigadas, mais recentemente, pelos linguistas.

O segundo é que o que se descreve tradicionalmente como categorias gramaticais seria comumente tratado, em uma gramática com base no morfema, como conjuntos de **morfemas gramaticais** (contrastando com os **morfemas lexicais** listados como radicais nominais, verbais etc. no vocabulário). E sua distribuição seria diretamente tratada pelas regras sintáticas. Essencialmente, este é o tratamento adotado nas versões mais recentes da gramática gerativa.

4.4 Outros conceitos gramaticais

É função das regras gramaticais de uma língua especificar os determinantes da gramaticidade dessa língua (v. Seção 4.2). Como veremos mais adiante, uma gramática gerativa atinge tal objetivo gerando (em sentido a ser explicado) todas e somente as sentenças de uma língua, designando a cada uma, no próprio processo de geração, uma **descrição estrutural**. No presente parágrafo listaremos um certo número de noções gramaticais, explicando-as rapidamente, noções essas que foram elaboradas pelos linguistas em suas tentativas de formular, para as línguas e para a linguagem, os determinantes de gramaticalidade e o tipo de informação que deve constar da descrição estrutural das sentenças.

Nunca será demais lembrar que o linguista, pelo menos hoje em dia, não está interessado na classificação e arrumação dos dados em si. Sua meta, como vimos no início, é responder à pergunta "O que é a lingua(gem)?" e, seja direta ou indiretamente, investigar a capacidade dos falantes nativos em produzir e compreender um número de enunciados indefinidamente grande e possivelmente infinito, diferentes uns dos outros em forma e significado. Uma explicação do conceito de gramaticalidade é crucial para a tarefa de descrever a capacidade de os falantes nativos realizarem essa operação (e de a criança adquiri-la), sendo também um dos pontos centrais envolvidos em qualquer resposta intelectualmente satisfatória que se possa apresentar para a interrogação de o que seja a lingua(gem).

A lista de conceitos gramaticais que apresentamos a seguir, embora razoavelmente longa, está longe de ser exaustiva. Muitos originam-se na gramática tradicional; outros apareceram mais recentemente. Nem todos serão invocados em parágrafos

Gramática

posteriores deste livro. Isso, em parte, porque a descrição aqui apresentada sobre a estrutura gramatical e sobre a gramática gerativa é, inevitavelmente, muito elementar e altamente seletiva. Mas há uma razão ainda mais importante. No atual estado da teoria gramatical não está clara a quantidade de noções logicamente independentes, ou primitivas, necessárias para a especificação dos determinantes da gramaticalidade em qualquer língua individual, que dirá em todas as línguas. Se um determinado conjunto de noções é selecionado como primitivo, nesse sentido lógico do termo, os outros poderiam ser definidos em função deste. Mas o linguista dispõe de muitas opções para decidir o que seja primitivo e o que seja derivado. As atuais versões da gramática gerativa, muitas vezes por motivos puramente históricos, escolheram um determinado conjunto de primitivos em detrimento de outros. É possível que se descubra que essa seleção não foi a melhor possível. Na realidade, devemos deixar em aberto a questão de haver ou não uma seleção correta – correta, quer dizer, para todas as línguas humanas.

Não é muito importante se o leitor para quem a seguinte lista de noções é desconhecida não conseguir se lembrar de grande parte delas. Qualquer pessoa que queira se dedicar ao estudo da linguística em um nível mais especializado deveria, evidentemente, não apenas compreendê-las todas, mas poder exemplificá-las e, fato igualmente importante, poder fazer acréscimos à lista, mostrando como uma determinada noção se mescla com outra, ou é definível em termos desta. A razão para apresentarmos essa lista bastante longa de conceitos gramaticais em um livro que se quer elementar e bastante geral no campo da lingua(gem) e da linguística é que a maioria dos trabalhos até hoje escritos não esclarece a questão anteriormente salientada. Mesmo os livros introdutórios devem dar a seus leitores uma ideia da complexidade do assunto de que tratam. E nenhum tratamento dado à teoria gramatical deveria deixar de afirmar claramente que, apesar dos grandes progressos atingidos recentemente, estamos muito longe de dispor de uma teoria geral satisfatória sobre a estrutura gramatical.

As sentenças se podem classificar (e na gramática tradicional são realmente assim classificadas) segundo a interseção das dimensões de (a) estrutura e (b) função: como (a) sentenças **simples** em face de não simples, sendo estas subdivididas em **complexas** e **compostas**; e como (b) **declarativas**, **interrogativas**, **imperativas** etc. Uma sentença simples consiste em uma única **oração** (com o contorno prosódico apropriado); uma sentença complexa mínima consiste em duas orações, uma subordinada à outra; uma sentença composta mínima consiste em duas ou mais orações, ambas coordenadas. (Para conveniência da exposição, introduzirei aqui o termo **compósito**, para dar conta junto das sentenças complexas como das compostas.) As noções de subordinação e coordenação são, como veremos, muito gerais, aplicáveis não só à classificação das sentenças, mas ao interior delas.

Quanto à classificação funcional das sentenças, há dois pontos que se podem levantar. O primeiro é que, se fizermos uma distinção entre sentenças declarativas e afirmações, entre sentenças interrogativas e perguntas, entre sentenças imperativas

93

Capítulo 4

e ordens, solicitações etc., podemos dizer que uma sentença declarativa é aquela cuja estrutura gramatical é a de sentenças usadas caracteristicamente para fazer afirmações, e assim por diante. Isso possibilita uma distinção, mas ao mesmo tempo o estabelecimento de uma relação, entre a estrutura gramatical das sentenças e as funções comunicativas dos enunciados (v. Seção 5.5). No capítulo dedicado à semântica, voltaremos a essa distinção. O segundo ponto é que 'imperativo', ao contrário de "declarativo" e de 'interrogativo', é tradicionalmente empregado, juntamente com 'indicativo', 'subjuntivo' etc., para designar um dos termos da categoria gramatical do modo. Devemos notar esse duplo uso de 'imperativo', pelo menos porque causou grande confusão na moderna teoria gramatical.

Nas sentenças, sejam simples ou não simples, há vários tipos de relação entre a parte e o todo: relações de **constituição** da sentença como um todo; em uma sentença simples, podemos presumir que todas as formas vocabulares são constituintes, e grupos de palavras podem constituir **sintagmas** que, por sua vez, também são constituintes da sentença (as palavras sendo constituintes dos sintagmas e com isso apenas indiretamente constituintes das sentenças). Como veremos nos parágrafos seguintes, essa noção de constituição, junto à versão mais geral do conceito tradicional de frase [inglês: *phrase*; sintagma], está exatamente no cerne da formalização da estrutura gramatical na gramática gerativa chomskiana.

Outro tipo de relação gramatical – à qual a gramática tradicional atribuiu especial importância – é o **de dependência**. Trata-se de uma relação assimétrica existente (usando uma terminologia moderna) entre um **regente**, ou **controlador**, e um ou mais **dependentes**. Por exemplo, o verbo **rege** seu objeto (se tiver) de uma forma em vez de outra, como o verbo '*see*' [ver], como todos os verbos transitivos do inglês, rege o seu objeto no que tradicionalmente se chamaria de caso acusativo (v. *I saw him* em face de *I saw he; categoria de caso, *he* e *him* etc., é uma categoria flexional dos pronomes, mas não dos substantivos, ingleses).† Mais genericamente, podemos estabelecer uma relação de dependência dentro de uma determinada construção a cada vez que a ocorrência de uma unidade, o controlador, é uma precondição para a ocorrência da forma apropriada de uma ou mais unidades, dependentes suas. O que tradicionalmente se conhece por **regência**, anteriormente exemplificada, pode ser trazido para dentro do escopo do conceito de dependência, este mais amplo, que não pressupõe a existência de uma variação flexional. Na medida em que o aglomerado de um controlador com seus respectivos dependentes estabelece implicitamente uma relação parte/todo entre cada uma das unidades do próprio aglomerado, constituição e dependência não são variáveis totalmente independentes. A gramática gerativa chomskiana optou pela constituição, nesse particular seguindo a escola de Bloomfield e seus sucessores. A gramática tradicional enfatiza mais a dependência.

---

† 'Não o vi na escola: Não vi ele na escola'. Note-se que essa última construção é bastante frequente na língua falada, e o asterisco da agramaticalidade é discutível. Mas não é discutível, e sim ponto pacífico, na construção *Ele não viu nós na escola. É o mesmo caso de: Ele viu-nos × *Ele viu-nós. (N.T.)

Gramática

No parágrafo anterior referimo-nos aos verbos transitivos. A distinção tradicional entre verbos **transitivos** e **intransitivos** pode ser generalizada em duas direções: primeiro pela inclusão dos verbos dentro de uma classe mais ampla, a dos **predicadores**; em seguida, pela subclassificação dos predicadores em termos de sua **valência**: isto é, em termos do número e da natureza de seus dependentes. Contando não apenas os objetos, direto e indireto, mas também o sujeito de um verbo como dependentes seus, podemos dizer que um verbo intransitivo como '*die*' [morrer] tem valência 1, um verbo transitivo como '*eat*' [comer] tem valência 2, verbos como '*give*' [dar] ou '*put*' [colocar] têm valência 3 e assim por diante.

Devemos observar que essa noção de valência não pressupõe que os dependentes de um predicador sejam necessariamente sintagmas nominais. O que tradicionalmente se conhece por complementos adverbiais de tempo, lugar etc. também se encontra dentro do escopo da definição de valência. Devemos também prever a existência de predicadores de valência zero, por exemplo, os verbos como '*rain*' [chover], '*snow*' [nevar] etc., que em inglês são possivelmente sustentáveis como verbos desse tipo, sendo a forma *it* [pronome neutro de 3ª pessoa] de *It is raining/snowing* [Está chovendo/nevando] etc. apenas um sujeito pró-forma.

Até agora o termo "valência" (tomado de empréstimo à química) não tem sido muito empregado nos trabalhos da linguística americana e britânica. Mas o conceito está latente em grande parte da teoria gramatical, ainda que não seja explicitamente mencionado. O aspecto mais controvertido, e mais antitradicional, da valência, como acaba de ser apresentada, é o abandono, por assim dizer, das distinções tradicionais entre **sujeito** e **predicado** (da oração), por um lado, e entre **sujeito** e **objeto** (do verbo), por outro. Devemos observar que essas duas distinções são logicamente independentes. A primeira é construída sobre a divisão da oração (conforme premissas tradicionais) em duas partes complementares; mas a segunda não. O sujeito da oração é a unidade que, embora tão dependente do verbo quanto o objeto, determina a forma do verbo no que normalmente se conhece por **concordância verbal** (haja vista *The boy is running* [O menino está correndo] e **The boy are running* [O menino estão correndo] e **The boys is running* [Os meninos está correndo]. Outros critérios podem ser, e realmente foram, no caso, propostos para se identificar uma noção mais geral do que seja o sujeito sintático, noção esta aplicável a todas as línguas. Mas o problema da universalidade de qualquer um dos tipos apresentados (ou alguma noção de sujeito ainda mais geral, que abranja todos os casos) é tão controvertido hoje quanto foi no século passado, quando suscitou acaloradas discussões entre os linguistas.

4.5 Estrutura de constituintes

Na presente seção examinaremos aquele aspecto da estrutura gramatical que se presta a um tratamento em termos de constituição. Adotaremos por base da gramática o

Capítulo 4

morfema e partiremos de um ponto de vista distribucional, característico dos períodos mais recentes da linguística pós-bloomfieldiana (v. Seção 7.4). Com isso podemos, por assim dizer, matar dois coelhos com uma só cajadada; poderemos ilustrar melhor a aplicação de importantes noções que foram apresentadas anteriormente – associadas aos termos 'morfema', 'morfologia', 'flexão', 'derivação', 'classe formal', 'distribuição', sem falar na própria 'constituição'; poderemos também preparar o caminho para nosso tratamento da gramática gerativa, que virá logo a seguir.

Embora o conceito bloomfieldiano de estrutura de constituintes seja basicamente sintático, começaremos por mostrar como ele se aplica a formas vocabulares. Devemos lembrar que na linguística pós-bloomfieldiana a gramática se subdividia em morfologia e sintaxe (v. Seção 4.1). A morfologia dava conta da estrutura interna das formas vocabulares; a sintaxe, da distribuição destas em todas as sentenças bem-formadas da língua. Mas a morfologia pós-bloomfieldiana era em si um tipo de morfologia sintática. Aplicava à análise gramatical das palavras os mesmos princípios que à análise sintática de unidades maiores como sintagmas e sentenças. De fato, os linguistas pós-bloomfieldianos, pelo menos em princípio, se não realmente na prática, acabaram por abandonar a distinção entre morfologia e sintaxe, ampliando consequentemente a definição desta última. A sintaxe tornou-se o estudo da distribuição dos morfemas (e não das formas vocabulares); e as formas vocabulares passaram a ser não mais simplesmente unidades puramente sintáticas, mas unidades que (com o contorno prosódico adequado) poderiam servir de enunciados mínimos e, em determinadas línguas, de âmbito para certos traços fonológicos suprassegmentais (v. Seção 3.6). Essencialmente é esse o ponto de vista adotado, como parte da herança pós-bloomfieldiana, pela gramática gerativa de Chomsky.

Em toda esta seção, e também na seguinte, o termo 'palavra' deve ser compreendido como forma vocabular. Nesse sentido, as palavras podem ser representadas como cadeias de (um ou mais) morfemas: morfemas sendo formas mínimas; e as palavras sendo, na definição bloomfieldiana clássica (embora só parcialmente satisfatória), **forma livre mínima** (ou seja, formas que não consistem totalmente em formas livres menores). Uma forma **livre**, em oposição a uma **presa**, é aquela que poderia ocorrer, acompanhada do contorno prosódico adequado, na condição de enunciado (embora não necessariamente de sentença) em algum contexto normal do uso da língua. Nem todas as formas tradicionalmente tidas por palavras, no inglês, e separadas por espaços em branco no meio escrito, satisfazem a tal definição. Usaremos nos exemplos apenas as que satisfizerem ao princípio citado anteriormente. Portanto: *cat* [gato] é tanto morfema (por ser forma mínima) quanto palavra (por ser forma livre); *cats* [gatos] já não é morfema, uma vez que é composto de duas formas mínimas, *cat* e *s*, porém é palavra (embora *cat* seja forma livre e *s* não); *unfriendliness* [não propensão à amizade] é uma palavra composta de quatro morfemas, *un-friendy-ly-ness* [respectivamente: prefixo de negação-amigo (substantivo)-sufixo formador de adjetivos-sufixo formador de substantivo], todos eles, à exceção de *friend*, sendo formas presas. As

Gramática

formas presas que são constituintes de palavras são afixos; prefixos, se precedem a forma-base a que se afixam; ou sufixos, se aparecem depois dela.

Mas há outros fatores na estrutura de constituintes das palavras os quais escapam a esse princípio de constituição em morfemas. Muitas das palavras do inglês, e também de outras línguas, apresentam uma **estrutura hierárquica interna**, que pode ser representada formalmente por meio de um recurso matemático conhecido, os **colchetes**. Por exemplo, a estrutura de constituintes da palavra *unfriendliness* pode ser representada da seguinte forma:

(1) [[*un*-[*friend-ly*]]-*ness*]

ou, de uma maneira equivalente, por meio de uma árvore, como em (2).

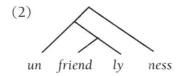

(2)

un   friend   ly   ness

É importante notar que (1) e (2) são formalmente equivalentes. Cada representação indica nada mais nada menos que: os **constituintes imediatos** (CI) de *unfriendliness* são *unfriendly* e *ness*; os CI de *unfriendly* são *un* e *friendly*; os CI de *friendly* são *friend* e *ly*; e, por não ser possível analisar-se ainda mais a palavra no nível gramatical da descrição, os **constituintes finais** de todo o sintagma são *un, friend, ly, ness*. Uma forma alternativa de leitura diria que *friend* e *ly* podem combinar-se (em sequência) para formar um constituinte intermediário, *friendly* [amistoso], ao qual se pode prefixar *un*, formando um constituinte intermediário maior, *unfriendly*, ao qual se pode sufixar *ness*, formando toda a forma vocabular. Ambos os meios de representação, (1) e (2), são neutros para o processo de análise e síntese dos sintagmas.

Não pretendo justificar, detalhadamente, os colchetes de *unfriendliness* que apareceram em (1) e (2). Em princípio baseiam-se (de acordo com o distribucionalismo pós-bloomfieldiano) nos critérios de substituição e generalidade. A forma *unfriendliness* pertence a uma classe formal (ou seja, a um conjunto de formas intersubstituíveis) a que chamamos, usando a terminologia tradicional, substantivos abstratos, simbolizados por N_a. Muitos destes são obtidos em inglês pelo acréscimo do sufixo *ness* ao que se chama tradicionalmente de adjetivos (mais precisamente, às formas-base dos adjetivos). Da mesma forma, a prefixação de *un* a uma forma adjetiva (A) é um processo morfológico altamente produtivo do inglês. Em contrapartida, a prefixação de *un* a forma substantiva (da subclasse N_a) não é um processo produtivo. Segue-se que, apesar de haver a palavra *friendliness* em inglês, não esperamos considerar [[*friend-ly*]-*ness*], sem falar em [*friend*-[*ly-ness*]], como constituintes de *unfriendliness*. Quanto aos colchetes de [*friend-ly*], podemos justificá-los por meio de um processo morfológico

Capítulo 4

moderadamente produtivo, pelo qual os adjetivos derivam dos substantivos, ou melhor, da subclasse, digamos N_c, por meio da sufixação de *ly* (v. *man-ly*).

A justificativa distribucional para a estrutura de constituintes atribuídas a *unfriendliness* é bastante direta. Entretanto este esse não é absolutamente o caso de todas as formas vocabulares existentes no inglês, especialmente se os critérios distribucionais se convertem em procedimentos mecânicos de descoberta (v. Seção 7.4). Contudo, não nos interessa apresentar argumentos em favor do distribucionalismo como tal, mas simplesmente ilustrar o que significa a estrutura de constituintes. O importante é que, seja uma determinada análise validada por critérios puramente distribucionais ou não, o uso de um determinado termo ou símbolo, por exemplo, o substantivo ou N_c, para **rotular** a classe formal implica que os membros a ela pertencentes são intercambiáveis em todos os contextos cobertos por qualquer regra que utilize o rótulo em questão. Por exemplo, atribuamos arbitrariamente o rótulo A_X ao conjunto de formas que resulta da sufixação de *ly* aos membros da classe formal N_c. Podemos então expressar o que acabamos de dizer pela seguinte regra:

(3) $N_c + ly \rightarrow A_X$

Essa expressão indica que todas as formas da subclasse N_c são intersubstituíveis pelo menos nos contextos cobertos pela regra (3). Implica, além disso, que todos os membros da subclasse A_X são intercambiáveis nos contextos cobertos por outras regras como

(4) $A_X + ness \rightarrow N_a$

e

(5) $un + A_X \rightarrow A_X$

O fato de que o distribucionalismo, na forma que se desenvolveu pelos pós-bloomfieldianos, tenha caído em descrédito não significa que a noção de distribuição já não seja mais importante para a análise gramatical. Pelo contrário, ela é importantíssima na formalização da gramática.

Antes de continuarmos, devemos ressaltar um ponto. A regra (5), ao contrário da (3) e da (4), é potencialmente **recursiva**: ou seja, se aplicada a seu próprio resultado (A_X), apresentará um número indefinido de sintagmas de complexidade cada vez maior – [*un-friendly*], [*un*[*un-friendly*]], [*un*-[*un*-[*un-friendly*]]], etc. Presume-se que não consideremos *ununfriendly*, e menos ainda *unununfriendly* etc., como boas formações da língua inglesa. Portanto, a regra (5) é tecnicamente defeituosa; porque *friendly* e *unfriendly* não são exatamente membros de uma mesma classe. Por outro lado, há muitas construções sintáticas, se não morfológicas, no inglês, e possivelmente em todas as línguas naturais, que são totalmente recursivas. É por essa razão que as sentenças de uma língua, embora sempre finitas em comprimento, podem ser infinitas em quantidade (v. a definição chomskiana de 'lingua(gem)' citada nas Seções 1.2 e 2.6).

Essa mesma noção de estrutura de constituintes se aplica às sequências de palavras – **sintagmas** [*phrases*] tanto no sentido tradicional quanto no mais comum – na medida em que se aplica (conforme o conceito bloomfieldiano e pós-bloomfieldiano de morfologia) ao interior das palavras. Por exemplo, *on the wooden table* [sobre a mesa de madeira] é o que tradicionalmente se chamaria de **prepositional phrase** [ou sintagma preposicional, na gramática tradicional inglesa]; que se compõe de uma **preposição** (*on*) e do que tradicionalmente se chamaria de *noun phrase* [o sintagma nominal da gramática tradicional inglesa] (*the wooden table*); que por sua vez é composto por um **artigo definido** (*the*) e do sintagma *wooden table*; que por sua vez é composto de um adjetivo (*wooden*) e de um substantivo (*table*). O que acabamos de dizer pode ser expresso, sem os rótulos tradicionais, da seguinte forma:

(6) [*on*[*the*[*wooden table*]]]

ou pela árvore correspondente, (7)

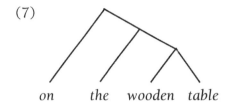

Tanto (6) como (7), da mesma forma que (1) e (2), são representações **sem rótulo** da estrutura de constituintes.

Costumamos, entretanto, trabalhar com representações **rotuladas** – sendo que cada rótulo, como anteriormente, é utilizado para indicar a pertinência a uma classe. Convertamos, pois, (6) e (7) em representações rotuladas, que serão respectivamente **colchetes rotulados** (8) e **árvore rotulada** (9), usando símbolos mnemônicos nos rótulos: SN para 'sintagma nominal', P para 'preposição', SP_{rep} para 'sintagma preposicional', Adj para 'adjetivo', Art para 'artigo (definido)'. Notemos que (8)

(8) $[SP_{rep}[P^{on}] [SN [Art^{the}] [N [A^{wooden}] [N^{table}]]]]$

e (9) são formalmente equivalentes. Como os colchetes rotulados, embora mais compactos, são difíceis de ler, os linguistas preferem trabalhar com as árvores.

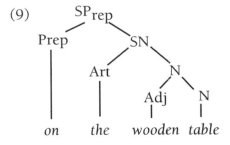

Capítulo 4

Podemos levantar dois pontos gerais sobre (8) e (9). O primeiro é que ambas representam o sintagma *wooden table* como pertencente à mesma classe que *table* (N). Esse fato é distribucionalmente justificável; e, embora haja princípios que determinam a sequência relativa dos adjetivos que precedem os substantivos dentro de um mesmo sintagma do inglês, não há um limite finito para o número de adjetivos que podem aparecer nessa posição. Entretanto restam ainda dúvidas quanto à estrutura interna das cadeias de adjetivos em tal posição.

O segundo ponto está ligado ao termo 'sintagma nominal' e 'sintagma preposicional'. Estes foram trazidos da gramática tradicional [no caso do inglês] e encontram uma explicação não na noção de constituintes, mas na de dependência (v. Seção 4.4). Na gramática tradicional o sintagma nominal é aquele cujo controlador, ou **cabeça** [o núcleo], é um substantivo; o sintagma preposicional é aquele cujo núcleo é a preposição. A representação da estrutura de constituintes em (8) e (9) não dá qualquer indicação sobre dependência, e os termos 'sintagma nominal' e 'sintagma preposicional' são, nesse particular, desmotivados. Se compreendermos, por outro lado, que os sintagmas nominais e preposicionais têm a mesma distribuição que os substantivos e preposições, respectivamente, obviamente estaremos enganados no tocante aos sintagmas preposicionais. Poderia parecer, à primeira vista, que o nome de 'sintagma nominal' fosse mais apropriado sob esse ponto de vista. Em determinadas línguas realmente é, entre elas o latim e o russo, os quais não têm artigo definido e que, ao contrário do inglês, podem usar os chamados substantivos comuns no singular sem artigo definido ou indefinido, ou qualquer outro membro da classe formal hoje conhecida por **determinantes**. Porém se refletirmos melhor veremos que, embora *the wooden table* e *the table* tenham essencialmente uma distribuição quase igual à dos nomes próprios e dos pronomes, não apresentam a mesma distribuição que os substantivos comuns, como *table*.

Os exemplos aqui utilizados para ilustrar o conceito de estrutura de constituintes são suficientemente evidentes e, à exceção de um ou dois detalhes, unânimes. Quando, entretanto, chegamos à análise de um conjunto de sentenças representativo da língua inglesa, e de outras línguas, segundo o ponto de vista adotado nesta seção, aparecem diversos tipos de problemas. Particularmente, torna-se difícil integrar a estrutura de constituintes das formas vocabulares à dos sintagmas maiores em que as formas vocabulares são os constituintes. Poucos linguistas, se é que há algum, pensariam hoje em ser possível ou desejável descrever-se a sintaxe de uma língua conforme o quadro aqui delineado, sem lançar mão de certos outros conceitos. Por outro lado, é claro que existe uma estrutura de constituintes em algumas línguas naturais, senão todas. A sintaxe teórica foi muito desenvolvida quando da tentativa pós-bloomfieldiana de formalizar a noção de estrutura de constituintes em termos distribucionais.

Concluindo, é preciso mencionar, por um lado, o que se conhece normalmente (e talvez inapropriadamente) por **constituintes descontínuos**, e, por outro, a questão da ordem dos mesmos na sequência. Em muitas línguas há casos de constituintes finais ou intermediários cujas partes componentes são separadas por uma

Gramática

cadeia de uma ou mais formas. Por exemplo, o particípio passado de quase todos os verbos alemães é formado pela prefixação de *ge-* e sufixação de *-t* ou *-en* à forma-base adequada; *ge-lob-t*, "louvado", *ge-sproch-en*, "falado". A descontinuidade dentro da palavra não é rara nas línguas flexionadas. É até bastante comum em sintagmas maiores. Por exemplo, *kooked... up* [procurou] na sentença *He looked the word up in the dictionary* [Ele procurou a palavra no dicionário], *he... doesn't like bananas* na sentença *He evidently doesn't like bananas* [Ele evidentemente não gosta de bananas], *has... en* e *be... ing* na sentença *He has been singing* [Ele tem estado cantando].

A descontinuidade viola o princípio de **adjacência**: o princípio de que as unidades (ou partes componentes delas) sintaticamente ligadas devem aparecer umas após as outras nas sentenças. Em certas línguas esse princípio é mais do que uma tendência estilística; em outras a adjacência é utilizada justamente para mostrar uma ligação sintática. Por exemplo, a expressão *walking down the road* [passeando pela estrada] por adjacência, ou proximidade, aplica-se a *John* e não a *Mary* tanto em *Walking down the road, John met Mary* [... John encontrou Mary] quanto em *John, walking down the road, met Mary* (se as sentenças são pronunciadas com a acentuação e entonação corretas). É importante notar que o conceito de estrutura de constituintes, em si, não implica adjacência dos coconstituintes.

Nem tampouco acarreta que os coconstituintes devem aparecer em uma **ordem de sequência** fixa. Ocorre que grande parte, mas de forma nenhuma a totalidade, dos princípios de ordenação sequencial das formas em inglês é uma questão de regra gramatical, e não uma tendência estilística: nem as formas vocabulares como **friend-un-ness-ly*, **ness-friend-un-ly* etc., nem tampouco os sintomas como **wooden the table on*, **on table the wooden* etc. são formações corretas do inglês. Evidentemente é fato que na maioria das palavras das línguas naturais a ordem dos morfemas constituintes é fixada por regra. Porém há uma variação muito grande quanto à utilização que cada língua faz da ordem dentro de sintagmas maiores. Como veremos, a formalização apresentada por Chomsky para a estrutura de constituintes, bem como da estrutura gramatical em geral, considera tanto a adjacência quanto a ordenação, necessariamente, uma questão de regra.

4.6 A gramática gerativa

O termo 'gramática gerativa', introduzido por Chomsky em meados da década de 1950, é hoje empregado em duas acepções bastante diferentes. Em seu sentido original, mais restrito e técnico, refere-se a um conjunto de regras que definem diversos tipos de sistemas linguísticos. É justamente nesse sentido que usamos 'gramática gerativa' neste parágrafo.

O segundo sentido do termo, já mais amplo – para o qual usaremos o termo 'gerativismo' –, refere-se a um corpo teórico e a premissas metodológicas acerca da

101

Capítulo 4

estrutura da lingua(gem), cuja discussão deixaremos para o Capítulo 7. Chomsky não só criou a versão da gramática gerativa mais amplamente utilizada na linguística, como também foi o principal proponente do gerativismo; e é nessa qualidade que tanta influência exerceu não só na linguística mas também em outras disciplinas. Dito isso, é importante salientar que, embora seja difícil ser gerativista sem algum interesse pela gramática gerativa, é bastante possível haver um interesse pela gramática gerativa por parte daqueles que não se alinham às premissas e métodos característicos do gerativismo.

Uma **gramática gerativa** é um conjunto de regras que, operando sobre um vocabulário finito, **gera** um conjunto (finito ou infinito) de sintagmas (cada um composto de um número finito de unidades), definindo assim um sintagma bem-formado como aquele que é **caracterizado** pela gramática. As gramáticas gerativas pelas quais os linguistas se interessam atribuirão também a cada sintagma bem-formado (e mais especialmente a cada sentença) que gera uma **descrição estrutural** apropriada. A descrição de 'gramática gerativa' que aqui apresentamos é mais geral que a de Chomsky em um particular. Utiliza o termo '*syntagm*' [sintagma], onde Chomsky utilizou '*string*' [cadeia] ou '*sequence*' [sequência]. Um sintagma, como vimos, é uma combinação de unidades gramaticais (ou, na fonologia, de elementos) que não estão necessariamente ordenados em sequência. Embora Chomsky defina sentença e sintagmas como cadeias (estruturadas), é bastante razoável, e mesmo conforme às concepções tradicionais, pensar que são sintagmas: ou seja, um conjunto de unidades reunidas em uma determinada construção. O que a gramática tradicional taxava de diferença de construção será identificado na gerativa por meio de uma diferença na descrição estrutural correspondente.

O termo 'gerar', usado na definição, deve ser tomado exatamente no mesmo sentido que tem em matemática. A título de ilustração: dado que x pode assumir o valor de qualquer número natural $\{1,2,3...\}$, a função $x^2 + x + 1$ (a qual podemos considerar como um conjunto de regras ou operações) gera o conjunto $\{3,7,13...\}$. É nesse sentido abstrato, ou estático, que se diz que as regras da gramática gerativa geram as sentenças da língua. Não é preciso nos aprofundarmos na matemática. O importante é que 'gerar', nesse sentido, não está relacionado a qualquer processo de produção de sentenças em tempo real da parte dos falantes (ou das máquinas). Uma gramática gerativa é uma especificação matematicamente precisa da estrutura gramatical das sentenças que gera.

Essa definição não restringe a aplicação da gramática gerativa às línguas naturais. Com efeito, não implica que a gramática gerativa tenha qualquer relevância para a descrição das línguas naturais. Os conjuntos de sintagmas caracterizados como línguas pelas gramáticas gerativas são o que os lógicos chamam de **linguagens formais**. Todo sintagma será ou bem-formado ou malformado; não há possibilidade de um *status* indeterminado. Além do mais, todo sintagma bem-formado dispõe de uma estrutura totalmente determinada, conforme a descrição estrutural atribuída a

Gramática

ele pela gramática. Não está claro se as línguas naturais são ou não são linguagens formais nesse sentido. Muitos linguistas diriam que não.

Entretanto, isso não significa que as linguagens formais não possam servir de modelo para as línguas naturais. Basta que a propriedade da gramaticalidade, se não totalmente determinada, seja empiricamente determinável dentro de limites razoáveis, e também que propriedades estruturais como as que aparecem no modelo sejam identificáveis em qualquer língua natural para a qual a linguagem formal em questão sirva de modelo. A palavra 'modelo' está sendo usada aqui no mesmo sentido que apresentaria se um economista falasse, por exemplo, em um modelo de concorrência imperfeita; ou um químico, ao citar o modelo da estrutura molecular. Em cada um dos casos, a construção do modelo envolve abstração e idealização. O mesmo acontece na linguística. A microlinguística sincrônica teórica, concentrada no que considera serem as propriedades essenciais dos sistemas linguísticos, pode se dar ao luxo de negligenciar muitos detalhes e aspectos indeterminados que outros ramos da linguística precisariam incluir (v. Seção 2.1). Portanto, o fato de que as línguas naturais possam não ser linguagens formais em si não invalida a aplicabilidade da gramática gerativa na linguística.

Outro aspecto importante a notar na definição de gramática gerativa citada anteriormente é que ela permite a existência de muitas gramáticas gerativas. A pergunta da linguística teórica é esta: qual dos vários tipos de gramáticas gerativas existentes, se é que há algum, servirá melhor de modelo para a estrutura gramatical das línguas naturais? Feita dessa forma, a pergunta pressupõe que todas as línguas naturais podem ser modeladas por gramáticas de um mesmo tipo. Essa premissa é bastante comum na linguística teórica contemporânea. Uma das razões por que os gerativistas se questionam a respeito é que aparentemente todos os seres humanos são capazes de adquirir qualquer língua natural. É a princípio possível que tipos muito diferentes de gramáticas gerativas sejam apropriados para a descrição de diferentes tipos de línguas naturais. Mas até agora não há motivos para se crer nessa hipótese.

Chomsky demonstra em seus primeiros trabalhos que certos tipos de gramática gerativa são mais fortes que outros: podem gerar todas as linguagens formais que geram as gramáticas mais fracas, e além delas outras linguagens formais, que tais gramáticas não conseguem gerar. Especificamente, ele provou que as **gramáticas de estado finito** são menos fortes que as **gramáticas de estrutura sintagmática** (de vários tipos) e que estas são menos fortes que as **gramáticas transformacionais**. A diferença entre esses três tipos de gramática gerativa (a que Chomsky, em um sentido um pouco diferente da palavra 'modelo', se referiu como 'modelos de descrição linguística') não nos interessará agora: há muitas abordagens acessíveis desse assunto, expostas em diferentes níveis de tecnicidade. Sobre as gramáticas de estado finito basta dizer que, conforme premissas bem razoáveis sobre a estrutura sintática do inglês e de outras línguas naturais, as linguagens formais por ela geradas provaram ser inadequadas como modelos pelo menos de certas línguas naturais. Em princípio, as gramáticas de estado finito não são suficientemente fortes; foi em

103

Capítulo 4

grande parte porque seus modelos estavam sendo construídos nos anos 1950 por psicólogos behavioristas que Chomsky tratou de demonstrar sua inadequação enquanto modelos da estrutura gramatical das várias línguas.

As gramáticas transformacionais, por outro lado, são certamente fortes o suficiente, a princípio, para servir de modelo à descrição gramatical dos sistemas linguísticos naturais. Entretanto, há vários tipos de gramáticas transformacionais. Por mais paradoxal que pareça, à primeira vista, algumas – e talvez mesmo todas – são fortes demais. Permitem a formulação de regras que não são jamais necessárias, pelo que sabemos, na descrição das línguas naturais. O ideal seria, e aí está o cerne do gerativismo, um tipo de gramática gerativa que fosse forte o suficiente apenas para refletir, de maneira direta e inequívoca, as propriedades da estrutura gramatical das línguas naturais que sejam, unanimemente, essenciais. Embora um determinado tipo de gramática transformacional, formalizado por Chomsky em meados da década de 1950 e modificado diversas vezes desde então, tenha dominado a sintaxe teórica durante mais de vinte anos, o papel das regras transformacionais em si foi continuamente restrito. E o futuro da gramática transformacional enquanto tal (embora não o da gramática gerativa) atualmente é questionável.

Chomsky dedicou especial atenção, desde o início, a duas propriedades do inglês e de outras línguas, as quais devem ser levadas em conta na procura de um tipo correto de gramática gerativa: recursividade e estrutura de constituintes (v. Seção 4.5) Ambas aparecem, de forma direta e inequívoca, na gramática de estrutura frasal. (Aparecem também na gramática transformacional chomskiana, que pode ser descrita, em termos amplos, como gramática de estrutura frasal acrescida de uma extensão transformacional.) Com efeito, as regras (3)-(5) na Seção 4.5 aparecem no formato de regras de estrutura sintagmática, cuja função é gerar cadeias de símbolos, atribuindo a cada uma a representação por colchetes rotulados do tipo que já foi mostrado: ver (6) e (8) na Seção 4.5. Tais representações são chamadas de **marcadores sintagmáticos**. Como as gramáticas de estrutura sintagmática são formalizadas dentro do quadro das **gramáticas de concatenação** (ou seja, gramáticas que geram **cadeias** de unidades), o marcador sintagmático representa não só a estrutura de constituintes do sintagma e a classe formal a que pertence cada um, como também sua ordenação uns em relação aos outros.

Como em um livro elementar como este nosso interesse não é entrar nas diferenças técnicas entre os vários tipos de gramáticas gerativas, não apresentarei mais formalismos ou modos de operação característicos das gramáticas de estrutura sintagmática. O que devemos reforçar aqui é a ideia de que um tipo de gramática gerativa pode apresentar vantagens que um outro não tenha e que, pelo menos até agora, não se sabe qual, ou se algum dos vários tipos que foram até hoje construídos e pesquisados, será adequado como modelo de descrição gramatical das línguas naturais. Embora durante anos se tenha acreditado que algumas das versões da gramática transformacional serviriam a esse propósito (a tal ponto que os termos 'gramática gerativa' e 'gramática transformacional' são frequentemente tratados

Gramática

como sinônimos), recentemente apareceram trabalhos questionando a validade dos argumentos que levaram Chomsky e outros a suas conclusões.

LEITURAS COMPLEMENTARES

Além dos capítulos mais relevantes das introduções gerais listadas para os Capítulos 1 e 2, Palmer (1971) é especialmente útil como ponto de partida: tem todas as vantagens e desvantagens da neutralidade teórica. A maior parte dos trabalhos especializados sobre a teoria gramatical pode ser classificada em termos de determinadas escolas ou movimentos: gerativismo, funcionalismo, sistêmica etc. (v. Capítulo 7). Allerton (1979) e Brown & Miler (1980) são valiosas exceções. Também o é, no campo dos livros padrões sobre linguística geral, o de Robins (1979a), Capítulos 5 e 6.

Para a morfologia (inclusive na parte de flexão), a melhor abordagem atualmente em inglês é a de Matthews (1974). Para os que leem alemão, recomendamos também Bergenholtz & Mugdan (1979): é moderno e muito rico em termos de material ilustrativo e exercícios. Nida (1949) é o mais clássico (trazendo também exercícios) no âmbito dos pós-bloomfieldianos.

Para a sintaxe (que para muitos linguistas inclui também a morfologia flexional), uma discussão crítica dos conceitos básicos, com referências completas, encontra-se em Matthews (1981). Householder (1972) consta de muitos artigos clássicos e de uma introdução editorial muito boa sobre o desenvolvimento histórico da teoria sintática. Sobre pontos de vista específicos:

Sintaxe gerativa: a maioria das apresentações da sintaxe gerativa mostra uma dependência, ou uma pressuposição, ao menos, do gerativismo (v. Seção 7.4). Há hoje muitos livros bons que rapidamente se tornam obsoletos em determinados aspectos (por exemplo, o *status* da estrutura profunda), mas oferecem uma boa introdução aos conceitos técnicos e ao formalismo. Como exposições relativamente não técnicas, poderíamos citar Lyons (1970), Capítulo 6, e (1977a). Entre outros livros, Akmajian & Heny (1975); Bach (1974); Backer (1978); Culicover (1976); Huddleston (1976); Keyser & Postal (1976), Stockwell (1977). Muitos deles apresentam também problemas e exercícios. Sob esse particular, são especialmente indicados os livros de Koutssoudas (1966); Langacker (1972). Entre as coletâneas temos Fodor & Katz (1964); Jacobs & Rosenbaum (1970); Reibel & Schane (1969).

Sintaxe funcional: Dik (1978); Martinet (1960, 1962).

Gramática sistêmica: Berry (1975, 1977); Halliday, McIntosh & Strevens (1964); Hudson (1971); Sinclair (1972).

Gramática tagmêmica: Cook (1969); Elson & Pickett (1962); Longacre (1964).

Gramática estratificacional: Gleason (1965); Lockwood (1972); Makkai e Lockwood (1973).

Tais títulos distintos para diferentes pontos de vista, embora úteis, podem ser enganosos. Os próprios pontos de vista, que dão origem aos títulos, não são necessariamente incompatíveis. Por exemplo, a sintaxe funcional não é necessariamente não negativa (v. Dik, 1978); a gramática sistêmica, também, pode ser formulada, a princípio, como um sistema gerativo (v. Hudson, 1976) e, em determinados desdobramentos, está estreitamente ligada ao funcionalismo (v. Halliday, 1976). Em determinados detalhes, a gramática sistêmica está muito próxima da gramática tagmêmica, por um lado, e da estratificacional, por outro. As diferenças de terminologia e notação muitas vezes obscurecem essas semelhanças.

Gramática inglesa: certos trabalhos clássicos são os de Curme (1935); Jespersen (1909-1949); Poutsma (1926-9). O trabalho mais abrangente recentemente feito, tratando tanto do inglês escrito quanto do falado (em termos puramente sincrônicos), é o de Quirk, Greenbaum, Leech & Svartvik 91972): é eclético, do ponto de vista teórico, apresentando as contribuições de quase todas as escolas linguísticas, mas bastante confiável de termos do uso da língua. Muitas das perguntas e exercícios deste

Capítulo 4

capítulo relacionados à estrutura gramatical do inglês podem ser respondidos, em parte, com base em informações constantes nesse último livro.

Sobre o sistema verbal inglês, além das apresentações citadas anteriormente, há exposições específicas de certos pontos de vista em Leech (1976); Palmer (1974).

Quanto à questão da gramaticalidade em relação à significação, além dos demais, Lyons (1977b), Capítulo 10; Sampson (1975), Capítulo 7.

Sobre palavras e morfemas: Matthews (1974); Robins (1979a), Capítulo 5 – ambos com referências completas para a literatura relevante.

Sobre as partes do discurso e as classes formais: além dos demais, Lyons (1977b), Capítulo 11.

Sobre a abordagem distribucional para a análise gramatical, o trabalho clássico é o de Harris (1951). Fries (1952) exemplifica tal abordagem, em escala limitada, em relação ao inglês.

Sobre as categorias gramaticais: Lyons (1968), Capítulo 7.

Sobre a gramática de dependência e a noção de valência, há muito mais trabalhos em francês (o clássico é o de Tesnière, 1959), em alemão (por exemplo, o de Helbig, 1971) e russo (por exemplo, o de Apresjan, 1974) do que em inglês; mas ver o de Fink (1977).

A chamada gramática de casos, à qual se fazem muitas referências em trabalhos recentes e introduções à gramática, surge da mesma tradição que a gerativa de Chomsky e é profundamente influenciada por ela.

Para uma discussão detalhada da dependência em relação à constituição, veja-se Matthews (1981).

PERGUNTAS E EXERCÍCIOS

1. O que é **gramática** (a) em seu sentido mais amplo e (b) no sentido que aparece neste livro?
2. Como a **sintaxe** se distingue (a) da **flexão** e (b) da **morfologia**?
3. Trace uma distinção clara entre a **forma-base** e a **forma de citação** de um lexema.
4. Os **morfemas** são por vezes definidos como formas mínimas de significado. Em que medida tal definição difere daquela apresentada neste texto?
5. Que distinção você faria entre **partes do discurso** e **classes formais**, se é que acha necessário?
6. "*boy* e *boys* diferem do ponto de vista distribucional sob vários aspectos..." (p. 90). Identifique o maior número possível de tais diferenças (a) para as formas escritas *boy* e *boys* e (b) para as formas faladas [boi] e [boiz]. Você poderia justificar em termos **distribucionais** as três formas homófonas, mas não homógrafas, *boy's* e *boys*?
7. As definições de sentenças **complexas** e **compostas** dadas anteriormente aplicam-se a sentenças compósitas mínimas (de duas orações). (a) Dê exemplo de cada uma dessas classes de sentença. (b) Examine se há quaisquer restrições sistemáticas para a combinação de orações declarativas, interrogativas e imperativas (isto é, uma declarativa com outra declarativa, uma declarativa com uma imperativa etc.) em sentenças compósitas mínimas. (c) De que forma se pode ampliar as definições para que abranjam sentenças compósitas não mínimas (contendo mais de duas orações)? (d) Seria possível que uma oração composta fosse constituinte de uma sentença complexa e vice-versa? Ou uma oração composta/complexa constituinte de outra sentença composta/complexa? (e) Você poderia fazer um diagrama das várias possibilidades? (f) Que implicações haveria para a distinção entre orações e sentenças?

Gramática

8. "A gramática gerativa chomskiana optou pela constituição... A gramática tradicional enfatiza mais a dependência" (p. 94). Explique o que se quer dizer por **constituição** e **dependência** neste contexto.

9. "Uma forma livre que consista em duas ou mais formas livres menores... é um **sintagma** [phrase]. Uma forma livre que não seja sintagma é uma **palavra**. A palavra, portanto,... é uma **forma livre mínima**." (Bloomfield, 1935:178). (a) O termo 'palavra' é ambíguo (v. Seção 4.1). A que tipo de palavras a definição de Bloomfield pretende aplicar-se? (b) Você poderia citar palavras tradicionalmente consideradas como tal que não se prestariam à definição dada por Bloomfield (no sentido adequado de 'palavra')? Que outros critérios foram empregados na definição da palavra?

10. Todas as línguas têm (a) **palavras**, (b) **morfemas** e (c) **sentenças**?

11. Apresente uma lista de cinquenta lexemas cujas formas-base terminem em –ável/–ível (incluindo 'aceitável', 'comível', 'respeitável', 'amável', 'sofrível', 'razoável'). (a) Escreva uma regra do tipo X + –ável → Y (substituindo X e Y pelos rótulos correspondentes às classes formais em questão) para gerar o maior número possível de componentes da lista. (b) Para quantos itens da lista a regra é **semanticamente** satisfatória?

12. Como os substantivos próprios diferem **sintaticamente** dos comuns e dos pronomes? No caso do inglês, como os substantivos '*countable*' [contáveis] diferem dos *mass nouns* [não contáveis]?

13. "Há regras de ordenação que regem a ocorrência das palavras de que se compõe a expressão *all the ten fine old stone houses* [todas as dez lindas casas de pedra antigas]. Algumas delas são absolutas..." (Hill, 1958:175). (a) Quais regras de ordenação relevantes neste exemplo são absolutas? (b) Quantos outros sintagmas semelhantes você poderia montar substituindo formas vocabulares em cada posição? (c) Você poderia ampliá-lo acrescentando outros adjetivos entre o artigo e o substantivo? (d) Que princípio, se há algum, determina a ordem de subclasses distribucionalmente distintas de adjetivos? (V. Crystal, 1971:128-41.) (e) Que relevância têm a acentuação e a entonação para a formulação de tais princípios?

14. Explique o que se quer dizer com **gramática gerativa**. Quais suas metas principais?

15. Você acredita que as línguas naturais sejam **linguagens formais**? Explique.

16. Com base na leitura de alguns dos textos indicados, explique a diferença entre **gramáticas de estado finito** e **gramáticas de estrutura sintagmática**.

17. Uma **gramática transformacional** "pode ser descrita, em termos amplos, como gramática de estrutura sintagmática acrescida de uma extensão transformacional" (p. 103). Explique.

18. De maneira geral, toda *sentença declarativa* do inglês (por exemplo, '*John is at home*', '*His brother played football for Ireland*' [John está em casa, Seu irmão jogou futebol pela Irlanda]) pode corresponder-se com uma *sentença interrogativa* ('*Is John at home?*', '*Did his brother play football for Ireland?*' [John está em casa?, Seu irmão jogou futebol pela Irlanda?]), e vice-versa. Da mesma forma, toda sentença afirmativa ('*He likes fish and chips*', '*The man in the moon is smiling at me*', '*Did his brother play football for Ireland?*' [Ele gosta de peixe com fritas, O homem na lua está rindo para mim, Seu irmão jogou futebol pela Irlanda?]) possui uma *sentença negativa* correspondente ('*He doesn't like fish and chips*', '*The man in the moon isn't smiling at me*', '*Didn't his brother play football for Ireland?*' [Ele não gosta de peixe com fritas, O homem na lua não está rindo para mim, Seu irmão não jogava futebol pela Irlanda?]), e vice-versa. Você poderia formular uma regra que relacionasse sentenças declarativas e interrogativas e outra que relacionasse afirmativas e negativas? O que as duas teriam em comum? Qual seria a declarativa correspondente para '*Did anyone call?*' [Alguém telefonou?] E a sentença afirmativa correspondente a '*He didn't see anybody?*' [Ele não viu ninguém]? '*Nobody called*' [Ninguém telefonou] é afirmativa ou negativa em termos da regra?

19. Explique e exemplifique a noção de **ambiguidade sintática**. Mostre como alguns tipos podem ser resolvidos por uma gramática de estrutura sintagmática.

107

Capítulo 4

20. Muitos livros trazem questões de análise gramatical de línguas reais ou hipotéticas. Na maioria dos casos trata-se de fragmentos isolados de cada língua. A versão do que chamei de língua bongo-bongo, a seguir, foi deliberadamente feita para dar aos alunos a oportunidade de trabalhar com uma língua hipotética plausível, que se assemelha a várias línguas naturais sob diversos aspectos de suas características estruturais. As sentenças aparecem em uma transcrição fonética ampla. Você deve começar pela fonematização dos dados com base na semelhança fonética e na distribuição complementar. Em seguida veja quanto da morfologia e da sintaxe da língua você pode elaborar, prestando especial atenção às categorias de **gênero, número e tempo/aspecto**. Será útil consultar alguns livros de linguística geral sobre as definições e abrangências desses termos. (A tradução dos enunciados não é literal, mas livre.)

Bongo-bongo

1. iwampi isulpin. [Ele bate na mulher (regularmente).]
2. tixawampixep? [Você já acabou de me surrar?]
3. jem tiwampusu ivand? [Por que você batia naquele tambor?]
4. pul ap tiwampi isulpiqin? [Há quanto tempo você deixou de bater no seu marido?]
5. ap piwampi issulpifin. [Não batemos em nossas mulheres.]
6. iwampusi isulpin. [Ela estava batendo no marido.]
7. iðilpixet. [Ela está se apaixonando por você.]
8. ixaðilpusip. [Eles tinham se apaixonado por nós.]
9. ixaðilpixe. [Eles estão apaixonados por ela.]
10. spurje iðilpu zjelt. [As crianças adoram livros.]
11. pixaðilpixo ijelt. [Adoramos este livro.]
12. iðungosu ujelt. [Eu estava lendo aquele livro.]
13. uqimbi iðungexo jelt. [Aquela menina está lendo um livro.]
14. izeltu uxaxarpik pu iðamp. [Os livros estão em cima da mesa.]
15. ispurje ixaxarpus. [As crianças estavam na cama.]
16. pixaxarpixe ifurj. [Estou botando o bebê na cama.]
17. zgoldifini isurgo zalp. [Alguns amigos nossos fumam cachimbo.]
18. pirdi isurgexo zalp. [Fred está fumando cachimbo.]
19. uholdifini ixayimkik. [Aquele meu amigo está aqui agora.]
20. iharti ixayiyimkosi izgoldin. [O fazendeiro trouxe os amigos.]
21. uqimbi ixajarcexe pird. [Aquela moça lá é noiva de Fred.]
22. ixacengosu uwing usark. [Ela estava usando aquele vestido caro.]
23. cengo pirt sark. [Ela se veste sempre de uma maneira bonita.]
24. pul tixazimjek? [Há quanto tempo você está acordado?]
    uzgoldiqini bump bump [Aqueles seus amigos me acordaram
    ixazazimjexep. muito cedo.]
25. uzgarti ihoncos: iharti [Aqueles fazendeiros estavam enrique-
    ixahoncek. cendo muito: este fazendeiro (já) é rico.]

Gramática

26. zdarbu ufirt: iðarbu pirt uxafirtik. [As rosas são bonitas: esta rosa está realmente bonita agora.]
27. kansi iðiðilpi stimb: korti iðanti pirt stimb. [Hans é um matador de mulheres: Kurt é um lobo.]
28. pinge iðanti skuld. [Ping é pescador.]
29. uwunt usturpi iðantusi uhart isulpin. [Aqueles ratos que você vê ali estavam perseguindo a mulher do fazendeiro.]
30. ifirt stimbi iðilpi gonc zgart. [Estas moças bonitas estão sempre se apaixonando por fazendeiros ricos.]

109

Capítulo 5
Semântica

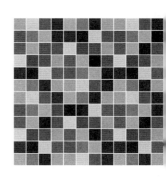

5.1 A diversidade do significado

A semântica é o estudo do significado. Mas o que é o significado? Os filósofos vêm debatendo a questão, com referência especial à linguagem, já há bem mais de dois mil anos. Ninguém conseguiu ainda apresentar uma resposta satisfatória. Uma das possíveis razões para isso é que, da forma como está elaborada, a pergunta é irrespondível. Apresenta duas pressuposições que são, no mínimo, problemáticas: (a) de que aquilo a que nos referimos com a palavra 'significado' tem algum tipo de existência ou realidade; (b) que tudo aquilo a que nos referimos usando esse termo apresenta uma natureza semelhante, se não idêntica. Podemos chamar a uma de (a) pressuposição de existência e a outra de (b) pressuposição de homogeneidade.

Não quero dizer que ambas sejam falsas, mas simplesmente que são filosoficamente controvertidas. Muitas são as introduções à semântica que passaram por cima desse fato. Neste capítulo tentaremos não nos comprometer com nenhuma das duas. Evitaremos, particularmente, dizer, como disseram vários livros de linguística, que a linguagem é uma ponte entre o som e o significado. Formulações como essa podem, é verdade, prestar-se a uma interpretação bastante sofisticada, que as torna mais aceitáveis do que parecem à primeira vista. Contudo, seu valor real mostra que são enganosas e filosoficamente tendenciosas. Levam-nos a pensar que o significado, como o som, existe independentemente da linguagem e que é homogêneo por natureza.

Evidentemente essa visão do significado é bastante tradicional. De acordo com o que foi durante muito tempo a teoria semântica mais difundida, os significados são ideias ou conceitos que se podem transferir da mente do falante para a do ouvinte por encarnar-se, por assim dizer, nas formas de uma ou outra língua.

A identificação dos significados com conceitos não nos ajudará a responder a pergunta: "O que é o significado?" a não ser que o termo 'conceito' seja claramente

Capítulo 5

definido. Da forma como é normalmente empregado, é demasiado vago, ou geral, para sustentar o peso de seu papel de pedra fundamental da tradicional teoria conceitualista do significado. O que há de comum entre os conceitos associados às seguintes palavras (escolhidas na primeira página, como parte de uma lista das palavras mais frequentes do inglês): *'the'* [o(s)/a(s)], *'for'* [por/para], *'I'* [eu], *'first'* [primeiro(s)/a(s)], *'year'* [ano], *'little'* [pequeno], *'write'* [escrever], *'three'* [três], *'school'* [escola], *'boy'* [menino], *'development'* [desenvolvimento], *'name'* [nome], *'anything'* [qualquer coisa]? Em alguns casos poderíamos dizer que o conceito associado à palavra é uma imagem visual qualquer. Mas é claro que não podemos sustentar esse ponto de vista para os casos de *'the'*, *'for'*, *'anything'* ou mesmo *'name'*. Mesmo nos casos em que parece plausível falar do conceito em termos de uma imagem visual, o recurso se mostra mais problemático do que prático. As imagens mentais associadas à palavra *'school'* [escola], por exemplo, variam e têm inúmeros detalhes. Muitas vezes pouco ou nada há em comum entre tais imagens, que são muito detalhadas e pessoais. E ainda assim queremos defender que as pessoas utilizam as palavras com mais ou menos o mesmo significado. Não há provas de que as imagens visuais a que podemos indubitavelmente recorrer, voluntária ou involuntariamente, associando-as a determinadas palavras, sejam parte essencial do significado das mesmas, ou ainda necessárias a seu uso cotidiano.

Com efeito, não há provas que indiquem que os conceitos, em qualquer sentido claramente definido, sejam relevantes para a elaboração de uma teoria empiricamente justificável da semântica linguística. Obviamente nada se ganha por usar a imprecisão do termo 'conceito', em sua interpretação usual, para proteger uma teoria semântica baseada nele contra possíveis refutações. Na nossa discussão do significado, não apelaremos para os conceitos.

Em vez de perguntar: "O que é o significado?", faremos uma pergunta diferente: "Qual o significado de 'significado'?" Esse deslocamento do foco da questão, deixando de discutir o significado para discutir 'significado', apresenta algumas vantagens. Em primeiro lugar, não requer um compromisso selado com as mesmas duas pressuposições, a da existência e a da homogeneidade, no tocante àquilo a que se refere 'significado'. É claro que ficamos comprometidos com a pressuposição da existência da palavra 'significado'. Mas isso pode passar impune. Outra vantagem, ao passar da discussão das coisas para a discussão das palavras (se me permitirem formular a distinção de forma bem crua, em termos de palavras e coisas), é que esse deslocamento nos coloca em face da possibilidade de que a palavra inglesa *'meaning'* [traduzida por *significado*] pode não ter a mesma gama de aplicação que outra palavra qualquer em outras línguas. E é isso mesmo. Por exemplo, há contextos em que *'meaning'* pode ser traduzido para o francês como *'signification'* ou *'sens'*, e outros em que não pode. Da mesma forma, a distinção entre *'Bedeutung'* e *'Sinn'* em alemão, no uso normal, não equivale nem à distinção francesa entre *'signification'* e *'sens'*, nem à inglesa entre *'meaning'* e *'sense'*. Podemos pelo menos pensar que, ao formular nossa pergunta em termos de "*What is the meaning of 'meaning'?*" [Qual

Semântica

o significado de 'significado'?], em inglês, e não em outra língua, estamos influenciando, ainda que de leve, a construção de uma teoria semântica. Pois a semântica, como dissemos, é o estudo do significado: ou seja, pelo que é coberto pela palavra 'significado' [inglês: *meaning*]. Não temos razões para crer que uma palavra corriqueira como 'significado', não mais do que qualquer outra como 'força' ou 'energia', possa ser adotada para fins científicos sem refinamentos e redefinições.

Eu disse anteriormente que a pergunta "Qual o significado de 'significado'?" não nos comprometia com a pressuposição da homogeneidade. É fato importante que a maioria das palavras corriqueiras não apresenta um significado bem-delineado, ou sequer um conjunto de significados bem-determinados, cada um nitidamente distinto do outro. A própria palavra 'significado' não escapa à regra. Não é de espantar, portanto, que haja tanta controvérsia entre os linguistas e filósofos, com respeito às fronteiras da semântica. Há os que adotam uma visão ampla, como eu neste capítulo; outros circunscrevem o campo dessa disciplina de maneira bem mais restrita.

Não se trata simplesmente de uma opção, seja arbitrária ou não, entre uma interpretação relativamente ampla e outra relativamente restrita. Como já disse, os diversos sentidos da palavra 'significado' podem ser vistos como matizes que se mesclam uns com os outros. Todos concordam que há determinados empregos do termo que são mais interessantes que outros para a semântica linguística. Por exemplo,

(1) *What is the meaning of 'life'?*

[Qual o significado de 'vida'?]

ilustra um uso mais especificamente interessante para nossos objetivos do que

(2) *What is the meaning of life?*

[Qual o significado da vida?]

Ou ainda, do ponto de vista da semântica linguística, o emprego do verbo '*mean*' em

(3) *The French word 'fenêtre' means "window"*

[A palavra francesa '*fenêtre*' significa "janela".]

ou

(4) *The French word 'fenêtre' means the same as the English word 'window'*

[A palavra francesa '*fenêtre*' significa o mesmo que a palavra inglesa '*window*'.]

é mais centralmente interessante do que o seu emprego em

(5) *He is clumsy, but he means well.*

[Ele é desajeitado, mas bem-intencionado.]

O problema é que há empregos intermediários tanto de '*meaning*' [significado] quanto de '*mean*' [significar] a respeito dos quais pode haver discórdia. Alguns filósofos argumentaram que os empregos mais obviamente linguísticos, ligados ao significado da palavra, sentença e enunciado, não se podem satisfatoriamente explicar a não ser pela derivação desses significados obviamente linguísticos a partir de empregos

Capítulo 5

intermediários que parecem se aplicar não só à língua, mas também a outros tipos de **comportamento semiótico** (v. Seção 1.5).

Não posso agora, nesta breve e seletiva introdução à semântica linguística, aprofundar-me nessa questão. Contudo, é importante que qualquer pessoa que esteja interessada nas estruturas e funções da lingua(gem) se dê conta de que há uma tradição filosófica rica e complexa apoiada, em vários pontos, sobre questões centrais ao estudo do significado pela linguística. Continuarei utilizando o termo 'significado' nas páginas deste livro, sem defini-lo, enquanto palavra não técnica da língua cotidiana. Mas estarei concentrado em torno de determinados tipos de significado ou certos aspectos do mesmo, que normalmente se consideram particularmente importantes na linguística, introduzindo alguns termos mais técnicos com referência a esses últimos sempre que a oportunidade surgir.

Uma distinção óbvia a se traçar é aquela entre o significado das palavras – mais precisamente dos lexemas – e o das sentenças: entre **significado lexical** e **significado de sentença**. Até recentemente aquele recebeu muito maior atenção dos linguistas do que esse último. Mas hoje a situação já é outra. Agora já há um consenso no sentido de que não se pode dar conta de um sem se dar conta do outro. O significado de uma sentença depende do significado de seus lexemas constituintes (inclusive de seus lexemas sintagmáticos, se houver: v. Seção 5.2); e o significado de alguns, senão de todos, dependerá do significado da sentença em que aparecem. Mas a estrutura gramatical das sentenças, como é intuitivamente óbvio e será logo adiante demonstrado, também é relevante para a determinação de seu significado: portanto, devemos também recorrer ao **significado gramatical** como componente adicional do significado das sentenças (v. Seção 5.3). Na medida em que a linguística está basicamente interessada na descrição dos sistemas linguísticos (v. Seção 2.6), os significados de sentença, o gramatical e o lexical, estão claramente dentro do escopo da semântica linguística.

Já um pouco mais controvertido é o **significado de enunciado**. Até agora não recorremos a nenhuma distinção entre enunciado e sentença, embora tenham sido mencionados no capítulo anterior (v. Seção 4.4). O significado de um enunciado engloba o significado da sentença enunciada, mas não se esgota nele. O resto fica por conta de vários fatores a que podemos nos referir, de forma geral, por contextuais. Muitos especialistas diriam que o significado de enunciado está fora dos domínios da semântica linguística, como tal, e dentro do que se veio a chamar de **pragmática** (v. Seção 5.6). Como veremos mais tarde, essa posição é controvertida, porque a noção de significado de sentença pode depender, tanto lógica quanto metodologicamente, da noção de significado de enunciado, de maneira que não se pode dar conta totalmente do significado de sentença sem relacionar as sentenças, em princípio, a seus possíveis contextos de enunciação.

Outra série de distinções está ligada às várias funções semióticas, ou comunicativas, para as quais se utilizam as línguas. Nem todos concordam com a proposta de Wittgenstein, um dos mais influentes filósofos da linguagem em sua época, que

Semântica

defende que o significado de uma palavra ou de um enunciado pode frequentemente ser identificado com seu uso. Mas há claramente algum tipo de ligação entre significado e uso. E a ênfase dada por Wittgenstein à ligação e à multiplicidade de objetivos que as línguas atingem teve o efeito salutar de encorajar filósofos e linguistas, nos anos 1950 e 1960, a questionar, senão a abandonar, a premissa tradicional de que o papel ou função básica da linguagem é a de comunicar informações **propositivas** (isto é, veiculadas por proposições), ou fatuais. É evidentemente inegável que as línguas têm realmente o que chamarei de uma função **descritiva**. Pode também ser o caso de que nenhum outro sistema semiótico possa ser utilizado dessa forma – para fazer declarações que sejam falsas ou verdadeiras conforme a situação que pretendem descrever se verifique ou não. Todavia, as línguas dispõem também de outras funções semióticas.

Algumas dessas estão sistematicamente relacionadas à função descritiva, ou formuladora de declarações, correlacionando-se, até certo ponto, com as diferenças estruturais entre as sentenças. Por exemplo, como já foi mencionado, as diferenças funcionais entre as declarações, as interrogações e as ordens em muitas línguas estão correlacionadas à diferença estrutural entre sentenças declarativas, interrogativas e imperativas. Esse fato foi há muito descoberto por filósofos e gramáticos. Entretanto, recentemente se vem prestando muito maior atenção à natureza dessa correlação. Ademais, ficou claro que as declarações, interrogações e ordens são apenas alguns dos muitos **atos de fala**, funcionalmente distinguíveis, sistematicamente inter-relacionados de diversas formas. Uma das polêmicas mais acaloradas destes últimos anos, tanto na semântica filosófica quanto na linguística, está no problema de as declarações serem apenas uma classe dentre os muitos atos de fala, à qual não se deve conceder qualquer primazia lógica, ou, pelo contrário, constituir aquela classe especial, logicamente básica, a partir da qual todos os outros atos de fala podem, de alguma forma, ser derivados. Essa problemática ainda continua não resolvida, e mais tarde poderemos examiná-la. (Seções 5.4, 5.6.)

Podemos, pois, traçar uma distinção entre o **significado descritivo** e os **significados não descritivos** de outros tipos de atos de fala. Podemos também, pelo menos por enquanto, identificar o significado descritivo de um enunciado com a **proposição** feita nas declarações, podendo esta ser apresentada, embora não afirmada, em outros atos de fala, notadamente nas interrogações. Por exemplo, os seguintes enunciados, que pretendem e devem ser compreendidos como declaração e interrogação, respectivamente:

(6) João levanta tarde.

(7) João levanta tarde?

podem apresentar, ou continuar, a mesma proposição, embora apenas (6) a afirme e com isso descreva, ou pretenda descrever, uma determinada situação. A propriedade definidora das proporções é a de que têm um **valor-verdade** definido, isto é, são ou verdadeiras ou falsas. Portanto, há uma ligação intrínseca entre significado descritivo

115

Capítulo 5

e verdade. É essa ligação, como veremos mais tarde, que está no cerne da **semântica das condições de verdade**. Esta, com efeito, restringe o escopo do termo 'semântica' de maneira que ela abrange apenas o significado descritivo (v. Seção 5.6).

Do que foi dito fica claro que pelo menos alguns enunciados têm um significado descritivo e um não descritivo. Na realidade, podemos questionar se a maioria dos enunciados corriqueiros, sejam declarações ou não, e se não forem, seja que tenham um significado descritivo ou não, veiculam aquele tipo de significado não descritivo que é normalmente conhecido como **expressivo**. A diferença entre o significado descritivo e o expressivo é que este, ao contrário daquele, tem um caráter não propositivo e não se pode explicar em termos de verdade. Por exemplo, se alguém exclama *Santo Deus!*, com a ênfase e a entonação que denotam surpresa, podemos perfeitamente dizer que essa pessoa está (ou não) surpresa e, portanto, que *João está surpreso* (supondo que 'João' seja o nome da pessoa) é uma declaração verdadeira (ou falsa). Mas seria absurdo sustentar que *Santo Deus!* descreve as emoções do falante ou seu estado de espírito, da mesma forma como *João está surpreso* descreve. Se o fizéssemos estaríamos comprometidos pelo que alguns filósofos chamaram de falácia naturalista ou descritivista. É claro que *Santo Deus!* é um caso nítido do que a gramática tradicional reconheceu como exclamação e frequentemente tratou como pertencente a uma classe de enunciados distinta das declarações, interrogações e ordens. Além do mais, trata-se de uma exclamação que não se pode relacionar a uma declaração correspondente com significado descritivo, ao contrário, digamos, de *Oh vovozinha, mas que dentes enormes a senhora tem!* Mas pode haver declarações exclamativas, interrogações exclamativas, ordens exclamativas e assim por diante. De fato, a exclamação é apenas uma das maneiras pelas quais um falante (ou escritor) **expressa**, ou revela, seus sentimentos, atitudes, crenças e personalidade. Na medida em que, em última instância, não podemos traçar uma distinção entre a pessoa e sua personalidade e sentimentos, é legítimo interpretar o termo 'autoexpressão' ao pé da letra. O significado expressivo relaciona-se a tudo que estiver dentro do escopo da 'autoexpressão' e pode subdividir-se, como aconteceu por diversos motivos, em diferentes tipos. Um deles, ao qual tanto críticos literários quanto filósofos moralistas dedicaram especial atenção, é o significado **emotivo** (ou **afetivo**).

Um pouco diferente do significado expressivo – embora, como veremos, um se misture ao outro e possam ser vistos como interdependentes – é o **significado social**. Está ligado ao uso da língua para estabelecer e manter os papéis e relações sociais. Grande parte de nosso discurso cotidiano tem aí seu principal objetivo, podendo ser qualificado pelo termo **comunhão fática** (isto é, "comunhão por meio da fala"). Essa expressão tão apropriada, cunhada pelo antropólogo Malinowski nos anos 1920 e amplamente utilizada pelos linguistas desde então, reforça o sentido de companheirismo e participação dos rituais sociais comuns: daí 'comunhão' em vez de 'comunicação'.

Não são apenas os enunciados obviamente ritualizados – saudações, desculpas, brindes etc. – que têm por função básica lubrificar as engrenagens da interação social.

Semântica

Se examinada sob um determinado prisma, esta pode ser corretamente considerada a função mais básica da língua(gem), à qual todas as outras – inclusive a descritiva – se subordinam. O comportamento linguístico normalmente é intencional. Mesmo as declarações científicas, frias e racionais, cujo significado expressivo é mínimo, normalmente têm por objetivo fazer amigos e influenciar pessoas. Geralmente, tanto o que é dito quanto a maneira de dizer o que é dito são determinados, obviamente nos diálogos cotidianos, mas também em qualquer contexto em que se utilize a linguagem, pelas relações sociais que prevalecem entre os participantes e por seus objetivos sociais. Nos Capítulos 9 e 10 o significado social será examinado em maior profundidade. Mas o que acabamos de dizer deverá ser lembrado no restante do presente capítulo. As línguas variam quanto ao grau em que o significado social pode ou deve ser veiculado em sentenças de diversos tipos. Não se deve pensar, portanto, que o significado social deva ser deixado para o sociolinguista, pouco interessando ao microlinguista, cujos horizontes são fixados por sua definição deliberadamente restrita do sistema linguístico como conjunto de sentenças (v. Seção 2.6).

Muitos outros tipos de significado podem ser identificados como de fato foram. Alguns serão mencionados mais adiante neste capítulo. A divisão tripartite entre significado descritivo, expressivo e social bastará no momento. Mas restam ainda duas observações gerais. A primeira é que, como o homem é um animal social e a estrutura da língua(gem) é determinada e mantida por seu uso na sociedade, a autoexpressão em geral e a autoexpressão por meio da linguagem em particular são em grande parte controladas por normas socialmente impostas e reconhecidas, normas essas de comportamento e categorização. A maioria de nossas atitudes, sentimentos e crenças – a maior parte do que consideramos a personalidade – é produto de nossa socialização. Nessa perspectiva, o significado expressivo depende das relações e papéis sociais. Ao mesmo tempo, o que podemos qualificar de autoexpressão serve também para estabelecer, manter ou modificar tais relações e papéis sociais. Era isso o que queria dizer ao mencionar anteriormente que o significado expressivo e o social eram interdependentes.

A segunda observação é que, ao passo que o significado descritivo pode perfeitamente ser exclusivo à linguagem, os significados expressivo e social certamente não o são. São encontrados em outros sistemas semióticos naturais, humanos ou não. É interessante, a essa altura, fazer referência novamente a nossa discussão sobre a estrutura da linguagem sob o ponto de vista semiótico (v. Seção 1.5). Vimos então que é o componente verbal dos sinais linguísticos que os separa de forma mais clara de outros tipos de sinais, humanos ou não. Agora podemos salientar que o significado expressivo e o social são veiculados, característica mas não exclusivamente, pelo componente não verbal da linguagem, ao passo que o descritivo se restringe ao componente verbal. Entretanto, as funções das diferentes línguas não são menos integradas do que seus componentes estruturais distintos. Isso vem reforçar o que se disse antes sobre a língua e a não língua: enfatizar as semelhanças ou as dessemelhanças é muito uma questão de ponto de vista pessoal e profissional. Neste capítulo,

Capítulo 5

nosso interesse se encontra na semântica linguística – isto é, no estudo do significado nas línguas naturais, sujeito à restrição adicional envolvida na postulação do sistema linguístico (v. Seção 2.6). Poderíamos adotar uma abordagem mais abrangente.

5.2 Significado lexical: homonímia, polissemia, sinonímia

Toda língua dispõe de um vocabulário, ou léxico, que é complementar à gramática na medida em que o vocabulário não só lista os lexemas da língua (indexados pela forma de citação, ou radicais ou, em princípio, qualquer outra forma capaz de distinguir um lexema de outro), como também associa a cada lexema todas as informações necessárias às regras da gramática. Essas informações são de dois tipos: (a) sintáticas; e (b) morfológicas. Por exemplo, o lexema inglês '*go*' [ir] teria em sua **entrada lexical:** (a) informação de que pertence a uma ou mais subclasses de verbos intransitivos; e (b) todas as informações necessárias, inclusive com radicais ou radical, para serem selecionadas e construídas as suas formas (*go, goes, going, went, gone*).

Nem todos os lexemas são palavras (lexemas cuja forma é uma forma-vocabular). Muitos são lexemas sintagmáticos (lexemas cuja forma é um sintagma, no sentido tradicional do termo inglês '*phrase*') Por exemplo, entre os lexemas sintagmáticos do inglês, que deveríamos encontrar listados em qualquer dicionário da língua, estão: '*put up with*' [topar], '*pig in a poke*' [gato ensacado], '*red herring*' [algo usado para despistar], '*draw a bow at a venture*' [dar um tiro no escuro] etc. Os lexemas sintagmáticos, em geral, são ou gramaticalmente ou semanticamente **idiomáticos**, ou ambos; isto é, sua distribuição nas sentenças ou seu significado é imprevisível a partir das propriedades sintáticas e semânticas de seus constituintes. Geralmente, como acontece no caso de '*red herring*', e possivelmente no de '*pig in a poke*' e '*draw a bow at a venture*', os lexemas sintagmáticos podem ser relacionados a expressões sintagmáticas não idiomáticas (em que algumas formas, ou mesmo todas, são idênticas àquelas do lexema sintagmático correspondente). Tais expressões sintagmáticas não idiomáticas não são lexemas: não são parte do vocabulário da língua. Quando um lexema sintagmático semanticamente idiomático pode equivaler a uma expressão sintagmática não idiomática, é tradicional dizermos que esta possui um **sentido literal**, ao contrário do **sentido figurado**, metafórico ou idiomático daquela.

Não nos aprofundaremos mais no caso dos lexemas sintagmáticos como tais, ou nos vários tipos e graus de idiomaticidade encontrados nas línguas. Porém, voltaremos à distinção entre significado literal e figurado, que às vezes é invocada em relação aos diferentes significados de lexemas vocabulares, ou às expressões lexêmicas ou não lexêmicas correspondentes. Deve-se frisar que, embora falemos em geral do vocabulário de uma língua como as palavras (isto é, lexemas vocabulares) da mesma, estas são apenas parte do vocabulário de qualquer língua natural. O termo 'significado lexical', usado no título desta seção, deve ser interpretado como "significado dos lexemas". Podemos também mencionar que, embora haja muitos casos evidentes de lexemas sintagmáticos em qualquer língua, há provavelmente um número igualmente grande de expressões cujo *status* de lexêmicas ou não lexêmicas é discutível. Não há um critério universalmente aceito que nos permita traçar uma distinção nítida entre lexemas sintagmáticos, por um lado, e **clichês** ou **expressões fixas**, por outro. Essa é apenas uma das razões por que o vocabulário de qualquer língua natural, embora finito, tem tamanho indeterminado.

Outra razão para o fato é a dificuldade de se diferenciar **homonímia** e **polissemia**. Tradicionalmente se diz que os homônimos são palavras diferentes (isto é, lexemas) com uma forma igual. Como os lexemas podem ter em comum mais de uma forma, e não é raro que tenham uma ou mais, mas não todas (sendo que entre as formas compartilhadas não se incluem necessariamente a forma de citação ou a forma-base), a definição tradicional de homonímia claramente precisa de um refinamento que permita vários tipos de homonímia parcial. Qualquer aperfeiçoamento dessa ordem também precisaria de uma consideração sobre a possibilidade de não coincidência entre as unidades da língua escrita e falada: ou seja, a possibilidade de haver homófonos não homógrafos, e vice-versa (v. Seção 3.2). No entanto, não é difícil que se façam os ajustes necessários à definição tradicional de homonímia com base do que foi dito em capítulos anteriores; e acredito que o leitor possa fazê-los sozinho, fornecendo exemplos apropriados para ilustrar os diversos subtipos de homonímia parcial e absoluta. Esse aspecto do problema da distinção entre homonímia e polissemia não nos interessa.

A polissemia (ou significado múltiplo) é uma propriedade de lexemas simples; e aí está a diferença, a princípio, entre homonímia e polissemia. Por exemplo, '$bank_1$', [margem de rio] e '$bank_2$' [instituição financeira] são normalmente tidos como homônimos, ao passo que '*neck*' [pescoço, gargalo] é normalmente tratado pelos dicionários do inglês como um único lexema com diferentes significados: ou seja, como **polissêmico**. Nosso sistema de notação pode captar a distinção entre homonímia e polissemia; haja vista '$bank_1$' e '$bank_2$', cada um podendo na realidade ser polissêmico; mas '*neck*', cujos significados são, *grosso modo*, "$neck_1$" = "parte do corpo", "$neck_2$" = "parte da camisa ou vestimenta" [gola], "$neck_3$" = "parte da garrafa", "$neck_4$" = "faixa estreita de terra" [restinga] etc. [*sic*]. Todos os dicionários-padrão respeitam a distinção entre homonímia e polissemia. Mas como traçam a fronteira entre as duas?

Um dos critérios é **etimológico**. Por exemplo, '$meal_1$' significando "repasto", e '$meal_2$' significando "farinha de milho", são tratados como lexemas diferentes em quase todos os dicionários basicamente, senão unicamente, porque do ponto de vista histórico derivam de lexemas que não eram homônimos no inglês antigo. O critério etimológico é irrelevante, como já vimos, na linguística sincrônica (v. Seção 2.5). De qualquer forma, embora os lexicógrafos possam sustentar que seja uma condição suficiente para a homonímia, a diferença de origem nunca foi considerada necessária, ou sequer a mais importante das condições diferenciadas entre homonímia e polissemia.

119

Capítulo 5

A principal consideração é haver relação entre significados. Os vários significados de um lexema polissêmico único (por exemplo, "$neck_1$", "$neck_2$", "$neck_3$" etc.) são normalmente tidos por relacionados entre si; se tal condição não fosse satisfeita, o lexicógrafo falaria em homonímia e não polissemia, colocando várias entradas lexicais diferentes no dicionário ('$neck_1$,' '$neck_2$,' '$neck_3$' etc.). Há uma dimensão histórica na relação entre os significados, o que torna a questão mais complicada. Por exemplo, podemos mostrar que o significado de '$pupil_1$' ("aluno de escola primária ou secundária") e '$pupil_2$' ("parte do globo ocular" [pupila] estão historicamente relacionados, embora com o tempo tenham divergido a tal ponto que nenhum falante do inglês pensaria que os dois estão sincronicamente relacionados. E é a relação sincrônica que procuramos.

É fácil ver que, enquanto a identidade entre as formas é uma questão de sim ou não, a relação entre os significados é um problema de mais ou menos. Por essa razão, a distinção entre homonímia e polissemia, embora suficientemente fácil de ser formulada, é difícil de ser aplicada com coerência e segurança.

Alguns tratamentos modernos da semântica propuseram que simplesmente se cortasse o nó górdio e se postulasse um caso de homonímia, e não polissemia, em todas as situações. Por mais atraente que essa proposta pareça de início, ela realmente não soluciona os problemas diários dos lexicógrafos. E, o que é mais importante, não satisfaz a uma questão teórica. Os lexemas não têm um número determinado de significados distintos. A descontinuidade na linguagem é uma propriedade da forma, não do significado (v. Seção 1.5). Está na própria essência das línguas naturais o fato de os significados lexicais se mesclarem uns com os outros e de serem indeterminadamente ampliáveis. A única forma de resolver, ou talvez de delimitar, o problema tradicional da homonímia e polissemia é abandonar totalmente os critérios semânticos, na definição do lexema, contando apenas com os critérios sintáticos e morfológicos. O efeito dessa resolução seria transformar "$bank_1$" e "$bank_2$" em dois significados (prontamente distinguíveis) de um mesmo lexema sincronicamente polissêmico. A maior parte dos linguistas não estaria a favor de uma solução assim tão radical. Entretanto, ela é teórica e praticamente mais sustentável do que sua alternativa. Talvez devêssemos nos contentar com o fato de que o problema da distinção entre homonímia e polissemia seja, em princípio, insolúvel.

O significado, como vimos na seção anterior, pode ser descritivo, expressivo e social; e muitos lexemas combinam pelo menos dois deles, senão três. Se a **sinonímia** for definida como identidade de significado, poderemos dizer que os lexemas são **completamente sinônimos** (em uma certa faixa de contextos) se, e somente se, tiverem o mesmo significado descritivo, expressivo e social (na faixa de contextos em questão). Poderão ser descritos como **absolutamente sinônimos** se, e somente se, tiverem a mesma distribuição e forem completamente sinônimos em todos os seus significados e contextos de ocorrência. Geralmente se reconhece que uma sinonímia completa entre lexemas é relativamente rara nas línguas naturais e que a sinonímia absoluta, tal como foi aqui definida, é praticamente inexistente. Com

Semântica

efeito, a sinonímia absoluta está provavelmente restrita a um vocabulário altamente especializado que é puramente descritivo. Um exemplo típico é o de '*caecitis*' [cecite]: '*typhlitis*' [tiflite] (ambos significando "inflamação do ceco". Mas quantos falantes nativos do inglês conhecem algum desses dois termos? O que normalmente ocorre em casos como esse é que, embora um par, ou conjunto, de termos possa coexistir entre os especialistas durante um curto período de tempo, um deles passa a ser o termo-padrão, aceito para aquele significado. Qualquer outro termo que dispute aquele mesmo significado com ele ou desaparece ou adota um novo significado. O mesmo processo se verifica na linguagem cotidiana em relação ao vocabulário criado para designar novas invenções ou instituições: '*rádio*' substituiu quase completamente o termo '*wireless*'* ["sem fio", literalmente], embora tenham durado muito tempo como alternativas iguais para muitos falantes do inglês britânico; '*aerodrome*' (e '*airfield*') e '*airport*', por outro lado, [respectivamente, "aeródromo", "campo de aviação" e "aeroporto"], hoje diferem quanto ao sentido descritivo.

É de se notar que (ao contrário de quase todos os que escrevem sobre semântica) estabeleci uma distinção entre sinonímia absoluta e sinonímia completa. Na minha opinião, é importante. A sinonímia restrita por contexto pode ser relativamente rara, mas existe com certeza. Por exemplo, '*broad*' e '*wide*' não são sinônimos absolutos, uma vez que há contextos em que apenas um se aplica, e a substituição de um pelo outro, se aceitável, poderia ser interpretada, com razão, como alguma diferença no significado [que é 'amplo', 'largo'] (v. *He has broad shoulders* [Ele tem ombros largos], *She has a lovely broad smile* [Ela tem um sorriso aberto adorável], *The door was three feet wide* [A porta tinha três pés de largura]). Mas há também contextos em que os dois termos parecem ser totalmente sinônimos (v. *They painted a wide/broad stripe across the wall* [Eles pintaram uma tira larga/grossa na parede]).** Gostaria de convidar o leitor a pensar em exemplos semelhantes, na sua própria língua ou em outras, e a refletir sobre eles. Ele descobrirá, acredito, que, mesmo nos casos em que há uma certa diferença de significado, é muito difícil dizer qual é, exatamente. Descobrirá também que nem sempre fica claro onde há e onde não há uma diferença de significado; e ele pode sentir-se tentado, como os semanticistas e os que prescrevem usos corretos da língua se sentem, a postular a existência de nuances muito sutis que diferenciam uma palavra de outra.

Tais descobertas são muito saudáveis. Reforçam o que se disse antes sobre a indeterminação parcial do significado lexical. Ao mesmo tempo mostram também que muito do conhecimento que temos da língua, na medida em que os sistemas linguísticos são determinados, está fora do escopo da introspecção confiável. Assim como

---

* Em vista do desenvolvimento tecnológico atual, o termo wireless se refere a quaisquer redes de computadores que não estejam conectadas por cabos. (N.E.)
** Em português, '*broad/wide*' traduzem-se a princípio como "largo". Nos exemplos dados em inglês fica patente que há casos em que a tradução é outra para termos do português que não são intercambiáveis nos contextos citados (v. "sorriso aberto/tira grossa"). (N.T.)

Capítulo 5

com as regras gramaticais de uma língua, também com as regras ou princípios que determinam – na medida em que o significado léxico é determinável – o significado das palavras e sintagmas. Por um lado, demonstramos que os conhecemos pelo próprio uso da língua; estão manifestos no comportamento linguístico e podemos, até certo ponto com segurança, reconhecer quando elas são violadas. Por outro lado, obviamente desconhecemos quais sejam tais regras e princípios: quando nos pedem que os identifiquemos temos dificuldade e, normalmente, erramos.

O problema se complica pela inquestionável existência do que popularmente se conhece como **conotações** dos lexemas. (Há também um uso mais técnico para 'conotação' em semântica. Mas não é o caso neste momento.) O uso frequente de uma palavra ou sintagma em uma certa gama de contextos em vez de outra geralmente cria uma série de associações entre a tal palavra ou sintagma e o que houver de distintivo em relação a seus contextos físicos de ocorrência. Por exemplo, há diferenças de conotação, muito além da diferença de significado descritivo, entre '*church*' [igreja] e '*chapel*' [capela] na Inglaterra e no País de Gales. No caso de a diferença ser assim tão clara, uma pergunta como *Essas são igrejas ou capelas?* possui uma interpretação bastante direta. Muitas vezes, entretanto, as conotações são menos diretamente identificáveis, mas ainda assim são suficientemente reais, pelo menos certos grupos de falantes; e são exploradas principalmente por oradores e poetas, mas também por nós, de vez em quando, para realizar nossa comunicação diária normal. Dizermos que as conotações contextualmente determinadas de um lexema são parte de seu significado depende muito da amplitude que pretendemos dar ao termo 'significado'. Muitas vezes, mas não sempre, o que se chama de conotações do lexema são fatores que estariam dentro do escopo do significado expressivo ou social.

Uma sinonímia incompleta não é absolutamente rara, especialmente porque – e talvez seja esse o único caso de identidade de um tipo de significado, mas não dos outros, que é clara e produtivamente reconhecida como tal – os lexemas podem ser descritivamente sinônimos mas ter significado expressivo e social diferente. A **sinonímia descritiva** (comumente chamada de sinonímia **cognitiva** ou **referencial**) é o que muitos semanticistas chamariam de sinonímia propriamente dita. Entre os exemplos de sinônimos descritivos, poderíamos citar 'pai', 'papai', 'papaizinho', 'paizão' etc.; 'banheiro', 'toalete', 'sanitário', 'WC' etc. Ambas as séries de sinônimos descritivos exemplificam o fato de que nem todos os falantes de uma língua usam necessariamente, embora possam perfeitamente compreender, todos os elementos de uma série de sinônimos; e o segundo exemplo, mais do que o primeiro, vem mostrar que pode haver **tabus** sociais dentro da comunidade linguística, de tal forma que o uso de determinadas palavras indica o grupo específico a que o falante pertence dentro da comunidade. Há algum tempo o vocabulário conhecido por *U* ou *non-U vocabulary* ('U' significando '*upper-class*' [classe alta]) era assunto constante nas conversas inglesas – a distinção foi popularizada, mas não inventada, por Nancy Mitford. Ainda hoje (embora as expressões '*U*' e '*non-U*' já estejam datadas) é uma questão,

122

Semântica

como foi na época, delicada, especialmente para os membros da classe média mais afetada.

O papel dos tabus sociais no comportamento linguístico está dentro do escopo de estudos da sociolinguística. Eles estão aqui mencionados porque realmente afetam os significados expressivo e social dos lexemas. Hoje em dia ninguém estará mais correndo o risco de ser processado pelo uso de palavrões, mas ainda perduram as diferenças no significado expressivo e social distinguindo, digamos, '*prick*' [pica] ou '*cock*' [peru] de '*pênis*'; e '*breast*' [seio] ou '*tit*' [mama] de '*bosom*' [peito] ou '*bust*' [busto]. As investigações diacrônicas mostraram o quanto foi importante o fator **eufemismo** – evitar o uso de palavras condenadas pelo tabu – na mudança do significado descritivo dos vocábulos. Como consequência, houve durante certo tempo uma interdependência do significado descritivo com os não descritivos.

Finalmente, deveríamos dizer alguma coisa sobre a sinonímia entre vocábulos de línguas diferentes. Até mesmo a sinonímia descritiva é mais restrita, exceto nos campos mais ou menos especializados do vocabulário, do que querem fazer crer os dicionários bilíngues. Seria absurdo sustentar a posição de que não há sinonímia entre as línguas (ou dialetos). Porém, devemos reconhecer que uma tradução palavra por palavra entre duas línguas naturais é geralmente impossível. A importância teórica desse fato será desenvolvida mais adiante.

5.3 Significado lexical: sentido e denotação

Nesta seção nosso interesse estará exclusivamente no significado descritivo. Para tanto lidaremos com pelo menos dois componentes: sentido e denotação. Tais termos foram tomados de empréstimo à filosofia, não à linguística. Até pouco tempo, os linguistas geralmente não se preocupavam com as questões filosóficas que levaram às distinções explicadas a seguir. Os filósofos, por sua vez, nem sempre se interessaram, como devem os linguistas, por toda a gama de línguas existentes e suas diferenças estruturais, umas em relação às outras, que são relevantes para a formulação das distinções em questão. Deve-se mencionar que os termos 'sentido' e 'denotação' foram usados de outra forma por linguistas e filósofos. Não me deterei em tais diferenças, mas apresentarei, simplesmente, minha visão particular do problema. De certa maneira, é uma questão polêmica. Como o são todas as alternativas – e há muitas – surgidas na longa história da semântica filosófica.

É óbvio que alguns lexemas, senão todos, estão relacionados tanto a outros lexemas da mesma língua (por exemplo, 'vaca' se relaciona a 'animal', 'touro', 'bezerro' etc.) como também a entidades, propriedades, situações, relações etc. da realidade do mundo (por exemplo, 'vaca' se relaciona a uma determinada classe de animais). Podemos dizer, então, que um lexema que se relaciona (de maneira relevante) com outros lexemas o faz pelo **sentido**; e que um lexema que se relaciona (de maneira

123

Capítulo 5

relevante) com a realidade o faz por meio da **denotação**. Por exemplo, 'vaca', 'animal', 'touro', 'bezerro', etc., 'vermelho', 'verde', 'azul' etc. e 'conseguir', 'obter', 'tomar de empréstimo', 'comprar', 'roubar' etc. são séries de lexemas dentro das quais existem relações de sentido de vários tipos. 'Vaca' denota uma classe de entidades que é propriamente uma subclasse da classe de entidades denotada por 'animal'; que difere da classe de entidades denotada por 'touro' (ou 'cavalo', ou 'árvore' ou 'portão'), que apresenta uma interseção com a classe denotada por 'bezerro' e assim por diante.

É claro que sentido e denotação são interdependentes. E se a relação entre palavras e coisas – ou entre língua e mundo — fosse tão direta e uniforme quanto se supôs que fosse, poderíamos imediatamente considerar ou o sentido ou a denotação como base e definir um em termos do outro. Por exemplo, poderíamos tomar a denotação por base: considerar que as palavras fossem nomes, ou rótulos, para classes de entidades (como vacas, ou animais) que existem no mundo, externas à linguagem e dela independentes e que o aprendizado do significado descritivo é simplesmente uma questão de aprender que rótulo atribuir a que classe de entidades. Tal visão foi explicitada na doutrina realista tradicional dos **tipos naturais** (isto é, classes naturais e substâncias naturais), estando por trás de grande parte da semântica filosófica moderna, na veia empirista. Como alternativa, poderíamos adotar o sentido como básico: poderíamos argumentar, haja ou não os tipos naturais (isto é, grupos de entidades independentes da linguagem), que a denotação de um lexema é determinada por seu sentido, sendo que a princípio é possível saber o sentido de um lexema sem saber sua denotação. Essa é a visão de um **racionalista** – ou seja, de alguém que, ao contrário de um **empirista**, acredita que a razão, e não a experiência sensorial, é a fonte do conhecimento (v. Seção 2.2). Isso se poderia justificar filosoficamente por meio da tradicional identificação do significado (isto é, do sentido) de uma palavra com as ideias ou os conceitos a ela associados (v. Seção 5.1).

Basta dizer que cada uma das alternativas simples e nítidas que apresentamos no parágrafo anterior incorre em dificuldades filosóficas insuperáveis. Há maneiras mais sofisticadas de se defender a prioridade lógica ou psicológica tanto do sentido quanto da denotação. Mas não nos devem deter. O que o linguista deve salientar são os dois fatos seguintes: primeiro, que a maioria dos lexemas, em todas as línguas humanas, não denota tipos naturais; segundo, que as línguas humanas são, de forma bem acentuada, lexicalmente não isomórficas (ou seja, diferem quanto à estrutura lexical) no tocante ao sentido e à denotação. Examinemos um ponto de cada vez.

Alguns lexemas, no inglês e em outras línguas, denotam realmente tipos naturais (por exemplo, as espécies biológicas e as substâncias físicas): 'vaca', 'homem', 'ouro', 'limão' etc. Mas a grande maioria, não. Além do mais, e aí está o principal, os lexemas que denotam tipos naturais o fazem de maneira acidental e indireta, por assim dizer. Em geral, são as distinções culturalmente importantes, entre as classes de entidades e agregados de matéria mais ou menos homogêneos, tais como água, rocha ou ouro, que determinam a estrutura lexical de uma língua: e estas podem coincidir

Semântica

ou não com as fronteiras naturais. Por exemplo, segundo Bloomfield, que tinha uma tendência altamente empirista, a palavra 'sal' normalmente denota cloreto de sódio (NaCl). Como essa é sua denotação, senão mesmo a totalidade de seu significado, e o cloreto de sódio é uma substância que existe na natureza, é só pelo fato de o sal ter um papel distintivo a desempenhar em nossa cultura (e por nós frequentemente nos referirmos a ele), que a palavra 'sal' tem a denotação que tem. O fato de 'sal' denotar uma substância natural é linguisticamente irrelevante.

Quanto ao não isomorfismo lexical, o exame mais superficial do vocabulário das diversas línguas rapidamente revela que os lexemas em uma língua não têm a mesma denotação que os lexemas em outras. Por exemplo, a palavra latina '*mus*' denota tanto ratos como camundongos (para não falar em outras espécies de roedores); a palavra francesa '*singe*' denota ao mesmo tempo primatas e macacos; e assim por diante.* Evidentemente, há muitos exemplos de equivalência denotativa entre as várias línguas. Alguns casos, diacronicamente, resultam da difusão cultural. Outros se explicam pela constância, em culturas diferentes, dos interesses e necessidades humanos. Bem poucos são os casos atribuíveis à estrutura do mundo físico como tal. No Capítulo 10 aprofundaremos esse tópico.

Muitos linguistas sentiram-se atraídos ultimamente pela chamada **análise componencial** do sentido, e mais particularmente pela hipótese de que todos os lexemas de todas as línguas são complexos de conceitos atômicos universais, comparáveis aos traços fonológicos possivelmente universais (v. Seção 3.5). Hoje em dia, entretanto, está claro que bem pouco dos componentes do sentido normalmente citados a esse respeito é verdadeiramente universal; e, ainda, que relativamente poucos são os lexemas passíveis de uma análise componencial. Na melhor das hipóteses, poderíamos representar alguns traços do sentido de alguns lexemas em termos do que se poderia chamar de componentes universais do sentido. Por exemplo, partindo da premissa, bem razoável, de que [HUMANO], [FEMININO] e talvez também [ADULTO] sejam componentes universais do sentido, "mulher" pode ser analisado como conjunto de traços {[HUMANO], [FEMININO], [ADULTO]}, "homem" pode ser {[HUMANO], [NÃO FEMININO], [ADULTO]}, "menina" pode ser {[HUMANO], [FEMININO], [NÃO ADULTO]} e "menino" pode ser {[HUMANO], [NÃO FEMININO], [NÃO ADULTO]}. Alguma reflexão poderá logo mostrar que tal análise não explica o fato de que a relação entre "menina" e "mulher", na maioria dos contextos, é diferente daquela que existe entre "menino" e "homem".

Anteriormente, na parte da polissemia, já havíamos dito que a questão de relação entre significados é um problema de mais ou menos. Isso se aplica àquela parte do significado descritivo a que aqui chamamos sentido. Mas podemos perfeitamente

---

* A tradução de '*singe*' para o inglês é '*apes*' ou '*monkeys*' (respectivamente, "macacos maiores ou primatas" e "macacos menores"). O português é mais próximo do francês: "macaco" traduz-se para o francês como '*singe*', e para o inglês, como '*ape*' ou '*monkey*', dependendo da denotação. (N.T.)

125

Capítulo 5

identificar diferentes tipos de **relações de sentido** nos vocabulários das diversas línguas, especialmente o caso da chamada **antonímia** (ou oposição de sentido) e o que hoje em dia normalmente se conhece como **hiponímia**. Na realidade, existem vários casos distintos de oposição de sentido (v. 'solteiro':'casado', 'bom':'mau', 'marido':'mulher', 'acima':'abaixo' etc.): podemos interpretar 'antonímia' de uma maneira mais ampla ou mais restrita. Alguns autores ampliaram o conceito de forma a cobrir todas as instâncias de **incompatibilidade** de sentido, dizendo que, por exemplo, 'vermelho', 'azul', 'branco' etc. são antônimos. Sejam quais forem o termo usado e a amplitude da definição adotada, o ponto teoricamente importante da 'antonímia' é que a incompatibilidade, e mais especialmente a oposição, entre os sentidos é uma das relações estruturais básicas nos vocabulários de todas as línguas. Igualmente básica é a hiponímia (o termo é recente, mas aquilo a que se refere já é há muito conhecido de lexicógrafos, lógicos e linguistas): a relação existente entre um lexema mais específico e um mais geral (entre 'tulipa', 'rosa' etc. e 'flor'; entre 'honestidade', 'castidade' etc. e 'virtude'; e assim por diante).

A antonímia e a hiponímia são relações substitutivas de sentido. Não menos importantes são as várias relações sintagmáticas que se verificam entre os lexemas (v. Seção 3.6): entre 'comer' e 'comida'; entre 'louro' e 'cabelo'; entre 'chutar' e 'pé'; e assim por diante. Juntas, as relações substitutivas e sintagmáticas de sentido (de vários tipos) dão a determinados **campos lexicais** sua estrutura semântica específica. Muitas vezes é possível isolar campos semânticos existentes em mais de uma língua (por exemplo, o da cor, do parentesco, do mobiliário, da comida) e demonstrar que eles não são isomórficos. Grande parte da pesquisa semântica mais recente foi orientada pelo princípio de que um lexema tem seu sentido determinado pela rede de relações sintagmáticas e substitutivas existentes entre ele e seus lexemas vizinhos, dentro de um mesmo campo. Os postulados dos chamados teóricos do campo (assim como os dos praticantes da análise componencial) muitas vezes foram altamente implausíveis ou filosoficamente controvertidos. Mas os resultados empíricos obtidos por eles e seus seguidores aperfeiçoaram enormemente nossa compreensão da estrutura lexical.

De especial importância foi sua insistência na prioridade lógica das relações estruturais na determinação do sentido de um lexema. Em vez de dizer que dois lexemas são (descritivamente) sinônimos porque cada qual tem um certo sentido que por acaso é idêntico ao do outro, eles afirmam que a sinonímia entre lexemas é parte de seu sentido. Da mesma forma ocorre com a antonímia e a hiponímia; e para toda a série de relações substitutivas e sintagmáticas entre os sentidos. Conhecer o sentido de um lexema é conhecer tais relações.

Essa declaração, como veremos em seções subsequentes, necessita de um suplemento. Não apenas os lexemas, mas também expressões maiores compostas de lexemas, podem ter um sentido. E exatamente as mesmas relações substitutivas e sintagmáticas podem existir entre um lexema e uma expressão mais complexa, não lexêmica, ou entre duas de tais expressões, da mesma maneira como existem entre os lexemas. Parece razoável afirmar, então, que conhecer o sentido de um lexema

Semântica

envolve também um conhecimento de suas relações com expressões não lexêmicas relevantes: saber, por exemplo, que 'solteirona' tem o mesmo sentido que 'mulher não casada' (ou talvez de 'mulher que nunca casou'). Evidentemente tal conhecimento adicional é impossível sem o conhecimento das regras gramaticais da língua e da contribuição que elas trazem, se houver, para o sentido de expressões sintaticamente complexas. Uma das deficiências de trabalhos bem mais antigos de semântica foi que não só se restringiam à estrutura lexical, mas também deixavam passar o fato de que o sentido dos lexemas não podia ser devidamente descrito sem uma descrição paralela das relações entre os sentidos de lexemas e de expressões mais complexas.

5.4 Semântica e gramática

O significado de uma sentença é o produto do significado tanto lexical quanto gramatical: isto é, do significado dos lexemas constituintes e das construções gramaticais que relacionam um lexema, sintagmaticamente, a outros (v. Seção 5.1). Lembremos que os termos 'gramática' e 'gramatical' estão sendo utilizados no sentido restrito no decorrer deste livro (v. Seção 4.1).

Que existe o conceito de significado gramatical torna-se claro se compararmos pares de sentenças como as seguintes:

(1) O cachorro mordeu o carteiro

(2) O carteiro mordeu o cachorro

Essas duas sentenças diferem quanto ao significado. Mas essa diferença não pode ser atribuída a nenhum dos lexemas constituintes, como é o caso da diferença entre (1) e

(3) O cachorro mordeu o jornalista

ou entre (2) e

(4) O carteiro amansou o cachorro.

A diferença semântica entre (1) e (2) é tradicionalmente explicada dizendo-se que em (1) 'o cachorro' é o **sujeito** e o 'carteiro' é o **objeto**, enquanto em (2) essas funções gramaticais estão invertidas.

A diferença semântica entre (1) e (2) é uma diferença de significado descritivo: ela pode ser descrita, como veremos mais tarde, em termos de suas **condições de verdade** (v. Seção 5.6). O significado gramatical, no entanto, não é necessariamente descritivo. Sentenças declarativas e interrogativas correspondentes em inglês, tais como (1') e (5):

(1') *The dog bit the postman* [(1)]

(5) *Did the dog bite the postman?* [auxiliar para interrogação no passado-o-cachorro-morder-o-carteiro?]

127

Capítulo 5

poderiam ser consideradas razoavelmente como tendo o mesmo significado descritivo, mas diferindo em outra dimensão qualquer. Qual é essa outra dimensão é o que veremos na seção dedicada à relação entre sentença e enunciado (Seção 5.5). Pode-se incluir essa dimensão no âmbito do significado expressivo e social. E existem muitas outras diferenças gramaticais entre sentenças correlacionadas a diferenças de significado não descritivo.

Por exemplo, a ordenação de palavras serve a uma função expressiva em muitas línguas. Da mesma forma funciona, em certas circunstâncias, a seleção de um **modo** em vez de outro (por exemplo, um subjuntivo em vez de um indicativo em determinadas construções, em francês, alemão e espanhol [e em português]). Quanto ao significado social, é bastante sabido que a maioria das línguas europeias, embora não o inglês-padrão, impõe aos seus usuários uma distinção entre dois pronomes de tratamento (em francês, '*tu*':'*vous*'; em alemão, '*du*':'*Sie*'; em espanhol, '*tú*':'*usted*'; em russo, '*ty*':'*vy*' etc.) e que o uso de um ou do outro é determinado, em parte, por papéis e relações sociais (v. Seção 10.4). O uso de um pronome em detrimento de outro está correlacionado em cada caso a uma diferença ou de **número** (singular *vs*. plural) ou de **pessoa** (segunda *vs*. terceira); e essa diferença gramatical pode ser a única diferença entre duas sentenças com o mesmo significado descritivo. Existe, também, em muitas línguas, a chamada primeira pessoa do plural real. Isso se exemplifica em inglês por

(6) *We have enjoyed ourself* [nós-auxiliar de passado-divertir-nós mesm*o*]

que difere em significação descritiva de

(7) *We have enjoyed ourselves* [nós-auxiliar de passado-divertir-nós mesm*os*]

e, como enfatizou a Rainha Vitória (v. *We are not amused* [Nós (=Eu) não estamos nos divertindo]), de

(8) *I have enjoyed myself* [eu-auxiliar de passado-divertir-eu mesmo]

tanto em significado social quanto expressivo. Teremos mais a dizer sobre a veiculação de significação social e expressiva em capítulos posteriores. Aqui estou interessado em argumentar que a diferença entre significado lexical e gramatical não coincide com a diferença entre significado descritivo e não descritivo.

A diferença entre significado lexical e gramatical depende, em princípio, da diferença entre o vocabulário (ou léxico) e a gramática. Até o momento vimos trabalhando com o pressuposto de que essa diferença é nítida. Mas não é. Os linguistas às vezes fazem uma distinção entre palavras plenas [em inglês, *full*], que pertencem às categorias gramaticais principais (substantivos, verbos, adjetivos e advérbios), e as chamadas palavras funcionais de vários tipos, que incluem o artigo definido (*the* [o(s)/a(s)]), preposições (*of, at, for* etc. ["de", "em", "para", respectivamente]), conjunções (*and, but* etc. ["e" e "mas", respectivamente]), a partícula negativa (*not*) – para ilustrar a distinção em inglês. É característico de palavras funcionais como essas pertencer a classes de poucos membros e ter a sua distribuição fortemente determinada pelas regras sintáticas da língua. E muito frequentemente elas desempenham o mesmo papel que a variação de flexão em outras línguas. Por exemplo, *for* [por] em

Semântica

for three days [por três dias], em contraste com *in* [em] em *in three days* [em três dias], é semanticamente comparável ao uso do acusativo em vez do ablativo em latim (*tres dies: tribus diebus*). É aceito de modo geral o fato de que as palavras funcionais são menos plenamente lexicais do que os substantivos, os verbos, os adjetivos e a maioria dos advérbios, e, além disso, que algumas palavras funcionais têm um caráter mais lexical do que outras. No caso-limite, em que uma palavra funcional somente pode ocorrer em dada construção sintática, ela não tem nenhum significado lexical; cf. *to* [sem tradução] em *He wants to go* [Ele quer ir], ou *of* [de] em *three pounds of butter* [três libras de manteiga]. Mas entre o caso-limite de palavras puramente gramaticais, sem significado lexical, e lexemas plenos no outro extremo existem muitas subclasses de palavras funcionais que, sem serem lexemas plenos, contribuem com algum significado lexical nas sentenças em que ocorrem. O que aqui é citado como diferença entre palavras plenas e palavras funcionais é equiparado, numa gramática de base morfêmica, à diferença entre morfemas gramaticais e lexicais (v. Seção 4.3).

Podemos afirmar, com base no que acabou de ser dito a respeito da dificuldade de distinguir nitidamente a gramática do vocabulário de uma língua, que o que é **lexicalizado** em uma língua pode ser **gramaticalizado** em outra, e essa é uma questão teórica importante. Por exemplo, a distinção lexical entre '*kill*' [matar] e '*die*' [morrer] em inglês (que também está correlacionada a uma diferença gramatical de valência: v. Seção 4.4) é equiparada em muitas outras línguas à distinção gramatical entre um verbo **causativo** e um verbo não causativo correspondente. Ou então, o que algumas línguas podem veicular por meio da categoria gramatical de tempo (por exemplo, passado *vs.* presente) outras línguas, sem tempo gramatical, têm que veicular por meio de lexemas que significam, por exemplo, "no passado" *vs.* "agora". Esses dois exemplos, entretanto, ilustram mais uma questão que tem que ser colocada como restrição ao princípio de que a mesma distinção semântica pode ser ou lexicalizada ou gramaticalizada.

Como já vimos, o significado dos lexemas tende a ser, em grau maior ou menor, indeterminado (v. Seção 5.2). Mas o significado associado a distinções no âmbito de categorias gramaticais tais como causalidades, tempo, modo etc. é ainda mais indeterminado. Consequentemente, é muitas vezes difícil decidir se uma distinção lexical em uma língua é o equivalente semântico exato de uma distinção gramatical em uma língua diferente. As formas causativas do verbo turco 'ölmek' ("morrer") seriam usadas comumente para traduzir o verbo '*kill*' [matar] do inglês. Mas pode-se argumentar que eles não têm exatamente o mesmo significado, da mesma forma como se poderia argumentar que a expressão lexicalmente complexa do inglês '*cause to die*' [causar a morte] difere em significado do lexema '*kill*'. Quanto ao tempo gramatical, é significativo o fato de que ninguém conseguiu ainda descrever satisfatoriamente o significado dos tempos gramaticais (identificados tradicionalmente por termos como 'passado', 'presente', 'futuro') em inglês nem em qualquer língua bastante estudada. E o tempo é, de todas as categorias gramaticais, a que parece, à primeira vista, a mais facilmente definível do ponto de vista semântico. Mencionamos anteriormente que

Capítulo 5

sem dúvida existe uma base semântica para a distinção entre as partes do discurso e as categorias gramaticais (v. Seção 4.3).

Ao aceitar esse estado de coisas, temos que reconhecer também que a natureza da correlação entre estrutura gramatical e estrutura semântica é, em relação a isso, extremamente difícil de precisar. Em geral, quanto mais determinada língua é estudada, tanto mais complexa parece ser tal correlação. É bom ter isso em mente ao se lerem relatos acerca do significado de categorias gramaticais em línguas menos estudadas. Quase todos os rótulos tradicionais para as categorias gramaticais nas línguas europeias conhecidas são precisos de maneira enganadora: o passado gramatical não se refere necessariamente ao tempo passado; o singular é usado muito mais amplamente do que o termo sugere; o imperativo é empregado em muitas construções que nada têm a ver com dar ordens; e assim por diante. Não há razão para crer que a situação seja diferente com respeito aos rótulos empregados pelos linguistas na descrição gramatical de outras línguas.

Voltemo-nos agora brevemente para outro aspecto da relação entre semântica e gramática: a questão da significação e da gramaticalidade. Já foi dito que essas duas propriedades das sentenças não podem ser identificadas (v. Seção 4.2). Como quase sempre, é muito mais fácil proclamar um princípio geral do que aplicá-lo. Existem vários fatores que complicam a situação. Um deles é que nem tudo o que parece à primeira vista ser uma questão de regra gramatical o é. Por exemplo, o inglês, ao contrário do que se afirma normalmente, não possui a categoria gramatical de gênero. O que é comumente descrito como concordância de gênero em inglês depende unicamente, no que diz respeito à referência a seres humanos adultos, do sexo atribuído ao **referente** (isto é, à entidade à qual se faz referência: v. Seção 5.5) na hora do enunciado, pelo falante. (O verdadeiro sexo do referente, o da vida real, é irrelevante, em princípio. Se tomo um homem por uma mulher, ou vice-versa, e uso o pronome errado ao me referir a ele ou a ela, não estou, dessa forma, violando nenhuma regra do inglês.) Sentenças como

(9) *My brother had a pain in her stomach.*

 [Meu irmão teve uma dor no estômago dela]

pareceriam ir contra o que acabou de ser dito a respeito da chamada concordância de gênero. Mas (9) não é nem sintática nem semanticamente anômala. Por exemplo, se Y sabe (ou acredita, para falar em um sentido mais restrito) que X é mulher e está desempenhando o papel do irmão de Y no palco, então (9) seria uma sentença perfeitamente aceitável para Y enunciar. (Pode-se argumentar que (9) diferiria em significado de *My brother had a pain in his stomach* pronunciado em circunstâncias semelhantes. Mas isso é uma outra questão.) Poderia também ser apropriado para Y enunciar (9) se X tivesse trocado de sexo: questões de tato, da aceitação da situação por Y etc. presumivelmente determinariam a propriedade ou não de (9), e de maneiras diferentes, para pessoas diferentes. Por outro lado,

(10) *He had a pain in her stomach.*

 [Ele teve uma dor no estômago dela]

Semântica

é sem dúvida anômala. Mas não viola nenhuma das regras puramente sintáticas do inglês. Com efeito, se poderia argumentar razoavelmente que também é uma sentença semanticamente bem-formada e que o que é esquisito em (10) é que, supondo-se que *he* [ele] e *her* [dela] se referem à mesma pessoa, enunciar (10) implicaria falta de coerência (ou mudança de ideia no meio do enunciado) da parte do falante. Existe mais uma questão importante que surge aqui – a diferença entre boa formação semântica e propriedade contextual: voltaremos a isso em nossa discussão da relação entre significado de sentença e significado de enunciado. Foi dado apenas um exemplo para ilustrar o argumento de que cadeias de palavras que são normalmente consideradas uma violação às regras gramaticais de uma língua podem constituir de fato sentenças bem-formadas tanto gramática quanto semanticamente. Muitos outros exemplos poderiam ser apresentados, inclusive vários extraídos de trabalhos recentes em semântica e gramática, cujos autores foram um tanto apressados na atribuição do rótulo 'agramatical' às cadeias de palavras que citam.

Outra fonte de complicação tem a ver com o problema de decidir se determinada **colocação** (isto é, combinação de lexemas ligados gramaticalmente) é anômala em virtude do significado dos lexemas constituintes e da construção gramatical que os une, ou por outro motivo. Por exemplo, *'the blond (– haired) boy'* [o menino (de cabelo) louro] e *'the bay (– coloured) horse'* [o cavalo (cor de) louro (= madeira)] são colocações normais, enquanto *'the blond horse'* [O cavalo louro] e *'the bay (– haired, – coloured) boy'* [o menino (de cabelo, da cor de) louro (= madeira)] não são. Isso se dá por causa do significado – mais particularmente, do sentido e da denotação – de *'bay'* 'louro (madeira)' e *'blond'* 'louro (adjetivo)'? Mesmo se o cabelo de uma pessoa fosse exatamente da mesma cor marrom-avermelhada do pelo de um cavalo cor de louro, certamente não se usaria em inglês o lexema *'bay'* para descrevê-la, nem ao seu cabelo. Inversamente, se o pelo de um cavalo ou a sua crina fosse exatamente da cor dos cabelos louros de uma pessoa, ainda assim haveria relutância em usar o adjetivo *'blond'* como predicativo do cavalo em questão. O problema é que existem muitos lexemas em todas as línguas cujo significado não pode ser considerado totalmente independente das colocações em que ocorrem mais caracteristicamente.

Finalmente, há o problema geral, que tem movimentado os linguistas recentemente e intrigou os filósofos por muito mais tempo, de traçar a fronteira entre os determinantes linguísticos e não linguísticos da gramaticalidade. Esse problema é frequentemente formulado, por aqueles que adotam os princípios do gerativismo, em termos de traçar uma fronteira entre o conhecimento da língua e o conhecimento do mundo, ou entre **competência** e **desempenho** (v. Seção 7.4), o que, pode-se argumentar, constitui um uso indevido da distinção técnica. Por exemplo, podemos supor que a seguinte cadeia de palavras (com uma linha prosódica apropriada sobreposta)

(11) *The President of the United States has just elapsed.*

[O presidente dos Estados Unidos acabou de decorrer.]

131

Capítulo 5

seria considerada sem sentido pela grande maioria dos falantes de inglês. Mas é malformada gramaticalmente? Se é, a sua agramaticalidade é imediatamente explicada em termos da valência de '*elapse*' [decorrer]. O verbo '*elapse*', poderíamos dizer, é um verbo pertencente a uma determinada subclasse de verbos intransitivos cujo sujeito tem que conter um substantivo que seja membro do conjunto {'*year*' [ano], '*month*' [mês], '*day*' [dia], '*century*' [século], ...}.

No entanto, se (11) viola essa suposta regra sintática e não é, portanto, uma sentença gramatical do inglês,

(12) *Three presidents have elapsed and nothing has changed.*

[Três presidentes passaram e nada mudou.]

também é uma não sentença. Mas (12) certamente não é impossível de se interpretar. É claro que se poderia argumentar que para interpretá-la – para que faça algum sentido – temos que considerar ou '*president*' ou '*elapse*' com um significado não literal ou transposto. A interpretação mais óbvia, talvez, é a que envolve interpretar '*president*' como "*presidency*" [presidência] (cf. *three presidents later* [três presidentes mais tarde] etc.). Isso seria denominado ou sinédoque ou metonímia por um gramático de formação tradicional. Os termos são pouco usados hoje em dia; e o modelo elaborado das chamadas **figuras de linguagem** (como a classificação tradicional das partes do discurso) está aberto a todo tipo de crítica detalhada. A questão é que o próprio fato de que podemos interpretar (12) tão rapidamente depende de nossa compreensão da interdependência do significado de '*elapse*' e sua valência gramatical. A questão de (11) e (12) serem gramaticais ou agramaticais não é tanto um caso de fato quanto de decisão teórica ou metodológica. Se decidimos considerá-las gramaticais, ainda podemos explicar a sua situação anômala e a possibilidade de interpretar (12) mais facilmente do que (11) em bases semânticas.

O modo como a estrutura gramatical das línguas particulares e da linguagem em geral está relacionado com o mundo é uma questão filosófica genuinamente incômoda. Voltaremos a ela no Capítulo 10. Foi mencionada aqui devido às suas implicações para a relação entre semântica e gramática. De um modo geral, os linguistas têm estado inclinados a falar com excessiva segurança sobre a distinção entre conhecimento linguístico e não linguístico. Muitas cadeias de palavras cujo *status* é, no mínimo, passível de debate são classificadas de agramaticais. Outras são consideradas literalmente destituídas de sentido e talvez também agramaticais, como (11) e (12); esses são os exemplos teoricamente interessantes. Mas muitas cadeias de palavras que têm sido citadas em livros didáticos e artigos, apesar do que os autores afirmam a seu respeito, são indubitavelmente gramaticais e semanticamente bem-formadas.

Iniciamos esta seção dizendo que o significado de uma sentença é a soma do significado lexical e gramatical. Vimos agora que, embora exista uma distinção entre esses dois tipos de significado em casos claros, a fronteira entre eles nem sempre é tão fácil de identificar quanto gostaríamos que fosse. Vimos também que a distinção

Semântica

entre significação e gramaticalidade está longe de ser nítida, por vários motivos. Examinemos mais de perto agora a noção de significado de sentença.

5.5 Significado de sentença e significado de enunciado?*

A primeira coisa que tem que ser feita é traçar uma distinção entre o significado de sentença e o significado de enunciados. Muitos linguistas e lógicos, que trabalham com uma interpretação mais restrita de 'semântica' do que é tradicional em linguística, adotada aqui, diriam que, enquanto o significado de sentença inclui-se no escopo da semântica, a investigação do significado de enunciado é parte da pragmática (v. Seção 5.6). Os gerativistas chomskianos tendem a identificar tanto a distinção sentença/enunciado quanto a distinção semântica/pragmática com competência/desempenho.

Aqueles que distinguem sentenças e enunciados concordam de um modo geral que as primeiras, diferentemente dos últimos, são entidades abstratas independentes de contexto, no sentido de não estarem vinculadas a nenhum tempo ou espaço particular: elas são unidades do sistema linguístico a que pertencem. Por enquanto, não há objeções a fazer. Infelizmente, o termo '*utterance*' [enunciado/enunciação]* (como muitas outras palavras comparáveis em inglês) é ambíguo: pode ser* usado para se referir a um ato ou ao produto daquele ato,** isto é, a um segmento de comportamento linguístico ou ao sinal interpretável que é produzido pelo segmento de comportamento em questão e que passa do emissor para o receptor via algum canal de comunicação (v. Seção 1.5). Ninguém confundiria sentenças com atos de enunciação. Mas é bastante fácil identificar sentenças, inadvertidamente ou não, com o que é enunciado. Com efeito, existe um sentido perfeitamente normal do termo 'sentença' no qual fazemos isso regularmente em nossas referências cotidianas à linguagem. Por exemplo, poderíamos dizer que o primeiro parágrafo desta seção é composto de três sentenças. Nesse sentido de 'sentença', as sentenças são ou enunciados (o termo cobre tanto língua falada quanto escrita) ou partes interligadas de um enunciado único. E nesse sentido de 'sentença' – isto é, o sentido em que uma sentença é o que é enunciado – as sentenças são obviamente dependentes de contexto, em grau maior ou menor. Mas elas também são passíveis de repetição em momentos diferentes e em lugares diferentes. Dependência de contexto não implica, portanto, exclusividade espaço-temporal; e abstração, no sentido de não estar vinculado a nenhum espaço nem tempo, não implica total independência contextual.

---

* O termo *utterance* é ambíguo em inglês, como o próprio autor comenta. (N.T.)
** Em português, 'enunciação' corresponde ao ato, e 'enunciado', ao produto. (N.T.)

133

Capítulo 5

Existe a questão adicional de que muitos enunciados, e talvez a maioria, da conversação cotidiana não são sentenças completas, mas **elíticas** de uma forma ou de outra. Por exemplo,

(1) Sexta que vem, se eu puder.
(2) Que tal o 'La Mole'?
(3) Você vai ter que, não é?

são típicas do que a maioria dos linguistas, como o gramático tradicional, descreveria como sentenças incompletas ou elíticas. E o seu significado é o mesmo do das sentenças completas das quais se pode dizer que elas são derivadas em determinadas situações de enunciação.

Não vamos analisar os problemas de relacionar as sentenças de um sistema linguístico com enunciados reais e potenciais. Levando em consideração as complexidades mencionadas anteriormente, podemos dizer que o significado de enunciado é o produto do significado de sentença e do contexto. Em geral, o significado de um enunciado será mais rico do que o significado da sentença (ou sentenças) da qual é derivado.

Ao mesmo tempo, tem que ser levado em conta o fato de que os falantes nativos de uma língua não têm acesso fora de contexto, pelo que sabemos, ao significado das unidades abstratas do sistema linguístico que o linguista denomina sentenças. Com efeito, as sentenças, nesse sentido do termo, podem não ter nenhuma validade psicológica; elas são construtos teóricos de linguistas, e, mais especificamente, da teoria gramatical geral. Quando apresentamos aos falantes nativos o que chamamos de sentenças e testamos as suas reações ("Esta sentença é aceitável?", "Esta sentença significa a mesma coisa que aquela?" etc.), o que estamos fazendo de fato é pedindo que julguem, intuitiva ou racionalmente, enunciados potenciais. Podemos, enquanto linguistas, traçar uma distinção entre significado de sentença e significado de enunciado fazendo abstração do primeiro, e atribuindo à parte não sentencial do segundo tudo o que tem a ver com determinados contextos de enunciação: as crenças e atitudes de determinadas pessoas, referência a determinadas entidades no ambiente, convenções de etiqueta vigorando entre determinados grupos e assim por diante. Mas não há razão para supor que os falantes de uma língua possam fazer isso em virtude de sua competência linguística. A competência linguística – em qualquer um de seus dois sentidos: "competência em uma língua" e "competência para a linguagem" – é sempre voltada para o desempenho.

Já vimos que determinados tipos de sentenças estão relacionados a determinados tipos de enunciação: sentenças declarativas a declarações, sentenças interrogativas a perguntas etc. A natureza desse relacionamento foi explicada pela invocação da noção de **uso característico**. Foi, e tem que ser, reconhecido que em qualquer ocasião um falante pode usar uma sentença, não caracteristicamente, para significar algo diferente, ou além, do que ela é normalmente usada para significar. Existe, no entanto, uma conexão intrínseca entre o significado de uma sentença e o seu uso

134

Semântica

característico. Por exemplo, algumas sentenças declarativas podem ser usadas, **indiretamente**, por fazer perguntas, dar ordens, fazer promessas, expressar os sentimentos do falante etc. Mas se as sentenças com a estrutura gramatical particular que chamamos de declarativas não fossem consideradas pelos falantes da língua como associadas ao ato de fala de fazer declarações – tal ligação associativa entre forma gramatical e função comunicativa sendo estabelecida e mantida pelo uso regular – as sentenças em questão não seriam chamadas de declarativas. Além disso, um uso não característico de uma sentença é geralmente explicável com base no seu uso característico. Tomando um exemplo famoso:

(4) Está frio aqui

tem a forma gramatical de uma sentença declarativa, mas poderia perfeitamente ser usada, nas circunstâncias apropriadas, não característica e indiretamente, no lugar de

(5) Por favor, feche a janela

para fazer com que o interlocutor faça algo: isto é, como uma instrução. É porque (4) é utilizada caracteristicamente para fazer uma declaração, a qual o interlocutor pode interpretar, e a partir da qual, à luz dos fatores contextuais relevantes, ele pode tirar conclusões, que ela também pode ser usada, ocasionalmente, não característica e indiretamente.

Temos que enfatizar que 'caracteristicamente' não significa 'na maioria das vezes'; e também que a noção de uso característico é relativa, em princípio, não a sentenças isoladas, mas a classes inteiras de sentenças com a mesma estrutura gramatical. Muitas sentenças são usadas não característica e indiretamente com grande frequência no comportamento linguístico cotidiano. Por exemplo,

(6) Você pode me dizer as horas?

tem mais probabilidade de ser enunciada como uma solicitação do que como uma pergunta. Se o interlocutor reagisse dizendo *Sim* sem continuar para atender à solicitação, e em seguida tentasse se defender da acusação de grosseria ou comportamento não colaborador argumentando que havia respondido à pergunta, ele poderia ser justamente acusado de praticar **literalismo**. Ele interpretou o enunciado, inapropriadamente, com o seu sentido literal: isto é, com o sentido determinado pelo uso característico do de sentenças com certa estrutura gramatical (definidas, com base em tal estrutura, como interrogativas).

O próprio fato de o literalismo existir enquanto fenômeno identificável (e socialmente repreensível) – sendo linguistas e filósofos propensos a ele devido às suas ocupações! – constitui justificativa para a postulação das noções, definidas teoricamente, de uso característico e não característico, por um lado, e de atos de fala diretos e indiretos, por outro. Mas essas noções são teóricas. Não se deve supor que toda vez que uma sentença for usada não caracteristicamente, nesse sentido especializado, o interlocutor tenha que proceder a uma dedução passo a passo do seu significado pretendido indireto ou não literal, com base no seu significado direto, ou literal. Existem

135

Capítulo 5

graus de ser indireto: por exemplo, (4) é mais indireto do que (6) enquanto solicitação, e requereria mais apoio contextual para ser interpretado como tal. E muitas sentenças são, total ou parcialmente, convencionalizadas no seu significado indireto pretendido. Por exemplo, em inglês, *Can you...?* [Você pode...?] e *Would you mind...?* [Você se incomodaria...?] (em contraste com as expressões mais ou menos sinônimas *Are you able to...?* [Você tem possibilidade de...?] e *Would it trouble you to...?* [Incomodaria você...?] são altamente convencionalizadas em seu uso enquanto solicitações.

A questão que foi apresentada acerca da conexão intrínseca entre o significado de uma sentença e o seu uso característico em enunciados pode ser generalizada. Comumente faz-se uma distinção entre o significado inerente de uma expressão e o uso que o falante faz dela, do ponto de vista do significado pretendido. (De fato, existem várias distinções relacionadas que envolvem sentidos interligados do termo 'significado' [inglês: *meaning*] que têm sido discutidas pelos filósofos. Mas esta é suficiente para as nossas finalidades.) Em qualquer ocasião um falante poderia usar uma expressão querendo dizer algo diferente do significado que ela tem em virtude de seu significado lexical e gramatical. Mas nem sempre ele pode fazê-lo. Tampouco ele é livre para usar uma expressão com qualquer significado que ele escolha para ela. A não ser que ele tenha chegado a algum entendimento prévio com o seu interlocutor a respeito da interpretação pretendida de uma expressão, o que ele quer dizer com ela tem que estar sistematicamente relacionado ao seu significado inerente. E o seu significado inerente é determinado pelo seu uso característico. Embora possamos rejeitar a identificação direta de significado com uso, pelos mesmos motivos que rejeitamos a identificação de significado de sentença com significado de enunciado, podemos, no entanto, insistir que o significado de expressões e sentenças é sustentado pelo seu uso característico. Sendo assim, a semântica no sentido restrito não é logicamente anterior à pragmática. As duas são interdependentes.

Para concluir esta seção precisamos dizer algo sobre **referência** e **dêixis**, e sobre a sua contribuição para o significado de enunciado. A referência, como a denotação, é uma relação que se dá entre expressões e entidades, propriedades ou situações no mundo externo (v. Seção 5.3). Mas há uma diferença importante entre denotação e referência: esta última, diferentemente daquela, está ligada ao contexto de enunciação. Por exemplo, a expressão '*that cow*' [aquela vaca], em inglês, pode ser usada, no contexto apropriado, para se **referir** a determinada vaca – o seu **referente**. Pode ser usada em contextos diferentes para se referir a vacas diferentes, sendo a sua referência, em qualquer ocasião particular, determinada em parte pelo seu significado inerente (incluindo a denotação de '*cow*') e em parte pelo contexto em que é enunciada. A grande maioria das **expressões referenciais** nas línguas naturais é dependente de contexto de uma forma ou de outra. Nem mesmo os nomes próprios têm uma referência independente de contexto única; e esse fato é esquecido com demasiada frequência.

A dependência de contexto da maioria das expressões referenciais tem como consequência semanticamente importante o fato de que a proposição veiculada pela

Semântica

enunciação de uma sentença tende a variar em função do contexto de enunciação. Por exemplo,

(7) O meu amigo acabou de chegar

pode ser usada para fazer uma afirmação sobre uma infinidade de indivíduos, dependendo da referência de 'meu amigo' em determinadas situações de enunciação. Quando falamos de relações semânticas entre sentenças em virtude de seu conteúdo em termos de proposições, fazemo-lo supondo, tácita ou explicitamente, que a referência de todas as expressões referenciais é constante.

Não somente pode a mesma expressão referir-se a diferentes entidades em diferentes ocasiões; diferentes expressões podem referir-se à mesma entidade. Por exemplo, o pronome 'ele', o nome próprio 'João' e qualquer um de uma infinidade de sintagmas descritivos, 'o homem que está tomando um martíni', 'o leiteiro', 'o marido de Maria' etc., poderia ter a mesma referência do outro, ou de 'o meu amigo', nas circunstâncias apropriadas. Esse fato deve estar presente em nossa mente.

Até certo ponto, a referência potencial de expressões é determinada não apenas pelo seu significado inerente e por fatores contextuais tais como os pressupostos compartilhados pelo falante e seu interlocutor, mas também por regras gramaticais, por um lado, e convenções ou tendências estilísticas, por outro, funcionando dentro de sentenças e por extensões mais longas de texto ou discurso. Particularmente, tais regras ou tendências (e nem sempre está claro se se trata de gramática ou de estilo) controlam o que veio a ser chamado de **correferência**: referência à mesma entidade (ou conjunto de entidades) por diferentes expressões ou por ocorrências diferentes da mesma expressão. Por exemplo, em

(8) *My friend missed the train and he has just arrived*

   [O meu amigo perdeu o trem e ele acabou de chegar]

e

(9) *Since he missed the train, my friend has just arrived*

   [Como ele perdeu o trem, meu amigo acabou de chegar]

'*my friend*' e '*he*' [respectivamente, "meu amigo" e "ele"] podem ser, mas não têm que ser, correferentes.* Mas não seriam normalmente considerados correferentes (sem características prosódicas e paralinguísticas um tanto especiais) em

(10) *He missed the train and my friend has just arrived*

   [Ele perdeu o trem e o meu amigo acabou de chegar]

Isso é geralmente, e talvez corretamente, considerado uma questão de regra gramatical, relativa à diferença entre coordenação e subordinação. Por outro lado, não existe regra gramatical no inglês (embora alguns linguistas tenham dito que existe) proibindo a construção de sentenças como

---

* Em português, a correferência de 'ele' e 'meu amigo' torna a tradução de (9) agramatical. (N.T.)

137

Capítulo 5

(11) *John loves John*

[John ama John]

Existe, no máximo, uma tendência estilística que favorece seja

(12) *John loves himself*

[John ama a si mesmo]

ou

(13) *John loves him*

[John ama-o]

dependendo de se o sujeito e o objeto são ou não correferentes. O fenômeno da correferencialidade tem sido exaustivamente estudado recentemente no âmbito do modelo da gramática gerativa.

A dêixis é como a referência, com a qual se sobrepõe, no sentido de que está relacionada ao contexto de ocorrência. Mas a dêixis é ao mesmo tempo mais ampla e mais restrita do que a referência. A referência pode ser **dêitica** ou não dêitica; e a dêixis não envolve necessariamente referência. A propriedade essencial da dêixis (o termo vem da palavra grega que significa "apontar" ou "mostrar") é que ela determina a estrutura e a interpretação dos enunciados em relação à hora e ao lugar de sua ocorrência, à identidade do falante e do interlocutor, aos objetos e eventos, na situação real de enunciação. Por exemplo, o referente de 'aquele homem lá' só pode ser identificado com relação ao uso da expressão por alguém que se encontra em determinado lugar, em determinada ocasião. O mesmo se dá com 'ontem' e muitas outras expressões dêiticas. A dêixis é gramaticalizada em muitas línguas nas categorias de pessoa e tempo: em inglês, por exemplo [e em português], a seleção e interpretação (nesse caso, a referência) de '*I*' [eu] ou '*you*' [você] são determinadas pela adoção, por parte do falante, daquele papel, e pela sua atribuição a outra pessoa do papel de interlocutor; e o uso de determinado tempo gramatical é determinado (suponhamos, pois trata-se de algo muito mais complicado do que isso) com relação ao momento da enunciação. Os pronomes demonstrativos 'este' e 'aquele' e, pelo menos em alguns usos, o artigo definido 'o(s)/a(s)' também são dêiticos. Também o são os advérbios temporais e locativos tais como 'agora', 'então', 'amanhã', 'aqui', 'lá'. Esses são apenas os exemplos mais óbvios de categorias dêiticas e de lexemas dêiticos. De fato, a dêixis permeia a gramática e o vocabulário das línguas naturais.

5.6 Semântica formal

Embora o termo 'semântica formal' pudesse ser usado, de um modo bastante geral, para se referir a todo um conjunto de diferentes abordagens do estudo do significado, ele é comumente empregado hoje em dia com referência particular a determinada versão da **semântica da condição de verdade**, que se originou na investigação

Semântica

de linguagens formais especialmente construídas pelos lógicos, e recentemente tem sido aplicada à investigação das línguas naturais. É isto isso que nos interessa aqui. A semântica formal, nesse sentido, é geralmente considerada complemento da **pragmática** – definida de várias maneiras, como o estudo de enunciados reais; o estudo do uso em vez do significado; o estudo daquela porção do significado que não se caracteriza exclusivamente em termos de condição de verdade; o estudo do desempenho e não da competência; etc.

Vamos começar distinguindo o valor-verdade de uma **proposição** das condições de verdade de uma sentença. Tudo o que precisa ser dito a respeito de proposições é que se pode asseverá-las ou negá-las; que se pode conhecê-las, duvidar delas ou nelas acreditar; que se podem manter constantes na paráfrase e na tradução; e que toda proposição ou é verdadeira ou é falsa. A veracidade ou falsidade de uma proposição é o seu valor-verdade; e isso é invariável. Podemos mudar de ideia a respeito da veracidade de uma proposição: por exemplo, acreditando, em determinada época, que a terra é plana e mais tarde, correta ou incorretamente, vindo a acreditar que não é. Mas isso não implica que uma proposição que já foi verdadeira se tornou falsa. É importante captar esse ponto.*

A maioria das sentenças, enquanto tal, não tem um valor-verdade. Como vimos na última seção, a proposição que elas veiculam vai depender geralmente da referência das expressões referenciais dêiticas e não dêiticas que contenham. Por exemplo, a sentença

(1) *My friend has just arrived*

[Meu amigo acabou de chegar]

pode ser usada para asseverar infinitamente muitas proposições verdadeiras ou falsas em virtude da referência variável de '*my friend*' [meu amigo] (que inclui a expressão dêitica '*my*' [meu]) e o caráter dêitico de '*just*' [aspecto exprimível em português pela forma verbal "acabar de"] e do passado. Mas as sentenças podem ter condições de verdade: isto é, um relato, que se pode especificar com precisão, das condições que determinam o valor-verdade das proposições veiculadas por sentenças, quando são utilizadas para fazer declarações. Usando o exemplo padrão clássico (que teve origem com o lógico polonês Tarski):

(2) '*Snow is white*' *is true if and only if snow is white*

['A neve é branca' é verdadeiro se e somente se a neve é branca]

Podemos ter em (2) uma afirmação feita em inglês sobre o inglês, mas podemos, em princípio, usar qualquer língua (uma **metalíngua**) para falar seja dela mesma, seja de outra língua qualquer (a **língua-objeto**), contanto que a metalíngua contenha o vocabulário teórico necessário, inclusive termos como 'verdadeiro', 'significado' etc.

---

* O que está dito aqui a respeito de proposições depende, em parte, de uma visão particular. No entanto, definições alternativas de 'proposição' não afetariam a substância dos argumentos desta seção.

Capítulo 5

O que está entre aspas em (2) é uma sentença declarativa do inglês; e (2) nos diz sob que condições essa sentença da língua-objeto pode ser usada para fazer uma afirmação verdadeira sobre o mundo – quais as condições a que o mundo tem que atender, por assim dizer, para que a proposição veiculada por '*Snow is white*' seja verdadeira. O que (2) ou qualquer exemplo semelhante faz é trazer à tona e tornar explícita a ligação intuitivamente óbvia entre verdade e realidade. A semântica formal aceita que tal ligação exista. Aceita igualmente o princípio segundo o qual saber o significado de uma sentença é saber as suas condições de verdade.

Mas isso não nos leva muito longe. Certamente não aprendemos as condições de verdade das sentenças comparando cada uma a algum estado do mundo. Independentemente de qualquer outra coisa, tanto as sentenças das línguas naturais quanto os estados do mundo constituem conjuntos indefinidamente grandes, talvez mesmo infinitos. O que a semântica formal faz é definir o significado de lexemas em termos da contribuição que eles fazem às condições de verdade das sentenças, e fornecer um procedimento formulado com precisão para a computação das condições de verdade de qualquer sentença arbitrária, com base no significado dos seus lexemas constituintes e da sua estrutura gramatical (v. Seção 7.4).

Que existe uma conexão entre significado descritivo e verdade independe de discussão. Pode-se aceitar também que, se uma sentença tem condições de verdade, saber o significado da sentença é saber que estado do mundo ela pretende descrever (supondo-se que está sendo usada para fazer uma afirmação). Mas não se segue disso, em hipótese alguma, que todas as sentenças têm condições de verdade e que a totalidade de seu significado depende daquelas.

Como vimos na última seção, tem que se traçar uma distinção entre significado de sentença e significado de enunciado – sendo aquele determinado, em última instância, por este, em termos de noção de uso característico. À primeira vista pelo menos, pareceria que somente as sentenças declarativas têm condições de verdade (em virtude de seu uso característico para fazer declarações descritivas). As sentenças não declarativas de vários tipos – sobretudo as imperativas e interrogativas – não têm como seu uso característico e propriedade de fazer declarações. E, no entanto, a não ser que estejamos preparados para aceitar uma noção absurdamente restrita de significado, temos que dizer que elas não são menos significativas do que as sentenças declarativas, e, além disso, que a diferença de significado entre sentenças declarativas e não declarativas correspondentes, onde houver tal correspondência (por exemplo, entre '*My friend has just arrived*' e '*Has my friend just arrived?*' [auxiliar de interrogação-...]), é sistemática e constante. Várias soluções para esse problema têm sido propostas dentro do modelo da semântica formal.

Uma dessas soluções envolve tratar as sentenças não declarativas como logicamente equivalentes a declarativas do tipo um tanto especial que o filósofo J. L. Austin denominou **performativas** explícitas: isto é, sentenças como

(3) Prometo pagar-lhe cem reais

(4) Eu batizo este barco *Cristina*

Semântica

cuja função primária não é descrever algum evento externo e primário, mas ser um componente constitutivo e efetivo da ação em que se inserem. A noção de performativos introduzida por Austin foi o ponto de partida da teoria dos atos de fala (que foi mencionada, mas não explicada, na Seção 5.5). Adotando a proposta de que as sentenças não declarativas deveriam ter o mesmo *status* que as performativas explícitas, poderíamos dizer que '*Is the door open?*' [Está a porta aberta?] é logicamente equivalente a (isto é, tem as mesmas condições de verdade que)

(5) *I ask whether the door is open*

   [Eu pergunto se a porta está aberta]

que '*Open the door*' [Abra a porta] é logicamente equivalente a

(6) *I order you to open the door*

   [Eu lhe ordeno abrir a porta]

e assim por diante. Mas Austin disse que sentenças como (3) e (4) não têm condições de verdade quando estão sendo utilizadas como performativas. (Obviamente elas podem também ser usadas para fazer afirmações descritivas diretas.) A opinião de Austin tem sido desafiada por vários semanticistas formais. Entretanto, quer consideremos aquelas sentenças como tendo condições de verdade ou não, o seu *status* ainda as distingue das que chamamos, *grosso modo*, de declarativas comuns. E muitos linguistas e filósofos argumentaram que é ousado tentar tratar (5) e (6) como mais básicas do que '*Is the door open?*' e '*Open the door*'.

Outros problemas surgem com as expressões dêiticas (frequentemente chamadas de indicativas). Todas as sentenças declarativas do inglês (bem como muitas não declarativas) têm tempo, e a maioria delas contém expressões dependentes de contexto de vários tipos, cuja referência é determinada pela dêixis. Até mesmo o exemplo de Tarski, (2), é decepcionantemente simples desse ponto de vista, além de não ser nada representativo das sentenças declarativas em inglês. Ele joga com os nossos pressupostos acerca da interpretação pretendida tanto da sentença da língua-objeto '*Snow is white*' quanto da oração da metalíngua '*if and only if snow is white*'. Mas cada uma delas pode ter uma interpretação dêitica ("A neve está (eventualmente) branca no momento e no lugar da enunciação"), bem como a não dêitica (ou genérica) ("A neve é (por natureza) sempre branca, em toda parte"), que é presumivelmente o que Tarski pretendia. A existência da dêixis – e sua prevalência nas línguas naturais – não invalida a aplicação da teoria semântica das condições de verdade em linguística. Mas ela certamente introduz complicações técnicas bastante consideráveis.

Também o faz o fato de que muitos dos lexemas das línguas naturais são, em grau maior ou menor, ou vagos ou indeterminados no que diz respeito ao seu significado. Por exemplo, poderíamos insistir que, em dado contexto de enunciação, (1) veicula uma proposição que é falsa ou verdadeira. Mas quão recente tem que ser a chegada do referente de '*my friend*' [meu amigo] para que seja verdade dizer que ele acabou de chegar? A palavra '*just*' [acabou de] não é atípica.

141

Capítulo 5

Esses são apenas um dos problemas que complicam, se não invalidam, em última instância, a aplicação da teoria da semântica formal à análise do significado nas línguas naturais. O meu próprio preconceito em favor de uma noção mais abrangente de significado e que não considere o significado descritivo como teoricamente mais básico do que o significado não descritivo já foi revelado (v. Seção 5.1). Sendo assim, devo enfatizar que a tentativa em si de estender as noções da semântica formal aos dados das línguas naturais para os quais elas não parecem bem adaptadas, seja ou não bem-sucedida, aguça a nossa compreensão dos dados.

Além disso, embora possamos decidir que há mais envolvido na significação do que pode ser captado pela semântica das condições de verdade, isso certamente não altera o fato de que o sentido e a denotação das expressões lexêmicas e não lexêmicas podem ser formalizados em termos de condições de verdade, levando-se em conta a indeterminação de muitos lexemas (v. Seção 5.3). Se duas sentenças têm as mesmas condições de verdade (em todos os mundos possíveis), elas têm o mesmo significado descritivo: cf. 'João abriu a porta' e 'A porta foi aberta por João'. Se duas expressões são intersubstituíveis em sentenças que têm as mesmas condições de verdade, elas são sinônimas do ponto de vista descritivo: elas têm o mesmo sentido. A semântica formal tornou preciso muito do que estava expresso imprecisamente ou simplesmente tido como pacífico em abordagens mais tradicionais do estudo do significado. Não menos importante, ela está fazendo uma tentativa séria de dar conteúdo ao que foi apresentado um tanto em termos de projeto no início de uma seção anterior (Seção 5.4): o significado de uma sentença é o produto do significado lexical e do significado gramatical. Ela está fazendo isso por meio da tentativa de formular precisamente de que maneira os dois tipos de significado interagem.

LEITURAS COMPLEMENTARES

A maioria dos livros didáticos gerais e das introduções à linguística mais antigos é fraca em semântica. Os trabalhos mais recentes são melhores, mas tendem a ser superficiais na discussão dos tópicos teóricos e a dar uma atenção excessiva a assuntos de pesquisa que estão em voga atualmente. Eles também diferem entre si naquilo que incluem sob 'semântica'; e na questão de distinguir 'semântica' de 'pragmática' (e, se distinguem, na maneira de fazê-lo).

Das muitas obras dedicadas exclusivamente à semântica, as seguintes são recomendadas.

(a) *Elementares:* Leech (1971), Capítulos 1-7; Lyons, (1981); Palmer (1976); Waldron (1979). Dessas, Palmer (1976) é a mais abrangente e mais eclética; Leech (1971), nos últimos capítulos, faz bastante uso de uma notação um tanto idiossincrática; Lyons (1981) está mais diretamente relacionada ao presente trabalho e ao mais abrangente Lyons (1977b). Ullman (1962) ainda não foi superada em seu tratamento da semântica lexical do ponto de vista tradicional e estruturalista europeu. Dillon (1977) fornece um esboço relativamente não técnico da semântica do ponto de vista do gerativismo.

(b) *Mais adiantadas:* Fodor (1977); Kempson (1977); Levinson (1981); Lyons (1977b). Dessas, Kempson (1977) e Levinson (1981) são, de modo geral, complementares (embora difiram em determinados tópicos); Fodor (1977) fornece o melhor e mais acessível relato dos trabalhos em semântica executados

Semântica

dentro do modelo da gramática gerativa chomskiana e contém um bom capítulo geral sobre semântica filosófica, mas pressupõe um conhecimento técnico da gramática gerativa e é difícil de entender sem essa base; Lyons (1977b) é o tratamento da semântica mais abrangente publicado até o momento, embora requeira complementação, sobretudo em semântica histórica, de obras referidas em Ullman (1962), e apresenta uma visão confessamente pessoal e um tanto controvertida de determinados tópicos.

Todas as obras recomendadas anteriormente sob a rubrica 'Mais adiantadas' contêm referências detalhadas para os tópicos com os quais lidam ou que mencionam. O mesmo é verdade em relação a Leech (1976) e Ullman (1962). Consideradas juntas, elas fornecem um vasto material para as perguntas e exercícios deste capítulo.

A maior parte dos trabalhos de semântica formal é técnica demais para ser recomendada aqui: Allwood, Andersson & Dahl (1977) fornece um relato claro dos conceitos e das notações básicos.

Dois compêndios que, juntos, fornecem os fundamentos filosóficos necessários são Olshewsky (1969) e Zabeeh, Klemke & Jakobson (1974).

PERGUNTAS E EXERCÍCIOS

1. Explique e exemplifique alguns dos principais tipos de significado que estão codificados nas línguas naturais.
2. "Quando eu uso uma palavra — disse o coelho num tom um tanto zombeteiro,— ela significa o que eu quero que signifique – nem mais nem menos" (Lewis Carroll, *Alice através do espelho;* v. Palmer, 1976:4). Será que um falante quer dizer, sempre e necessariamente, o que o seu enunciado significa? Será que ele quer dizer, sempre e necessariamente, o que ele diz? O que ele diz equivale ao que significa o seu enunciado? Observe que o que parece interessar exclusivamente ao coelho é o significado das palavras. O assunto abrange mais do que isso? E será que o coelho, nessa ocasião, (a) está dizendo o que pretende e (b) quer dizer o que diz (N.B. "num tom um tanto zombeteiro")? [Cf. "O significado do falante é o que ele quer dizer ao produzir um enunciado. Ora, se estamos falando *literalmente* e queremos dizer o que nossas palavras significam, não haverá nenhuma diferença importante entre o significado linguístico e o significado do falante. Mas se estamos falando *não literalmente*, então estaremos querendo dizer algo diferente do que significam nossas palavras" (cf. Akmajian, Demers & Harnish, 1979:230).]
3. Discuta a ligação entre o significado propositivo dos enunciados e a função descritiva da linguagem em relação à noção de verdade.
4. "A distinção competência-desempenho... implica, como um caso especial, uma distinção entre o significado de uma sentença e a interpretação de um enunciado" (Smith & Wilson, 1979:148). Discuta.
5. Explique e exemplifique a distinção feita no texto entre **homonímia** absoluta e parcial.
6. Que distinção você faria, se fizesse, entre **homonímia** e **polissemia**?
7. Que distinção você faria, se fizesse, entre **sentido** e **denotação**?
8. Faça um relato crítico de **análise componencial** (referida também como **decomposição lexical**).
9. Explique e exemplifique (com exemplos diferentes dos do texto) **antonímia** e **hiponímia**.
10. As proposições "X é uma tulipa/rosa" acarretam "X é uma flor"? As proposições "X é honesto/casto" acarretam, de maneira semelhante, "X é virtuoso"? Se não, ou, alternativamente, se a segunda pergunta é mais difícil de responder do que a primeira, o que está dito no texto fica invalidado (v. p. 126)?

143

Capítulo 5

11. Você pode contextualizar '*He had a pain in her stomach*' [Ele teve uma dor no estômago dela] de modo a que sua enunciação fosse explicável e a proposição que exprime fosse não contraditória?
12. Explique o que se quer dizer com as **condições de verdade** de uma sentença.
13. Foi dito de '*You are the cream in my coffee*' [literalmente, "você é o creme no meu café", significando 'você dá gosto à minha vida', ou semelhante] que é "uma sentença que é necessariamente falsa" (Kempson, 1977:71). Você concorda? Justifique sua resposta com relação a: (a) uma determinada interpretação de 'necessariamente'; (b) o significado de 'você' [*you*]; (c) a distinção entre sentenças e enunciados; (d) a posição da autora a respeito da interdependência das condições de verdade e da interpretação literal das sentenças.
14. Discuta a validade da noção de **uso característico** e sua relevância para a análise dos **atos de fala indiretos**.
15. Que distinção você faria, se fizesse, entre **referência** e **denotação**?
16. "A dêixis permeia a gramática e o vocabulário das línguas naturais" (p. 138). Discuta.

Capítulo 6
Mudança Linguística

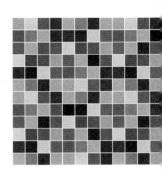

6.1 Linguística histórica

O que hoje se denomina linguística histórica desenvolveu-se, pelo menos em suas linhas gerais, no decorrer do século XIX (v. Seção 2.1).

Os especialistas há muito tinham consciência de que as línguas mudam com o tempo. Sabiam igualmente que muitas das línguas europeias descendiam, de certo modo, de línguas mais antigas. Por exemplo, sabia-se que o inglês tinha se desenvolvido a partir do anglo-saxão, e o que hoje chamamos de línguas românicas – o francês, o espanhol, o italiano etc. – teve sua origem no latim. Entretanto, antes de se estabelecerem os princípios da linguística histórica não se tinha consciência, de um modo geral, de que a mudança linguística é **universal**, **contínua** e consideravelmente **regular**.

Mais tarde discutiremos em detalhes cada um desses três aspectos da mudança linguística. Aqui registramos que a universalidade e a continuidade do processo de mudança linguística – o fato de que todas as línguas vivas são sujeitas a isso e de que o processo em si não para – foram ofuscadas para a maioria das pessoas pelo conservadorismo das línguas literárias padrão da Europa e pelas atitudes normativas da gramática tradicional (v. Seção 2.4). O *status* do latim é particularmente importante nesse sentido. Tinha sido usado durante séculos na Europa Ocidental como a língua dos sábios, da administração e da diplomacia internacional. A partir do Renascimento o latim foi gradualmente cedendo seu espaço, nessas funções, para as línguas românicas emergentes, bem como para outras não derivadas do latim: o inglês, o alemão, o holandês, o sueco, o dinamarquês etc. No século XIX o latim já era quase uma língua morta, mas ainda tinha um prestígio que o distinguia da maioria das outras línguas. E ainda goza de tal prestígio junto a gramáticos de tendência tradicionalista. A importância da posição especial do latim no presente contexto é o

Capítulo 6

fato de que até bem depois do Renascimento os especialistas o consideravam como tendo existido como língua viva, mais ou menos estável, durante uns 2.000 anos, tendo sido preservada de corrupção no decorrer desse período pelo uso por pessoas instruídas, bem como pelas regras e preceitos dos gramáticos. Como vimos, atitudes semelhantes foram adotadas com respeito às línguas literárias modernas da Europa quando primeiro surgiram – ou melhor, quando se tornaram reconhecidas como línguas que podiam ser utilizadas para fins literários – no período pós-renascentista.

As línguas literárias eram mais consideradas do que as línguas e dialetos não literários. E quaisquer diferenças que os gramáticos observavam entre o literário e o coloquial, ou entre a língua-padrão e os dialetos não padrão, tendiam a ser condenadas e atribuídas a desleixo ou a falta de instrução. Poucos dentre eles, se é que havia, davam-se conta da importância do fato de que a transmissão das línguas literárias da Europa de geração para geração não é absolutamente típica do modo pelo qual as pessoas adquirem a sua língua nativa enquanto crianças. Tampouco dava-se a devida atenção ao fato de que, no caso de muitas línguas modernas, especialmente o inglês e o francês, a ortografia, que ainda é baseada na pronúncia de séculos atrás, dissimula a maior parte das mudanças fonéticas e fonológicas que sofreram. Se somos alfabetizados em francês ou em inglês teremos relativamente pouca dificuldade em ler Shakespeare ou Ronsard; no entanto, acharíamos suas obras mais ou menos incompreensíveis se as ouvíssemos como eram pronunciadas por seus autores. Somente depois de muito trabalho detalhado feito durante o século XIX, no que hoje podemos considerar o período clássico da linguística histórica, entre as décadas de 1820 e 1870, os estudiosos chegaram a uma melhor compreensão da relação entre língua falada e escrita, por um lado, e entre línguas-padrão e não padrão, por outro.

Com base em tal pesquisa detalhada e pela aplicação do chamado **método comparativo** (que será explicado na Seção 6.3), foi demonstrado, sem qualquer sombra de dúvida, que não apenas todas as grandes línguas literárias da Europa tinham se originado sob a forma de dialetos falados, mas que também a sua origem e o seu desenvolvimento só poderiam ser explicados em termos de princípios que determinam a aquisição e o uso da língua falada correspondente. A força das atitudes tradicionais e dos hábitos relacionados à escrita é tamanha que a maioria das pessoas tem dificuldade de pensar nesses termos sem estar treinada para tal.

Por exemplo, frequentemente achamos difícil aprender a importância do fato de que, embora as línguas possam se extinguir num determinado momento, de modo a podermos nos referir a elas metaforicamente como moribundas, não há nenhum sentido razoável em utilizar a mesma metáfora orgânica ou biológica para falar das línguas como nascendo.* Vale a pena chamar atenção para esse fato porque, como veremos, a terminologia da linguística histórica é bastante metafórica. Agrupamos

---

* As línguas *pidgin* e *crioulas* poderiam, talvez, ser consideradas o resultado da união de duas línguas desempenhando o papel de pais, cada uma das quais continua a existir durante o período de vida de seu rebento (v. Seção 9.3). Mas essa interpretação, mais ou menos aceitável como metáfora, de 'pais' e 'nascimento' não é o que estamos focalizando aqui.

Mudança Linguística

línguas em **famílias** pela sua **descendência comum** de uma **língua-mãe** mais antiga, e chamamos de **geneticamente relacionadas** as línguas que podem ser identificadas como provenientes de uma língua **ancestral** comum: é o caso das línguas românicas, que podem ser relacionadas dessa forma ao latim. Quando tal terminologia foi introduzida na linguística no século XIX, sua interpretação era mais literal do que hoje em geral, devido à influência do romantismo germânico, de um lado, e do evolucionismo darwiniano, de outro. Devemos levar em conta que não existe um ponto a partir do qual o anglo-saxão repentinamente se transformou em ou deu à luz o inglês, por exemplo, ou o latim deu à luz as línguas românicas, enquanto ele próprio continuava a existir como língua erudita durante vários séculos. No entanto, é assim que os não linguistas normalmente concebem a origem das línguas.

A verdade é que a transformação de uma língua em outra não é repentina, mas gradual. O que nos leva a dividir a história do inglês em três períodos – inglês antigo (ou anglo-saxão), inglês médio e inglês moderno – e a considerar cada um deles alternadamente como três línguas diferentes ou como três estágios da mesma língua é mais uma questão de convenção e de decisão arbitrária. Existem razões linguísticas e não linguísticas para traçar essas divisões. O que hoje é o inglês-padrão, nas características essenciais de sua fonologia e gramática, bem como em grande parte de seu vocabulário, é um descendente do dialeto de Londres que, estando próximo do ponto em que três dos quatro dialetos principais se encontraram – o merciano, o saxônico ocidental e o dialeto de Kent –, contém traços de todos eles. Inclui igualmente alguns traços mais isolados que derivam do quarto dialeto principal, o dialeto de Northumberland – especialmente as formas *they*, *their*, *them* [respectivamente "eles", "deles", "eles" ou "os" (pronome átono)] e a maioria das palavras iniciadas por *sk* – ('*skill*' [habilidade], '*sky*' [céu], '*skin*' [pele], '*skirt*' [saia] etc.) – que sofreu grande influência da língua dos viquingues a partir do século IX.

Durante aproximadamente um século e meio depois da conquista normanda em 1066, a língua das classes dominantes era o francês, tanto para a literatura quanto para a administração; e, quando o inglês voltou a ser usado como língua literária, no início do século XIII, ele era notadamente diferente do anglo-saxão do período anterior. Além de outros desenvolvimentos ocorridos, o que hoje chamamos de inglês médio tinha sofrido influência do francês normando e sido influenciado por essa língua tanto em vocabulário quanto em gramática. Chaucer, por exemplo, escreveu no dialeto londrino do inglês médio que começava a emergir como língua nacional padrão, em virtude da importância política e econômica da capital. No final da Guerra dos Cem Anos, no século XV, a Inglaterra tinha se tornado bastante consciente de sua própria identidade nacional e tinha se transformado de um estado feudal em um estado com uma burguesia instruída, rica e cada vez mais poderosa. Esse foi um fator importante na formação e na padronização crescente do inglês médio literário.

O Renascimento, que alcançou a Inglaterra no final do século XV, separa o período do inglês médio do período do inglês moderno. Uma das consequências mais importantes no campo da educação e da cultura foi o ressurgimento do latim como

Capítulo 6

língua literária. Mas esse fenômeno foi de duração relativamente curta. Embora o latim continuasse a gozar de grande prestígio cultural até o decorrer do século XIX, as maiores obras literárias dos períodos elisabetano e pós-elisabetano, inclusive as peças de Shakespeare e o *Paraíso perdido* de Milton, foram escritas em inglês. Enquanto isso a Inglaterra começava a desempenhar um papel de importância crescente nos assuntos mundiais. No século XVII foram instaladas colônias de língua inglesa na América do Norte. E até o século XIX o inglês era a língua da administração, da instrução superior e dos altos negócios não apenas nos Estados Unidos, Canadá, Austrália e Nova Zelândia, onde já era a primeira língua da maioria dos colonos dominantes política e economicamente, bem como de seus descendentes, mas também na Índia e em outros países da Ásia e da África dentro do Império Britânico. No período pós-Renascimento, o inglês tornou-se uma língua internacional, do mesmo modo que o latim tinha se tornado uma língua internacional (no chamado Velho Mundo da Europa, Norte da África e partes da Ásia) quase dois mil anos antes, e pelas mesmas razões. Tanto o latim quanto o inglês nada mais foram originalmente do que os dialetos locais de pequenas tribos – o itálico, num caso, e o germânico, no outro – e não diferiam dos demais dialetos itálicos e germânicos relacionados das tribos vizinhas em nenhum detalhe linguisticamente relevante.

O resumo breve e altamente simplificado que acabamos de fazer sobre a evolução e a expansão do inglês servirá para ilustrar a ideia geral de que, embora haja bons motivos para se dividir tanto a história externa quanto a interna de uma língua em períodos mais ou menos distintos, o processo de mudança linguística em si é contínuo. O que produz a ilusão de descontinuidade entre o anglo-saxão e o inglês médio, por exemplo, ou, em grau menor, entre o inglês médio e o inglês moderno, é a coincidência de vários fatores que incluem, por um lado, lacunas no registro histórico entre períodos identificáveis e, por outro, a estabilidade relativa das línguas literárias por longos períodos. Temos pouquíssimos registros escritos dos vários dialetos não literários do anglo-saxão e do inglês médio. Mas podemos ter certeza de duas coisas: em primeiro lugar, de que desde os tempos mais remotos os dialetos do inglês falado eram menos homogêneos e menos suscetíveis de separação nítida um do outro do que são representados por relatos tradicionais da história do inglês, baseados em dados de textos literários; em segundo lugar, de que, se tivéssemos um registro histórico completo de qualquer um dos dialetos falados, fosse o dialeto londrino ou de algum vilarejo numa parte mais remota do país, não seríamos capazes de identificar qualquer momento definido em que o dialeto em questão repentinamente deixou de pertencer a um período para pertencer a um outro. As línguas mudam mais rapidamente em alguns períodos do que em outros. Até as línguas literárias mudam no decorrer do tempo. E as línguas faladas adquiridas na infância e usadas pela vida em uma variedade de situações – línguas vivas no sentido completo do termo – mudam muito mais obviamente do que as línguas literárias. Além do mais, nenhuma língua viva é completamente uniforme (v. Seção 1.6). Esse fato, como veremos mais tarde, é crucial para a explicação da mudança linguística.

Mudança Linguística

No que se segue iniciarei com um relato da linguística histórica do tipo que poderia ter sido feito por um dos chamados neogramáticos ou seus sucessores (exceto no que diz respeito a detalhes que foram esclarecidos mais recentemente ou que estão especificamente relacionados ao presente). Os neogramáticos (*Junggrammatiker* em alemão) eram um grupo de estudiosos, sediados na Universidade de Leipzig, no final do século XIX, que foram os principais responsáveis pela formulação dos princípios e métodos da linguística histórica que desde então têm regido a maior parte dos trabalhos nesse campo. Tais princípios e métodos eram controvertidos quando apresentados pela primeira vez. Agora sabemos que grande parte da crítica contra eles foi justificada. No entanto, sua supremacia reinou por quase um século, e eles subjazem a muito raciocínio utilizado no dia a dia do linguista que trabalha com mudança linguística e também constituem a base de todos os tratamentos padronizados de famílias de línguas em enciclopédias e outras obras de referência. Em algumas seções seguintes deste capítulo analisaremos um ou outro princípio neogramático e o reformularemos à luz de trabalhos recentes.

6.2 Famílias de línguas

Dizer que uma ou mais línguas pertencem à mesma família – que são relacionadas geneticamente – é dizer que elas são variantes divergentes, descendentes, de uma língua ancestral comum ou **protolíngua**.

Na maioria dos casos não temos conhecimento direto da protolíngua da qual os membros de determinada família ou subfamília descendem. As línguas românicas são bastante atípicas quanto a esse aspecto: embora o dialeto do latim do qual elas descendem certamente diferisse em muitos detalhes de gramática e vocabulário dos textos que nos chegaram às mãos, por mais coloquiais que fossem, temos uma noção muito melhor do que podemos chamar de **protorromance** do que da maioria das outras protolínguas.

Em termos gerais, as protolínguas são construtos hipotéticos em favor de cuja existência não existem dados diretos, mas postula-se que tenham existido e que são constituídas de tal e tal estrutura a fim de se dar conta da relação genética entre duas ou mais línguas comprovadas. Por exemplo, o protogermânico é postulado como ancestral das línguas germânicas (o inglês, o alemão, o holandês, o dinamarquês, o islandês, o norueguês, o sueco etc.) e o protoeslavo como ancestral das línguas eslavas (o russo, o polonês, o tcheco, o esloveno, o servo-croata, o búlgaro etc.). Em cada um desses casos temos dados documentados relacionados à história anterior da família. Para o germânico, além de algumas inscrições fragmentadas anteriores, temos uma tradução da Bíblia, datada do século IV da era comum, em gótico (como era falado pelos visigodos, estabelecidos naquela época no baixo Danúbio); textos literários bastante extensos nos vários dialetos do anglo-saxão (ou inglês antigo) que representam o período compreendido entre os séculos VI e XI; os textos das sagas em islandês

149

Capítulo 6

antigo (ou nórdico antigo) do século XII; textos em alto-alemão antigo, datados da segunda metade do século VIII, e assim por diante. Quanto ao eslavônio, os dados mais antigos de que dispomos são os textos do século IX escritos em eslavônio litúrgico antigo. Em nenhum dos dois casos temos algo tão próximo da protolíngua ancestral postulada quanto a língua dos textos latinos que chegaram até nós; deve ter sido em relação ao dialeto supostamente mais popular do latim (frequentemente denominado latim vulgar) que estamos chamando de protorromance.

Com base em todos os dados disponíveis e aplicando os princípios elaborados no decorrer do século XIX e formulados em sua essência pelos neogramáticos, os estudiosos podem **reconstruir** com um grau razoável de confiança boa parte do sistema sonoro e parte da estrutura gramatical tanto do protogermânico quanto o protoeslavônio. Eles podem igualmente reconstruir estágios intermediários no desenvolvimento dos membros de determinada família de línguas, confirmados pelos dados, a partir de seu suposto ancestral comum. Por exemplo, a Figura 3 fornece uma representação esquemática do desenvolvimento das línguas germânicas reconhecidas oficialmente, faladas hoje e do gótico, cujo declínio data do início da Idade Média, e que finalmente morreu alguns séculos mais tarde (dando lugar a um ou outro dialeto eslavônio). Observaremos que o inglês, que, como vimos no parágrafo precedente, já era diferenciado como dialeto na época dos nossos documentos sobreviventes mais antigos, aparece mais relacionado ao frisão do que ao holandês ou alemão, e mais relacionado aos dois do que às línguas escandinavas. O frisão já foi mais amplamente falado do que é hoje. Embora não seja uma língua nacional no sentido em que todas as demais línguas germânicas modernas da Figura 3 o são, tem *status* oficial na província da Frísia, no norte da Holanda, onde, no entanto, tem sofrido forte influência, pelo menos no vocabulário, do holandês-padrão. Não somente o inglês, mas todas as línguas modernas da Figura 3 existem em vários dialetos; e, com muita frequência,

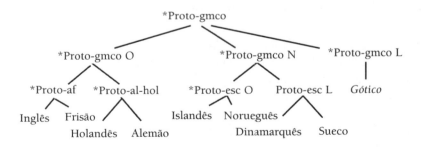

Figura 3 As línguas germânicas. As protolínguas reconstruídas estão precedidas de um asterisco; o nome da língua extinta está em itálico. Gmco = germânico; gmco O = germânico ocidental; gmco N = germânico do Norte; gmco L = germânico oriental; af = anglo-frisão; al-hol = alemão da Holanda; esc O = escandinavo ocidental; esc L = escandinavo oriental. (Foram omitidos muitos detalhes: por exemplo, o alto-alemão não está distinguido do baixo-alemão, e ancestrais comprovados mais velhos de línguas modernas – o anglo-saxão, o alto-alemão antigo etc. – não estão incluídos.)

150

Mudança Linguística

a transição entre um dialeto e outro não é repentina, mas gradual. Como veremos mais tarde, o diagrama convencional da árvore genealógica do relacionamento entre as línguas tende a simplificar demais os fatos, senão a distorcê-los completamente, por não reconhecer o fenômeno da convergência e difusão e por representar o relacionamento entre as línguas como resultado de divergência necessária e contínua.

Retrocedendo ainda mais e levando em consideração uma gama mais ampla de dados, inclusive as inscrições hititas da Ásia Menor (decifradas em 1915), as placas em grego de Míconos (decifradas em 1952) e, para o sânscrito mais antigo, os hinos do Veda – dados que podem ser datados em torno da metade do segundo milênio antes de Cristo –, podemos reconstruir parcialmente a fonologia e algumas das características gramaticais e o vocabulário do **protoindo-europeu**, ancestral hipotético do protogermânico, protoeslavônio, protocelta, protoitálico, protoindo-iraniano etc. e, em última instância, de todas as línguas indo-europeias antigas e modernas.

Podemos até localizar o protoindo-europeu, com uma certa margem de segurança, no tempo e no espaço – nas planícies do sul da Rússia no quarto milênio antes de Cristo – e, combinando os dados linguísticos e arqueológicos, dizer algo a respeito da cultura daqueles que o falavam. Por exemplo, a maioria das línguas indo-europeias comprovadas primeiro possui palavras que podem ser remontadas a palavras-fontes hipotéticas que significam "cavalo", "cachorro", "vaca", "carneiro" etc. O fato de o vocabulário reconstruído do protoindo-europeu conter essas palavras, bem como palavras relacionadas a fiar, tecer, arar e outras atividades agrícolas e de pastoreio, indica com clareza razoável que os falantes do protoindo-europeu viviam uma vida relativamente estabelecida. Palavras que denotam flora e fauna, condições climáticas etc. permitem-nos identificar, dentro de certos limites, o seu *habitat* geográfico, enquanto o vocabulário comum relativo a instituições sociais e religiosas torna possível inferir acerca das características mais abstratas de sua cultura. Está bastante claro, por exemplo, que sua sociedade era patriarcal e que eles veneravam um deus celeste e outros fenômenos naturais deificados. Quanto aos dados arqueológicos, foi sugerido recentemente que isso indica que os falantes do protoindo-europeu pertencem à chamada cultura de Kurgan, uma cultura da Idade do Bronze que se espalhou a oeste do sul da Rússia na primeira metade do quarto milênio antes de Cristo e mais tarde pelo leste, penetrando no Irã. Tal hipótese, embora seja a mais plausível dentre as apresentadas até o momento, não é aceita universalmente, e muitos estudiosos são céticos quanto à possibilidade de se afirmar qualquer coisa muito definida sobre o *habitat* e a cultura dos falantes do protoindo-europeu, com base nos dados disponíveis.

O motivo que me levou a mencionar essa questão é o fato de que a família de línguas indo-europeias ocupa um lugar um tanto especial na linguística histórica. Isso se deve em parte ao fato de que muitas das línguas indo-europeias, como vimos, têm registros escritos que remontam a centenas, senão a milhares de anos. Embora muitas das relações existentes no âmbito da família indo-europeia pudessem sem dúvida ser estabelecidas com base em línguas faladas modernas, os detalhes de tais

Capítulo 6

relações não poderiam ser determinados – e o protoindo-europeu não poderia ser reconstruído ao ponto que foi – sem os dados dos textos mais antigos.

Mas afirmar que seria possível agrupar muitas das línguas indo-europeias, senão todas, em uma única família, mesmo se não tivéssemos registros de estados anteriores dessas línguas, é pressupor que a ideia de agrupar línguas em famílias já deveria ter nos ocorrido e, além disso, que deveríamos ter à nossa disposição um método que seja digno de confiança para comparar línguas e demonstrar relacionamento genético. Isso nos leva à segunda razão pela qual a família de línguas indo-europeias tem lugar de destaque na linguística histórica: foi a reconstrução do protoindo-europeu, e das protolínguas intermediárias para as subfamílias do indo-europeu (sobretudo para a subfamília germânica), que forneceu a motivação e, em última análise, a metodologia da qual depende a linguística histórica tal como a conhecemos. Pode-se discutir que não apenas a linguística histórica, mas a linguística em si, enquanto disciplina independente e científica, se originou no que poderia ser descrito, de forma algo romântica, como a busca do protoindo-europeu no século XIX.

É hábito datar o começo da erudição indo-europeia da afirmação feita em 1786 por Sir William Jones (1746-1794) sobre o sânscrito, a língua antiga sagrada e literária da Índia, e seu relacionamento com o grego, o latim e outras línguas.

> A língua *sânscrita*, qualquer que seja sua antiguidade, tem uma estrutura maravilhosa. É mais perfeita do que o *grego*, mais copiosa do que o *latim* e mais extraordinariamente refinada do que qualquer uma das duas; no entanto, tem com ambas as línguas uma afinidade tanto nas raízes verbais quanto nas formas gramaticais que não poderia ter sido produzida acidentalmente; tal afinidade é tão forte que nenhum filólogo poderia examinar as três sem acreditar que se originaram de uma fonte comum que, talvez, não mais exista: há uma razão semelhante, embora não exatamente tão contundente, para se supor que tanto o *gótico* quanto o *celta*, apesar de misturados com um idioma bem diferente, tiveram a mesma origem do que o *sânscrito*; e que o *persa* antigo poderia ser acrescentado à mesma família.

Há muito nessa citação famosa que vale a pena observar. Entretanto, deve-se dar ênfase especial ao fato de que o que pareceu uma explicação tão óbvia para Jones, no final do século XVIII, para a semelhança notável que percebeu entre as línguas clássicas da Europa e o sânscrito – a hipótese do relacionamento de família –, pode não ter parecido tão óbvio em outra época, ou então para alguém de formação intelectual diferente e com uma perspectiva menos liberal. Ideias evolucionárias pairavam no ar e vinham sendo aplicadas ao estudo das línguas, desde a segunda metade do século XVIII, por estudiosos como Condillac (1715-1780), Rousseau (1712-1778) e Herder (1744-1803), para não mencionar James Burnett (1714-1799), com quem Sir William Jones mantinha correspondência na época. No final do século XVIII, como uma consequência da expansão pós-renascentista na Europa, já se sabia muito mais acerca da diversidade das línguas do mundo. Não era mais possível manter que todas as línguas têm que ser estruturalmente semelhantes, com o mesmo grau de plausibilidade das gerações anteriores de estudiosos formados por uma visão clássica. As

Mudança Linguística

semelhanças entre o latim e o grego vinham sendo encaradas como óbvias durante séculos. Mas, no contexto do que era conhecido acerca da diversidade das línguas, o fato de que o sânscrito era impressionantemente semelhante ao grego e ao latim exigia uma explicação; e a explicação que pareceu natural a Sir William Jones, bem como aos seus contemporâneos quando ele a propôs, estava conforme com os movimentos gerais do pensamento europeu da época.

Temos que dizer algo ainda acerca da importância do novo espírito do romantismo, particularmente forte na Alemanha, e sua relação com o nacionalismo. Herder havia defendido a posição de que havia uma ligação íntima entre língua e caráter nacional. Tal ideia enraizou-se na Alemanha e contribuiu para um clima de opinião no qual o estudo de estágios anteriores da língua alemã era encarado como parte integrante da afirmação e autenticação da identidade nacional dos povos falantes de alemão.

Nesse sentido é importante enfatizar a diferença entre língua e raça. Termos como 'germânico' e 'indo-europeu' aplicam-se primordialmente a famílias de línguas. Eles não se aplicam a nada daquilo que um antropólogo físico encararia como raças geneticamente distintas. Não existe, nem jamais existiu algo como uma raça germânica ou indo-europeia. Na medida em que o uso desses termos em linguística histórica implica a existência de uma comunidade linguística falando protogermânico ou protoindo-europeu em alguma época e em algum lugar no passado, é razoável supor que os membros dessas comunidades linguísticas podem ter se considerado pertencentes aos mesmos grupos culturais e étnicos. A posse de uma língua comum é, e presume-se que sempre tenha sido, um marco importante de identidade cultural e de etnia. Mas não há ligação, a não ser parcial e acidental, entre raça, geneticamente definida, e cultura ou etnia.

É importante enfatizar esse aspecto por dois motivos. O primeiro é que termos como 'germânico' e 'indo-europeu' – alternando com 'nórdico' e 'ariano' – têm recebido frequentemente uma interpretação racial e até racista. Cabe ao linguista e ao antropólogo corrigir a base errônea desse tipo de racismo. Não há justificação alguma para a crença na distinção racial entre os falantes das línguas indo-europeias; menos ainda para o uso que foi feito do pressuposto de superioridade racial pelos propagandistas nazistas na década de 1930. O mesmo é válido em relação a termos como 'celta', 'eslavônico' ou 'inglês', ou de fato a quaisquer termos que se apliquem primordialmente a famílias de línguas e a línguas.

O segundo motivo para destacar o fato de que não há ligação intrínseca entre raça e língua – e isso reforça o primeiro – é que tal fato nos permite uma melhor compreensão de como são formadas as famílias de línguas e portanto da natureza da linguagem. Não sabemos se alguma vez existiu uma única protolíngua da qual se originaram todas as línguas humanas, do mesmo modo em que as línguas germânicas descendem do protogermânico, e o protogermânico, por sua vez, do protoindo-europeu. Não podemos nem mesmo relacionar as línguas indo-europeias, com certeza, a nenhuma das outras famílias de línguas principais estabelecidas até agora. É bem possível que todas as línguas remontem, no passado bem distante – talvez

Capítulo 6

há meio milhão de anos –, a uma única língua ancestral e sejam, assim, no sentido técnico do termo, membros da mesma família de línguas. Por outro lado, as várias correspondências estruturais bastante impressionantes entre as línguas do mundo, que à primeira vista pareceriam sustentar a hipótese da monogênese, não são menos prontamente analisáveis em termos de difusão e convergência.

A transmissão da linguagem de uma geração para outra é em parte uma questão de biologia e em parte uma questão de cultura. Podemos ser geneticamente programados, enquanto seres humanos, para adquirir a linguagem; mas não somos geneticamente programados para adquirir uma determinada língua. Segue-se que, dadas as condições sociais e culturais certas, não apenas indivíduos, mas comunidades inteiras, podem adquirir uma língua ou dialeto que difere do de seus pais. Os grandes fundadores, no século XIX, da linguística histórica, a quem devemos a noção de famílias de línguas com a qual ainda trabalhamos, não atribuíram a esse fato a importância teórica que sabemos que deveria ter. Com demasiada frequência pressupõe-se que a propalação de línguas por uma grande extensão geográfica implicava grandes movimentos populacionais. Tal pressuposição é, no mínimo, desnecessária. Veremos mais tarde que a difusão e a convergência culturais não são menos importantes para a explicação da mudança linguística do que a migração e a divergência. O modelo tradicional da árvore genealógica para o relacionamento entre as línguas permite apenas a divergência contínua de línguas de um ancestral comum.

A família de línguas indo-europeia é apenas uma entre as numerosas famílias de línguas identificadas até o momento. Alguns estudiosos defenderam uma classificação de todas as línguas do mundo em cerca de trinta famílias principais, das quais algumas das famílias mais amplamente aceitas seriam subfamílias. Mas muito nessas classificação e subclassificação genéticas de línguas ainda é controvertido. Por exemplo, aproximadamente mil línguas diferentes são faladas na África. Todas elas (exceto o inglês, o francês, o espanhol, o africâner etc., que foram levadas para a África no período da colonização europeia) foram agrupadas recentemente em quatro grandes famílias, uma das quais, o **camito-semítico** (ou afro-asiático), que compreende todas as línguas nativas faladas ao norte do Saara, contém a família **semítica** tradicionalmente reconhecida, cujos membros mais conhecidos são o árabe, o hebraico e o amárico. De forma semelhante, as línguas **banto** (que incluem o suaíli, o *xhosa*, o zulu etc.) são atualmente consideradas uma subfamília **nigero-congolesa** de modo geral, embora não universalmente. Encontramos o mesmo tipo de situação em relação às línguas faladas em outras partes do mundo. Vamos progredindo gradativamente no agrupamento de um número maior de subfamílias em um número menor do que poderíamos chamar de superfamílias (ou troncos). Como os dados em favor dos agrupamentos maiores são frequentemente escassos, a classificação genética resultante e que depende deles é respectivamente experimental, e tem que ser tratada como tal. As famílias de línguas identificadas e denominadas pelos linguistas não são todas igualmente bem-estabelecidas.

6.3 O método comparativo

A maneira padrão de demonstrar o relacionamento genético entre as línguas é por meio do chamado método comparativo. Isso foi desenvolvido e refinado durante o que chamamos antes de período clássico da linguística histórica: entre 1820 e 1870 (v. Seção 6.1). Esse método se baseia no fato de que a maioria das palavras relacionadas mais obviamente por intermédio das línguas pode ser disposta em correspondência sistemática em termos de sua estrutura fonológica e morfológica. Na década de 1870 os estudiosos haviam alcançado tamanho sucesso na aplicação do método comparativo aos casos mais óbvios de relacionamento genético que se sentiram confiantes na sua eficácia no caso das línguas cujo relacionamento estava longe de ser óbvio.

Exemplificarei o princípio de correspondência sistemática, de início, com as línguas românicas. Com isso temos a vantagem não apenas do fato de que o relacionamento dentre elas é inquestionável, mas também de que temos dados diretos da protolíngua da qual elas derivaram, o latim. Entretanto, como veremos, existem exemplos nos quais as formas do protorromance que podem ser reconstruídas pelo método comparativo, a partir de dados das próprias línguas românicas, diferem das formas latinas comprovadas.

A Tabela 4 compara vários conjuntos de palavras obviamente relacionadas (nas formas em que são normalmente citadas) do latim e de três das línguas românicas: francês, italiano e espanhol. A tabela poderia ser ampliada tanto horizontalmente, incluindo-se as palavras apropriadas de outras línguas e dialetos românicos (romeno, português, catalão, sardenho, ladino etc.), quanto verticalmente, acrescentando-se muito mais conjuntos de palavras relacionadas. Apesar de limitada, a informação fornecida na Tabela 4 servirá para ilustrar o que significa o princípio de correspondência sistemática.

O primeiro ponto a observar é que as palavras reunidas em cada linha da Tabela 4 são relacionadas não apenas quanto à forma – à qual se aplica o princípio de correspondência sistemática – mas também quanto ao sentido. Porém as palavras podem mudar de significado no decorrer do tempo. Por exemplo, o termo comum do latim clássico para "cavalo" não era "*caballus*", que significava mais especificamente "cavalo de carga" e também era usado pejorativamente significando "chato" ou "mercenário", mas '*equus*'. Entretanto, '*caballus*' e '*equus*' são obviamente relacionados em termos de significado; e é razoável supor que '*caballus*' perdeu tanto o seu significado específico quanto as suas conotações pejorativas no latim tardio (isto é, no protorromance) e tornou-se a palavra geral e estilisticamente neutra no lugar de '*equus*'. De maneira inversa, os descendentes da palavra latina '*caput*', apresentados na Tabela 4, adquiriram todos um conjunto de sentidos mais restritos ou metafóricos: por exemplo, o F. '*chef*' significa 'cabeça' no sentido de "chefe", como o italiano '*capo*'; o E. '*cabo*' significa "cabo" (acidente geográfico), "cabo" (na hierarquia do exército), "fim" etc. Mas novamente existe uma ligação intuitivamente óbvia entre o significado do L. '*caput*' e os de seus descendentes.

Capítulo 6

Tabela 4 Algumas correspondências sistemáticas formais no latim e em três línguas românicas*

		Latim (L)	Francês (F)	Italiano (I)	Espanhol (E)
(1)	"coisa"	**c**ausa	**ch**ose	**c**osa	**c**osa
	"cabeça"	**c**aput	**ch**ef	**c**apo	**c**abo
	"cavalo"	**c**aballus	**ch**eval	**c**avallo	**c**aballo
	"cantar"	**c**antare	**ch**anter	**c**antare	**c**antar
	"cachorro"	**c**anis	**ch**ien	**c**ane	
	"cabra"	**c**apra	**ch**èvre	**c**apra	**c**abra
(2)	"planta"	**pl**anta	**pl**ante	**pi**anta	**ll**anta
	"chave"	**cl**avis	**cl**ef	**ch**iave	**ll**ave
	"chuva"	**pl**uvia	**pl**uie	**pi**oggia	**ll**uvia
(3)	"oito"	o**ct**o	hu**it**	o**tt**o	o**ch**o
	"noite"	nox/no**ct**is	nu**it**	no**tt**e	no**ch**e
	"fato"	fa**ct**um	fa**it**	fa**tt**o	he**ch**o
	"leite"	la**ct**e	la**it**	la**tt**e	le**ch**e
(4)	"filha"	**f**ilia	**f**ille	**f**iglia	**h**ija
	"formosa"	**f**ormosus			**h**ermoso

Nenhuma das palavras apresentadas na Tabela 4 causa problemas quanto ao fato de serem semanticamente relacionadas, apesar de haver margem para discordância sobre a natureza de seu relacionamento, em determinados casos. No entanto, não está claro, com muita frequência, se duas palavras são ou não semanticamente relacionadas – especialmente no caso de línguas para as quais temos muito menos dados do que no caso das línguas românicas. É por esse motivo que o método comparativo dá prioridade ao relacionamento formal. Devemos observar igualmente que as palavras podem não apenas mudar de significado com o tempo, mas também, por vários motivos, cair em desuso e ser substituídas. Isso explica as lacunas na Tabela 4. O espanhol moderno substituiu a palavra derivada do L. '*canis*' por '*perro*'; e nem o italiano nem o francês preservaram em seu vocabulário um descendente do L. '*formosus*'.

---

* Os termos entre aspas, no original inglês, naturalmente são externos à tabela; em português, no entanto, eles podem ser considerados membros de uma quarta língua românica e, portanto, integrantes da tabela.

Mudança Linguística

Voltemo-nos às correspondências formais exemplificadas na Tabela 4. As palavras estão todas apresentadas na forma em que são normalmente citadas. Devemos ter em mente, portanto, que estamos interessados, em princípio, não em letras, mas em sons. No caso do latim, do espanhol e do italiano, há relativamente pouca discrepância entre ortografia e pronúncia. Temos que lembrar que no espanhol moderno não existe fonema correspondente à letra ⟨h⟩; que tanto em espanhol quanto em italiano a letra ⟨c⟩ é pronunciada de maneira diferente, em posições diferentes; que ⟨ch⟩ é pronunciado como [k] em italiano, mas como [tʃ] em espanhol; e assim por diante. Mas essas discrepâncias são secundárias; podemos, sem violentar demais os fatos, trabalhar a partir do pressuposto de que existe uma correspondência biunívoca entre letras (ou, em alguns casos, grupos de letras: E. ⟨ll⟩, ⟨ch⟩; I. ⟨ch⟩, ⟨ggi⟩ e fonemas. A situação do francês é muito diferente. Por exemplo, não há meios de se saber, com base nas convenções ortográficas do francês, que *clef* é pronunciada [kle], mas *chef* é pronunciada [ʃɛf]; ou que *huit* é geralmente pronunciada com um [t] final, enquanto *nuit* e *lait* não (exceto em algumas expressões cristalizadas); e ainda que existem pronúncias alternativas para *fait*. Entretanto, na medida em que a prática ortográfica francesa se baseia na pronúncia de alguns séculos atrás (como também é o caso do sistema ortográfico do inglês), podemos considerar as formas escritas do francês, para as nossas finalidades, sem questionamento. Tampouco devemos nos preocupar com o fato de que geralmente não é a forma em que um lexema normalmente é citado que é a fonte das formas diacronicamente relacionadas do francês, espanhol e italiano: é quase sempre a forma do acusativo dos substantivos e adjetivos, e não a forma do nominativo, que fornece a fonte das formas de raiz românicas – *canem*, *caballum* etc. (perdendo-se o [m] final no latim tardio, ou protorromance).

Comparando as palavras das diferentes seções da Tabela 4, observaremos que existem correspondências regulares entre formas relacionadas (isto é, entre as formas de lexemas relacionados). Essas correspondências estão indicadas em negrito e podem ser representadas em termos de sons em vez de letras, mas, como explicamos anteriormente, considerando a ortografia sem questionamento, da seguinte forma:

(1) L. [k] = F. [ʃ] = I. [k] = E. [k]
(2) L. [pl], [kl] = F. [pl], [kl] = I. [pi], [ki] = E. [ʎ]
(3) L. [kt] = F. [it] = I. [tt] = E. [tʃ]
(4) L. [f] = F. [f] = I. [f] = E. [h]

Tanto o francês ⟨it⟩ quanto o espanhol ⟨h⟩ estão recebendo aqui um valor fonético que sabemos ser apropriado para períodos anteriores: é isso o que quero dizer quando me refiro ao valor que uma forma escrita aparenta. Poderíamos trabalhar igualmente com transcrições fonéticas (ou com representações fonológicas) das formas faladas modernas. Ainda assim as correspondências formais sistemáticas poderiam ser formuladas. Mas elas seriam menos óbvias à primeira vista. Observaremos que, além de (1)-(4), outras correspondências podem ser extraídas das palavras apresentadas na Tabela 4:

157

Capítulo 6

(5) L. [b] = F. [v] = I. [v] = E. [b]
(6) L. [a] = F. [e] = I. [a] = E. [a]

e assim por diante. Como explicar essas correspondências sistemáticas?

A resposta fornecida pelos inventores do método comparativo do século XIX era que as mudanças sonoras que ocorrem em uma língua no curso de sua história são regulares. No entanto, o princípio da regularidade da mudança sonora só veio a ser enfatizado em meados de 1870, quando os neogramáticos proclamaram-no em sua forma mais veemente e inflexível: "As mudanças sonoras que podemos observar na história linguística documentada procedem de acordo com leis fixas que não sofrem nenhuma perturbação, exceto de acordo com outras leis." À primeira vista, a tese segundo a qual as **leis sonoras** (como passaram a ser chamadas) funcionavam sem exceção era obviamente falsa. Havia muitos exemplos de palavras evidentemente relacionadas que não apresentavam as correspondências esperadas. Tomemos um exemplo famoso – exemplo esse que se tornou nada mais do que uma aparente exceção quando o problema que levantou foi brilhantemente solucionado pelo erudito dinamarquês Karl Verner, em 1875.

Em 1822, Jacob Grimm (um dos dois irmãos que são mais amplamente conhecidos pelo seu interesse no folclore germânico) revelou que existe uma correspondência sistemática entre as consoantes das línguas germânicas, por um lado, e as das outras línguas indo-europeias, por outro. Ele não foi o primeiro a notar tal correspondência: o crédito pela observação original tem que ser atribuído ao erudito dinamarquês Rasmus Rask. Mas o trabalho de Grimm, por ser escrito em alemão, era mais imediatamente acessível ao saber internacional; e a lei sonora que foi postulada para dar conta das correspondências observadas é geralmente conhecida como a lei de Grimm. Reformulada em termos da fonética articulatória moderna (e simplificada em alguns aspectos), a lei de Grimm afirma que:

(a) As aspiradas sonoras do protoindo-europeu (PIE) [*b^h, *d^h, *g^h] tornaram-se oclusivas sonoras [*b, *d, *g] – ou possivelmente fricativas sonoras [*β, *ð, *$\underset{\sim}{\gamma}$] – em protogermânico (PGmco);

(b) as oclusivas sonoras PIE [*b, *d, *g] tornaram-se oclusivas surdas [*p, *t, *k] em PGmco;

(c) as oclusivas surdas PIE [*p, *t, *k] tornaram-se fricativas surdas [*f, *θ, *h] em PGmco.

Os asteriscos indicam, segundo a convenção há muito estabelecida em linguística histórica, que os sons em questão são reconstruídos, e não diretamente confirmados. Vamos agora nos concentrar na noção de reconstrução. Tanto o protoindo-europeu quanto o protogermânico são, naturalmente, construtos hipotéticos (v. Seção 6.2).

A lei de Grimm, formulada dessa maneira, engloba um grande número de correspondências observadas. Por exemplo, ela dá conta do fato de que em inglês (In) temos [f] onde em latim [L.], grego (Gr.), sânscrito (S.) etc. temos [p]: cf. I. *father*: L.

158

Mudança Linguística

pater, Gr. *pater*, S. *pitar*-; I. *foot*: L. *pes/pedis*, Gr. *pous/podus*, S. *pãt/padas*. Ela também dá conta das consoantes iniciais e médias do gótico *taíhun*: L. *dece'n*, Gr. *deka*, S. *daśa* – In. *ten* não conserva nenhum traço da consoante média, mas compare-se o *zehn* do alemão moderno, bem como o *zehan* do alto-alemão antigo e o *tehan* do saxão antigo (o [tˢ] inicial do alemão representado pela letra ⟨z⟩ na ortografia resulta da chamada mudança sonora do alto-alemão, que ocorreu provavelmente por volta do século VI da era comum). O som [ʃ] do S. *daśa*, aqui representado por ⟨s⟩, resulta de uma palatalização do PIE [*k], que, no início da pré-história, afetou muitas das subfamílias orientais das línguas indo-europeias, incluindo todas as línguas indo-iranianas, bálticas e eslavas, bem como as línguas armênias e albanesas. Existem algumas complicações ligadas à reconstrução do que aqui considerei como oclusivas velares, por uma questão de simplicidade, (*gʰ, *g, *k), no PIE; mas elas não são relevantes para a formulação geral nem para a validade da lei de Grimm. Levando em conta desenvolvimentos subsequentes em determinadas línguas, ou protolínguas intermediárias, a lei de Grimm, tal como foi resumida no parágrafo anterior, é sustentada por um número impressionantemente grande de exemplos de correspondência sistemática.

Mas havia muitas exceções aparentes. O próprio Grimm comentou sobre algumas delas: "A mudança sonora ocorre na maioria dos casos, mas nunca se esgota completamente em cada caso individual; algumas palavras permanecem na forma que tinham no período anterior; a corrente da inovação passou por cima delas." Por exemplo, o [p] do In. *spit, spew* corresponde a um [p] em outras línguas, em uma violação aparente da lei de Grimm: L. *spuo* etc. Coisa semelhante ocorre com Gmco [t], Gr. [t], S. [t]: cf. In. *stand*: L. *sto/stare* etc. Aqui, de fato, a corrente da inovação, como disse Grimm, deixou intactas as consoantes germânicas. Observaremos, entretanto, que em cada caso as oclusivas surdas, [*p, *t, *k], ocorrem na posição de segundo segmento de encontros consonantais de dois segmentos. Tudo o que temos a fazer, portanto, é modificar a formulação da lei de Grimm dada anteriormente, de modo a que se suponha não ter se aplicado aos **reflexos** germânicos (isto é, descendentes) de PIE [*p, *t, *k] nesse tipo de ambiente fonético (ou fonológico). Com efeito, estamos afirmando – para introduzir alguma terminologia moderna – que a lei de Grimm dá conta de uma mudança sonora **condicionada foneticamente**. Assim formulada, a preservação de uma oclusiva surda em palavras como In. *spit/spew, stand, eight* etc. pode ser encarada como um desenvolvimento regular.

Mais interessante ainda é uma outra classe de exceções aparentes. Se consideramos as palavras para "pai" e "irmão" em várias línguas germânicas diferentes do alemão, vemos que elas diferem entre si quanto à consoante média: Go. *fadar: brðθar*, A. *Vater: Bruder* etc. E o inglês antigo apresenta a mesma diferença: In. antigo *faeder brðp'or*. O fato de o alemão, como o seu ancestral alto-alemão antigo (*fater: bruodar*), ter uma oclusiva surda na palavra para "pai" e uma oclusiva sonora na palavra para "irmão" pode ser explicado, mais uma vez, como sendo a consequência da mudança sonora do alto-alemão. Vamos admitir que, com base em todos os dados, possamos reconstruir como as origens protogermânicas das palavras em questão, **fader-* e

159

Capítulo 6

*brðƏar-, o que é representado por ⟨d⟩ como uma oclusiva [d] ou fricativa [ð], mas sonora em ambos os casos, diferindo, assim, da fricativa surda [θ] da palavra para "irmão". Como as palavras correspondentes das línguas indo-europeias não germânicas não revelam tal diferença (L. *pater: frater,* S. *pitar-: bhràtar-* etc.) e, segundo a lei de Grimm, PIE [*t] deveria fornecer PGmco [*θ], a palavra para "pai" parece irregular no tocante à sua consoante média, mas não à inicial.

Foi esse o problema que Verner solucionou. Ele demonstrou que, supondo-se que as palavras PIE para "pai" e "irmão" tenham diferido entre si quanto ao lugar do acento de palavra, como ocorre em sânscrito (*pitár-: bhrátar-*), o *status* aparentemente excepcional do Pgmco. *fader poderia ser satisfatoriamente explicado em termos do que agora chamamos de **lei de Verner**: as fricativas surdas intervocálicas, por exemplo, [θ], tornam-se sonoras a não ser que estejam precedidas de um acento de palavra. O que se supõe é uma sequência de estágios que podem ser representados da seguinte maneira:

(i) PIE   *pə́tér-: *bʰrā́ter-
(ii)   *faθér-: *bróθar-
(iii)   *faðér-: *bróθar-
(iv) Pgmco *fáder-: *bróθar-

A lei de Grimm é tida tradicionalmente como responsável pela transição de (i) para (ii), e a lei de Verner, pela transição de (ii) para (iii). Considera-se que ambas as leis, como se pode observar, agiram antes do período que identificamos como o do protogermânico, que se caracteriza por ter a tônica na primeira sílaba de todas as palavras. As mudanças sonoras de responsabilidade das leis de Grimm e de Verner juntas poderiam ser explicadas de maneira diferente hoje. Isso não traz consequências para a nossa discussão. A questão é que toda uma classe de exceções aparentes à lei de Grimm situa-se no âmbito de uma generalização adicional: outra lei sonora, conforme demonstrado por Verner.

Várias outras chamadas leis sonoras foram formuladas por volta da mesma época que a lei de Verner. Consideradas juntas, elas permitiram aos estudiosos ter uma ideia bem melhor da cronologia relativa dos desenvolvimentos dentro dos diferentes ramos da família de línguas indo-europeia. Mais importante ainda, elas tornaram o famoso princípio neogramático da regularidade absoluta da mudança sonora muito mais plausível do que teria parecido a uma geração anterior de linguistas especializados em linguística histórica. Esse princípio era altamente controvertido quando foi apresentado na década de 1870. No entanto, logo se tornou aceito, pela maioria daqueles que participavam do que podemos considerar como a principal corrente da erudição, como a base mesma não apenas do método comparativo, mas de toda a disciplina da linguística histórica. Mais tarde teremos a oportunidade de observar de modo mais crítico o princípio da regularidade da mudança sonora, bem como o uso que os neogramáticos faziam do termo 'lei' a ele relacionado. Mas nada do que se afirma de suas qualidades deve ser subtraído de sua importância metodológica. Ele

Mudança Linguística

obrigou aqueles que a eles aderiram a distinguir entre mudança sonora condicionada e não condicionada e a formular tão precisamente quanto possível as condições sob as quais determinada mudança sonora condicionada ocorreu. E ainda colocou-lhes sobre os ombros o ônus de fornecer uma explicação para as formas que não tinham se desenvolvido de acordo com as leis sonoras a cujas condições tais formas pareciam obedecer. Dois dos fatores explicativos aos quais os neogramáticos e seus seguidores apelavam nesse sentido eram a analogia e o empréstimo, como veremos (v. Seção 6.4).

Nesta seção estamos concentrados na técnica da reconstrução histórica pelo método comparativo. Devemos chamar a atenção do leitor para a importância de não interpretar erradamente as formas marcadas por asterisco[†] (isto é, as formas hipotéticas: por exemplo, PIE *$p\partial tér$- ou Pgmco *$fader$-) que resultam da aplicação da técnica da reconstrução. Elas não podem ser identificadas com as formas comprovadas do protoindo-europeu ou de qualquer outra protolíngua. Há várias razões para isso.

Em primeiro lugar, o método comparativo tende a exagerar o grau de regularidade num sistema linguístico reconstruído. Essa observação pode ser ilustrada com referência às diferenças entre certas formas comprovadas do latim e o que consideramos como formas pertencentes ao protorromance, das quais derivam as formas correspondentes em francês, italiano, espanhol etc. A palavra latina comprovada para "cabeça" tinha a forma *caput* para citação e *capit-* como radical. Nenhuma das línguas românicas conserva qualquer prova do [t] final do radical. Em vez disso, elas indicam que a forma do protorromance era *$capu(m)$:* ver Tabela 4 anteriormente. É bastante provável, no entanto, que o substantivo irregular '*caput*' tenha sido regularizado no latim tardio. Mas não temos nenhuma comprovação direta de que tenha sido. Pode ter sido regularizada independentemente em ramos diferentes da família românica, mas em data relativamente prematura. A questão é que as irregularidades tendem a desaparecer no decorrer do tempo e, de um modo geral, o método comparativo é incapaz de reconstruí-las.

Em segundo lugar, o método comparativo funciona a partir do pressuposto de que cada membro de uma família de línguas relacionadas se encontra numa linha direta de descendência da protolíngua e permaneceu intocada, durante esse tempo, pelo contato com outras línguas e dialetos relacionados. Tal pressuposto é, no mínimo, irreal. Todas as línguas são, em grau maior ou menor, diferenciadas quanto a dialetos. Não há razão para crer que o protoindo-europeu, o protogermânico, o protoeslavo e as outras protolínguas que tomamos hipoteticamente como a fonte de famílias e de subfamílias de línguas comprovadas eram homogêneas do ponto de vista dialetal. Sempre que possível, o método comparativo reconstrói uma protoforma única para todas as formas comprovadas. Segue-se que o sistema linguístico reconstruído tende a ser não apenas morfologicamente mais regular, mas também dialetalmente

---

[†] No original, *starred forms*, literalmente "formas estreladas", em alusão ao asterisco.

161

Capítulo 6

mais uniforme do que qualquer sistema linguístico real. Além disso, não temos meios de saber se todos os sons que ocorrem sob forma com asterisco ocorreram de fato ao mesmo tempo e no mesmo dialeto da protolíngua.

Por essas e outras razões, as protolínguas reconstruídas têm que ser consideradas construtos hipotéticos, cuja relação com as línguas de fato faladas no passado é um tanto indireta. Não podemos aprofundar os detalhes técnicos dessa questão – nem os vários critérios que devem ser utilizados no processo de reconstrução. Basta, para as nossas finalidades, ter chamado atenção para o fato de que toda reconstrução histórica tende a idealizar e a simplificar os fatos. No que diz respeito às formas com asterisco, algumas partes da reconstrução podem ter bases mais seguras do que outras; e nenhuma parcela pode ser mais segura do que os dados que a comprovam. Os dados são altamente variáveis.

Concluindo, devemos mencionar que, embora nesta seção tenhamos nos concentrado na reconstrução lexical, é possível, em casos favoráveis, reconstruir características da estrutura gramatical de protolínguas. Foram certamente as correspondências morfológicas entre línguas relacionadas que impressionaram a primeira geração de linguistas especializados em linguística histórica dessa maneira, já que traços gramaticais como sufixos, segundo eles, dificilmente passariam de uma língua para outra por empréstimo (v. Seção 6.4).

6.4 Analogia e empréstimo

O conceito de **analogia** remonta à antiguidade. O termo em si vem da palavra grega 'analogia', que significava "regularidade" e mais especialmente, no uso dos matemáticos e gramáticos, "regularidade proporcional". Por exemplo, a regularidade proporcional entre 6 e 3, por um lado, e 4 e 2, por outro, é uma analogia, no sentido desejado do termo: é uma relação de quatro quantidades (6, 3, 4, 2) de modo a que a primeira dividida pela segunda é igual à terceira dividida pela quarta (6 : 3 = 4 : 2). O raciocínio analógico foi largamente utilizado por Platão e Aristóteles e por seus seguidores, não apenas em matemática, mas também no desenvolvimento de outros ramos da ciência e da filosofia, incluindo a gramática. Sem levar isso em conta, é impossível compreender um dos princípios básicos da gramática tradicional: o de paradigma. Dado, digamos, o paradigma *jump, jumps, jumping* e *jumped* (isto é, as formas do verbo modelo do inglês *'jump'*: o termo 'paradigma' vem da palavra grega que significa "modelo" ou "exemplo"), podemos construir equações proporcionais como as seguintes: *jump : jumps = help : x; jump : jumped = help : y* etc. E podemos resolver essas equações atribuindo às quantidades desconhecidas (*x, y* etc.) os seus valores apropriados (*helps, helped* etc.).

É isso, então, o que significa 'analogia' na gramática tradicional, e mais particularmente na controvérsia entre analogistas e anomalistas, surgida no segundo século

Mudança Linguística

antes de Cristo e que durou, de uma forma ou de outra, até a atualidade, e exerceu uma influência profunda no desenvolvimento da teoria linguística. *Grosso modo* podemos dizer que os analogistas eram de opinião de que a relação entre forma e significado era governada pelo princípio da regularidade proporcional, e que os anomalistas adotavam o ponto de vista oposto. Não precisamos entrar nos detalhes dessa controvérsia confusa e perturbadora. No entanto, é importante ter em mente que tudo isso faz parte das bases sobre as quais os neogramáticos estabeleceram a sua própria noção de analogia e o papel desta no desenvolvimento das línguas.

Tomemos um exemplo. O inglês, como o alemão, distingue entre o que se chama convenientemente de verbos fracos e fortes. Os primeiros, que constituem a grande maioria de todos os verbos da língua, formam o passado pelo acréscimo de um sufixo ao radical do presente (cf. In. *jump-s, jump-ed;* A. *lieb-t, lieb-te*); os fortes apresentam uma diferença, de um tipo ou de outro, nas vogais dos radicais correspondentes do presente e do passado, e geralmente não possuem o sufixo de passado característico dos verbos fracos (cf. In. *ride-s, rode; sing-s, sang;* Al. *reit-et, ritt; sing-t, sang*). Os verbos fortes classificam-se em várias subclasses segundo a natureza da alternância vocálica que distingue as suas formas de presente e passado; e são comumente considerados irregulares. Eles são certamente menos regulares do que os verbos fracos, que vêm aumentando durante muitos séculos e que obedecem à regra sincrônica produtiva, existente de longa data. Os dados em favor da produtividade sincrônica da regra em questão provêm em parte da aquisição da linguagem pelas crianças e em parte da habilidade do falante adulto de formar o passado de verbos novos que encontra pela primeira vez na forma do presente (ou do particípio presente, em inglês). Quanto à aquisição da linguagem, o fato de que a criança já domina a regra de formação do passado das formas regulares pela sufixação é comprovada pela sua produção não apenas de um grande número de formas corretas (por exemplo, *jumped* [pulou], *walked* [caminhou], *loved* [amou]), mas também ocasionalmente da forma incorreta como em *rided* [cavalgou] ou *goed* [foi].* Na realidade, por mais paradoxal que possa parecer à primeira vista, a produção de formas incorretas como essas por analogia com algum membro típico da classe regular dos verbos fracos (*jump : jumped = ride : x*; então *x = rided*) constitui prova mais convincente de que a criança está aplicando uma regra do que a produção de um número qualquer de forma correta do passado, que poderiam ter sido, em princípio, recordada e imitada como todos não analisáveis (Seção 8.4).

Existem alguns exemplos de verbos fracos que se transformaram em verbos fortes por força da analogia na história do inglês. Por exemplo, em alguns dialetos americanos a forma do passado de '*dive*' [mergulhar] é *dove*, e não *dived*; e, ao contrário do que se poderia supor, a forma *dove* é que é o resultado da inovação. Na grande maioria dos casos, entretanto, a analogia operou na direção contrária, aumentando o

---

* O equivalente em português seriam formas como "fazi" por "fiz" etc.

163

Capítulo 6

número dos verbos fracos em detrimento dos fortes: por exemplo, *holp* (v. *got*) do inglês médio foi substituído por *helped* do inglês moderno. Devemos observar que tanto *dived* → *dove* quanto *holp* → *helped* são resultado de pressão analógica. A língua apresenta dois padrões de formação, qualquer um dos quais poderia servir de paradigma para a extensão analógica.

Vale observar aqui que o fato de que muitos verbos do inglês e do alemão obviamente relacionados apresentam o mesmo fenômeno de alternância vocálica constitui um dado particularmente impressionante em favor da hipótese segundo a qual essas duas línguas são, de fato, geneticamente relacionadas: cf. In. *begin-s, began, begun* : A. *beginn-t, begann, begonn-en;* In. *bring-s, brought;* A. *bring-t, brach-te, ge-brach-t;* In. *find-s, found* : A. *find-et, fand, ge-fund-en;* In. *give, gave, giv-en* : A. *gib-t, gab, ge-geb-en.* (Acrescentei a forma do particípio passado tanto para o alemão quanto para o inglês quando ela difere da forma do passado, como quase sempre acontece em alemão.) A analogia funcionou independentemente tanto no alemão quanto no inglês, durante várias centenas de anos, no sentido de reduzir a incidência da alternância vocálica: assim, por exemplo, enquanto '*help*' é fraco no inglês moderno, o verbo relacionado '*hilfen*' em alemão é forte (*hilf-t, half, ge-holf-en*). As mudanças sonoras que ocorreram independentemente nas várias línguas germânicas também surtiram efeito, aumentando o número de conjuntos diferentes de alternâncias vocálicas e tornando a correspondência entre as formas de determinados verbos isolados menos sistemática quanto a detalhes do que era em períodos anteriores. Mas ainda existem dezenas de verbos que apresentam uma alternância vocálica semelhante. O mesmo ocorre com o holandês, que, como vimos antes (v. Seção 6.2), é relacionado mais de perto ao alemão do que ao inglês: cf. *begin-t, begon, begonn-en; breng-t, brach-t, ge-brach-t* ("trazer"); *vind-t, vond, ge-vond-en* ("encontrar"); etc. Até as línguas germânicas do Norte têm verbos fortes cujas formas de passado e de particípio passado podem ser relacionadas às formas do presente em termos de alternâncias vocálicas mais ou menos regulares: v. do sueco, *skiver, skrev, skrivit* ("escrever"); *kryper, krop, krupit* ("rastejar"). Na realidade, esse padrão de alternância vocálica remonta em última instância ao período do protoindo-europeu: cf. Gr. *peith-õ, pe-poith-a, e-pith-on* ("persuadir"); *leip-õ, le-loip-a, e-lip-on* ("sair") etc. Como foi mencionado no final da seção precedente, foi esse o tipo de correspondência – à qual Sir William Jones se referiu como "uma afinidade tanto nas raízes verbais quanto nas formas gramaticais que não poderia ter sido produzida acidentalmente" (v. Seção 6.2) – que tanto interessou os fundadores da filologia comparativa. Mas aqui estamos focalizando a analogia; e a esse respeito há duas colocações a fazer.

A primeira foi especialmente enfatizada pelos neogramáticos: a de que a analogia frequentemente inibe (ou inverte subsequentemente o efeito das) mudanças sonoras que, não fosse isso, seriam regulares. Por exemplo, depois do funcionamento da lei de Verner (v. Seção 6.3), mas anteriormente aos nossos textos mais antigos, o [s] intervocálico tornou-se [r] em germânico. É essa mudança sonora que dá conta da letra ⟨r⟩ – ainda pronunciada como [r] em alguns dialetos – no plural do passado do verbo '*to be*' [ser, estar] em inglês, contrastando com o que a ortografia mostra ter sido um [s] no singular: *were : was*. O holandês apresenta o mesmo contraste (mas sem diferença nas vogais): *ik was* "eu era/fui/estava/estive": *wij waren* "nós éramos/estávamos/fomos". O alemão, por outro lado, alterou o radical do singular por analogia com o do plural: *ich war : wir waren*. Nesse exemplo o [s] final historicamente regular foi substituído pelo [r] historicamente irregular. É interessante notar que no latim bem remoto o [s] intervocálico também se tornou [r]. Daí o contraste, no latim clássico, entre a forma do nominativo singular *honos* "honra" e as demais formas do mesmo nome: *honorem, honoris* etc. (de *honosen, *honosis etc.). E mais tarde no latim *honos* foi substituído por *honor*, de modo que *honor-* se generalizou como o radical por todo o conjunto de formas flexionadas. Vale também acrescentar que a analogia é responsável pelo fato de que o verbo '*to be*' é o único verbo no inglês moderno padrão em que há uma diferença entre um radical do singular e um radical do plural, no passado. No inglês médio, muitos dos verbos fortes apresentavam uma diferença semelhante. A analogia mais uma vez generalizou um dos dois radicais (ou, era alguns casos, a forma do particípio passado); e isso responde pela flutuação considerável através dos dialetos do inglês e até mesmo no uso espontâneo de falantes isolados.

A segunda colocação a ser feita com respeito à analogia é a de que tal fator é muito mais poderoso na mudança linguística do que supunham os neogramáticos. Na realidade, eles tendiam a invocar a influência da analogia somente quando isso lhes permitia justificar exceções aparentes a uma das leis sonoras que postulavam. Além disso, alguns deles fizeram uma distinção entre mudança sonora como um processo explicável fisiologicamente e analogia como algo resultante da intervenção esporádica e imprevisível da mente humana. Para aqueles que adotavam esse ponto de vista as leis sonoras eram tidas como comparáveis às chamadas leis da natureza. Hoje em dia está mais claro, em primeiro lugar, que não se pode fazer uma distinção tão nítida, tratando-se de línguas, entre o físico e o psicológico; e, em segundo lugar, que a analogia funciona tanto no nível fonológico quanto no nível gramatical da estrutura linguística – contanto que o termo tradicional "analogia" seja interpretado segundo o espírito, e não a letra, da tradição. O que era tradicionalmente descrito em termos de regularidade proporcional pode ser incluído no princípio mais geral da regularização com base nos padrões de correspondência entre forma e significado. De fato, seria razoável identificar tanto a noção saussuriana de estrutura quanto a noção gerativista de criatividade regida por regra com uma versão modernizada do conceito tradicional de analogia. Mas essa é uma questão mais ampla e controvertida (v. Seção 7.4).

Outro fenômeno para o qual os neogramáticos apelaram para explicar algumas das exceções aparentes às leis sonoras foi o **empréstimo**. Por exemplo, além da palavra '*chef*', que identificamos anteriormente como o descendente francês do latim '*caput*', cuja forma em que normalmente é citado em protorromance pode bem ter sido **capu(m)* (ver Tabela 4), encontramos também, no francês moderno, a palavra

Capítulo 6

'*cap*' (caf. '*de pied en cap*', literalmente, "do pé à cabeça"). A forma *cap* viola claramente todas as três leis sonoras (além da perda da vogal final) necessárias para derivar *chef* de **capu*. A explicação é que a forma foi tomada emprestada pelo francês (em época relativamente remota) ao provençal, ao qual não se aplicaram as leis sonoras em questão. De modo semelhante, existem muitas palavras em inglês que começam por *sk-* em sua forma escrita (cf. *sky* [céu], *skill* [destreza], *skirt* [saia] etc.) que são exceções aparentes à lei sonora que transforma [sk] em [ʃ] antes de vogais anteriores em inglês (cf. *shirt* [camisa], *ship* [navio], *shed* [barraca] etc.). Essas palavras foram tomadas emprestadas de outro dialeto escandinavo trazido à Inglaterra na época das invasões dos viquingues, dialetos esses que tiveram uma influência considerável na fala da região dominada pelos dinamarqueses. (Até hoje grande parte do vocabulário dos dialetos locais do norte da Inglaterra e do sul da Escócia é de origem escandinava, facilmente identificável; mas aqui estamos concentrados naquilo que podemos considerar empréstimos no inglês-padrão.) Pares de palavras análogas nativas ou emprestadas, coexistentes, como '*skirt*' e '*shirt*', em inglês, ou '*cap*' e '*chef*', em francês, são frequentemente denominadas **duplas**. As duplas lexicais, como podemos notar, são muito raramente sinônimas, mesmo do ponto de vista descritivo (cf. '*skirt*' : '*shirt*', '*skipper*' [capitão de navio] : '*shipper*' [embarcador].

Podemos afirmar o mesmo, acerca de empréstimo, que afirmamos sobre analogia: trata-se de um fator muito mais importante para a mudança linguística do que supunham os neogramáticos (e muitos dos seus seguidores). Particularmente, o empréstimo, como a analogia, não deve ser visto como fonte de mera explicação para exceções aparentes às leis sonoras. Se o inglês é considerado uma língua puramente germânica ocidental – e ela o é, convencionalmente (v. Seção 6.2) –, temos que dizer que, no decorrer de sua história, tomou emprestados de outras línguas e dialetos não apenas aspectos de seu vocabulário, mas também de sua gramática e fonologia.

Mas cabe perguntar se faz sentido falar em termos tais que impliquem uma distinção nítida entre formas nativas e não nativas. É evidente, há muito tempo, que os diagramas de árvores genealógicas para ilustrar o desenvolvimento das línguas e o relacionamento entre elas podem levar a erro, se interpretados como modelos realistas dos processos históricos. Trabalhos mais recentes em dialetologia e em sociolinguística tornaram clara a importância da variação dialetal e estilística dentro de uma comunidade linguística como fator causador de mudança linguística. Sob condições de variações sincrônica – e mais especialmente de bilinguismo e diaglossia (v. Seção 9.4) –, o conceito tradicional de empréstimo talvez não seja aplicável.

Seja como for, é certo que os neogramáticos estabeleceram uma distinção nítida demais entre o que poderia ser tratado em termos de leis sonoras e o que deveria ser explicado por analogia ou empréstimo. Entretanto, a maior parte das explicações sobre o desenvolvimento histórico das línguas ainda segue os neogramáticos quanto a esse aspecto.

Mudança Linguística

6.5 As causas da mudança linguística

Por que as línguas mudam no decorrer do tempo? Não há consenso na resposta a essa pergunta. Muitas teorias sobre a mudança linguística foram propostas, mas nenhuma delas dá conta de todos os fatos. O máximo que podemos fazer aqui é mencionar, e comentar brevemente, alguns dos principais fatores aos quais os estudiosos se referiram na explicação da mudança linguística.

É costume, na discussão dessas questões, trabalhar com duas distinções em separado: (a) entre mudança linguística, por um lado, e mudanças gramatical e lexical, por outro; (b) entre fatores internos e externos. Mas nenhuma dessas duas distinções deve ser exagerada. Como vimos, o enfoque dos neogramáticos de que a mudança sonora é radicalmente diferente de outros tipos de mudança linguística é, na melhor das hipóteses, uma meia verdade. Mesmo aqueles processos explicáveis mais ou menos fisiologicamente como a **assimilação** (que resulta na transformação de sons para idênticos ou semelhantes a outros, em função de situação ou modo de articulação: cf. I. *otto, notte*, etc., na Tabela 4, na Seção 6.3) ou a **haplologia** (perda de uma ou duas sílabas foneticamente semelhantes em uma sequência: por exemplo, *Engla-land "país dos anglos" 〉 *England* [Inglaterra]) requerem o apoio de outros fatores mais gerais para produzirem mudanças permanentes no sistema sonoro de uma língua. Quanto à distinção entre fatores internos e externos, que depende da abstração do sistema linguístico, enquanto tal, da matriz cultural e social em que funciona, essa também falha, em última instância: a função comunicativa da linguagem, que inter-relaciona forma e significado dentro de um sistema linguístico, também relaciona tal sistema à cultura e à sociedade a cujas necessidades ele serve.

Dois dos fatores mais gerais da mudança linguística foram mencionados na seção precedente: analogia e empréstimo. Podemos agora enfatizar que muito do que os neogramáticos resolveram em termos de leis sonoras pode ser incluído no âmbito da ação conjunta desses dois outros fatores. As leis sonoras em si não têm valor explanatório: elas constituem apenas um resumo do que sucedeu em determinada área (mais precisamente, em determinada comunidade linguística) entre dois pontos na linha do tempo. Fazendo um retrospecto, e adotando um ponto de vista macroscópico, a mudança em questão pode parecer suficientemente regular (no sentido em que o princípio da regularidade era compreendido pelos neogramáticos e seus seguidores). No entanto, a investigação das mudanças sonoras que estão ocorrendo atualmente mostrou que elas podem se originar em uma ou mais palavras emprestadas e a partir daí espalhar-se por analogia por um período de tempo.

Um dos sintomas desse processo de mudança linguística é o que se chama comumente de **hipercorreção**. Um exemplo disso é a extensão analógica da vogal do inglês sulista de *butter* [manteiga] em palavras como *butcher* [açougueiro] por falantes do norte da Inglaterra que adquiriram (isto é, tomaram emprestada) a pronúncia RP daquela classe de palavras. A hipercorreção fonética desse tipo não difere, quanto ao que a causa, da hipercorreção que resultou, na fala da classe média e frequentemente

167

Capítulo 6

na de pessoas instruídas, falantes do inglês sulista padrão, em dizer *between you and I* [entre você e eu].* Logo veremos que o primeiro tipo de hipercorreção, mas não o segundo, poderia terminar levar ao que poderia ser descrito, macroscópica e retrospectivamente, como uma mudança sonora regular.

Não estamos sugerindo, naturalmente, que toda mudança sonora pode ser explicada dessa forma. Temos ainda que admitir a possibilidade de **deriva fonética** gradual e imperceptível através do tempo por todas as palavras em que determinado som ocorre. O que queremos dizer é que há uma variedade de fatores que podem interagir de modo a produzir o mesmo tipo de resultado final: algo que normalmente é tido como mudança sonora regular e que, pelo menos na tradição neogramática, é contrastado com fenômenos alegadamente esporádicos como analogia e empréstimo.

Aqueles que enfatizam a distinção entre fatores internos e externos – e mais especialmente os que se identificam com as doutrinas do estruturalismo e do funcionalismo (v. Seção 7.2, 7.3) – tendem a atribuir a mudança linguística tanto quanto possível ao que se classifica como fatores internos: principalmente às readaptações contínuas que são efetuadas por um sistema linguístico na passagem de um estado de equilíbrio (ou quase equilíbrio) para outro. Um dos proponentes mais influentes desse ponto de vista foi o erudito francês André Martinet, que tentou dar conta da mudança linguística, e mais particularmente da mudança sonora, com referência à sua concepção das línguas como sistemas semióticos autorreguladores, regidos pelos princípios complementares do menor esforço e da clareza comunicativa. Aquele princípio (sob o qual podemos incluir fenômenos explicáveis fisiologicamente como a assimilação e a haplologia, e também a tendência a encurtar formas altamente predizíveis) terá o efeito de reduzir o número de distinções fonológicas e de maximizar a ação de cada uma delas. Ele será controlado, no entanto, pela necessidade de se manter um número suficiente de distinções com a finalidade de separar emissões que de outra forma seriam confundidas nas condições acústicas em que as línguas faladas são normalmente usadas. Tal noção tem uma boa dose de apelo intuitivo, e um certo número de mudanças sonoras foi explicado nesses termos. Até o momento, no entanto, não foi demonstrado que ela tem todo o poder explanatório que seus proponentes alegam em seu favor.

A principal contribuição que os estruturalistas e os funcionalistas fizeram para a linguística histórica está na sua insistência de que cada mudança postulada em um sistema linguístico tem que ser avaliada em termos de suas implicações para o sistema como um todo. Por exemplo, eles tornaram claro que várias partes da lei de Grimm (ou da grande mudança vocálica, ocorrida na transição do inglês médio para o inglês moderno, no início) têm que ser consideradas juntas. E levantaram questões interessantes sobre os tipos de **reações em cadeia** que parecem ocorrer em determinados períodos no desenvolvimento histórico das línguas. Vamos tomar a lei de Grimm

---

* Ver a segunda nota do tradutor no Capítulo 2.

Mudança Linguística

como exemplo: as aspiradas sonoras do PIE [*b^h, *d^h, g^h], ao perderem a aspiração, fizeram com que as oclusivas sonoras não aspiradas do PIE, [*b, *d, *g], perdessem a sua sonoridade, e isso, por sua vez, fez com que as oclusivas surdas do PIE [*p, *t, *k], se tornassem fricativas? Ou foram as oclusivas surdas do PIE que iniciaram o processo, puxando as demais, por assim dizer, para o lugar que elas vagavam? Tais perguntas podem não ter resposta. Mas pelo menos reconhecem o fato de que várias mudanças resumidas na lei de Grimm podem estar ligadas por uma relação causal.

O que hoje é denominado **reconstrução interna** (contrastando com reconstrução através do método comparativo) também pode ser creditado ao estruturalismo. Isso se baseia na convicção segundo a qual regularidades parciais sincronicamente observáveis e assimetrias podem ser explicadas com referência ao que teria constituído processos produtivos num período anterior. Por exemplo, mesmo se não tivéssemos dados comparativos nem registros de estágios anteriores do desenvolvimento do inglês, poderíamos inferir que as regularidades parciais evidentes nos verbos fortes (cf. *drive : drove : driven* [dirigir], *ride : rode : ridden* [cavalgar]; *sing : sang : sung* [cantar], *ring : rang : rung* [tocar] etc.) eram as relíquias, por assim dizer, de um sistema mais globalmente regular de flexão verbal. A reconstrução interna é hoje uma parte reconhecida da metodologia da linguística histórica e tem provado o seu valor em várias ocasiões.

Como veremos mais tarde, o gerativismo desenvolve-se a partir de, e em parte continua, uma versão determinada do estruturalismo. É característico do gerativismo encarar a mudança linguística em termos do acréscimo, da perda ou da reordenação das regras que determinam a competência linguística de um falante. Na medida em que a distinção competência/desempenho pode ser identificada com a distinção *langue/parole* do estruturalismo saussuriano (v. Seção 7.2), a contribuição feita pelos gerativistas para a teoria e a metodologia da linguística histórica pode ser encarada como um refinamento e um desenvolvimento da concepção estruturalista de mudança linguística. Em ambos os casos dá-se preferência ao que se classifica como fatores internos. A noção estruturalista de autorregulação foi substituída pela de reestruturação das regras do sistema linguístico e de uma tendência à simplificação. É difícil perceber quaisquer diferenças fundamentais entre essas duas noções.

Entretanto, uma diferença entre a distinção chomskiana competência/desempenho e a distinção saussuriana *langue/parole* é a de que a primeira se presta mais facilmente do que a segunda a uma interpretação psicológica. Os gerativistas, como veremos, têm se preocupado bastante, por várias razões, com o problema da aquisição da linguagem pelas crianças. Eles enfatizam o fato de que a criança, quando começa a adquirir a sua língua materna, não aprende as regras do sistema subjacente, mas tem que inferi-las dos padrões de correspondência entre forma e significado que ela detecta nos enunciados proferidos à sua volta. O que tradicionalmente é considerado falsa analogia (por exemplo, a tendência da criança de dizer *goed* ["iu"] em vez de *went* ["foi"]) é encarada pelo gerativista como parte do processo mais geral da aquisição de regras.

Capítulo 6

Os gerativistas não são os primeiros a terem procurado uma explicação para a mudança linguística na transmissão da linguagem de uma geração para outra. Mas eles observaram com mais cuidado do que outros o processo de aquisição da linguagem em termos da natureza das regras exigidas em estágios identificáveis nesse processo. Além disso, eles começaram a investigar em detalhe a mudança sintática, bem como as mudanças fonológica e morfológica: até recentemente, a mudança sintática dificilmente era estudada, a não ser ocasional e desordenadamente. Mais importante que qualquer outra coisa, entretanto, é o fato de que o gerativismo forneceu à linguística histórica uma concepção mais precisa de **universais** formais e substantivos, em relação aos quais podem ser avaliados como mais ou menos prováveis as mudanças de uma língua, postuladas em estágios pré-históricos e não comprovados.

Do ponto de vista de seus débitos, tanto o estruturalismo quanto o gerativismo tendem a prestar atenção insuficiente à importância da variação sincrônica como fator na mudança linguística. Independentemente de qualquer outra coisa, isso deu origem a pseudoperguntas do tipo: a mudança linguística é repentina ou gradual? A mudança linguística origina-se na competência ou no desempenho? Quanto à primeira, já faz mais de cem anos que Johannes Schmidt desafiou o conceito da árvore genealógica do relacionamento linguístico, favorecido pelos neogramáticos, e chamou atenção para o fato de que as inovações de todos os tipos, e mais particularmente as mudanças sonoras, podem se espalhar a partir de um centro de influência, como ondas em um lago, perdendo força à medida que elas atingem pontos cada vez mais distantes do centro. Nas décadas que se seguiram, foi demonstrado, especialmente por eruditos que trabalhavam com a história das línguas românicas, onde os dados sincrônicos e diacrônicos eram abundantes, que aquilo que veio a ser denominado **teoria das ondas** de mudança linguística fornecia um relato dos fatos mais satisfatório, em muitos casos pelo menos, do que a teoria mais ortodoxa da árvore genealógica, com o seu pressuposto inerente de divergência repentina, e, a partir de então contínua, entre dialetos relacionados. Os dialetólogos também demonstraram que, longe de se aplicarem simultaneamente a todas as palavras às quais eram aplicáveis, as mudanças sonoras poderiam se originar em apenas uma ou duas palavras e então espalhar-se por outras palavras e, pelos caminhos da comunicação, por outras áreas. Se isso é o que ocorre em geral, está claro que a pergunta se a mudança linguística é gradativa ou repentina perde muito de sua razão de ser. E, assim como os indivíduos podem vacilar entre o uso de uma forma mais velha ou mais nova, também podemos vacilar diante da pergunta se as mudanças linguísticas se originam na competência ou no desempenho.

Mais recentemente, os sociolinguistas demonstraram que o que era válido para a difusão geográfica das variantes fonológicas, gramaticais ou lexicais também é válido para a sua difusão pelas classes socialmente distinguíveis de uma dada comunidade. Em geral, tornou-se claro que fatores sociais (do gênero que consideraremos no Capítulo 9) são muito mais importantes na mudança linguística do que se percebia antes. Afinal de contas, não são apenas as fronteiras geográficas, ou até mesmo políticas, que estabelecem limites ao grau de intercomunicação entre as pessoas que moram na mesma região. Os dialetos sociais podem se distinguir uns dos outros tanto quanto os dialetos geograficamente determinados. Por outro lado, dadas as condições sociais certas (ruptura em uma sociedade tradicionalmente estratificada, a limitação de formas ou expressões utilizadas pela classe alta etc.), um dialeto social pode ser modificado pelo contato com outro. Com efeito, agora está se tornando aceito o fato de que o **bilinguismo** e a **diglossia** – e até mesmo a **pidginização** e a **crioulização** – podem ter desempenhado um papel muito mais importante na formação de famílias de línguas do que se imaginou alguma vez (cf. Seção 9.3, 9.4).

Iniciamos esta seção com a pergunta: Por que as línguas mudam no decorrer do tempo? Podemos concluí-la repetindo o que foi dito em um capítulo anterior (v. Seção 2.5): a ubiquidade e a continuidade da mudança linguística são bem menos intrigantes quando nos damos conta de que nenhuma língua natural é jamais estável ou uniforme, e que muito do que é descritível, macroscopicamente, como mudança linguística é o produto de variação sincrônica socialmente condicionada. Não estamos com isso afirmando que toda mudança linguística deve ser tratada dessa forma, mas apenas que fatores sociais são sem dúvida mais importantes do que já se imaginou.

LEITURAS COMPLEMENTARES

A maioria dos livros didáticos e das introduções à linguística contém capítulos sobre mudança linguística. Particularmente os Capítulos 18-27 de Bloomfield (1935) valem a pena ser lidos pela sua colocação essencialmente neogramática, com muitos exemplos, agora clássicos, do inglês e de outras línguas.

Introduções recentes à linguística histórica como tal incluem Aitchison (1981); Bynon (1977); Lehmann (1973). Bynon (1977: 281-2) fornece mais referências, por assunto, para tudo o que foi discutido neste capítulo; Aitchison (1981) enfatiza o papel dos fatores sociais na mudança linguística.

Sobre a história do inglês (em vários níveis de detalhe e tecnicidade): Barber (1972); Baugh (1965); Francis (1967); Lass (1969); Potter (1950); Strang (1970); Traugott (1972). Para outras línguas e famílias de línguas, a *Encyclopaedia Britannica*, 15ª edição (1974), é a obra de referência mais apropriada.

PERGUNTAS E EXERCÍCIOS

1. Quais são as bases para o reconhecimento de três períodos diferentes na história do inglês: inglês antigo (anglo-saxão), inglês médio e inglês moderno?
2. Com base em informação fornecida por enciclopédia ou outras obras de referência, relacione os principais membros oriundos das famílias de línguas germânica, românica e eslava.
3. O que é uma **protolíngua**?
4. Explique a finalidade da **reconstrução** em linguística histórica.
5. Diz-se do inglês, como do francês, do russo, do híndi etc., que são línguas indo-europeias. O que significa isso? É verdade? O que dizer do finlandês, do húngaro, do basco, do turco, do tâmil?

Capítulo 6

6. Por que você imagina que Sir William Jones atribuiu tanta importância ao que chamou de "raízes verbais" e "formas gramaticais" (v. p. 152)?

7. "Uma das razões mais fortes para adotar o pressuposto da mudança fonética regular é o fato de que a constituição dos resíduos... projeta bastante luz sobre a origem de formas novas" (Bloomfield, 1935:405). Discuta.

8. Formule a **lei de Grimm** (utilizando exemplos diferentes dos do texto) e mostre como a **lei de Verner** a ela se relaciona.

9. Explique o que se quer dizer quando se invoca a regularização **analógica** de formas sincronicamente irregulares.

10. Que inferências podem ser feitas sobre a história de uma língua a partir da existência de **duplas lexicais**? Faça uma lista de dez pares de lexemas desse tipo em português moderno. Que distinção poderia ser feita, se possível, entre duplas lexicais e formas gramaticalmente equivalentes, coexistentes, do mesmo lexema (*got : gotten* (do verbo *get* : "obter"], *learnt : learned* [de *learn* "aprender"], *dived : dove* (de *dive* "mergulhar"]? Como você classificaria *brothers : brethren* [irmãos : irmandade], *medium : media* [ambientes], *struck : stricken* [de *strike* "atingir"] em relação a tal distinção?

11. Demonstre de que maneira o **empréstimo** pode dar conta de exceções aparentes ao funcionamento regular de uma lei sonora.

12. "A mudança linguística, assim, oferece dados importantes acerca da natureza da linguagem humana – a saber, o fato de que é regida por regras" (Akmajian, Demers e Harnish, 1979:226). Discuta essa afirmação com relação à noção gerativista de **reestruturação**.

13. "O que talvez constitua a contribuição mais importante para uma compreensão do mecanismo real da mudança linguística originou-se na investigação sociolinguística detalhada de comunidades linguísticas vivas" (Bynon, 1977:198). Discuta.

14. Explique e exemplifique a noção de **reconstrução interna**.

15. Compare e confronte a **teoria da árvore genealógica** e a **teoria das ondas** (*Wellentheorie*) do desenvolvimento linguístico.

16. Avalie a contribuição do estruturalismo e do gerativismo à teoria e à metodologia da linguística histórica.

17. Qual a contribuição que o estudo de: (a) **aquisição da linguagem** e (b) línguas *pidgin* e **crioulas** pode trazer à linguística histórica? (Há mais dados referentes a esta pergunta nos Capítulos 8 e 9.)

Capítulo 7
Algumas Escolas e Movimentos Modernos

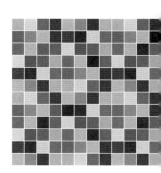

7.1 O historicismo

Neste capítulo discutirei alguns movimentos em linguística, do século XX, que deram forma a atitudes e pressupostos atuais. O primeiro deles, que denominarei **historicismo**, é normalmente considerado característico de um período anterior de pensamento linguístico. Sua importância neste contexto é a de ter preparado o campo para o estruturalismo.

Escrevendo em 1922, o grande linguista dinamarquês Otto Jespersen começou um dos mais interessantes e controvertidos de seus livros sobre a linguagem em geral com a seguinte frase: "A característica distintiva da ciência da linguagem, tal como concebida hoje em dia, é o seu caráter histórico." Com isso Jespersen expressava o mesmo ponto de vista que Hermann Paul no seu *Prinzipien der Sprachgeschichte* (Princípios da história da linguagem), publicado pela primeira vez em 1880 e comumente descrito como a bíblia da ortodoxia neogramática: o ponto de vista de que (citando da quinta edição de seu livro, que apareceu em 1920) "tão logo ultrapassamos a simples apresentação de fatos individuais, tão logo tentamos apreender a sua interligação [*den Zusammenhang*], compreender os fenômenos [*die Erscheiningen*], penetramos no domínio da história, embora talvez inconscientemente". Tanto o livro de Jespersen quanto a quinta edição do *Prinzipien* de Paul, como poderemos observar, foram publicados vários anos depois do *Cours de linguistique générale*, obra póstuma de Saussure, que inaugurou o movimento conhecido atualmente como estruturalismo, e apenas alguns anos antes da fundação do Círculo Linguístico de Praga, no qual o estruturalismo foi combinado com o funcionalismo e algumas das ideias do gerativismo de hoje tiveram sua origem. O estruturalismo, o funcionalismo e o gerativismo constituem os principais movimentos ou atitudes nos quais nos concentraremos neste capítulo.

Capítulo 7

É interessante observar, de passagem, que Bloomfield, em *Language* (1935), ao mesmo tempo em que reconhece os grandes méritos do *Prinzipien* de Paul, critica a obra, não apenas pelo seu historicismo, mas também pelo seu mentalismo e pela substituição da generalização indutiva, com base no "estudo descritivo da linguagem", pelo que ele considerava "pseudoexplicações filosóficas e psicológicas". Com isso completou-se um ciclo. Pois, como veremos, o **descritivismo** bloomfieldiano (que pode ser considerado uma versão peculiarmente americana do estruturalismo) forneceu o ambiente no qual nasceu o gerativismo chomskiano e contra o qual este reagiu. É impossível, em um livro da natureza do presente, fazer justiça à complexidade das relações entre as escolas linguísticas do século XX bem como da influência que uma escola exerceu sobre outra. O que se segue, neste capítulo, é bastante selecionado e envolve, necessariamente, certa quantidade de interpretação pessoal. O fato de não se poder alcançar uma perspectiva genuinamente histórica em relação a ideias e atitudes contemporâneas é, sem dúvida, um truísmo. Até mesmo tentar fazê-lo pode ser, por si só, um tipo de historicismo!

Mas o que é o historicismo, precisamente – no sentido em que o termo está sendo usado aqui? É o ponto de vista, expresso mais efetivamente por Paul no trecho do qual apenas uma frase foi citada anteriormente, de que a linguística, na medida em que é, ou aspira ser, científica, é de caráter necessariamente histórico. Mais particularmente, o historicista adota o ponto de vista segundo o qual o único tipo de explicação válido em linguística é o tipo de explicação que um historiador poderia dar: as línguas são como são porque, no decorrer do tempo, estiveram sujeitas a uma variedade de forças causativas internas e externas – forças como as que foram mencionadas na Seção 6.5, do Capítulo 6, sobre linguística histórica. Adotando esse ponto de vista, os grandes linguistas do século XIX estavam reagindo contra as ideias dos filósofos do Iluminismo francês e de seus precursores em uma longa tradição que remonta, em última instância, a Platão, Aristóteles e os estcicos, cuja finalidade era deduzir as propriedades universais da linguagem do que se conhecia como, ou do que se supunha serem, propriedades universais da mente humana.

Historicismo, no sentido em que o termo está sendo usado aqui, não implica necessariamente evolucionismo, a perspectiva segundo a qual o desenvolvimento histórico das línguas é direcional. O evolucionismo foi, de fato, bastante influente no final do século XIX *Prinzipien der Sprachgeschichte*, e Jespersen, no livro referido anteriormente, defende uma versão particular dele. Outras versões foram apresentadas por idealistas de várias escolas; como também, é claro, no âmbito do materialismo dialético, pelos marxistas. No entanto, é provavelmente verdadeiro afirmar que, com algumas exceções notáveis, a maioria dos linguistas do século XX rejeitou o evolucionismo (v. Seção 1.4). O historicismo, como veremos na seção a seguir, é um dos movimentos contra os quais reagiu o estruturalismo e em relação ao qual este último pode ser definido.

Algumas Escolas e Movimentos Modernos

7.2 O estruturalismo

Aquilo a que comumente nos referimos como **estruturalismo**, especialmente na Europa, tem origem múltipla. É convencional e conveniente datar o seu nascimento como movimento identificável em linguística a partir da publicação do *Cours de linguistique générale,* de Ferdinand de Saussure, em 1916. Muitas das ideias que Saussure reuniu nas conferências que deu na Universidade de Genebra entre 1907 e 1911 (nas quais se baseia o *Cours*) podem ser remontadas ao século XIX e além.

Várias das distinções constitutivas do estruturalismo saussuriano já foram introduzidas aqui (embora nem sempre na terminologia saussuriana). Basta lembrar o leitor quais são e mostrar como elas se encaixam. Já que acabamos de discutir o historicismo, é natural começar com a distinção entre os pontos de vista sincrônico e diacrônico no estudo de línguas (v. Seção 2.5).

Como vimos, os neogramáticos adotaram o ponto de vista segundo o qual a linguística, na medida em que é científica e explicativa, tem que ser necessariamente histórica. Contra tal colocação Saussure argumentou que a descrição sincrônica de línguas particulares podia ser igualmente científica, e também que podia ser explicativa. A explicação sincrônica difere da diacrônica ou histórica por ser estrutural em vez de causal: ela fornece um tipo de resposta diferente à pergunta "Por que as coisas são como são?". Em vez de investigar o desenvolvimento histórico de determinadas formas ou sentidos, ela demonstra de que maneira todas as formas e sentidos estão inter-relacionados em um determinado sistema linguístico, em determinado ponto no tempo. É importante ter consciência de que, ao se opor ao ponto de vista neogramático, Saussure não estava negando a validade da explicação histórica. Ele criou a sua reputação, muito moço ainda, com uma reconstrução brilhante do sistema vocálico do protoindo-europeu; e jamais abandonou seu interesse pela linguística histórica. O que ele afirmava em suas conferências de Genebra sobre linguística geral era que os modos de explicação sincrônico e diacrônico eram complementares; e que este era dependente daquele, do ponto de vista lógico.

É como se nos pedissem para explicar, por exemplo, por que um motor de Rolls-Royce de tal modelo e tal ano é como é. Poderíamos dar uma explicação diacrônica em termos das mudanças que ocorreram, no passar dos anos, no *design* do carburador, no braço da manivela etc.; e assim estaríamos dando uma resposta perfeitamente apropriada à pergunta. Uma alternativa seria a de descrever o papel de cada componente no sistema sincrônico; dessa forma estaríamos explicando como o motor se encaixa e como funciona. Esta última seria uma explicação estrutural (e funcional), não histórica, dos fatos. Como as línguas não são planejadas nem, segundo Saussure, evoluem no tempo de acordo com alguma finalidade externa ou interna, temos que ter o cuidado de não levar longe demais a analogia com o motor de carro (assim como não devemos exagerar a analogia, de autoria do próprio Saussure, com o jogo de xadrez: v. Seção 2.5). Levando em conta a ausência de um engenheiro, bem como a diferença entre uma máquina e uma instituição social, podemos afirmar, com

175

Capítulo 7

bastante legitimidade, que uma descrição estrutural de uma língua nos diz de que maneira todos os componentes se encaixam.

Existem certos aspectos da distinção saussuriana entre os pontos de vista sincrônico e diacrônico que são controvertidos, para não dizer paradoxais: em particular, a sua asserção de que o estruturalismo não se enquadra na linguística histórica. Isso é paradoxal em vista do fato de que o próprio trabalho anterior de Saussure sobre o sistema vocálico do protoindo-europeu, de 1879, pode ser encarado como prenúncio do que mais tarde seria descrito como reconstrução interna; e, como vimos, esse método de reconstrução foi posteriormente refinado e adotado por estudiosos que se consideravam estruturalistas e se inspiraram, pelo menos parcialmente, em Saussure (v. Seção 6.5). No entanto, pareceria que o próprio Saussure acreditava, correta ou incorretamente, que todas as mudanças se originavam fora do sistema linguístico propriamente e não levou em consideração o que posteriormente seria identificado como pressões estruturais dentro do sistema, funcionando como fatores internos causadores de mudança linguística. Nada mais precisamos dizer acerca desse ponto.

Há pouco a dizer também sobre a dicotomia saussuriana entre **_langue_** e **_parole_**: entre **sistema linguístico** e **comportamento linguístico** (v. Seções 1.3 e 2.6). O que tem que ser enfatizado aqui é o caráter abstrato da concepção de sistema linguístico de Saussure. Uma língua (_langue_), afirma, é uma forma, e não uma substância. O termo 'forma' está bem-definido nesse sentido em filosofia, e está relacionado, por um lado, à noção de Wilhelm von Humboldt de forma interna de uma língua (_innere Sprachform_) e, por outro, à noção formalista russa de forma em oposição a conteúdo, em análise literária. Mas o termo é potencialmente enganoso (v. Seção 2.6). Não estaremos violentando o pensamento de Saussure se dissermos que uma língua é uma **estrutura**, com a implicação, no uso do termo, de que é independente da substância física (ou meio) em que se realiza. 'Estrutura', nesse sentido, é mais ou menos equivalente a 'sistema': uma língua é um sistema em dois níveis, de relações **sintagmáticas** e **substitutivas** (ou **paradigmáticas**) (v. Seção 3.6). É esse sentido de 'estrutura' – segundo o qual se dá uma ênfase especial às relações internas combinatórias e contrastivas no âmbito de um sistema linguístico – que faz com que o termo 'estruturalismo' seja apropriado para várias escolas linguísticas diferentes do século XX, que poderiam diferir, umas das outras, sob vários aspectos, inclusive na sua concepção de sistemas linguísticos, e nas suas atitudes em relação à ficção da homogeneidade (v. Seção 1.6). Como veremos mais tarde, o gerativismo também é uma versão particular do estruturalismo, nesse sentido bastante geral do termo.

Mas existem outras características do estruturalismo saussuriano que lhe são mais peculiares. Uma delas é a asserção de que "o único e verdadeiro objeto da linguística é o sistema linguístico [_la langue_] focalizado nele mesmo e por ele mesmo". Na verdade, essa citação famosa da última frase do _Cours_ pode não representar com precisão o ponto de vista de Saussure, já que parece ter sido acrescentada pelos editores e não estava presente nas conferências originais. Existe alguma dúvida, também, quanto ao que significa exatamente "nele mesmo e por ele mesmo" (_"en elle-même et pour elle-même"_).

176

Algumas Escolas e Movimentos Modernos

Entretanto, tal afirmação é normalmente interpretada na tradição saussuriana com a implicação de que um sistema linguístico é uma estrutura que pode ser abstraída não apenas das forças históricas que lhe deram origem, mas também da matriz social em que funciona e do processo psicológico por meio do qual ele é adquirido e tornado disponível para uso no comportamento linguístico. Interpretado dessa forma, o *slogan* saussuriano, tenha ou não se originado com o próprio mestre, tem sido usado frequentemente para justificar o princípio da **autonomia** da linguística (isto é, da sua independência em relação a outras disciplinas), bem como a distinção metodológica do tipo feito, em um capítulo anterior, entre **microlinguística** e **macrolinguística** (v. Seção 2.1). Esse mesmo *slogan* também foi identificado, por vezes, com outro, igualmente característico do estruturalismo, segundo o qual todo sistema linguístico é único e deveria ser descrito em seus próprios termos. Voltaremos a esse ponto (v. Seção 10.2).

Pareceria haver algum conflito entre a opinião de Saussure (se é que era de fato sua opinião) de que o sistema linguístico devia ser estudado abstraído da sociedade em que funciona e a opinião (que certamente era sua) de que as línguas são fatos sociais. O conflito é meramente aparente. Pois, mesmo se são fatos sociais – no sentido em que o termo 'fato social' foi empregado pelo grande sociólogo francês Émile Durkheim (1858-1917), contemporâneo de Saussure –, elas possuem seus próprios princípios constitutivos, únicos. Como vimos, uma análise estrutural de um sistema linguístico não deve ser confundida com um relato das causas responsáveis pela constituição do sistema. Ao afirmar que os sistemas linguísticos são fatos sociais, Saussure estava dizendo várias coisas: que eles são diferentes dos objetos materiais, embora não menos reais do que esses; que são externos aos indivíduos e os sujeitam à sua força restritiva; que são sistemas de valores mantidos por convenção social.

Mais especificamente, ele era de opinião de que as línguas são sistemas semióticos nos quais aquilo que é significado (***le signifié***) está arbitrariamente associado com aquilo que significa (***le signifiant***). Esse é o famoso princípio de Saussure da arbitrariedade do signo linguístico (*l'arbitraire du signe*) – princípio esse que foi discutido, independentemente do seu papel no estruturalismo saussuriano, em um capítulo anterior (v. Seção 1.5). O que é importante observar aqui, e é essencial para a compreensão do estruturalismo saussuriano, é que o signo não é uma forma com significado: é uma entidade composta que resulta da imposição de estrutura a dois tipos de substância, pelas relações combinatórias e contrastivas do sistema linguístico. Os significados não podem existir independentemente das formas com as quais estão associados, e vice-versa. Não podemos conceber uma língua como uma nomenclatura, afirma Saussure: isto é, como um conjunto de nomes, ou rótulos, para conceitos preexistentes, ou significados. O significado de uma palavra – ou melhor, o aspecto de seu significado que Saussure denominou o '*signifié*' (aquele aspecto do significado que é totalmente interno ao sistema linguístico; o seu sentido, e não a sua referência ou denotação: v. Seção 5.3) – é o produto das relações semânticas entre aquela palavra e outras no mesmo sistema linguístico. Invocando a distinção filosófica tradicional entre essência e existência, ele deriva não apenas a sua essência (o que é),

Capítulo 7

mas também a sua existência (o fato de que é), da estrutura de relação imposta pelo sistema linguístico sobre a substância do pensamento que, de outra forma, seria não estruturada. De modo semelhante, o que Saussure denomina o '*signifiant*' de uma palavra – seu contorno fonológico, por assim dizer – resulta, em última instância, da rede de contrastes e equivalências que determinado sistema linguístico impõe sobre o *continuum* sonoro.

Não precisamos ir adiante com nossa investigação do estruturalismo saussuriano como tal. O que acabamos de expor é, sem dúvida, difícil de compreender quando formulado em termos tão gerais quanto foi feito aqui. Deveria ser compreensível, no entanto, no que diz respeito à imposição de uma estrutura sobre a substância sonora, à luz da distinção feita antes entre fonética e fonologia (v. Seção 3.5). Se podemos falar legitimamente da importância de estrutura projetada na substância do pensamento nos mesmos termos é, no mínimo, problemático.

O ponto de vista saussuriano da singularidade dos sistemas linguísticos e da relação entre estrutura e substância leva naturalmente, embora de forma alguma inevitavelmente, à tese da **relatividade linguística**: a tese segundo a qual não existem propriedades universais de línguas humanas (além de propriedades semióticas muito gerais tais como a arbitrariedade, a produtividade, a dualidade e a descontinuidade: v. Seção 1.5); a tese segundo a qual toda língua é, por assim dizer, uma lei em si mesma. Qualquer movimento ou atitude em linguística que aceita esse ponto de vista pode ser convenientemente denominado **relativismo**, em oposição a **universalismo**. O relativismo tem sido associado, em maior ou menor grau, à maioria dos tipos de estruturalismo do século XX. Em parte, ele pode ser encarado como uma reação metodologicamente sadia à tendência a descrever as línguas nativas das Américas em termos das categorias da gramática tradicional ocidental. Mas o relativismo também tem sido defendido pelos seus proponentes, associado ao estruturalismo, no contexto mais controvertido da discussão de problemas filosóficos tradicionais tais como a relação entre a linguagem e a mente, e o papel desempenhado pela lingua(gem) na aquisição e na representação do conhecimento (Seção 10.2). Tanto o relativismo filosófico quanto o metodológico foram rejeitados por Chomsky e seus seguidores, como veremos, na sua formulação dos princípios do gerativismo (v. Seção 7.4). O que precisa ser enfatizado aqui é o fato de que, embora exista uma forte ligação histórica entre o estruturalismo e o relativismo, houve muitos estruturalistas – sobretudo Roman Jakobson e outros membros da Escola de Praga (v. Seção 7.3) – que jamais aceitaram as formas mais extremas do relativismo. Isso ocorre não apenas na linguística, mas também em outras disciplinas, como a antropologia social, em que o estruturalismo tem exercido importante influência no século XX.

Não podemos enveredar pelo caminho da relação entre a linguística estrutural e o estruturalismo em outros campos de pesquisa. Temos que levar em conta, no entanto, que o estruturalismo é um movimento interdisciplinar. O estruturalismo saussuriano, particularmente, tem sido uma força poderosa no desenvolvimento de uma abordagem caracteristicamente francesa da semiótica (ou semiologia) e na sua

Algumas Escolas e Movimentos Modernos

aplicação à crítica literária, por um lado, e à análise da sociedade e da cultura, por outro. Tomando o termo 'estruturalismo' num sentido mais amplo, podemos dizer, como o filósofo Ernst Cassirer fez em 1945: "O estruturalismo não é um fenômeno isolado; ele é, pelo contrário, a expressão de uma tendência geral de pensamento que, nessas últimas décadas, se tornou cada vez mais proeminente em quase todos os campos da pesquisa científica." O que caracteriza o estruturalismo, nesse sentido mais amplo, é uma preocupação maior com as relações entre entidades do que com as entidades em si. Existe uma afinidade natural, sob esse aspecto, entre estruturalismo e matemática; e uma das críticas mais comumente feitas ao estruturalismo é a de que ele exagera a organização, a elegância e a generalidade dos padrões relacionais nos dados que investiga.

7.3 O funcionalismo

Os termos 'funcionalismo' e 'estruturalismo' são frequentemente utilizados em antropologia e sociologia para se referirem a teorias ou métodos de análise contrastantes. Na linguística, entretanto, o **funcionalismo** é mais corretamente visto como um movimento particular dentro do estruturalismo. Caracteriza-se pela crença de que a estrutura fonológica, gramatical e semântica das línguas é determinada pelas funções que elas têm que exercer nas sociedades em que operam. Os representantes mais conhecidos do funcionalismo, nesse sentido do termo, são os membros da **Escola de Praga**, que teve origem no Círculo Linguístico de Praga, fundado em 1926 e particularmente influente na linguística europeia no período que precedeu a Segunda Guerra Mundial. Casualmente nem todos os membros do Círculo Linguístico de Praga estavam sediados em Praga; tampouco eram todos tchecos. Dois de seus membros mais influentes, Roman Jakobson e Nikolai Trubetzkoy, eram emigrantes russos, o primeiro lecionando em Berna e o segundo, em Viena. A partir de 1928, quando o manifesto da Escola de Praga (como poderia ser chamado) foi apresentado no Primeiro Congresso Internacional de Linguística, em Haia, eruditos de muitos outros países europeus começaram a se associar, mais ou menos intimamente, ao movimento. A Escola de Praga sempre reconheceu a sua dívida para com o estruturalismo saussuriano, apesar de sua tendência a rejeitar o ponto de vista de Saussure em certos pontos, especialmente na distinção nítida entre linguística sincrônica e diacrônica e na homogeneidade do sistema linguístico.

Foi em fonologia que a Escola de Praga causou seu primeiro impacto. De fato, a noção de contraste funcional, que foi invocada aqui anteriormente na distinção entre fonética e fonologia, é essencialmente a de Trubetzkoy, cujo conceito de **traços distintivos**, tal como foi modificado por Jakobson e posteriormente por Halle (trabalhando em colaboração com Chomsky), foi incorporado à teoria da fonologia gerativa (v. Seção 3.5). Mas a **função distintiva** dos traços fonéticos é apenas um tipo de função linguisticamente relevante reconhecido por Trubetzkoy e seus

179

Capítulo 7

seguidores. Igualmente dignas de nota são, por um lado, a **função demarcadora** e, por outro, a **função expressiva**.

Muitos dos traços suprassegmentais referidos anteriormente – acento, tom, duração etc. (v. Seção 3.5) – têm função demarcadora, e não distintiva, em determinados sistemas linguísticos: eles são o que Trubetzkoy denominou sinais de fronteira (*Grenzsignale*). Eles não servem para distinguir uma forma de outra na dimensão substitutiva (ou, em termos saussurianos, paradigmática) de contraste; eles reforçam a coesão fonológica das formas e ajudam a identificá-las sintagmaticamente como unidades, marcando a fronteira entre uma forma e outra na cadeia da fala. Por exemplo, em muitas línguas, inclusive no inglês, só existe um acento primário associado a cada palavra. Como a posição do acento tônico nas palavras do inglês é predizível apenas em parte, a sua associação com uma sílaba e não com outra não identifica fronteiras de palavras tão claramente como acontece em outras línguas (como o polonês, o tcheco ou o finlandês) que têm o chamado acento fixo. Entretanto, o acento de palavra tem uma função demarcadora importante no inglês. Da mesma forma, é importante a ocorrência de determinadas sequências de fonemas. Por exemplo, /h/ raramente ocorre no inglês (em outras situações que não em nomes próprios) a não ser no início de um morfema, e /ŋ/ nunca ocorre sem uma consoante seguinte, exceto em posição final. A ocorrência de um desses dois fonemas, portanto, serve para indicar a posição de uma fronteira de morfema. Não são apenas os traços prosódicos que têm função demarcadora num sistema linguístico; e isso é algo que os fonólogos frequentemente deixaram de considerar. O fato de que nem todas as sequências de fonemas são palavras possíveis em uma língua é importante para a identificação daquelas formas que ocorrem de fato nos enunciados.

Com função expressiva de um traço fonológico queremos dizer a indicação dos sentimentos ou da atitude do falante. Por exemplo, o acento de palavra não é distintivo em francês; e não desempenha um papel demarcador, como acontece em muitas línguas. Há, no entanto, um determinado tipo de pronúncia enfática do início da palavra que tem uma função expressiva reconhecida. É provavelmente correto afirmar que cada língua coloca um conjunto considerável de recursos fonológicos à disposição de seus usuários para a expressão dos sentimentos. A não ser que a noção de significado linguístico se restrinja àquilo que é relevante para a realização de afirmações falsas e verdadeiras, é certamente válido tratar a função expressiva da linguagem nos mesmos termos que a sua função descritiva (v. Seção 5.1).

Não foi apenas na fonologia que membros da Escola de Praga demonstraram o seu funcionalismo, e mais especialmente a sua disposição para dar conta de uma maneira completa das funções expressiva e interpessoal da linguagem. Desde o início eles se opuseram não apenas ao historicismo e ao positivismo da abordagem neogramática da linguagem, mas também ao intelectualismo da tradição filosófica ocidental que antecedeu o século XIX. Segundo tal tradição, a linguagem é a exteriorização ou expressão do pensamento (e 'pensamento' aqui significa pensamento em termos de proposição). O intelectualismo, como veremos, é um dos componentes daquele

Algumas Escolas e Movimentos Modernos

movimento complexo e heterogêneo em linguística moderna que estamos rotulando de 'gerativismo' (v. Seção 7.4). Não há contradição lógica entre funcionalismo e intelectualismo. Afinal, um intelectualista poderia adotar o ponto de vista de que a única ou principal função da linguagem é a expressão do pensamento (de proposições) e, como um funcionalista, sustentar que a estrutura dos sistemas linguísticos é determinada pela adaptação teleológica desses sistemas à sua função, única ou principal, de expressar o pensamento. Na prática, entretanto, não apenas os linguistas da Escola de Praga, mas também outros que se consideraram funcionalistas, tenderam a enfatizar a **multifuncionalidade** da linguagem, e a importância das suas funções expressiva, social e conotativa, em contraste com, ou além de, sua função descritiva.

Um dos interesses duradouros da Escola de Praga, no que diz respeito à estrutura gramatical das línguas, foi a **perspectiva funcional da sentença** (para usar o termo que enfatiza a motivação funcionalista de pesquisa nesse assunto). Foi observado em um capítulo anterior que

(1) Hoje de manhã ele levantou tarde

e

(2) Ele levantou tarde hoje de manhã

podem ser encaradas como versões diferentes da mesma sentença ou, alternativamente, como sentenças diferentes (v. Seção 4.2). Qualquer que seja o ponto de vista que adotemos, duas coisas estão claras: em primeiro lugar, que (1) e (2) são equivalentes quanto às condições de verdade e, portanto, segundo uma interpretação restrita de 'significado', podem ser consideradas como tendo o mesmo significado (v. Seção 5.1); em segundo lugar, que os contextos em que (1) seria pronunciada diferem sistematicamente daqueles em que (2) o seria. Na medida em que a ordenação das palavras é considerada uma questão de sintaxe, podemos dizer que, pelo menos em algumas línguas, a estrutura sintática dos enunciados (ou das sentenças, segundo uma definição de 'sentença' que tornaria (1) e (2) sentenças diferentes) é determinada pela situação de comunicação em que é pronunciada, e, em particular, pelo que já é aceito, ou **dado** como informação de fundo, e pelo que é apresentado, diante de tal informação, como **novo** para o ouvinte e portanto genuinamente informativo. Considerações dessa natureza estão envolvidas na definição daquilo que os linguistas da Escola de Praga denominaram perspectiva funcional da sentença. Existem diferenças de terminologia e de interpretação que tornam difícil comparar os vários tratamentos funcionalistas das situações de comunicação dos enunciados dentro de uma colocação teórica comum. O que todos eles têm em comum é a convicção de que a estrutura dos enunciados é determinada pelo uso que lhes é dado e pelo contexto comunicativo em que ocorrem.

Em geral, podemos dizer que o funcionalismo em linguística tendeu a enfatizar o caráter instrumental da linguagem. Há, portanto, uma afinidade natural entre o ponto de vista funcionalista e o do sociolinguista ou dos filósofos da linguagem que incluíram o comportamento linguístico na noção mais ampla de interação social.

Capítulo 7

O funcionalismo é, nesse e em outros aspectos, firmemente oposto ao gerativismo (v. Seção 7.4).

Mas será verdade, como sustenta o funcionalista, que a estrutura das línguas naturais é determinada pelas várias funções semióticas interdependentes – expressiva, social e descritiva – que elas exercem? Se assim fosse, a estrutura das línguas seria não arbitrária sob esse aspecto; e, na medida em que os diferentes sistemas linguísticos preenchessem as mesmas funções semióticas, esperar-se-ia que suas estruturas fossem semelhantes, senão idênticas. É bem possível que os linguistas tenham exagerado às vezes a arbitrariedade dos processos gramaticais e deixado de atribuir o devido peso a considerações funcionais na descrição de determinados fenômenos. É igualmente possível que serão descobertas explicações funcionais para muitos fatos que atualmente parecem bastante arbitrários: por exemplo, o fato de que o adjetivo precede regularmente o substantivo nos sintagmas nominais em inglês, mas geralmente segue o seu substantivo em francês; o fato de que o verbo se coloca no final das orações subordinadas em alemão; e assim por diante. Em alguns exemplos foi observado que a presença de uma propriedade arbitrária como essa, em uma língua, tende a implicar a presença ou ausência de outra propriedade aparentemente arbitrária. Mas, pelo menos até o momento, os **universais implicativos** desse gênero não foram ainda explicados satisfatoriamente em termos funcionais. Pareceria que existe de fato uma boa dose de arbitrariedade nos componentes não verbais dos sistemas linguísticos, e, mais particularmente, na sua estrutura gramatical (v. Seção 7.4); e que o funcionalismo, tal como foi definido aqui anteriormente, é insustentável. Disso não se segue, naturalmente, que versões mais fracas de funcionalismo, segundo as quais a estrutura dos sistemas linguísticos é parcialmente, embora não totalmente, determinada pela função, sejam igualmente insustentáveis. E os linguistas que se consideram funcionalistas tendem a adotar uma das versões mais fracas.

7.4 O gerativismo

O termo 'gerativismo' está sendo usado aqui para se referir à teoria da linguagem que foi desenvolvida, nos últimos 20 anos aproximadamente, por Chomsky e seus seguidores. O gerativismo, nesse sentido, teve uma influência enorme, não apenas em linguística, mas também em filosofia, psicologia e outras disciplinas preocupadas com a linguagem.

O gerativismo carrega em si um compromisso com a utilidade e a viabilidade de descrever as línguas humanas por meio de gramáticas gerativas de um tipo ou de outro. Mas o gerativismo contém muito mais do que isso. Como já foi mencionado, embora um compromisso com os princípios do gerativismo implique um interesse na gramática gerativa, o contrário não é verdade (Seção 4.6). Com efeito, é relativamente pequeno o número dos linguistas que se impressionaram com as vantagens técnicas e com o valor heurístico do sistema chomskiano de gramática

Algumas Escolas e Movimentos Modernos

gerativo-transformacional, quando ele os introduziu, no final da década de 1950, que se associaram explicitamente ao corpo de pressupostos e doutrinas do que hoje é identificável como gerativismo. Vale a pena também enfatizar que tais pressupostos e doutrinas são, na sua maioria, independentes logicamente. Alguns deles são, como mostrarei adiante, mais amplamente aceitos do que outros. No entanto, a influência do gerativismo chomskiano sobre toda a teoria linguística moderna foi tão profunda e difusa que mesmo aqueles que rejeitam tal ou qual aspecto dele tendem a fazê-lo nos termos que o próprio Chomsky lhes tornou acessíveis.

O gerativismo é normalmente apresentado como tendo se desenvolvido da, ou como reação à, escola anteriormente dominante do descritivismo americano pós-bloomfieldiano: uma versão particular do estruturalismo. Até um certo ponto, é justificável historicamente entender a origem do gerativismo em linguística sob esse prisma. Mas, como o próprio Chomsky viria a perceber mais tarde, há muitos aspectos sob os quais o gerativismo constitui um retorno a perspectivas mais antigas e tradicionais da linguagem. Existem outros sob os quais o gerativismo simplesmente assume, sem a devida crítica, características do estruturalismo pós-bloomfieldiano que jamais encontraram muito eco em outras escolas de linguística. É impossível neste livro lidar satisfatoriamente com as ligações históricas entre o gerativismo chomskiano e as opiniões de seus antecessores; e, para as finalidades a que nos propomos, é desnecessário tentar fazê-lo. Escolherei simplesmente os componentes reconhecidamente chomskianos mais importantes do gerativismo de hoje e tecerei alguns comentários breves sobre eles.

Como foi observado no Capítulo 1, os sistemas linguísticos são produtivos no sentido em que admitem a construção e compreensão infinita de muitos enunciados que jamais ocorreram antes na experiência de nenhum de seus usuários (v. Seção 1.5). Com efeito, a partir do pressuposto de que as línguas humanas têm a propriedade de **recursividade** – e tal pressuposto parece ser válido (v. Seção 4.5) –, segue-se que o conjunto de enunciados potenciais em qualquer língua dada é, literalmente, numericamente infinito. Chomsky chamou atenção para esse fato, logo no início de sua obra, em sua crítica à opinião generalizada de que as crianças aprendem a sua língua nativa reproduzindo, completa ou parcialmente, os enunciados dos falantes adultos. É óbvio que, se as crianças, desde muito pequenas, são capazes de produzir enunciados novos que um falante competente da língua em questão reconhecerá como gramaticalmente bem-formados, tem que haver algo diferente da imitação envolvido. Elas têm que ter inferido, aprendido ou adquirido de outra forma as regras gramaticais com base nas quais os enunciados que elas produzem são julgados bem-formados. Vamos investigar mais a questão da aquisição da linguagem em capítulo posterior (v. Seção 8.4). Aqui basta observar que, esteja Chomsky certo ou errado quanto a outras questões que tenha levantado em relação a isso, não há dúvidas de que as crianças não aprendem enunciados linguísticos decorando para depois reproduzi-los como resposta a estímulos do ambiente.

Capítulo 7

Utilizei deliberadamente as palavras 'estímulo' e 'resposta' aqui. Elas são termos-chave da escola de psicologia conhecida como **behaviorismo**, que teve grande influência na América antes e depois da Segunda Guerra Mundial. Segundo os behavioristas, tudo o que é comumente descrito como produto da mente humana – inclusive a linguagem – pode ser satisfatoriamente explicado em termos do reforço e do condicionamento de reflexos puramente fisiológicos: em última instância, em termos de hábitos, ou padrões de *estímulo e resposta*, constituídos pelo mesmo tipo de condicionamento que aquele que permite aos psicólogos experimentais treinar ratos de laboratório para correrem através de um labirinto. Como o próprio Bloomfield chegou a aceitar os princípios do behaviorismo e defendeu-os explicitamente como uma base para o estudo científico da linguagem em seu livro clássico (1935), esses princípios foram amplamente aceitos na América, não apenas por psicólogos, mas também por linguistas, por todo o período conhecido como pós-bloomfieldiano.

Chomsky, mais do que ninguém, empenhou-se em demonstrar a esterilidade da teoria behaviorista da linguagem. Ele mostrou que não se pode provar que grande parte do vocabulário técnico do behaviorismo ('estímulo', 'resposta', 'condicionamento', 'reforço' etc.), se considerado seriamente, seja relevante na aquisição e uso da linguagem humana. Ele revelou que a recusa do behaviorismo de admitir a existência de algo além de objetos e processos físicos observáveis baseia-se num preconceito pseudocientífico ultrapassado. Ele afirmou – corretamente, de acordo com os dados – que a linguagem é **independente de estímulo**. É isso o que quer dizer quando fala em **criatividade**: o enunciado que alguém profere em dada ocasião é, em princípio, não predizível, e não pode ser descrito apropriadamente, no sentido técnico desses termos, como uma resposta a algum estímulo identificável, linguístico ou não linguístico.

A criatividade é, segundo Chomsky, uma qualidade peculiarmente humana, que distingue os homens das máquinas e, até onde sabemos, dos outros animais. No entanto, trata-se de uma criatividade **regida por regras**. E é aqui que entra a gramática gerativa propriamente. Os enunciados que produzimos têm uma certa estrutura gramatical: eles estão em conformidade com regras de boa formação identificáveis. À medida que conseguimos especificar essas regras de boa formação, ou gramaticalidade, teremos fornecido um relato cientificamente satisfatório daquela propriedade da linguagem – sua produtividade (v. Seção 1.5) – que torna possível o exercício da criatividade. Produtividade, devemos observar, não pode ser identificada com criatividade: mas existe uma conexão intrínseca entre ambas. Nossa criatividade no uso da linguagem – nossa liberdade em relação ao controle de estímulo – manifesta-se dentro dos limites estabelecidos pela produtividade do sistema linguístico. Além do mais, Chomsky acredita – e isto é um componente fundamental do gerativismo chomskiano – que as regras que determinam a produtividade das línguas humanas têm as propriedades formais que têm em virtude da estrutura da mente humana.

Isso nos leva ao **mentalismo**. Não somente os behavioristas, mas psicólogos e filósofos de muitas correntes diferentes rejeitaram a distinção comumente feita entre

Algumas Escolas e Movimentos Modernos

corpo e mente. Para Chomsky, essa é uma distinção válida (embora ele não aceite necessariamente os termos em que tenha sido feita no passado). E é de sua autoria a controvertida opinião de que a linguística tem um papel importante a desempenhar na investigação acerca da natureza da mente. Logo voltaremos a essa questão (Seção 8.2). Por enquanto vale observar que existe muito menos diferença entre as opiniões de Bloomfield e de Chomsky quanto à natureza e ao escopo da linguística do que se poderia esperar. O compromisso de Bloomfield com o behaviorismo teve pouco efeito prático sobre as técnicas de descrição linguística que ele e seus seguidores desenvolveram; e o mentalismo de Chomsky, como veremos, não é do tipo que (citando Bloomfield) "supõe que a variabilidade da conduta humana se deve à interferência de algum fator não físico". O mentalismo de Chomsky transcende a oposição mais antiquada entre o físico e o não físico que Bloomfield invoca nessa citação. Chomsky, tanto quanto Blooomfield, deseja estudar a linguagem no âmbito da teoria de conceitos e pressupostos fornecida pelas ciências naturais.

Entretanto, existem diferenças significativas entre o gerativismo chomskiano e o estruturalismo bloomfieldiano e pós-bloomfieldiano. Uma delas tem a ver com as atitudes dos dois linguistas em relação aos **universais linguísticos**. Bloomfield e seus seguidores enfatizaram a diversidade estrutural das línguas (como a maioria dos estruturalistas pós-saussurianos: v. Seção 7.2). Os gerativistas, pelo contrário, estão mais interessados no que as línguas têm em comum. Sob esse aspecto, o gerativismo representa uma volta à antiga tradição da gramática universal – tal como foi exemplificado, de maneira notável, pela gramática de Port-Royal de 1660 e por um grande número de tratados sobre a linguagem do século XVIII – que tanto Bloomfield como Saussure condenavam, considerando-a especulativa e não científica. Mas a posição de Chomsky é interessantemente diferente da de seus antecessores na mesma tradição. Enquanto estes tendiam a deduzir as propriedades essenciais da linguagem daquilo que consideravam categorias da lógica ou da realidade válidas universalmente, Chomsky impressiona-se muito mais com as propriedades universais da linguagem que não podem ser explicadas: resumindo, com aquilo que é universal, mas **arbitrário** (v. Seção 1.5). Outra diferença é que ele atribui maior importância às propriedades formais das línguas e à natureza das regras exigidas para a descrição das mesmas do que às relações entre a linguagem e o mundo.

A razão para essa mudança de ênfase é que Chomsky procura dados que sustentem a sua opinião segundo a qual a faculdade humana da linguagem é **inata** e **específica da espécie**: isto é, transmitida geneticamente e peculiar à espécie. Qualquer propriedade universal da linguagem que pode ser explicada em termos de sua utilidade funcional ou do seu reflexo da estrutura do mundo físico ou das categorias da lógica pode ser abatida desse ponto de vista. Segundo Chomsky, existem várias propriedades formais complexas que são encontradas em todas as línguas, e que são, no entanto, arbitrárias, no sentido de não servirem a nenhuma finalidade e de não poderem ser deduzidas de nada do que sabemos acerca dos seres humanos e do mundo em que vivem.

185

Capítulo 7

Ainda não é certo se existem de fato tais propriedades universais na linguagem, do tipo que os gerativistas postularam. Mas a busca de tais propriedades e a tentativa de construir uma teoria geral da linguagem no âmbito da qual essas propriedades se situariam têm sido responsáveis por parte dos trabalhos mais interessantes dos últimos anos, tanto em linguística teórica quanto em linguística descritiva. E muitos dos resultados obtidos são valiosos independentemente, não importando se apoiam a hipótese de Chomsky sobre o inatismo e a especificidade da espécie, característicos da faculdade da linguagem, ou não.

Outra diferença entre o gerativismo e o estruturalismo bloomfieldiano e pós-bloomfieldiano – embora o gerativismo esteja mais próximo do estruturalismo saussuriano, sob esse aspecto – tem a ver com a distinção entre **competência** e **desempenho**. A competência linguística de um falante é aquela porção do seu conhecimento – seu conhecimento do sistema linguístico como tal – por intermédio da qual ele é capaz de produzir o conjunto infinitamente grande de sentenças que constitui a sua língua (na definição chomskiana de língua como um conjunto de sentenças: v. Seção 2.6). Desempenho, por outro lado, é comportamento linguístico; e é determinado não apenas pela competência linguística do falante, mas também por uma variedade de fatores não linguísticos que incluem, por um lado, convenções sociais, crenças acerca do mundo, as atitudes emocionais do falante em relação ao que está dizendo, seus pressupostos sobre as atitudes de seu interlocutor etc. e, por outro, o funcionamento dos mecanismos psicológicos e fisiológicos envolvidos na produção dos enunciados.

A distinção competência-desempenho, delineada dessa forma, encontra-se no coração do gerativismo. Tal como apresentada nos últimos anos, ela se relaciona com o mentalismo e com o universalismo da seguinte maneira. A competência linguística de um falante é um conjunto de regras que ele construiu em sua mente, pela aplicação de sua capacidade inata para a aquisição da linguagem aos dados linguísticos que ele ouviu à sua volta na infância. A gramática que o linguista constrói para o sistema linguístico em questão pode ser encarada como um modelo da competência do falante nativo. À medida que ela molda com sucesso propriedades da competência linguística, tais como a capacidade de produzir e compreender um número indefinidamente grande de sentenças, ela servirá como modelo de uma das faculdades ou órgãos do cérebro. Na proporção em que a teoria da gramática gerativa pode identificar, e construir um modelo para aquela parcela da competência linguística que, sendo universal (e arbitrária) é tida como inata, ela pode ser considerada integrante da área da psicologia cognitiva e como contribuindo de forma exclusiva para o estudo do homem. É, sem dúvida, esse aspecto do gerativismo, com a sua reinterpretação e revitalização da noção tradicional de gramática universal, que estimulou a atenção de psicólogos e filósofos.

A distinção entre competência e desempenho, como feita por Chomsky, é semelhante à distinção de Saussure entre *langue* e *parole*. Ambos contam com a viabilidade de separar o que é linguístico do que é não linguístico; e ambos aderem à ficção da homogeneidade do sistema linguístico (v. Seção 1.6). Quanto às diferenças entre as

Algumas Escolas e Movimentos Modernos

duas distinções, pode-se argumentar que a de Saussure tem menos tendência psicológica do que a de Chomsky: embora o próprio Saussure esteja longe de ser claro a esse respeito, muitos de seus seguidores consideraram o sistema linguístico como algo bastante abstrato e diverso até mesmo do conhecimento idealizado que o falante tem dele. Saussure dá a impressão de que as sentenças de uma língua são exemplos de ***parole***; tanto ele quanto seus seguidores falam de uma ***langue*** como um sistema de relações e não dizem nada ou quase nada sobre as regras necessárias para gerar sentenças. Chomsky, por outro lado, insistiu desde o início que a capacidade de produzir e de compreender sentenças sintaticamente bem-formadas é uma parte central – na realidade, a parte central – da competência linguística de um falante. Sob esse aspecto, o gerativismo chomskiano constitui sem dúvida um avanço em relação ao estruturalismo saussuriano.

A distinção chomskiana entre competência e desempenho surgiu atraindo muitas críticas. Parte delas tem a ver com a validade do que chamei de ficção de homogeneidade: se 'validade' é interpretada em termos de fertilidade, considerando-se a finalidade de descrever e comparar línguas, essa linha de crítica pode ser descontada. Com essa mesma condição, podemos descontar igualmente a crítica de que Chomsky faz uma distinção nítida demais entre competência linguística e outros tipos de conhecimento e de capacidade cognitiva envolvidos no uso da língua, no que diz respeito a estrutura gramatical e fonológica: a análise semântica é mais problemática (v. Seções 5.6, 8.6). Ao mesmo tempo, temos que reconhecer que os termos 'competência ' e 'desempenho' são inapropriados e induzem a erro quando se trata da distinção entre o que é linguístico e o que não é linguístico. Visto que o comportamento linguístico, na medida em que é sistemático, pressupõe vários tipos de capacidade cognitiva, ou competência, e que um desses tipos é o conhecimento do falante das regras e do vocabulário do sistema linguístico, é no mínimo confuso restringir o termo 'competência', como fazem os gerativistas chomskianos, ao que se supõe pertinente ao sistema/linguístico, amontoando tudo o mais sob o termo polivalente 'desempenho'. Teria sido preferível falar de competência linguística e não linguística, por um lado, e de desempenho, ou comportamento linguístico real, por outro. E vale a pena notar que, em sua obra mais recente, o próprio Chomsky distingue competência gramatical do que ele denomina competência pragmática.

Os aspectos mais controvertidos do gerativismo são, de longe, a sua associação com o mentalismo e a sua reafirmação da doutrina filosófica tradicional do conhecimento inato (v. Seção 8.2). Quanto ao lado mais restritamente linguístico do gerativismo (o lado microlinguístico: v. Seção 2.1), este também contém muita controvérsia. Mas a maior parte de tal controvérsia é compartilhada com o estruturalismo pós-bloomfieldiano, do qual se originou, ou com outras escolas de linguística, inclusive o estruturalismo saussuriano e a Escola de Praga, com os quais, sob esse ou aquele aspecto, ele está associado agora. Por exemplo, ele continua a tradição pós-bloomfieldiana em sintaxe, tornando o morfema a unidade básica de análise e atribuindo maior importância às relações de constituintes do que à dependência (v. Seção 4.4). O seu compromisso

Capítulo 7

com a autonomia da sintaxe (isto é, com a opinião de que a estrutura sintática das línguas pode ser descrita sem recorrer a considerações semânticas) também pode ser atribuído à sua herança pós-bloomfieldiana, embora muitos outros linguistas, fora da tradição pós-bloomfieldiana, tenham adotado o mesmo ponto de vista. Como vimos, o gerativismo chomskiano está mais próximo do estruturalismo saussuriano e pós-saussuriano no que diz respeito à necessidade de distinguir entre o sistema linguístico e o uso desse sistema em determinados contextos de enunciação. Está também mais próximo do estruturalismo saussuriano e de alguns dos desenvolvimentos europeus dessa escola na sua atitude em relação à semântica. Finalmente, ele se baseou consideravelmente nas noções de fonologia da Escola de Praga, sem, no entanto, aceitar os princípios do funcionalismo. O gerativismo é apresentado com muita frequência como um todo integrado, no qual os detalhes técnicos de formalização estão em situação de igualdade com certo número de ideias logicamente independentes, umas das outras, sobre a linguagem e a filosofia da ciência. Estas precisam ser desembaraçadas e avaliadas segundo seus méritos.

LEITURAS COMPLEMENTARES

Sobre a história recente da linguística: Ivié (1965); Leroy (1963); Malmberg (1964); Mohrmann, Sommerfelt & Whatmough (1961); Norman & Sommerfelt (1963); Robins (1979b).

Sobre o estruturalismo saussuriano e pós-saussuriano: Culler (1976) ainda; Ehrmann (1970); Hawkes (1977); Lane (1970); Lepschy (1970). Para quem lê francês, Sanders (1979) oferece uma excelente introdução ao *Cours* de Saussure e aos comentários e edições críticas mais especializados.

Sobre o funcionalismo e o estruturalismo da Escola de Praga: Garvin (1964) também; Jakobson (1973); Vachek (1964, 1966). Ver também Halliday (1970, 1976) para uma abordagem parcialmente independente.

Sobre o gerativismo chomskiano, tanto a literatura popular quanto a erudita já são imensas. Grande parte dela é controvertida, ultrapassada ou induz a erro. Lyons (1977a) servirá de introdução relativamente direta às opiniões e aos trabalhos do próprio Chomsky, e fornece uma bibliografia e sugestões para leitura adicional. Às obras relacionadas nesse livro podemos acrescentar agora: Matthews (1979), uma crítica vigorosa aos princípios centrais do gerativismo; Piatelli-Palmarini (1979), especialmente interessante para os comentários do próprio Chomsky sobre os aspectos biológicos e psicológicos do gerativismo; Sampson (1980), que desenvolve e em parte modifica Sampson (1975); Smith & Wilson (1979), um relato animado e legível da linguística de um ponto de vista chomskiano. As publicações mais recentes do próprio Chomsky têm sido de tendência um tanto técnica, mas Chomsky (1979) atualizará o leitor mais ou menos.

PERGUNTAS E EXERCÍCIOS

1. O que é **historicismo**? Em que medida difere do **evolucionismo**? Qual o papel que ambos desempenharam na formação da linguística do século XX?
2. Quais as características que você reputa mais importante do estruturalismo saussuriano?

Algumas Escolas e Movimentos Modernos

3. Faça uma distinção entre o 'estruturalismo' no seu sentido mais amplo e no sentido em que se opõe ao 'gerativismo'.

4. O 'estruturalismo' baseia-se, primeiramente, na tomada de consciência de que, se os atos ou produções humanos têm um significado, tem que haver um sistema de convenções subjacente que torna esse significado possível (Culler, 1973:21-2). Discuta.

5. Explique o que se quer dizer com **funcionalismo** em linguística, referindo-se particularmente ao trabalho da Escola de Praga.

6. "Chomsky, mais do que ninguém, empenhou-se em demonstrar a esterilidade da teoria behaviorista da linguagem" (p. 184). Discuta.

7. "O termo 'estrutura profunda', infelizmente, tem induzido a muito erro. Tem levado muitas pessoas a supor que são as estruturas profundas e suas propriedades que são verdadeiramente 'profundas' no sentido não técnico da palavra, enquanto o resto é superficial, irrelevante, variável através das línguas, e assim por diante. Esta jamais foi minha intenção." (Chomsky, 1976:82). Como é que Chomsky estabeleceu a distinção estrutura **profunda/superficial** em *Aspects* (1965)? Qual o seu *status* hoje na obra do próprio Chomsky e na de outros gerativistas?

8. Por que Chomsky atribui tanta importância à noção de **universais formais**?

9. "Existe muito menos diferença entre as opiniões de Bloomfield e de Chomsky quanto à natureza e ao escopo da linguística do que se poderia esperar" (p. 185). Discuta.

10. "Temos problemas próprios suficientes para resolver. E se cuidarmos deles redescobriremos as virtudes genuínas da gramática gerativa, como uma técnica de descrição linguística, que é especialmente apropriada para a sintaxe, e não como um modelo da competência" (Matthews, 1979:106). Esse comentário é justo? Os argumentos do autor justificam as suas conclusões?

Capítulo 8
A Linguagem e a Mente

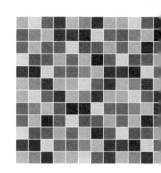

8.1 A gramática universal e sua relevância

Desde os primeiros tempos tem havido uma ligação estreita entre filosofia da linguagem e ramos tradicionalmente reconhecidos da filosofia tais como a lógica (o estudo do raciocínio) e a epistemologia (a teoria do conhecimento). No que diz respeito à lógica, o próprio nome da disciplina que se tornou agora altamente técnica e mais ou menos independente proclama tal ligação: a palavra grega '*logos*' está relacionada ao verbo que significa "falar" ou "dizer" e pode ser traduzida, segundo o contexto, tanto como "raciocínio" quanto como "discurso". Não surpreende que tal ligação histórica devesse existir. O bom senso e a introspecção apoiam o ponto de vista segundo o qual o pensamento é um tipo de fala interior; e várias versões mais sofisticadas desse ponto de vista foram apresentadas pelos filósofos através dos séculos. De fato, durante a maior parte dos 2000 anos, ou pouco mais ou menos, em que a gramática tradicional ocidental influenciou vários centros de erudição, não se traçou nenhuma distinção nítida, em nível teórico, entre gramática e lógica. Em determinados períodos – de maneira mais notável no século XIII e novamente no século XVIII – desenvolveram-se sistemas do que passou a se chamar **gramática universal**, nos quais a ligação entre lógica e gramática foi explicitada e recebeu algum tipo de justificação filosófica. Em todos esses casos foi a gramática que foi subordinada à lógica, já que os princípios da lógica eram considerados universalmente válidos.

Os linguistas do século XIX tendiam a ser céticos em relação à gramática universal de bases filosóficas. Por um lado, já era aparente o fato de que havia uma diversidade muito maior de estrutura gramatical entre as línguas do mundo do que supunham os estudiosos de gerações anteriores. Por outro lado, tanto o espírito da época quanto as realizações bastante sólidas da nova disciplina – linguística diacrônica – favoreciam a explicação histórica, em detrimento da filosófica (v. Seção 7.1). Havia também os

Capítulo 8

que começaram a se perguntar se as categorias da lógica aristotélica tradicional eram de fato universais. Escrevendo na década de 1860, o clássico e filósofo alemão A. Trendelenburg (1802-1872) tinha apresentado a opinião de que, se Aristóteles tivesse falado chinês ou a língua do Dakota, em vez de grego, as categorias da lógica aristotélica teriam sido radicalmente diferentes. Tal opinião estava plenamente de acordo com as de Herder (1744-1803) e de Wilhelm von Humboldt (1762-1835), que tinham enfatizado tanto a diversidade da estrutura linguística quanto a influência da estrutura linguística sobre a categorização do pensamento e da experiência. Voltaremos a esse ponto na nossa discussão da chamada hipótese de Whorf (v. Seção 10.2). Mas deveríamos observar aqui, talvez, que o historicismo – para não mencionar o evolucionismo darwiniano – também surtiu o seu efeito, no final do século XIX, na antropologia e na psicologia, então emergentes. Não somente era comum falar da evolução da cultura do barbarismo à civilização, mas eruditos como Levy-Bruhl estavam preparados para argumentar que a mente do chamado selvagem funcionava diferentemente da do homem civilizado.

Por vários motivos, então, a gramática universal, no sentido tradicional, foi desprezada no decorrer do século XIX. Ela foi revivificada nos últimos 20 anos, como parte do que denominei gerativismo, por Chomsky e seus seguidores (v. Seção 7.4). A versão de Chomsky de gramática universal tem os mesmos pressupostos que versões anteriores têm a respeito da universalidade da lógica e sobre a interdependência da linguagem e do pensamento. É sua opinião, no entanto, que o estudo empírico da linguagem tem mais contribuições a fazer para a filosofia da mente do que a lógica tradicional e a filosofia da linguagem para a linguística. Isso faz uma diferença profunda na maneira pela qual a argumentação é conduzida, mesmo quando o assunto em discussão é reconhecidamente tradicional: por exemplo, se a faculdade da linguagem é ou não inata. A originalidade de Chomsky, nesse ponto, foi resumida nitidamente numa introdução recente à sua teoria da linguagem e da linguística: "ele foi provavelmente o primeiro a fornecer argumentos detalhados da natureza da linguagem para a natureza da mente, e não vice-versa" (Smith & Wilson, 1979:9).

Muito do que tradicionalmente era considerado dentro do escopo da filosofia da mente – inclusive a epistemologia – agora é estudado em conjunto tanto por filósofos quanto por psicólogos, embora frequentemente sob perspectivas diferentes. Ao se tratar da investigação da linguagem, em vez da de qualquer outra faculdade ou modo de funcionamento da mente humana, uma nova disciplina desenvolveu-se nos últimos anos – a psicolinguística. Como implica o termo, ela pode ser considerada a interseção da psicologia com a linguística, baseando-se em ambas igualmente; nos seus aspectos mais teóricos ela também recorre a trabalhos de lógica e de filosofia da linguagem; e está ligada, de um lado, à neurolinguística (o estudo da base neurológica da linguagem) e à ciência cognitiva (v. Seção 8.6) e, de outro, à sociolinguística. O campo de investigação é vasto; e, pelo menos até o momento, não existe nenhum modelo de pressupostos aceito de maneira geral, no âmbito do qual seja possível formular um programa de pesquisa interdisciplinar e coerente. Entretanto, já houve progresso em

A Linguagem e a Mente

algumas áreas, especialmente no estudo da percepção da fala e da aquisição da linguagem. A finalidade deste capítulo é dar um relato breve e não técnico dos principais assuntos teóricos ligados ao estudo da linguagem e da mente e introduzir o leitor à parte do trabalho empírico que foi feito recentemente nos campos da neurolinguística, da aquisição da linguagem e do que veio a se chamar ciência cognitiva.

Mas primeiro faremos um breve comentário sobre o uso da palavra 'mente'. É, sem dúvida, uma palavra do dia a dia.* Ao mesmo tempo, trata-se de uma palavra que tem sido empregada há muito tempo com referência ao objeto de um determinado ramo da filosofia, por um lado, e da psicologia, por outro. O seu sentido, na linguagem do dia a dia, é mais restrito – é próximo ao de 'intelecto', 'razão', 'compreensão' e 'juízo' – do que o sentido mais ou menos técnico que tem na filosofia da mente e (para os psicólogos que utilizam o termo) em psicologia. Nesse último sentido, mais técnico, ele engloba não apenas a faculdade humana do raciocínio, mas também os seus sentimentos, a sua memória, as suas emoções e a sua vontade. Esse assunto é importante, pois tem havido uma tendência, nas obras recentes de linguística teórica e de filosofia da linguagem, como veremos, de interpretar 'mente' (e 'mentalismo') de maneira por demais restrita.

Vale também assinalar que a existência da mente e a sua relação com o corpo que habita, ou com o qual está associada de alguma forma, constituem um problema filosófico permanente e controvertido. Dentre as várias tentativas reconhecidas de formular e, em alguns casos, resolver o chamado problema mente-corpo, podemos mencionar aqui os seguintes: dualismo, materialismo, idealismo e monismo.

Como doutrina filosófica, o **dualismo** é associado notadamente a Platão e Descartes. Mas, em virtude de seu suporte religioso na tradição cristã, o que pode ser discutido, essa doutrina constitui também o credo tacitamente aceito do cidadão europeu comum, sem maiores reflexões. Para o dualista, a mente não apenas existe, mas também difere da matéria por ser não física. Nos ensinamentos cristãos tradicionais a mente é geralmente descrita como uma faculdade da alma. Para Platão e os gregos, não era feita nenhuma distinção clara entre a mente e a alma, sendo a palavra 'psique' utilizada para as duas. Várias teorias foram apresentadas pelos dualistas para dar conta da interdependência que parece haver entre os fenômenos corporais e mentais.

O **materialismo**, que é menos comum hoje em dia do que foi no final do século XIX e no início do século XX, sustenta que nada existe que não seja a matéria; que aquilo que comumente são considerados fenômenos mentais são explicáveis, em última instância, em termos das propriedades puramente físicas de corpos materiais. Uma versão do materialismo é o **behaviorismo**, segundo o qual não existe uma entidade como a mente, e os termos mentalistas do tipo de 'mente', 'pensamento',

---
* No original, "... do dia a dia do inglês", em relação à palavra '*mind*' (mente). Podemos dizer a mesma coisa de 'mente', em português.

Capítulo 8

'emoção', 'vontade' e 'desejo' devem ser explicados com referência a determinados tipos de comportamento ou, alternativamente, como disposições para se comportar de determinado modo. Já foi observado que o behaviorismo foi um movimento importante, não somente na psicologia americana, mas também, em virtude de Bloomfield ter explicitamente aderido a ele, na linguística americana pré-chomskiana (v. Seção 7.4); o movimento jamais teve muito impacto na linguística europeia, embora tenha tido alguma influência na filosofia (v. Ryle, 1949).

Assim como o materialismo nega a existência da mente, o **idealismo** nega a existência da matéria e sustenta que tudo o que existe é mental. Um termo alternativo para 'idealismo' é 'mentalismo'. Recentemente, no entanto, o termo 'mentalismo' passou a ser usado, sobretudo por linguistas, num sentido não tradicional e um tanto confuso (v. Seção 8.2).

Finalmente, o **monismo**, em contraste com o dualismo, proclama que a realidade é uma. Assim, tanto o materialismo quanto o idealismo podem ser considerados versões diferentes do monismo. Entretanto, é mais comum reservar o termo 'monismo' para o ponto de vista segundo o qual nem o físico nem o mental é a realidade última: ambos são aspectos diferentes de algo mais neutro e fundamental.

É obviamente impossível veicular toda a importância de um termo filosófico definindo-o de maneira tão geral quanto o fiz aqui. Por mais inadequadas que sejam do ponto de vista filosófico, as definições que acabei de dar vão nos ajudar a avaliar alguns dos trabalhos mais recentes em linguística, psicologia e ciência cognitiva, baseados na investigação daquilo a que tradicionalmente nos referimos como a linguagem e a mente.

8.2 Mentalismo, racionalismo e inatismo

Chomsky e aqueles que, com ele, adotam os princípios do gerativismo reivindicaram o fato de que a linguagem fornece dados em favor do **mentalismo**: isto é, em favor de uma crença na existência da mente. Isso tem sido amplamente mal compreendido. 'Mentalismo' é frequentemente equacionado ou com 'idealismo' ou com 'dualismo'. Esse é o sentido em que Bloomfield usou o termo (v. Seção 7.4). Mas Chomsky e aqueles que compartilham de seus pontos de vista certamente não são idealistas, nem necessariamente dualistas. O que eles afirmam é que a aquisição e o uso da linguagem não podem ser explicados sem se recorrer a princípios que geralmente se encontram além do escopo de qualquer relato puramente fisiológico dos seres humanos. Eles não estão comprometidos com a opinião de que a mente é uma entidade não física distinta do cérebro ou de qualquer outra parte do corpo. Por outro lado, eles se recusam a se prender aos preconceitos metodológicos daqueles psicólogos, sobretudo os behavioristas, que insistem que tudo o que é tradicionalmente descrito como mental é produto de processos físicos simples.

A Linguagem e a Mente

O mentalismo chomskiano tem um aspecto negativo e outro positivo, sendo o segundo mais interessante e mais controvertido do que o primeiro. O seu aspecto negativo, ou crítico, é o seu antifisicismo ou antimaterialismo e, mais, particularmente, no contexto do que constituiu nas ideias precisamente reinantes na linguística e na psicologia americanas, o seu antibehaviorismo. O behaviorismo, como vimos, é simplesmente uma versão particular do materialismo, versão esta que restringe o objeto da psicologia ao comportamento humano e se propõe a explicar todos os tipos de comportamento, inclusive a fala – o pensamento sendo definido como fala internalizada –, com base em processos fisiológicos e bioquímicos deterministas (v. Seção 7.4). É possível exagerar a importância do behaviorismo na linguística bloomfieldiana e pós-bloomfieldiana. Mas não há dúvidas de que esse movimento exerceu uma influência poderosa na psicologia americana e que desencorajou muitos linguistas de se empenharem em qualquer trabalho sério em semântica, bem como de colaborarem com psicólogos e filósofos na discussão do que tradicionalmente é incluído sob a rubrica de linguagem e pensamento. Existem versões mais sofisticadas de behaviorismo que podem ou não ser defensáveis. O tipo de behaviorismo advogado por Bloomfield, bem como aquele atacado por Chomsky na sua famosa recensão de *Verbal Behavior* (1957), de B.F. Skinner, é, no mínimo, desanimador. E Chomsky pode ser bastante responsabilizado pelo fato de aquele autor ter perdido muito do apoio que tinha, em linguística e em psicologia, há uma geração.

O que descrevi como o aspecto negativo do mentalismo não deve ser desacreditado nem subestimado. Como vimos num capítulo anterior, os linguistas preocuparam-se muito, em décadas anteriores do século XX, com o *status* da linguística como ciência (v. Seção 2.2). Com muita frequência eles supuseram que qualquer disciplina com pretensões científicas tinha que se espelhar no modelo das chamadas ciências exatas, a física e a química. E tal suposição foi por vezes combinada, como aconteceu com Bloomfield, com a doutrina filosófica conhecida por *reducionismo*: a doutrina segundo a qual algumas ciências são mais básicas do que outras, no sentido de que os conceitos teóricos de uma ciência menos básica têm que ser definidos, em última instância, em termos dos conceitos teóricos de uma ciência mais básica. Por exemplo, dado que a física é mais básica do que a química, que a química é mais básica do que a biologia, que a biologia é mais básica do que a psicologia e assim por diante, o reducionista argumentaria que os termos teóricos com os quais os psicólogos trabalham têm que ser definidos em última instância pela biologia, que os termos teóricos da biologia têm que encontrar a sua definição no âmbito da química e assim por diante.

Ficará óbvia a maneira pela qual esse ponto de vista poderia ser associado ao materialismo e ao que hoje é amplamente considerado uma visão das ciências físicas típica do século XIX. Muito poucos filósofos da ciência desejariam defender hoje a doutrina do reducionismo. No entanto, existem muitos praticantes e teóricos das ciências sociais que parecem achar, erradamente, que há algo não científico acerca da postulação de entidades e processos que não podem ser descritos em termos físicos. Graças a Chomsky, essa sensação agora é menos comum do que já foi uma vez

195

Capítulo 8

entre linguistas; e a linguística é, consequentemente, uma disciplina mais rica e mais interessante.

Isso é tudo o que direi a respeito do aspecto crítico, ou negativo, da reafirmação do mentalismo por Chomsky e por aqueles que sofreram a sua influência em linguística, psicologia e filosofia. São as suas propostas positivas que constituem tanto a parte mais original quanto a mais controvertida do que estou chamando de mentalismo chomskiano. Um dos principais problemas na filosofia da mente tem a ver com a aquisição do conhecimento, e mais particularmente com o papel desempenhado nesse processo pela mente, ou razão, por um lado, e pela experiência dos sentidos, por outro. Aqueles que enfatizam o papel da razão, como fizeram Platão e Descartes, são tradicionalmente denominados **racionalistas**; aqueles, como Locke ou Hume, que acentuam a importância dominante da experiência, ou dos dados sensoriais, são chamados de **empiristas**. Chomsky está do lado dos racionalistas. Além do mais, ele é de opinião – como a maioria dos racionalistas – de que os princípios através dos quais a mente adquire conhecimento são inatos: que a mente não é apenas uma pedra lisa (*tábula rasa* é o termo latino tradicional) sobre a qual a experiência deixa a sua impressão, mas deve ser imaginada, nas palavras de Leibniz, em termos de analogia com um bloco de mármore, que pode ser talhado em várias formas diferentes, mas cuja estrutura impõe restrições sobre a criatividade do artista.

A aquisição da linguagem é um caso particular do processo mais geral da aquisição do conhecimento. Ao mesmo tempo, aquela porção da aquisição da língua materna que consiste em aprender o significado das palavras pareceu a muitos ser parte integrante da aquisição de todos os outros tipos de conhecimento. Pois a aquisição do conhecimento, segundo a posição tradicional, envolve tomar consciência de conceitos dos quais antes não se tinha consciência; e claramente existe algum tipo de conexão entre a descoberta ou formação de conceitos novos (supondo-se que isso seja possível) e o aprendizado do significado das palavras. A posse dos conceitos apropriados é condição prévia para a aquisição e uso correto do vocabulário da língua materna? Alternativamente, a ligação entre a linguagem e o pensamento é tal que não se pode nem mesmo distinguir entre a posse de determinado conceito e o conhecimento do significado de alguma palavra que identifica e, por assim dizer, estabiliza o conceito para nós? Em vista de tais considerações, dificilmente surpreende que a aquisição da linguagem tenha desempenhado um papel de destaque, através dos séculos, nos debates entre racionalistas e empiristas.

Como seus antecessores na tradição racionalista, Chomsky acredita que a linguagem serve para a expressão do pensamento; que os seres humanos são dotados de nascença (isto é, geneticamente) da capacidade de formar alguns conceitos em vez de outros; e que a formação de conceitos é uma condição prévia para a aquisição do significado das palavras. Mas a preocupação de Chomsky com a linguagem difere da de seus antecessores racionalistas sob dois aspectos; e é isso o que torna a sua contribuição à discussão filosófica desse assunto tanto original quanto importante. Em primeiro lugar, ele deixou claro que o aprendizado (ou, para usar o termo mais neutro,

196

A Linguagem e a Mente

a aquisição) da estrutura gramatical da língua materna necessita tanto de explicação quanto o processo de combinar o significado de uma palavra com a respectiva forma; e a sua formalização de tipos diferentes de gramática gerativa estabeleceu novos padrões de precisão para aqueles que desejam avaliar a complexidade das línguas humanas em relação a outros sistemas de comunicação (v. Seção 1.5). Em segundo lugar, ele argumentou que a natureza da linguagem e o processo de aquisição da linguagem têm características tais que os tornam inexplicáveis a não ser com base no pressuposto de que existe uma faculdade inata de aquisição da linguagem.

Esses dois pontos são interligados. Como vimos antes, Chomsky baseia a sua argumentação em favor do inatismo e da especificidade da espécie relativos à faculdade da linguagem na universalidade de certas propriedades formais arbitrárias da estrutura linguística (v. Seção 7.4). Estas últimas se incluem comumente sob o título geral de **dependência de estrutura**, que, apesar de se encontrar também em fonologia e em morfologia, é mais obviamente característica da sintaxe. Dizer que uma regra, ou princípio, é dependente de estrutura é implicar que o conjunto ou sequência de objetos, aos quais se aplica, tem uma estrutura interna e que a regra, ou princípio, faz referência essencial a essa estrutura como condição de aplicabilidade ou como determinante da maneira de aplicação da regra. Por exemplo, dado que as sentenças de uma língua têm o tipo de estrutura sintática que é descrito hoje em dia pelos linguistas em termos da noção de constituição, elas podem ser geradas por meio de uma gramática de estrutura sintagmática cujas regras são dependentes de estrutura no sentido desejado (v. Seção 4.6). Além do mais, as relações entre sentenças correspondentes de tipos diferentes (por exemplo, em inglês, '*John wrote the book*' e '*Did John write the book?*' ["John escreveu o livro" e "John escreveu o livro?", respectivamente]; '*John wrote the book*' e '*Was the book written by John?*' ["John escreveu o livro" e "O livro foi escrito por John?", respectivamente])* podem tornar-se precisas, com referência aos marcadores sintagmáticos que formalizam a sua estrutura sintagmática (em certos níveis de descrição), por meio de regras transformacionais, que são mais poderosas do que as regras de estrutura sintagmática e envolvem uma noção mais complexa de dependência de estrutura.

Os detalhes técnicos da dependência de estrutura e de sua formalização por intermédio de um ou outro tipo de gramática gerativa não nos interessam aqui. A questão é que a contribuição positiva de Chomsky para a filosofia da mente, por um lado, e para a psicologia da aquisição da linguagem, por outro, baseia-se no reconhecimento da importância da dependência de estrutura como uma propriedade aparentemente universal das línguas humanas, e da necessidade de demonstrar como as crianças vêm a adquirir o domínio dessa propriedade na aquisição e uso da linguagem. A opinião de Chomsky é que aquilo que chamamos de mente pode

---

* Em português tais relações poderiam ser exemplificadas por pares como "Ele escreveu o livro" e "O livro foi escrito por ele"; "Eu vi a moça, a moça dançava" e "Eu vi a moça que dançava".

197

Capítulo 8

ser mais bem descrito em termos de um conjunto de estruturas abstratas cuja base física ainda é relativamente desconhecida, mas que são como órgãos corporais como o coração ou o fígado, no sentido de que maturam de acordo com um programa de desenvolvimento determinado geneticamente, interagindo com o ambiente. O que vimos chamando de faculdade da linguagem (no sentido em que o termo 'faculdade' é empregado tradicionalmente) é uma dentre muitas estruturas mentais como essas, cada uma das quais é altamente especializada em relação à função que exerce.

Ele está certo? A resposta imediata e totalmente insatisfatória a essa pergunta é que pode ser que sim ou não. Os dados disponíveis a partir da investigação da aquisição da linguagem; de estudos de casos de distúrbios de linguagem de vários tipos; de experiências com outros primatas, especialmente chimpanzés; dos avanços que estão sendo obtidos na nossa compreensão da neurofisiologia do cérebro; e de vários outros campos não parecem ser conclusivos. É importante enfatizar, no entanto, que o estoque de dados relevantes está aumentando continuamente. O fato de que o que vem sendo conduzido há séculos como um debate puramente filosófico possa por fim ser decidido pela pesquisa empírica interdisciplinar não está além dos limites da possibilidade. E 'empírico', é preciso lembrar, não implica nenhum compromisso com o empirismo.

A versão particular de Chomsky do mentalismo não é absolutamente o único tipo de mentalismo que foi desenvolvido nos últimos anos e invocado com referência à aquisição da linguagem. Tampouco a teoria do psicólogo suíço Piaget tem sido menos influente. Segundo Piaget, existem quatro estágios no desenvolvimento dos processos mentais da criança. Crucial para a aquisição da linguagem, segundo Piaget, é a transição do estágio **sensório-motor**, que dura até mais ou menos os dois anos de idade e durante o qual a criança adquire experiência com objetos concretos no seu ambiente, para o chamado estágio **pré-operacional**, que dura até ela alcançar o que tradicionalmente era denominado idade da razão (por volta dos sete anos) e durante o qual a criança vem a manipular palavras e sintagmas com base na sua compreensão prévia do modo pelo qual os objetos concretos podem ser comparados, movimentados e transformados. O que muitos psicolinguistas acham atraente no trabalho de Piaget é a sua ligação óbvia com o funcionalismo (v. Seção 7.3) e também a sua tentativa de dar conta da aquisição da linguagem em termos de princípios mais gerais de desenvolvimento mental. Mas, como vimos, Chomsky argumentou que os dados não apoiam Piaget aqui: que a estrutura sintática não pode ser descrita em termos funcionalistas; e que a aquisição da linguagem não parece ser afetada por diferenças de habilidade intelectual nas crianças. Entretanto, é justo acrescentar que há muitos linguistas e psicólogos que diriam que esses dados não são claros em nenhum desses dois aspectos.

A teoria de Piaget do desenvolvimento mental é normalmente considerada como situando-se entre os extremos tradicionais do racionalismo e do empirismo. Por outro lado, ele acentua a importância da experiência – e particularmente a experiência sensório-motora; por outro, ele considera os vários estágios do desenvolvimento

A Linguagem e a Mente

cognitivo como específicos da espécie e geneticamente pré-programados (isto é, determinados pelo que poderia ser descrito, num sentido moderno do antigo termo racionalista, como ideias inatas). De maneira semelhante, Chomsky, embora se considere um racionalista, não discute o papel essencial da experiência na aquisição do conhecimento; nem tampouco o que ele identifica tranquilamente como os processos de acionar e moldar (em termos mais característicos da psicologia empirista e até mesmo behaviorista). Talvez o comentário conclusivo mais prudente para esta seção devesse ser que o debate tradicional entre racionalismo e empirismo foi transformado pelos desenvolvimentos modernos em genética, neurofisiologia e psicologia a um ponto tal que não é mais possível utilizar nenhum dos dois termos tradicionais, sem restrição adicional, para classificar qualquer posição atualmente defensável nas questões que separam um grupo de filósofos ou psicólogos do outro. Isso deve ser visto como um progresso, pois implica que versões atuais daquilo que os próprios autores podem descrever, de modo geral, como empirismo ou racionalismo têm que levar em conta uma gama de dados que não estavam disponíveis aos grandes filósofos do passado. As grandes questões originalmente bastante gerais que serviram para rotular, digamos, Descartes como um racionalista e Locke como um empirista foram divididas numa variedade de questões mais específicas responsáveis pela pesquisa empírica multidisciplinar.

8.3 A linguagem e o cérebro

Hoje em dia ninguém negaria que, de todos os órgãos, o cérebro é o que desempenha o papel mais significativo nas operações que normalmente descrevemos como mentais, qualquer que seja a opinião que a pessoa tenha a respeito do famoso problema mente-corpo (v. Seção 8.1).

O cérebro humano é muito complexo; e o modo pelo qual ele desempenha suas várias funções é apenas parcialmente compreendido. Mas foi alcançado um progresso considerável a esse respeito nos últimos anos, e parte do que é sabido agora é relevante para o assunto deste capítulo.

O cérebro é dividido em duas metades, ou **hemisférios**, ligados (em circunstâncias normais) pelo **corpo caloso**. A camada externa de ambos os hemisférios consiste na substância cinzenta – o **córtex** –, que contém algo como 10^{10} neurônios, ou células nervosas; e estas são interligadas por intermédio de um conjunto igualmente numeroso de fibras na substância branca que se situa abaixo do córtex. O hemisfério direito controla (e responde a sinais de) o lado esquerdo do corpo, enquanto o hemisfério esquerdo controla o lado direito. É por isso que danos no cérebro ou coágulo sanguíneo em um hemisfério podem ser acompanhados de paralisia dos membros no outro lado do corpo. E os sinais que são recebidos em um lado do corpo – táteis, auditivos ou visuais – têm que ir primeiro para o hemisfério apropriado, antes de serem passados, para processamento, para o outro hemisfério, ao longo do corpo

Capítulo 8

caloso. Segue-se que, se o corpo caloso é dividido por cirurgia – essa técnica cirúrgica era utilizada às vezes até bem recentemente, quando suas consequências indesejáveis foram descobertas, no tratamento da epilepsia –, os sinais do lado direito do corpo podem ser processados somente pelo hemisfério esquerdo, e vice-versa.

É sabido há bem mais de cem anos que existe uma relação especial (para todos aqueles que usam a mão direita e para a maioria dos que são canhotos, embora não todos) entre a linguagem e o hemisfério esquerdo, de modo que, falando de uma maneira bem geral, podemos dizer que (para a maioria das pessoas) a linguagem é controlada pelo hemisfério esquerdo. O processo através do qual um dos hemisférios do cérebro é especializado para o desempenho de certas funções é conhecido como **lateralização**. (Na pequena maioria das vezes, entre os canhotos, em que o hemisfério esquerdo não é especializado para a linguagem, é o hemisfério direito que o é: isto é, a lateralização ainda assim ocorre.) O processo de lateralização é sujeito a maturação, no sentido de que é geneticamente pré-programado, mas leva tempo para se desenvolver. Existem, é claro, muitos processos desse tipo no desenvolvimento biológico de todas as espécies, mas a lateralização parece ser específica dos seres humanos. Considera-se geralmente que começa quando a criança tem mais ou menos dois anos e completa-se em algum ponto da faixa entre os cinco anos e o início da puberdade.

A lateralização para a linguagem não é o único tipo de especialização de função que se desenvolve nos seres humanos com relação a um hemisfério do cérebro em vez do outro; e a lateralização em geral é comumente considerada uma precondição evolutiva do desenvolvimento de inteligência superior no homem. O fato de a lateralização ser uma precondição (tanto filogenética quanto ontogenética) para a aquisição da linguagem também constitui uma opinião amplamente aceita hoje em dia. Em apoio a esse ponto de vista podemos observar que a aquisição da linguagem começa mais ou menos ao mesmo tempo que a lateralização e se completa normalmente, no que diz respeito ao essencial, quando o processo de lateralização termina. Temos ainda o fato de que se torna progressivamente mais difícil adquirir a linguagem depois da idade em que a lateralização está completa. Com efeito, parece existir o que frequentemente se denomina **idade crítica** para a aquisição da linguagem, no sentido de que a linguagem não será adquirida, ou pelo menos não com domínio total dos seus recursos, a não ser que o seja até a época em que a criança atinge a idade em questão.

Embora a noção de que existe uma idade crítica para a aquisição da linguagem não seja aceita universalmente, ela é reforçada pelo caso impressionante, mas triste, da jovem conhecida na literatura como Genie. Genie foi descoberta por assistentes sociais em Los Angeles em 1970. Na ocasião ela tinha treze anos e tinha sido criada por seus pais totalmente isolada deles e dos outros, apanhando toda vez que fazia algum barulho, e vítima virtual de todo tipo de depravação emocional e sensorial. Uma das consequências disso, é claro, foi que ela não sabia falar. Tendo sido atendida, ela embarcou no processo de aquisição da linguagem, guiada por psicólogos

A Linguagem e a Mente

e linguistas, e progrediu rapidamente no início. Além disso, ela atravessou as mesmas etapas na aquisição do inglês do que as crianças normais na idade normal. À primeira vista ela pareceria ter refutado a hipótese da idade crítica. Entretanto, é relatado que, apesar de sua memória para vocabulário ser muito boa e de seu desenvolvimento intelectual ser satisfatório, ela tem dificuldade com qualquer aspecto da estrutura gramatical do inglês que não seja extremamente simples. Tem sido defendido, portanto, que o caso de Genie não confirma apenas a hipótese da idade crítica, mas também a opinião de que a faculdade de aquisição da linguagem é independente de outras habilidades intelectuais.

Até recentemente acreditava-se que, apesar dos determinantes genéticos da lateralização, havia maleabilidade suficiente, por assim dizer, para que o outro hemisfério assumisse as funções para as quais ele não seria normalmente especializado – por exemplo, na eventualidade de dano ou cirurgia –, contanto que a necessidade disso surgisse antes do final do processo de lateralização. Entretanto, foi sugerido atualmente, com base no estudo mais cuidadoso do comportamento linguístico daqueles cujo hemisfério esquerdo tinha sido removido no início da infância, que, apesar de não aparentarem imediatamente, eles têm dificuldade com certas construções gramaticais.

Até o momento vimos falando sobre a lateralização da linguagem num nível bem geral. Devemos mencionar agora – embora não possamos descer a detalhes – que diferentes aspectos do processamento linguístico parecem ser mais característicos do hemisfério esquerdo do que outros. Por exemplo, o hemisfério direito pode interpretar palavras isoladas que denotam entidades físicas sem dificuldade; não é tão eficiente na interpretação de sintagmas gramaticalmente complexos. De modo semelhante, embora os sons não característicos da fala sejam processados direta e eficientemente pelo hemisfério direito, os sons da fala são passados para o hemisfério esquerdo, que é mais altamente especializado para essa finalidade. Pode ser igualmente relevante que, enquanto o hemisfério esquerdo é tido como melhor para o pensamento associativo e para o raciocínio analítico, o direito é mais eficiente não apenas para o processamento audiovisual, mas também para o reconhecimento de padrões de entonação e, curiosamente, para a interpretação musical. O que isso sugere é que o comportamento linguístico envolve a integração de vários processos distintos do ponto de vista neurofisiológico. Em termos gerais, podemos dizer que o que seria reconhecido, em outras bases, como a parte mais distintamente linguística da linguagem está associada ao hemisfério esquerdo (v. Seção 1.5). É esse o componente que tem que ser adquirido, se o for de todo, antes de atingida a idade crítica; e é esse o componente, talvez, que não pode ser adquirido por, digamos, chimpanzés ou outros primatas.

O que foi dito nesta seção está certamente de acordo com a hipótese chomskiana de que a faculdade da linguagem é uma capacidade exclusivamente humana e geneticamente transmitida, que é distinta das demais faculdades mentais, mas funciona em colaboração com elas. Temos que enfatizar, no entanto, que os dados

Capítulo 8

neurofisiológicos são relativamente precários até o momento (embora estejam sendo sempre aumentados) e que estão longe de ser conclusivos. Os psicólogos e filósofos, portanto, continuam divididos quanto à existência ou não de uma faculdade de linguagem geneticamente transmitida.

8.4 Aquisição da linguagem

Iniciemos esta seção com uma colocação puramente terminológica. Por que muitos psicólogos e linguistas hoje em dia preferem falar da aquisição e não do aprendizado da linguagem? O motivo é simplesmente o fato de 'aquisição' ser neutro em relação a algumas implicações que se tornaram associadas ao termo 'aprendizado' em psicologia. Existem aqueles que diriam que, embora 'aquisição' seja mais neutro do que 'aprendizado' nos aspectos relevantes, ainda assim induz a erro, na medida em que implica vir a ter algo que não se tinha antes. Se a linguagem é inata, ela não é adquirida: ela cresce ou matura naturalmente – ou, como Chomsky poderia dizer, organicamente. No entanto, "aquisição" é o termo padrão agora, e continuaremos a usá-lo.

Temos ainda que fazer outra colocação que não é puramente terminológica. Aquilo que é comumente denominado aquisição da linguagem se manifesta, em todas as circunstâncias normais, no conhecimento e uso de determinadas línguas. É isso que quisemos dizer quando dissemos, na primeira seção deste livro, que não se pode possuir (ou usar) a linguagem sem possuir (ou usar) alguma língua determinada (v. Seção 1.1). Embora essa afirmação pudesse ser perfeitamente desafiada em bases filosóficas, ela foi formulada agora de tal modo (especialmente com a ressalva 'em todas as circunstâncias normais') que está certamente correta. O termo 'aquisição da linguagem' pode ser interpretado tanto como "a aquisição de linguagem" quanto como a "aquisição de uma língua". Mesmo se aceitamos o fato de que existe algum sentido em que a linguagem (isto é, o que Chomsky e outros chamaram de faculdade da linguagem) não é adquirida, podemos supor razoavelmente que a maior parte da estrutura do inglês, do francês, do russo etc., se não toda, é adquirida (embora não necessariamente aprendida) por aqueles que vêm usar essas línguas na qualidade de falantes nativos.

O termo 'aquisição da linguagem' é normalmente usado sem ressalvas para o processo que resulta no conhecimento da língua nativa (ou línguas nativas). É concebível que a aquisição de uma língua estrangeira, se aprendida sistematicamente na escola ou não, se processa de modo bastante diferente. Com efeito, como vimos, a aquisição da língua materna depois da alegada idade crítica para a aquisição da linguagem pode diferir, por motivos neurofisiológicos, da aquisição da língua materna por parte da criança normal (v. Seção 8.3). E foi sugerido recentemente, com base em observações clínicas de bilíngues que sofreram danos cerebrais, que a aquisição de uma segunda língua, seja na idade adulta, seja na infância, tem consequências neurofisiológicas significativas. Temos que ter cuidado, portanto, ao tirar conclusões de ordem

202

A Linguagem e a Mente

geral a partir da investigação da aquisição da língua materna, em circunstâncias normais, pela criança que fala uma só língua e ao aplicá-las ao problema do ensino de língua estrangeira. Por exemplo, pode ou não haver argumentos favoráveis ao chamado método direto de ensino de línguas nas escolas; mas um argumento comumente utilizado – "esta é a maneira como você aprendeu a sua língua materna" – é claramente nulo. No que se segue estamos concentrados na aquisição da linguagem no seu sentido normal.

Comecemos com alguns fatos – alguns deles, coisas da observação do dia a dia; outros, resultado de pesquisa e experimentação penosas. Todas as crianças normais adquirem a língua que ouvem falar à sua volta sem nenhuma instrução especial. Elas começam a falar com mais ou menos a mesma idade e atravessam os mesmos estágios de desenvolvimento linguístico. O progresso que alcançam é, pelo menos às vezes, tão rápido que, como observaram tanto pais quanto pesquisadores, é difícil manter um registro compreensivo e sistemático dele. Além disso, tal progresso é, no total, independente de inteligência e de diferenças de meio social e cultural.

Embora eu tenha acabado de afirmar que as crianças começam a falar mais ou menos com a mesma idade, é impossível dizer de qualquer uma exatamente quando começou a falar. Em primeiro lugar, não está claro o que deveria contar como critério: a capacidade de a criança usar palavras isoladas apropriadamente? Sua capacidade de construir enunciados de duas palavras por meio de alguma operação produtiva e regular? – esses são apenas dois dos muitos critérios possíveis, e não há motivo para preferir um deles em detrimento do outro. Uma segunda razão é que a transição entre um estágio identificável de desenvolvimento linguístico e outro é gradual e não repentina. Apesar de podermos reconhecer uma sequência razoavelmente estável de estágio de desenvolvimento – na aquisição pela criança da fonologia, gramática e vocabulário de sua língua nativa –, pode não ter sentido imaginar a criança passando de repente de um estágio para outro. Existe ainda a complicação de a produção de uma criança não equivaler à sua compreensão. Com efeito, concorda-se geralmente que a compreensão sempre precede a produção na sequência de desenvolvimento. Segue-se que os enunciados espontâneos de uma criança podem não refletir diretamente o seu conhecimento da língua que ela está adquirindo.

É sabido que os bebês respondem, nos primeiros dias de vida (se não mais cedo), não apenas à voz humana como tal, mas também à diferença entre consoantes correspondentes surdas e sonoras. Esse fato é às vezes considerado prova do conhecimento inato da criança dos traços distintivos da fonologia, alegadamente universais (v. Seção 3.5). Entretanto, recentemente foi demonstrado que os chimpanzés muito novos também são capazes de responder à mesma distinção acústica. Pode-se argumentar, portanto, que, já que os chimpanzés não desenvolvem a fala e as crianças só utilizam essa distinção fonética, seja na compreensão ou na produção, a partir do segundo ano de vida, aproximadamente, não é uma distinção fonológica, enquanto tal, que é inata. Trata-se, na realidade, de uma habilidade comum tanto aos seres humanos quanto aos primatas superiores, mas que apenas os seres humanos

Capítulo 8

aprendem a investir com função distintiva em virtude de sua exposição a línguas em que tal distinção é funcional. Mais uma vez, os dados ainda não são conclusivos, mas isso não significa que o inatismo e a especificação da espécie sejam questões além do alcance de investigação empírica. Pelo contrário, dados novos são coletados continuamente. É bem possível que esse assunto seja resolvido dentro em breve.

Nos primeiros seis meses de vida, a criança passa normal e sucessivamente do choro ao **arrulho** e do arrulho ao **balbucio**. Há pouca dúvida de que essa sequência de desenvolvimento é determinada de nascença, pois os sons produzidos no choro e no arrulho, e no início do período do balbucio, não são afetados pelos ambientes linguísticos nos quais a criança é criada; e as crianças surdas também choram, arrulham e, pelo menos no início, balbuciam do mesmo modo que as crianças que ouvem. É particularmente interessante o fato de que, durante o período do balbucio (que dura em média até a criança atingir os doze meses), podem-se produzir muitos sons da fala que não são empregados na língua do ambiente da criança e que mais tarde ela terá bastante dificuldade de adquirir, no caso de vir a estudar uma língua estrangeira. No final do período do balbucio, a maioria das crianças terá adquirido alguns dos padrões de entonação de sua língua nativa. Não há provas, no entanto, de que os padrões de entonação superpostos a um enunciado balbuciado tenham uma função comunicativa distintiva (embora os adultos frequentemente os interpretem como se tivessem). Apesar de o balbucio claramente preparar o terreno, em certo sentido, para a fala, é discutível se deveria ser considerado como tendo tal preparação como função biológica primordial.

Quando a criança atinge os nove meses mais ou menos – e não se pode esquecer que estamos falando em média: existe uma gama considerável de variação nas idades das crianças em estágios diferentes da sequência de desenvolvimento; e não há motivo para crer que tal variação está correlacionada à competência linguística subsequente da criança nem a sua habilidade intelectual geral –, ela começa a revelar provas de ter embarcado na construção do sistema fonológico de sua língua nativa. Em alguns casos o balbucio sobrepõe-se por um tempo considerável ao processo de aquisição e uso de distinções fonológicas; e a diferença entre balbuciar e falar torna-se então bastante aparente. A maioria dessas distinções fonológicas terá sido dominada quando a criança atinge os cinco anos. Mas algumas das distinções mais difíceis foneticamente ou, no caso da estrutura prosódica, mais complexas funcionalmente podem não ser adquiridas até a criança ser bem mais velha. Quanto às distinções segmentais, existe uma sequência razoavelmente bem-estabelecida (que confirma parcialmente as predições de Roman Jakobson de quase quarenta anos atrás): por exemplo, para as consoantes, as labiais precedem as dentais/alveolares e velares; as oclusivas precedem as fricativas; as oclusivas orais precedem as nasais. Existem também certas generalizações que podem ser feitas a respeito da dimensão combinatória ou sintagmática. O início da fala, independentemente da língua à qual a criança está exposta, consiste em palavras que não têm grupos consonantais e tendem a ser reduplicativas (por exemplo, [dada], [kiki]), ou a ter consoantes que compartilham o

A Linguagem e a Mente

mesmo ponto (ou modo) de articulação (por exemplo, [gek], [giŋiŋ] para as palavras *leg* [perna] e *singing* [cantando], do inglês).* Devemos enfatizar, no entanto, que a criança pode frequentemente distinguir palavras na fala do adulto quando as ouve (por exemplo, *bad*, *bath* e *back* [respectivamente, "mau", "banho" e "costas"] com um sotaque de inglês em que todas essas palavras têm a mesma vogal) apesar de ela talvez tratá-las como homófonas em sua própria fala.**

Como acontece em fonologia, assim acontece em gramática: há provas de que, pelo menos nos primeiros estágios, existe uma sequência de desenvolvimento que independe da estrutura da língua do ambiente da criança. Primeiro temos o chamado período **holofrástico**, durante o qual a criança produz o que é tradicionalmente considerado como sentenças de uma palavra (daí o termo 'holofrástico'). Isso pode durar da idade mais ou menos dos nove aos dezoito meses e é seguido do chamado período **telegráfico**, que se inicia pela produção de enunciados de duas palavras (ou talvez devêssemos dizer, de maneira mais neutra, de duas unidades). O termo 'telegráfico' deriva da observação de que a fala da criança durante esse período não tem flexões nem o que chamamos frequentemente de palavras funcionais (por exemplo, preposições, determinantes e conjunções), como na linguagem dos telegramas. À medida que a criança passa, durante o período telegráfico, do estágio de duas palavras para outros estágios caracterizados pela produção de enunciados mais longos, a sua fala vai se aproximando cada vez mais, em termos de ordem de palavras etc., da do adulto. Se a língua que ela estiver adquirindo tem flexões e as chamadas palavras funcionais, ela gradativamente também virá a usá-las de maneira apropriada, de modo que, quando ela tiver quatro ou cinco anos, a sua fala, embora defeituosa ainda em comparação com a dos adultos, não mais pode ser descrita como telegráfica. Temos que enfatizar, entretanto, que o termo impressionista 'telegráfico' tem pouco valor descritivo com referência à aquisição das chamadas línguas isolantes (por exemplo, o vietnamita), nas quais não há variação morfológica.

Até os primeiros anos da década de 1960 a investigação sistemática da aquisição da estrutura gramatical tinha sido muito escassa. A situação mudou drasticamente com a demonstração de Chomsky do fato de que as línguas são regidas por regras (e isso é mais óbvio em relação à gramática) e com a conscientização de que as teorias de aprendizado existentes não eram capazes de dar conta, adequadamente, da aquisição (e uso criativo) de sistemas regidos por regras, com a propriedade da produtividade. Durante a década de 1960 os psicolinguistas preocupavam-se quase que exclusivamente com a gramática no seu estudo da linguagem infantil, mas a balança das opiniões mudou desde então em benefício do ponto de vista segundo o qual é impossível estudar a competência gramatical da criança, enquanto se desenvolve, independentemente de seu desenvolvimento geral cognitivo, emocional e social.

---

* Cf., em português, "mimindo" para "dormindo", "pepeta" para "chupeta" etc.
** O mesmo se dá em português com séries do tipo "bato", "cato", "fato" etc.

Capítulo 8

O escopo dos estudos da linguagem infantil foi ampliado agora de modo a abranger não apenas a fonologia, a gramática e o vocabulário, mas também a estrutura semântica dos enunciados, o papel destes na interação social e o seu reflexo das crenças da criança acerca do mundo. Foi igualmente ampliado longitudinalmente, por assim dizer, em ambas as direções. Há atualmente bastante pesquisa em andamento no que toca aos determinantes pré-linguísticos da aquisição da gramática nos estágios do choro, arrulho e balbucio, da sequência de desenvolvimento. E agora tornou-se claro que grande parte da estrutura gramatical de uma língua pode não estar dominada de maneira apropriada (apesar de as construções produzidas pela criança não manifestarem necessariamente os sinais mais óbvios de agramaticalidade) até a criança atingir os dez anos ou mais. Essa descoberta em si não invalida as hipóteses do inatismo e da especificidade da espécie, nem a hipótese correlata de que a faculdade da linguagem é separada das demais capacidades mentais do homem, mas ela certamente complica a argumentação.

É por causa das suas implicações no estudo da natureza da linguagem em relação à mente humana que tratamos da aquisição da linguagem neste capítulo. Existem, é claro, mais razões de ordem prática para nos preocuparmos com esse assunto. As inabilidades relacionadas à linguagem, tanto de crianças quanto de adultos, não podem ser diagnosticadas nem tratadas apropriadamente por terapeutas da palavra se não for com base numa melhor compreensão da aquisição, normal e anormal, da linguagem. O material didático para crianças de escolas primárias pode ser melhorado se for dirigido, não apenas em vocabulário, mas também em gramática, à competência linguística do público ao qual se destina. Além disso, na medida em que a idade mental de uma criança com a qual os educadores trabalham é determinada parcialmente por testes relacionados com a linguagem, é possível averiguar se os testes em questão são ou não válidos e dignos de confiança. É especialmente importante que os professores e todos aqueles envolvidos na educação de crianças não deixem de perceber, por um lado, sinais de surdez parcial ou de dislexia incipiente nem de diagnosticar, por outro, seja retardamento mental, seja uma chamada deficiência de linguagem, por se basearem em dados não idôneos. Trabalhos recentes sobre o estudo da aquisição da linguagem muito têm feito no sentido de tornar os dados mais dignos de confiança, embora não tenham resolvido, até o momento, nenhuma questão teórica, nem em linguística, nem em psicologia, nem em filosofia da mente.

8.5 Outras áreas da psicolinguística

A área da aquisição da linguagem não é a única área de pesquisa dentro do campo da psicolinguística. Tampouco é a única que foi revolucionada pelo surgimento do gerativismo chomskiano.

Como vimos, a teoria geral da linguagem de Chomsky apoia-se na distinção que faz entre **competência** e **desempenho** (v. Seção 7.4). Esses termos passaram a ser

A Linguagem e a Mente

utilizados com o desenvolvimento da chamada teoria-padrão da gramática transformacional em meados da década de 1960. Entretanto, a distinção entre o sistema linguístico concebido como um conjunto de regras conhecidas do falante nativo e o uso dessas regras no comportamento linguístico, embora expressa em termos diferentes, era suficientemente clara desde o início. A sua importância, não somente para a psicolinguística, mas para o estudo do comportamento humano em geral, foi reconhecida mais ou menos imediatamente pelo eminente psicólogo americano George Miller, que generalizou as ideias de Chomsky e as tornou familiares aos seus colegas (v. Miller, Galanter & Pribram, 1960) e também colaborou com Chomsky em alguns dos primeiros trabalhos teóricos sobre modelos de desempenho. O famoso comentário de Miller sobre o impacto que a obra de Chomsky lhe causou, e, subsequentemente, aos seus colegas, merece ser citado aqui: "Agora eu acredito que a mente é algo mais do que uma palavra de cinco letras."*

Muito das primeiras pesquisas em psicolinguística inspiradas pelo gerativismo chomskiano foi dirigido para o chamado problema da **realidade psicológica**. Na verdade, essa questão se divide em dois problemas diferentes em termos da distinção feita por Chomsky entre competência e desempenho. (Lembremos que a definição chomskiana de 'desempenho', incluindo não apenas o comportamento real, mas também o conhecimento, ou competência, não linguístico, subjacente àquele comportamento (v. Seção 7.4), causou bastante confusão.) Será que os falantes nativos têm em suas mentes e, supostamente, armazenados neurofisiologicamente em seus cérebros conjuntos de regras do tipo que os linguistas formulam em seus modelos gerativos do sistema linguístico? Colocando a questão em termos quotidianos (utilizando o que o próprio Chomsky denomina ambiguidade sistemática, em virtude do que podemos usar o termo 'gramática' tanto para o modelo quanto para aquilo de que é modelo), será que todos nós temos uma gramática gerativa em nossas cabeças? Essa é a primeira pergunta. A segunda (que pressupõe uma resposta afirmativa à primeira) é a seguinte: Qual o papel que essas regras desempenham na produção e compreensão dos enunciados, se é que o fazem?

Parte das pesquisas iniciais em psicolinguística influenciadas pelo gerativismo chomskiano dirigiu-se à segunda pergunta, e baseava-se no pressuposto (que o próprio Chomsky não utilizou) de que todas as regras necessárias para gerar uma sentença também eram utilizadas pelos usuários da língua no desempenho – tanto na produção quanto na compreensão de enunciados. (Independentemente de qualquer outra coisa, a distinção entre sentenças e enunciados não era amplamente considerada: v. Seção 5.5.) Por exemplo, foi demonstrado experimentalmente que os falantes nativos reagiam mais rapidamente a sentenças ativas do que a sentenças passivas e mais rapidamente a sentenças afirmativas do que a sentenças negativas, e, além

---

* No original, "... *mind is something other than a fourletter word*", que, além do sentido literal adaptado na tradução, funciona como trocadilho em referência à palavra '*damn*', de quatro letras, como '*mind*', no sentido de (rogar uma) "praga".

Capítulo 8

disso, que a diferença entre os tempos de reação para sentenças afirmativas ativas e para sentenças negativas passivas poderia ser descrita pela adição das diferenças para sentenças ativas e passivas, por um lado, e para sentenças afirmativas e negativas, por outro. À primeira vista isso foi interpretado como uma confirmação um tanto dramática da hipótese de que o processamento mental de sentenças envolve regras como as de formação da passiva e de inserção de negação (formuladas como regras transformacionais na primeira versão da gramática gerativa de Chomsky). Mais tarde percebeu-se que havia outras variáveis potencialmente relevantes; e quando elas foram dominadas, na medida do possível, os resultados tornaram-se menos nítidos.

Com efeito, ficou claro durante a década de 1960 que, mesmo que tenhamos uma gramática gerativa de nossa língua nativa em nossa cabeça, a estrutura do modelo que o linguista elabora daquela gramática não refletirá, provavelmente, as operações envolvidas no processamento linguístico. Pois o linguista deixa de lado deliberadamente todos aqueles fatores que, embora sejam pertinentes ao comportamento linguístico (limitações de atenção e memória, motivação e interesse, conhecimento factual e preconceito ideológico etc.), não são diretamente relevantes para a definição de boa formação para determinadas línguas, nem para a formulação de declarações gerais acerca da natureza da linguagem. Dado que as gramáticas gerativas são psicologicamente reais no sentido de que temos de fato sistemas de regras armazenadas neurofisiologicamente no nosso cérebro, é razoável supor que, na produção e compreensão de enunciados, outras regras ou estratégias entram em jogo, permitindo-nos evitar algumas das regras gramaticais enquanto tais. De qualquer modo, está bem claro (por exemplo, a partir do fato bastante trivial de que tendemos a não notar erros de impressão e lapsos na fala) que a compreensão linguística é baseada em amostragem e não num processamento completo do sinal de entrada. De modo semelhante, trata-se de uma questão de observação do dia a dia, e que pode ser demonstrado experimentalmente, o fato de que começamos a fazer predições sobre a estrutura gramatical dos enunciados (para não mencionar a sua estrutura fonológica e o seu significado) assim que o nosso interlocutor começa a falar. A não ser que tais predições sejam contraditas – e normalmente não nos damos conta delas a não ser quando são contraditas por uma outra informação no sinal que por acaso captamos em nossa amostragem –, não há necessidade de sabermos tudo a respeito de um enunciado para compreendê-lo.

Por essas e outras razões a investigação do chamado problema da realidade psicológica tornou-se muito mais complexa do que parecia para muitos psicólogos na década de 1960. Devemos mencionar também que, embora o próprio Chomsky ainda seja de opinião de que por enquanto os linguistas deveriam continuar deixando de lado o que se sabe a respeito dos mecanismos e processos psicológicos em suas definições de competência linguística, existem vários gramáticos gerativistas que discordam dele. No presente momento, o movimento em favor do que se chama de gramática psicologicamente real parece estar ganhando terreno. Qualquer que seja o ponto de vista que se adote em relação ao problema da realidade psicológica – em

A Linguagem e a Mente

qualquer uma das suas duas interpretações – e da sua importância para a linguística, não pode haver dúvidas de que a investigação psicológica da armazenagem e do processamento linguísticos progrediu consideravelmente nos últimos anos sob a influência do gerativismo chomskiano. Muitos dos resultados experimentais que têm a ver com estratégias de percepção, com o papel da memória de curto prazo, com a interpretação de enunciados ambíguos etc., mantêm a sua validade, embora as hipóteses específicas que as experiências deviam testar (por exemplo, a hipótese de que os enunciados se processam em dois níveis de análise, o da estrutura profunda e o da estrutura superficial) possam ter sido abandonadas. O que tornou a hipótese chomskiana tão atraente para os psicólogos, em primeiro lugar, foi o fato de ela produzir hipóteses testáveis experimentalmente.

Desnecessário dizer que a teoria em si não é absolutamente invulnerável de um ponto de vista mais restritamente linguístico. Existem igualmente razões de ordem filosófica para questionar, se não para rejeitar, o uso chomskiano do termo 'conhecimento' em relação à competência linguística. Tem sido argumentado que a competência (isto é, o *know-how* que se manifesta no comportamento) é diferente do tipo de conhecimento descritível em termos de crença verdadeira. De modo geral, se poderia argumentar que a teoria da mente de autoria de Chomsky é excessivamente intelectualista no sentido de que, diferentemente de opiniões tradicionais sobre a estrutura da mente, nada afirma acerca das faculdades não cognitivas: as emoções e a vontade. O próprio Chomsky já se defendeu em várias ocasiões contra críticas filosóficas dessa natureza.

Embora a pesquisa psicolinguística tenha sido fortemente influenciada pelo gerativismo nos últimos anos, seria um erro supor que todos os psicólogos que trabalham com a linguagem têm se preocupado com a validade desse ou daquele modelo gerativo do sistema linguístico. A pesquisa tem continuado em muitos dos temas tradicionalmente reconhecidos em psicologia da linguagem – linguagem e pensamento, linguagem e memória etc. – dentro do quadro de teorias que não operam com a distinção entre competência e desempenho, ou que são neutras em relação à formulação especificamente chomskiana de tal distinção.

Quanto à questão da linguagem e do pensamento, Chomsky, como vimos, adota o ponto de vista tradicional, característico dos racionalistas do século XVII, de que a linguagem serve para a expressão do pensamento preexistente e completamente articulado. Esse ponto de vista tinha sido desafiado no século XVIII pelos filósofos franceses Condillac (1746) e Rousseau (1755) e um pouco mais tarde, em seu famoso ensaio sobre a origem da linguagem, pelo erudito alemão Herder (1772). Herder, particularmente, era de opinião de que linguagem e pensamento tinham evoluído juntos, inseparáveis um do outro, e que, à medida que as línguas nacionais da humanidade diferiam em vocabulário e em estrutura gramatical, elas determinavam e refletiam padrões nacionais de pensamento. Há uma linha direta de desenvolvimento, como veremos mais tarde, de Herder para Sapir e Whorf, que popularizou essencialmente as mesmas teses de determinação linguística e de relatividade linguística na América

Capítulo 8

do século XX (v. Seção 10.2). Tudo o que precisamos mencionar aqui é o fato de que a chamada hipótese de Whorf foi submetida a pesquisas experimentais cujos resultados estão de acordo com a versão mais fraca da hipótese, segundo a qual a língua influencia o pensamento, embora não o determine.

8.6 Ciência cognitiva e inteligência artificial

A razão principal para incluir uma seleção separada, embora bem curta, sobre **ciência cognitiva** e **inteligência artificial** é chamar atenção para o que hoje constitui uma disciplina reconhecidamente distinta e em expansão, que utiliza dados da filosofia, psicologia, linguística e informática, mas que não pode ser classificada sob nenhuma delas. Os termos 'ciência cognitiva' e 'inteligência artificial' podem induzir a erro, no sentido de que parecem restringir o escopo do campo ao estudo dos processos mentais que tradicionalmente seriam atribuídos à faculdade da razão; e 'ciência cognitiva' não dá nenhuma indicação do que é distintivo na abordagem do estudo da mente e dos processos mentais que é usada nessa disciplina nova. Contanto que interpretemos de maneira suficientemente ampla a palavra 'inteligência', podemos dizer, a exemplo de Minsky (1968:v), um eminente teórico e profissional da área, que o que está em jogo é "a ciência de fazer máquinas executarem coisas que requereriam a inteligência se executadas pelo homem". Uma dessas coisas, obviamente, é a produção e compreensão da linguagem.

Mas por que quereríamos tentar fazer uma máquina – mais particularmente, um computador de utilidade geral com um programa apropriado – produzir e compreender a linguagem? Existem certamente muitas razões de ordem prática envolvendo a automação total ou parcial de operações que atualmente exigem muitas horas de trabalho humano altamente especializado: a tradução de documentos de uma língua para outra; a recuperação de informação de bibliotecas; o diagnóstico de doenças com base em questionamento sistemático; e assim por diante. Por mais importantes que sejam essas aplicações práticas, elas pressupõem a solução de muitos problemas teóricos até agora não resolvidos. São os problemas teóricos que nos importam aqui, e mais especialmente a contribuição que a ciência cognitiva e a inteligência artificial podem trazer para a nossa compreensão dos processos mentais envolvidos no uso da linguagem.

Mas antes cabe uma advertência. Mesmo se se conseguisse construir um computador que fizesse tudo o que é normalmente atribuído a processos mentais quando feito pelo homem, isso não implicaria que o homem nada mais é do que uma máquina. Sem o programa correspondente, um computador nada pode fazer que nos interesse a respeito do assunto tratado aqui. É o programa, e não as ferragens, que é responsável pela habilidade do computador de simular o comportamento inteligente. Há aqueles que sustentariam que o programa está para o computador como a mente está para o cérebro, e que, considerando o cérebro humano vivo como um computador

A Linguagem e a Mente

programado, de finalidades especiais, podemos contornar, se não resolver, o problema tradicional mente-corpo. Seja como for, temos que enfatizar que a inteligência artificial é em si neutra com respeito à oposição entre dualismo e monismo, por um lado, e entre materialismo e idealismo, por outro. E ela não agride nem a dignidade humana nem a liberdade da vontade.

Uma das primeiras e mais saudáveis lições a tirar da tentativa de escrever até mesmo o mais simples dos programas de computador é a conscientização de que muito pouco é simples, se é que algo o é, quando cada passo tem que ser prescrito detalhadamente. Passamos a respeitar mais a complexidade altamente dissimulada dos nossos próprios processos mentais quotidianos, inclusive aqueles envolvidos na produção e compreensão de enunciados linguísticos. Mais importante ainda, temos nossa atenção dirigida para fatores que de outra forma poderíamos aceitar como garantidos, por estarem ligados nas nossas ferragens ou pré-programados como sub-rotinas geneticamente determinadas (para usar a linguagem de computação). Até o presente, a simulação do processamento linguístico por meio de computadores não causou um impacto decisivo no desenvolvimento das teorias linguística ou psicolinguística. Mas influenciou muito da discussão do problema da realidade psicológica referido na seção precedente, ao fornecer pelo menos alguma medida da complexidade de diferentes operações de processamento linguístico e do tempo que poderia levar para realizá-las.

Muito da importância que damos à ciência cognitiva e à inteligência artificial dependerá de nossa atitude em face do papel explanatório dos modelos em ciências natural e social. Um modelo pode simular com sucesso o comportamento de um sistema físico, de um organismo ou de uma instituição social sob certos aspectos sem ter necessariamente a estrutura interna da entidade da qual é modelo. Por outro lado, quanto mais complexo for o comportamento e mais diversos os pontos de contato entre o modelo e o que é sabido da entidade que está sendo representada por ele, mais confiantes podemos ficar acerca de correspondência estrutural entre os dois. Por esse critério, qualquer sucesso obtido na simulação do processamento linguístico por computador, com base no que a psicologia pode nos dizer a respeito da memória, de estratégia de percepção, de tempos de reação etc., e no que os linguistas podem dizer acerca de estrutura linguística, tende a aumentar a nossa compreensão da linguagem e da mente. Não é certo se um dia será possível simular por computador todos os processos mentais envolvidos na produção e compreensão da linguagem.

LEITURAS COMPLEMENTARES

Sobre os fundamentos filosóficos: Edwards (1967) em 'O problema mente-corpo', 'O idealismo', 'O materialismo' etc.

Sobre psicolinguística enquanto tal: Aitchison (1976); Greene (1972); Slobin (1971) – que são todos introdutórios e se complementam de várias maneiras. Clark & Clark (1977) é mais abrangente. As

Capítulo 8

antologias incluem Jakobovits & Miron (1967); Johnson-Lair & Wason (1977); Oldfield & Marshall (1968).

Sobre a linguagem e o cérebro, afasia, neurolinguística, ver Akmajian, Demers & Harnish (1979), Capítulo 13, e Fry (1977), Capítulo 9, para breves estudos elementares. Em Blakemore (1977) é fornecida muita informação relevante de maneira não técnica.

Sobre a aquisição da linguagem, Villiers & Villiers (1979) pode ser recomendado como uma introdução breve, barata e bastante legível, à área. Ver também Donaldson (1978). Entre os livros didáticos (além dos mais gerais sobre psicolinguística) temos Dale (1976); Elliot (1981); McNeill (1970). Crystal (1976) fornece um relato não técnico dos assuntos teóricos e das principais descobertas com referência particular às necessidades dos professores e terapeutas da palavra. O estudo mais abrangente, autorizado e atualizado tanto de teoria quanto de pesquisa é de Fletcher & Garman (1979).

Sobre a influência de Chomsky na filosofia e na psicologia: Greene (1972); Lyons (1977a), Capítulos 9-10; e, além das obras citadas anteriormente sobre psicolinguística e no Capítulo 7 sobre gerativismo, Hacking (1975); Harman (1974); Hook (1969). Sobre Chomsky relacionado a Piaget, ver Piatteli-Palmarini (1979).

Sobre ciência cognitiva e inteligência artificial, v. Bobrow & Collins (1975); Boden (1977), 3ª parte; Charniak & Wilks (1976); Fodor (1975); Minsky (1968); Ritchie (1980); Sloman (1978); Wilks (1972); Winograd (1972).

PERGUNTAS E EXERCÍCIOS

1. "O conhecimento linguístico resulta da interação de estruturas mentais inatas, de processos de maturação, e de relação com o ambiente" (Chomsky, 1972b:26). Discuta.
2. De que maneiras o **mentalismo** chomskiano difere de doutrinas mais tradicionais às quais o mesmo termo se aplica?
3. Explique o que se quer dizer com **lateralização** com referência particular à aquisição da linguagem e ao processamento linguístico.
4. Quais os dados que favorecem a opinião de que existe um **período crítico** para a aquisição da linguagem?
5. O que é **afasia**? Forneça um relato não técnico dos sintomas dos tipos mais comuns de afasia. O que eles nos dizem a respeito da base neuroanatômica para a fala e a linguagem?
6. "O dispositivo de aquisição da linguagem desempenha dois papéis na teoria chomskiana: em primeiro lugar, ele dá conta das semelhanças impressionantes entre as línguas humanas, mesmo entre aquelas que, pelo que se sabe, não são relacionadas histórica nem geograficamente... O segundo papel desempenhado pelo dispositivo de aquisição da linguagem é o fato de dar conta da velocidade, facilidade e regularidade com que as crianças aprendem a sua primeira língua..." (Smith & Wilson, 1979, 259-51). Discuta.
7. Até que ponto o desenvolvimento linguístico depende do desenvolvimento cognitivo? Compare as opiniões de Chomsky e Piaget nesse assunto.
8. Explique por que o retrocesso aparente da criança ao dizer 'fazi' em vez de 'fiz' etc. deve ser visto como um dado de progresso normal na aquisição da linguagem.
9. Qual o papel do reforço por parte dos pais, por meio de prêmios e punições, na aquisição da linguagem pela criança?
10. "Até mesmo nas sociedades não ocidentais nas quais os irmãos mais velhos são responsáveis em grande escala pelos menores, as crianças pequenas são expostas a uma linguagem simplificada"

A Linguagem e a Mente

(Villiers & Villiers, 1979:99). Discuta o papel da chamada linguagem materna simplificada (inglês: **motherese**) na aquisição da linguagem pela criança.

11. Você pode fornecer uma explicação plausível para o uso da chamada **fala telegráfica** pelas crianças pequenas?
12. Os psicolinguistas falam frequentemente do **léxico mental**. O que querem dizer? Como é que o estudam?
13. O que podemos aprender sobre a armazenagem e o processamento da linguagem pelo estudo dos lapsos?
14. Cite e avalie alguns dos dados experimentais pertinentes à **realidade psicológica** das gramáticas gerativas.
15. O que o linguista e o psicólogo podem esperar aprender sobre a linguagem a partir da pesquisa em **ciência cognitiva** e **inteligência artificial**?

Capítulo 9
Linguagem e Sociedade

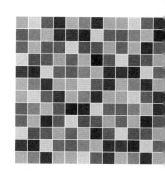

9.1 Sociolinguística, etnolinguística e psicolinguística

Até o momento não existe um modelo teórico amplamente aceito dentro do qual a linguagem possa ser estudada, macrolinguisticamente, de vários pontos de vista diferentes, igualmente interessantes: social, cultural, psicológico, biológico etc. (v. Seção 2.1). Além disso, é no mínimo duvidoso que tal modelo teórico geral seja um dia elaborado. É importante ter isso em mente.

Poucos linguistas hoje concordariam com os princípios positivistas do reducionismo da mesma forma que Bloomfield e seus companheiros da Unidade da Ciência o fizeram há meio século (v. Seção 2.2). Mas existem muitos linguistas que defendem um tipo mais limitado de reducionismo, dando prioridade às ligações entre a linguística e uma, em vez de outra, das várias disciplinas pertinentes à linguagem. Alguns, como Chomsky e os gerativistas, vão enfatizar os pontos de contato entre a linguística e a psicologia cognitiva; outros nos dirão que, já que as línguas são uma instituição social, tanto do ponto de vista de sua manutenção quanto de seu funcionamento, não há, em última instância, nenhuma distinção a fazer entre a linguística e a sociologia ou a antropologia social. É natural que um grupo de estudiosos, em virtude de suas tendências, de sua educação ou de seus interesses especiais, adote um desses dois pontos de vista em detrimento do outro. O que tem que ser condenado é a tendência daqueles que adotam um determinado ponto de vista nesse assunto de apresentá-lo como o único cientificamente justificável. Existem hoje vários ramos reconhecidos da macrolinguística – a psicolinguística, a sociolinguística, a etnolinguística etc. – que são todos interdisciplinares no sentido de que, da maneira como são praticados, envolvem o uso de técnicas e conceitos teóricos provenientes de duas ou mais disciplinas. Apesar de afirmações em contrário em alguns dos livros didáticos introdutórios mais doutrinários, a linguística não

Capítulo 9

está mais próxima de nenhuma das disciplinas com as quais colabora na pesquisa macrolinguística interdisciplinar do que de qualquer outra.

Não lidamos apenas com o fato de que não existe um modelo teórico amplamente aceito dentro do qual todas as disciplinas que tratam da linguagem possam ser inter-relacionadas satisfatoriamente. Muitas dessas disciplinas então envolvidas em disputas demarcatórias entre si e têm as suas próprias controvérsias internas: Qual a diferença entre a sociologia e a antropologia? Como integrar a psicologia cognitiva com a psicologia social? Perguntas como essas afetam inevitavelmente o conceito de áreas interdisciplinares como a sociolinguística, a etnolinguística e a psicolinguística. Não surpreende, portanto, que haja diferenças de opinião quanto à maneira como uma ou outra dessas áreas deveria ser definida e circunscrita, nem que os livros didáticos disponíveis no momento reflitam tais diferenças.

Segundo a definição mais ampla de sociolinguística (que muitos especialistas rejeitariam justamente por ser ampla demais), trata-se do "estudo da linguagem em relação à sociedade" (v. Hudson, 1980:1). Podemos adotar o mesmo ponto de vista e definir etnolinguística como o estudo da linguagem em relação à cultura – considerando 'cultura' no sentido em que é usada em antropologia e de um modo mais geral nas ciências sociais (v. Seção 10.1). Mas a cultura, nesse sentido, pressupõe a sociedade; e a sociedade, por sua vez, depende da cultura. Segue-se que, nas definições mais amplas de 'sociolinguística' e 'etnolinguística', os dois ramos da macrolinguística a que os termos se referem vão se sobrepor consideravelmente. Cada um dos ramos torna-se mais estreitamente circunscrito pelo acréscimo às definições da condição de que as finalidades orientadoras da teoria e da pesquisa sejam primordialmente linguísticas, e não sociológicas, antropológicas, psicológicas etc.: de que tais finalidades estejam relacionadas primordialmente à pergunta "O que é a linguagem?" (v. Seção 1.1). Mas essa condição adicional não reduz de modo significativo o grau de justaposição.

Em vista do que acabou de ser dito, ficará claro que a divisão de material entre este capítulo e o próximo é um tanto arbitrária. Nenhum dos dois reivindicaria para si, de qualquer modo, a qualidade de ser inclusivo no tratamento do campo que descreve. O que fiz foi distribuir alguns dos tópicos que têm sido discutidos e investigados recentemente segundo eles se relacionem primordialmente à estrutura das sociedades ou às suas crenças e práticas. Dada a situação atual, tal distinção é, às vezes, um tanto artificial.

Até mesmo a distinção entre psicolinguística, por um lado, e sociolinguística ou etnolinguística, por outro, pode causar problema – quanto mais se a **psicolinguística** for definida amplamente como o estudo da linguagem e a mente. E muito do que é atualmente estudado em outros ramos da macrolinguística teria sido classificado como psicolinguística há vinte anos. Existe modismo nesse assunto, como em tudo mais. Por exemplo, é moda agora os psicolinguistas estarem mais interessados no que é biologicamente determinado e universal do que em variação determinada social e culturalmente. Os sociolinguistas, por outro lado, tendem a se concentrar muito na variação linguística. Mas essa diferença de atitude e de ênfase não deve

Linguagem e Sociedade

ser considerada criteriosa na definição seja de 'psicolinguística', seja de 'sociolinguística'. Não há motivo, em princípio, para os psicolinguistas não se interessarem pela diversidade e variabilidade da linguagem humana: nem, ao contrário, para os sociolinguistas não se interessarem pelos universais linguísticos e sociais. No capítulo anterior sobre a linguagem e a mente pouco foi dito sobre os determinantes sociais e culturais, enquanto distintos dos biológicos, da estrutura linguística. Foi observado, no entanto, que tem havido alguma pesquisa psicolinguística em torno da chamada hipótese de Whorf ou Sapir-Whorf (v. Seção 8.5). Isso será tratado com mais detalhe no Capítulo 10 como 'Linguagem e cultura'. Entretanto, seria tratável com a mesma naturalidade sob a rubrica 'Linguagem e mente'.

9.2 Sotaque, dialeto e idioleto

A dimensão de variação da linguística que é tratada em termos da escala língua-dialeto-idioleto foi introduzida em relação à ficção da homogeneidade (v. Seção 1.6). Também o foi a distinção entre sotaques e dialetos. Nesta seção estamos interessados no significado social desse tipo de variação linguística.

A diferença mais óbvia entre os termos 'sotaque' e 'dialeto' é que o primeiro é restrito a variedades de pronúncia, enquanto o segundo inclui também diferenças de gramática e vocabulário. No uso do dia a dia, eles são confundidos com frequência. Por exemplo, poderíamos considerar alguém que fala o inglês-padrão com um sotaque popularmente descrito como sotaque regional forte como se estivesse falando em dialeto. A expressão 'em dialeto' está sendo utilizada aqui, como é usada comumente por leigos, significando "em dialeto que não o inglês-padrão". A expressão 'com sotaque' é empregada de maneira semelhante na Grã-Bretanha, e especialmente na Inglaterra, significando "com um sotaque diferente do da RP" (v. Seção 3.2) ou, alternativamente, "com um sotaque diferente daquele a que estou habituado". Todo mundo fala num ou noutro dialeto, assim como todo mundo fala com um ou outro sotaque. É bem possível que pessoas diferentes falem o mesmo dialeto mas com sotaques marcadamente diferentes. Com muita frequência termos como '*cockney*' [a fala típica do lado oriental de Londres], '*geordie*' [a fala de Newcastle e Tyneside) e '*scouse*' [a fala de Liverpool] são usados para se referir àqueles cujo dialeto, tanto em gramática quanto em vocabulário, é classificável como inglês-padrão, para todos os efeitos. Logo trataremos da importância social da distinção entre os dialetos-padrão e não padrão (v. Seção 9.3). O que temos que enfatizar aqui é a relevância de não confundir, digamos, 'RP' e 'inglês-padrão' (da maneira como tendem a ser confundidos no uso de expressões do dia a dia como 'o inglês da Rainha' ou 'o inglês da BBC') quando se descreve a fala dos habitantes da Grã-Bretanha, e mais particularmente da Inglaterra.

Vale a pena observar também que temos 'inglês britânico' e 'inglês americano' são empregados frequentemente de maneira descuidada, mesmo por linguistas, como se se referissem a dois dialetos relativamente uniformes da mesma língua. É claro

217

Capítulo 9

que existem muitas diferenças lexicais entre a fala do americano médio instruído e a do inglês, do galês, do escocês ou do irlandês médios instruídos: '*elevator*' vs. '*lift*' [elevador], '*gas*' vs. '*petrol*' [gasolina] etc.* Mas a maior parte do vocabulário do inglês-padrão americano e, na proporção em que tal coisa existe, do inglês-padrão britânico é idêntica. O mesmo pode ser dito da estrutura gramatical, embora haja construções ou formas de palavras que são caracteristicamente americanas (*It is important that you not come; gotten;* etc. [respectivamente, "É importante que você não venha" e "alcançado"]) ou caracteristicamente britânicas (*in hospital* ["no hospital"], *between you and I* ["entre você e eu"] etc.).** Mas tais construções e formas não são numerosas no que diz respeito aos dialetos-padrão dos dois países, e algumas delas não são utilizadas por toda a América ou Grã-Bretanha.

O termo 'inglês britânico' induz a erro de um modo em que 'inglês americano' (ou 'inglês australiano', 'inglês indiano', 'inglês do Caribe' etc.) não o faz. O que normalmente se quer dizer com 'inglês americano' é "inglês-padrão tal como falado (ou escrito) nos Estados Unidos". A maioria dos autores que utilizam o termo 'inglês britânico', no entanto, restringe o significado do termo tacitamente a "inglês-padrão tal como falado (ou escrito) na Inglaterra". Existem, é claro, bons motivos de ordem sociopolítica para fazê-lo, já que foi essa a versão do inglês-padrão que serviu às finalidades de administração e educação por todo o império britânico. Não obstante, o termo 'inglês britânico' induz a erro na medida em que pode dissimular o fato de que o inglês escocês e o inglês irlandês se encontram na mesma relação com o inglês da Inglaterra do que o inglês americano. E ambos diferem do inglês britânico, no sentido que normalmente é atribuído ao termo, mais do que, por exemplo, o inglês australiano ou indiano. Com efeito, seria mais razoável classificar o inglês australiano ou o inglês indiano como 'inglês britânico' do que o inglês escocês ou o irlandês. Encarados de um ponto de vista geral, todos podem certamente ser considerados variantes ligeiramente diferentes do mesmo dialeto. Comparado a muitas línguas faladas em grandes extensões geográficas, o inglês é altamente padronizado, do ponto de vista tanto da gramática quanto do vocabulário (v. Seção 9.3).

Como vimos antes, dois sistemas linguísticos são o mesmo (independentemente do meio em que se manifestam) se e somente se são isomórficos (v. Seção 2.6). É porque sistemas linguísticos fonologicamente idênticos podem se realizar diferentemente no meio fônico que faz sentido falar do mesmo dialeto de uma língua pronunciado com tal ou qual sotaque (v. Seção 3.4). Pois 'sotaque' compreende todo tipo de variação fonética, inclusive aquele que é subfonêmico no sentido de que nunca é considerado a base de contraste funcional, como essa noção é normalmente aplicada pelos fonólogos. Por exemplo, a presença ou ausência da distinção fonética entre os chamados alofones escuros (isto é, velarizados: v. Seção 3.3) e claros (não velarizados) do

---

* Cf. entre o português do Brasil e o de Portugal, respectivamente, 'as crianças'/'os moleques' *vs.* 'os putos'; cf. entre dialetos regionais do Brasil 'abóbora' *vs.* 'jerimum', 'aipim' vs. 'macaxeira' etc.
** Cf. 'Estou falando', do português do Brasil, com 'Estou a falar', do de Portugal.

Linguagem e Sociedade

fonema /l/ em inglês é irrelevante funcionalmente no sentido restrito de 'funcional'. Certamente é relevante para a identificação do sotaque de uma pessoa. O mesmo acontece com a qualidade particular do alofone que ocorre em certas posições: o grau de velarização, juntamente com diferenças fonéticas associadas, serve para distinguir o sotaque de Bristol e do sudoeste da Inglaterra do de muitas outras regiões (v. Hughes & Trudgill, 1979). Tomando outro exemplo: existe um grau de nasalidade bastante perceptível na pronúncia de vogais, em certas posições, em muitos sotaques americanos, e esse é um dos vários indícios (incluindo outras diferenças de qualidade vocálica, para não mencionar diferenças prosódicas: v. Seção 3.5) que servem para distinguir a maioria dos americanos dos não americanos pelo sotaque. Mais uma vez, isso é não funcional no sentido restrito.

Mas existem outras diferenças de sotaque que podem afetar a identificação de formas. Por exemplo, a diferença fonêmica que é exemplificada em muitos sotaques de inglês, inclusive na RP, pelo contraste vocálico de pares como *put : putt* ["colocar", "bater na boca"], *could: cud* ["poderia", "alimento existente no primeiro estômago do ruminante"], *butcher: butter* ["açougueiro", "manteiga"] etc. não se encontra nos sotaques do norte e do centro da Inglaterra. Consequentemente, existem formas, sobretudo o infinitivo, o presente simples e o particípio presente de *'put'* e *"putt"*, que são distinguidas na RP, mas não numa pronúncia típica do norte ou do centro. Diferenças de contexto (inclusive aquelas que derivam de diferenças sintáticas entre *'put'* e *'putt')* normalmente esclarecem, como também o faz o inglês escrito, se *putting* é uma forma de *'put'* ou de *'putt'*. Entretanto, temos aqui uma diferença de sotaque correlacionada a uma diferença de dialetos: os sistemas linguísticos subjacentes não são isomórficos no nível fonológico.

Os termos 'sotaque' e 'dialeto' não são, portanto, complementares, como poderia ter sido sugerido por nossa discussão anterior sobre a possibilidade de se falar o mesmo dialeto – e particularmente o inglês-padrão – com um sotaque em vez de outro. Aquilo que é um dialeto uniforme em sua essência, tanto do ponto de vista da gramática quanto do vocabulário, pode ser associado a vários sistemas fonológicos mais ou menos diferentes. É essa a situação com o inglês-padrão. Por exemplo, os sistemas vocálicos dos vários sotaques do inglês escocês e do inglês irlandês estão longe de ser isomórficos em relação a RP ou a qualquer outro sotaque do inglês, em termos do critério do contraste funcional.

O que torna a noção de sotaque tão importante sociolinguisticamente, apesar de se sobrepor à de dialeto, é que os membros de uma comunidade linguística reagem frequentemente a diferenças de pronúncia subfonêmicas e fonêmicas da mesma maneira, como indicadores da proveniência regional ou social do falante. Na medida em que isso ocorre, seja conscientemente ou não, as chamadas diferenças subfonêmicas podem ser consideradas significativas socialmente, se não do ponto de vista descritivo (v. Seção 5.1). Ao contrário do que muitos linguistas afirmaram, os falantes nativos de uma língua não deixam necessariamente de notar a variação puramente alofônica. Por exemplo, a pronúncia de uma oclusiva glotal entre vogais como

219

Capítulo 9

alofone de /t/, característica de muitos dos sotaques urbanos da Inglaterra e da Escócia (inclusive de Londres, Manchester e Glasgow), é tão óbvia para a maioria dos falantes de inglês quanto a chamada queda do agá no início de palavras. A ocorrência de uma oclusiva glotal em outras posições, no entanto, pode não ser tão óbvia.

A questão é que certas diferenças fonéticas entre sotaques podem ser estigmatizadas pela sociedade, da mesma forma como certas diferenças lexicais e gramaticais entre dialetos o são. Pais e professores tentam frequentemente eliminar o que consideram marcas de *status* social inferior ou regionalismos. Mesmo se não são bem-sucedidos, eles terão desempenhado a sua função no perpetuamento da crença geral na comunidade linguística de que a pronúncia tal é indicadora de inferioridade social ou de educação, e isso tem como efeito aumentar a sensibilidade da maioria das pessoas em relação ao assunto. Entre as muitas diferenças de sotaques, às quais os membros de uma comunidade linguística reagem globalmente, sem se darem conta, necessariamente, daquilo que torna precisamente a fala de outra pessoa diferente da sua própria fala, pode haver algumas que são particularmente significativas e que eles não sentem dificuldade de identificar. Na Inglaterra os agás apagados e as oclusivas glotais intervocálicas enquadram-se nessa categoria, sobretudo para aqueles que aspiram a um *status* social mais alto do que o que, de outra forma, lhes seria atribuído. A ausência de [r] antes de consoantes em formas como *farm* ["fazenda"], *farther* ["mais longe"] etc. é estigmatizada em Nova York por motivo semelhantes, nas não na Nova Inglaterra – e sem dúvida não na Inglaterra, onde constitui um traço característico da RP.

Tudo isso é familiar aos linguistas, de longa data, e também aos leigos razoavelmente observadores e inteligentes. Também o é o fato de que, em muitos países, mas em proporções particularmente altas na Inglaterra, há mais variação regional na fala dos que se situam mais baixo na escala do que na fala dos que estão mais alto. Foi calculado que não mais do que 3% da população da Inglaterra fala com sotaque RP, o que não dá nenhuma indicação das origens regionais do falante e é o produto, na maioria dos casos, de uma educação de escola pública. Uma percentagem bem maior da população tem um sotaque que se aproxima da RP sob muitos pontos de vista criteriosos (a pronúncia de *bath* ["banho"] etc.), mas que também contêm indicadores das origens geográficas do falante. Trabalhos recentes em sociolinguística confirmaram esse estado de coisas e também que, na grande maioria dos exemplos, quanto mais baixo a pessoa estiver na escala social (em termos de educação, renda, profissão etc.), mais o seu sotaque vai diferir da RP e mais será marcado regionalmente.

No entanto, algo muito mais interessante foi descoberto por meio de técnicas de levantamento de dados utilizados pela primeira vez por William Labov na América. Consiste no fato de que o sotaque e o dialeto de uma pessoa variam sistematicamente segundo a formalidade ou informalidade da situação em que se encontra. Por exemplo, os nova-iorquinos não podem ser classificados simplesmente em termos de se colocam ou não um [r] antes das consoantes em *farm*, *farther* etc. A maioria dos nova-iorquinos de classe média tem ambas as pronúncias. Em termos gerais, quanto mais alto o *status* social, maior será a incidência de formas com um [r] pré-consonantal

Linguagem e Sociedade

na fala informal e relativamente não controlada. Quando se trata de situações mais formais, no entanto, descobriu-se que os falantes de classe média baixa têm uma incidência maior de [r] pré-consonantal do que os falantes de classe média alta. Isso tem sido plausivelmente interpretado como devido à maior sensibilidade dos menos seguros e mais ambiciosos socialmente. Conclusões semelhantes em termos amplos foram alcançadas na investigação sociologística de sotaque e dialeto na Grã-Bretanha (v. Trudgill, 1978). Especialmente interessante é a descoberta de que tanto na América quanto na Inglaterra as mulheres têm mais probabilidade mais alta do que os homens de adotar o sotaque ou dialeto em geral associado a *status* social.

Existem várias razões pelas quais as mulheres poderiam ser, tanto do ponto de vista linguístico quanto de outros, mais conscientes de normas e de *status* do que os homens nas sociedades ocidentais modernas. Entre as que foram apresentadas e têm algum apoio empírico no que diz respeito ao uso de RP na Inglaterra encontra-se o fato de que, enquanto a conservação de um sotaque local está associada à virilidade e à lealdade grupais para muitos homens da classe trabalhadora do norte, o uso de RP por mulheres do norte faz com que elas sejam classificadas favoravelmente por outras segundo um número de dimensões avaliatórias, algumas das quais são normalmente associadas à masculinidade (competência profissional, capacidade de persuasão etc.) e outras à feminilidade. Seja ou não esse fator a causa principal na diferenciação entre a fala do homem e da mulher com relação ao que é em geral socialmente prestigioso, não há dúvida de que o gênero é uma das principais variáveis relevantes do ponto de vista sociolinguístico em todas as línguas. E há muitos casos bem-documentados de diferenças dialetais relacionadas a gênero, na literatura especializada, que não refletem necessariamente as mesmas atitudes com respeito a *status* social ou aos papéis masculino e feminino do que as diferenças relacionadas a gênero que existem em nossa própria sociedade. A relação entre variação linguística e os seus correlatos sociais é de tal ordem que as generalizações amplas em termos de variáveis como gênero, idade e classe social logo são substituídas, em determinados exemplos, por afirmações mais detalhadas e interessantes que se referem à estrutura de diferentes sociedades e às atitudes (isto é, à cultura) de seus membros.

Do que foi dito nesta seção ficará claro que a noção de **idioleto** é menos útil do que poderia parecer à primeira vista. Não se trata apenas do fato de que, como mencionamos antes, as pessoas podem modificar e ampliar seus idioletos pela vida afora, embora não tão prontamente, sem dúvida, à medida que ficam mais velhas (v. Seção 1.6). Mais importante é o fato de que, como acabamos de ver, uma pessoa pode ter diversas variantes dialetais em seu repertório e mudar de uma para outra de acordo com a situação em que se encontra. Pelo menos de um ponto de vista sociolinguístico, é muito mais útil imaginar uma pessoa dominando em sua competência linguística um conjunto de dialetos parcialmente isomórficos, cada um dos quais ela compartilha com seus companheiros de outro grupo social, do que considerar o que normalmente chamamos de dialetos como conjuntos de idioletos que se sobrepõem. Variação linguística no indivíduo e variação linguística na comunidade são dois lados da mesma moeda.

221

Capítulo 9

O posicionamento apresentado é relevante para o que foi dito a respeito de significado expressivo e social no capítulo sobre semântica; eles se fundem e são interdependentes (v. Seção 5.1). Na medida em que expressamos a nossa personalidade e individualidade em nosso comportamento linguístico, fazemo-lo em termos das categorias sociais que estão codificadas, por assim dizer, na variação linguística na comunidade da qual somos membros. Além disso, o significado social atribuído às variáveis de sotaque e dialeto é determinado, na maioria das vezes, pelo que chamamos de **estereótipos**. Podemos associar determinado sotaque ou dialeto – para não mencionar qualidade de voz, independentemente do fato de que a qualidade de voz é parcialmente determinada por fatores puramente anatômicos – a determinado traço da personalidade (por exemplo, inteligência, afabilidade, virilidade), e, na maioria dos nossos contatos diários mais superficiais com as pessoas, julgamo-nos com referência ao estereótipo. Foi demonstrado que membros de determinado grupo social reagirão positiva ou negativamente a certos sotaques e dialetos e, sem ver ou saber nada a respeito do falante, emitem julgamentos sobre sua personalidade com base em sua voz. De interesse particular é a descoberta de que não se avaliam necessariamente as características de sotaque ou dialeto de seu próprio grupo social mais favoravelmente em todas as dimensões de personalidade e caráter do que as de um grupo social reconhecidamente diferente. Pelo menos em alguns casos, os membros de um grupo social mais baixo parecem aceitar a validade do estereótipo com referência ao qual os membros de grupos mais dominantes socialmente as avaliam.

As implicações na educação e nos projetos de carreira desse tipo de preconceito linguístico – na medida em que é correto chamar a isso preconceito (v. Hudson, 1980:195) – são suficientemente óbvias. Voltamos a esse aspecto da questão mais tarde (v. Seção 9.5). O que deve ser enfatizado, no entanto, é a questão mais geral de que a personalidade é, ao menos em parte, pela sua própria natureza, um fenômeno social. Aquilo que chamamos de personalidade é, pelo menos parcialmente, o produto da **socialização** – o processo pelo qual somos transformados em membros de determinada sociedade e participantes da cultura que a caracteriza. E o que chamamos de autoexpressão é a projeção de uma ou outra imagem interpretável socialmente. É por essa razão que significados expressivo e social, tanto em língua como em outros tipos de comportamento comunicativo, são indistinguíveis, em última análise. Como vimos nesta seção, diferenças de sotaque e dialeto podem desempenhar um papel importante na projeção de determinadas imagens sociais. A questão foi colocada com referência ao inglês. Mas ela se sustenta em termos mais gerais. Como veremos mais tarde, o inglês – em parte porque é tão altamente padronizado e em parte porque é falado como língua nativa em muitas partes do mundo e também funciona como a principal língua internacional – é bastante atípico, sob vários aspectos, enquanto espécime de línguas humanas. A variação dialetal na Índia, por exemplo, é uma questão totalmente diferente (v. Burling, 1970:103ss). Entretanto, levando em conta diferenças de estrutura social (por exemplo, a importância de casta na sociedade indiana), o que foi dito aqui a respeito da importância social de diferenças de

Linguagem e Sociedade

dialetos parece verdadeiro com relação à Índia e a todos os países onde existe em grau considerável de variação dialetal.

9.3 Padrões e vernáculos

Quando a distinção entre línguas e dialetos foi discutida pela primeira vez neste livro, afirmei que, embora de um ponto de vista histórico o dialeto-padrão de uma língua (se ela tem um dialeto-padrão) não seja de um tipo diferente do dos dialetos-não padrão relacionados, existem razões sociais e culturais para se adotar um ponto de vista diferente na descrição sincrônica das línguas (v. Seção 1.6). É tempo de introduzir as qualificações necessárias à afirmação feita frequentemente por linguistas de que todos os dialetos são iguais. Por uma questão de conveniência, vou empregar o termo 'vernáculo' no mesmo sentido que tem no uso cotidiano para se referir não apenas aos dialetos-não padrão da mesma língua, mas também a dialetos não relacionados geneticamente que têm a mesma relação funcional com o padrão em certos países do que os dialetos-não padrão relacionados têm em outros. Alguns sociolinguistas utilizaram o termo 'vernáculo' num sentido mais restrito e técnico.

A padronização de determinado dialeto em relação a um ou mais vernáculos não é necessariamente o resultado de uma política proposital. Por exemplo, o inglês-padrão emergiu como tal através dos séculos em virtude da importância política e cultural de Londres; e o francês-padrão emergiu, de maneira semelhante, como consequência da dominância de Paris. Em cada caso, o padrão baseia-se no que foi anteriormente a fala das classes mais altas da corte ou que viviam na capital. Não estou afirmando que a padronização do inglês e do francês não foi em parte uma questão de intervenção deliberada. A *Académie Française*, fundada por Richelieu em 1635, foi apenas uma dentre muitas instituições dessa natureza estabelecidas na Europa no período pós-renascentista e com a incumbência de padronizar a língua literária nacional pela compilação de gramáticas autorizadas e de dicionários; e ela cumpre tal tarefa até hoje. Não existe um órgão comparável nos países de fala inglesa, de modo que a pergunta se algo constitui ou não um traço do inglês-padrão não pode ser respondida tão prontamente. No entanto, várias instituições, inclusive escolas, universidades e editoras, influenciadas pelos gramáticos normativos do século XVIII e seus sucessores, desempenharam um papel quase oficial na Grã-Bretanha, nos Estados Unidos e em outros lugares, e muito semelhante ao desempenhado oficialmente pelas academias literárias na França e em muitos outros países europeus. Entretanto, por motivos políticos, o francês e o inglês são mais altamente padronizados, como línguas escritas, do que algumas das outras línguas principais da Europa. Por exemplo, a unificação política da Itália é relativamente recente; e existem vários centros de prestígio cultural, cada um dos quais ainda tem o seu próprio padrão literário ligeiramente diferente.

Capítulo 9

Em todos esses casos, podemos observar, a língua escrita tende a ser mais altamente padronizada do que a fala dos que a utilizam. Entretanto, dada a existência de um padrão aceito para a língua escrita, este pode servir como modelo de propriedade e correção para a fala dos alfabetizados em qualquer sociedade na qual o domínio da língua escrita traz prestígio ou possibilidade de ascensão social. As línguas literárias da Europa, que se originaram na maioria dos casos como vernáculos em relação ao latim, exerceram durante séculos a sua própria influência de padronização nos dialetos falados por pessoas instruídas, e, indiretamente, nos vernáculos em relação aos quais elas serviram como padrão. Tal influência atinge o seu grau mais alto nos estilos de fala mais formais. Consequentemente, o que queremos dizer quando afirmamos que alguém fala o inglês-padrão ou francês-padrão é que o dialeto que essa pessoa usa em situações formais é mais ou menos idêntico, em gramática e vocabulário, ao padrão escrito. Em situações mais informais, entretanto, ela pode perfeitamente utilizar um vernáculo local ou mais restrito socialmente. Como veremos mais tarde, a distinção entre o padrão e o vernáculo é tão nítida em muitas sociedades que a sua diferenciação funciona como sendo ou não dialetos da mesma língua. Esse fenômeno foi classificado na literatura recente da sociolinguística como um tipo distintivo de bilinguismo: **diglossia** (v. Seção 9.4).

Existem vantagens óbvias na padronização de um dialeto determinado para finalidades oficiais, sobretudo num estado democrático que tem como ideal a alfabetização universal. O inglês e o francês, como vimos, foram padronizados durante um longo período e, em grande parte, pelo que podemos considerar um processo histórico natural. Muito poucas línguas do mundo foram padronizadas dessa forma. Entretanto, foram feitas várias tentativas por governos para acelerar ou passar por cima do processo histórico pela seleção e padronização de determinado vernáculo para uso em educação, difusão, reuniões públicas, publicações oficiais etc. Além das vantagens práticas de ter um único padrão para tais finalidades, há a força da associação histórica entre língua e nacionalidade e entre língua e etnia. A desvantagem de tentar implementar o processo de padronização por decisão oficial, se isso envolver a seleção de um dentre vários vernáculos distintos em uso, é o fato de que coloca os falantes nativos do vernáculo escolhido numa posição mais favorável, política e socialmente, do que os falantes nativos de outros vernáculos. É por esse motivo que o inglês ainda é amplamente usado na Índia em nível nacional. Apesar de o híndi ter sido designado língua nacional oficial (com várias outras línguas designadas como línguas regionais oficiais de maneira semelhante), ele é inaceitável como a língua nacional para a maioria dos que falam um dos vernáculos não relacionados. Muitas das nações recentemente independentes enfrentaram problemas semelhantes. Israel, por outro lado, evitou-os ao selecionar o hebraico clássico.

Os termos 'língua-padrão', 'língua nacional' e 'língua oficial' não são, é claro, sinônimos. A ligação entre eles é que qualquer língua que é aceita pelos seus falantes como um símbolo de nacionalidade (*isto é*, de identidade política e cultural) ou que é designada pelo governo para uso oficial tenderá a ser padronizada, deliberadamente

Linguagem e Sociedade

ou não, como uma precondição ou uma consequência desse fato em si. A relação inversa, no entanto, não se dá. Existem línguas altamente padronizadas que não são nem nacionais nem oficiais (embora possam já ter sido). Os exemplos mais óbvios são algumas das grandes línguas clássicas da Europa e da Ásia (v. Seção 10.1). Quanto à distinção entre línguas oficiais e línguas nacionais, essa última categoria é, pela natureza das coisas, menos nitidamente definida do que a primeira. Em alguns casos, como explicamos anteriormente, um país designará uma determinada língua como sua língua nacional oficial, *isto é*, a língua que utiliza para finalidades oficiais em nível nacional. Mas essa não é necessariamente uma língua nacional no sentido mais profundo e de definição mais difícil do termo. Por exemplo, a Tanzânia adotou o suaíli como sua língua nacional oficial. Mas, pelo menos até agora, isso não serve e não pode servir como símbolo de nacionalidade e identidade cultural para a maioria dos cidadãos do país que pertençam a um número muito grande de grupos étnicos e linguísticos distintos. Finalmente, deve-se observar que as línguas podem se tornar oficiais em um nível mais baixo do que o nacional ou para uma gama relativamente estreita de finalidades oficiais, como é o caso da Índia.

A finalidade dessas poucas observações a respeito da ligação entre línguas-padrão, por um lado, e línguas nacionais e oficiais, por outro, é chamar a atenção para a complexidade da questão e para a diversidade que existe com relação a padrões e vernáculos na maioria dos lugares no mundo. Se somos falantes nativos monolíngues de uma das pouquíssimas línguas do mundo que são altamente padronizadas e servem simultaneamente em um ou mais países, como línguas nacional e oficial (o inglês, o francês, o japonês, o espanhol, o russo etc.), podemos ter ideias bastante falsas sobre outras línguas e o papel que desempenham nas sociedades que as utilizam. Com efeito, podemos nem mesmo entender a relação que existe entre o padrão e os vários vernáculos em nossas próprias comunidades; nem os sentimentos dos que falam uma língua nacional (por exemplo, o galês, o bretão, o basco) que, seja ou não reconhecida para determinadas finalidades, está ameaçada. Não são apenas os países recentemente independentes que têm que enfrentar um problema linguístico. A pesquisa sociolinguística não resolverá problemas por si mesma, mas ela pode fornecer aos governos informações relevantes à sua solução (na medida em que eles sejam solúveis por decisão política). De maneira mais geral, e num nível não político, ela pode aumentar a compreensão de todos, inclusive a do linguista teórico, sobre a natureza da linguagem. Uma boa quantidade de informação desse tipo agora está disponível em relação a certos países.

Concluindo, devemos mencionar os ***pidgins*** e **línguas crioulas**, que se originam como vernáculos altamente restritos de determinado tipo, mas, como línguas crioulas, podem alcançar em certas circunstâncias o *status* de padrão. Os *pidgins* mais conhecidos desenvolveram-se todos dos contatos entre povos que não tinham nenhuma língua em comum. Por exemplo, em muitas partes do mundo há *pidgins* baseados no inglês, no sentido de que parte de sua gramática e de seu vocabulário, se não de sua estrutura fonológica, é derivada do inglês usado por comerciantes e

Capítulo 9

missionários para se comunicarem com povos cujas línguas eles desconheciam. Mas dizer que eles se baseiam no inglês talvez induza a erro. Normalmente uma quantidade equivalente de sua estrutura, se não mais, provém de outras fontes. Falando em termos gerais, eles são mais apropriadamente descritos como línguas mistas ou fundidas, embora seja frequentemente incerto exatamente quais os ingredientes contidos originalmente nas misturas e em que proporções. O mesmo é verdadeiro em relação a *pidgins* baseados em outras línguas europeias. Com efeito, existe uma boa dose de controvérsia ligada à noção de **pidginização**. Quaisquer que sejam os detalhes de sua origem, eles foram utilizados presumivelmente, pelo menos de início, para uma gama muito limitada de situações e eram restritos correspondentemente tanto em vocabulário quanto em gramática. Entretanto, alguns *pidgins* vieram a ser usados dentro de determinadas comunidades para uma gama maior de funções e desenvolveram-se, gramatical e lexicalmente, ao ponto de serem descritos razoavelmente como sistemas linguísticos completos.

Quando um *pidgin* é adquirido por crianças como sua língua nativa, ele é considerado crioulo. Exemplos notáveis disso são os crioulos da Jamaica, com base no inglês, e do Haiti, com base no francês. O *pidgin* melanésio ("fala *pidgin*" de Tok Pisin) e o *krio* são, hoje, línguas-padrão oficiais na Nova Guiné e em Serra Leoa, respectivamente. Não é incomum que a diglossia se desenvolva e que a mudança de código ocorra em comunidades onde os crioulos são usados como vernáculos lado a lado com línguas ou dialetos de prestígio mais alto (v. Seção 9.4).

Só recentemente os *pidgins* e línguas crioulas foram estudados como sistemas linguísticos de direito, em vez de como dialetos reduzidos e baseados nas língua europeias das quais se sabia ou se supunha terem derivado. Uma das consequências é que os processos de pidginização e de crioulização não são mais considerados como tendo sido fatores marginais no desenvolvimento das línguas e dialetos do mundo. Hoje acredita-se amplamente que o inglês negro – o dialeto vernáculo dos negros de classe baixa das cidades do norte dos Estados Unidos – deve muitas de suas características estruturais às línguas crioulas faladas pelos antepassados escravos de seus usuários. Se assim é, constitui um dialeto do inglês hoje, com o mesmo *status* de quaisquer outros dialetos regionais ou sociais. Quando pensamos em pidginização e em crioulização (para não mencionar a descrioulização parcial exemplificada pelo inglês negro na América ou pelos dialetos falados por alguns imigrantes da Índia ocidental na Grã-Bretanha) em termos mais gerais, podemos ver que muito da diferenciação de dialetos que é tradicionalmente manipulada com referência ao modelo sob forma de árvore genealógica para o desenvolvimento linguístico em linguística histórica poderia ser essencialmente o resultado dos mesmos processos. Por exemplo, as línguas românicas devem ser consideradas como tendo resultado da coexistência, por um período, do latim-padrão e de vários crioulos baseados no latim? Uma vez formulada a pergunta dessa maneira, mesmo se ela é em si e neste exemplo menos obviamente pertinente do que em muitos outros, podemos ver que não há nada sobre

Linguagem e Sociedade

pidginização nem sobre crioulização que deveria levar a associar essas noções unicamente à chamada expansão europeia ou ao comércio de escravos.

9.4 Bilinguismo, mudança de código e diglossia

Alguns países são bilíngues (ou multilíngues) oficialmente no sentido de que têm duas (ou mais) línguas oficiais, nacionais ou regionais (v. Seção 9.3). Dois exemplos bastante conhecidos de países oficialmente bilíngues são o Canadá e a Bélgica, cada um dos quais experimentou problemas linguísticos do tipo a que nos referimos na seção anterior. Um exemplo igualmente conhecido de um país oficialmente multilíngue que não experimentou nenhum problema linguístico comparável é a Suíça. Outros países, apesar de não serem oficialmente bilíngues (ou multilíngues), têm duas (ou mais) línguas diferentes faladas dentro de suas fronteiras. A maioria dos países do mundo enquadra-se nessa última categoria. Além disso, sejam ou não oficialmente bilíngues (ou multilíngues), existem comunidades inteiras que são bilíngues (ou multilíngues) no sentido de que seus membros utilizam comumente duas (ou mais) línguas na sua vida diária. Não é o caso, é claro, que todos os cidadãos de um país oficialmente bilíngue (ou multilíngue) usam, ou até mesmo sabem, mais de uma língua. O bilinguismo nas comunidades – e daqui por diante utilizarei 'bilinguismo' para multilinguismo também – é o que nos interessa aqui.

Obviamente uma comunidade não pode ser descrita como bilíngue a não ser que um número suficiente de seus membros o seja. Mas o que significa dizer de uma pessoa que ela é bilíngue? Podemos admitir, como ideal teórico, a possibilidade do bilinguismo perfeito, definido como competência total em duas línguas, equivalente à competência que um falante nativo monolíngue tem em uma. O bilinguismo perfeito, se é que existe, é extremamente raro, porque é raro que as pessoas estejam em posição de usar cada língua numa gama completa de situações e de adquirir, dessa forma, a competência exigida. Entretanto, não é incomum as pessoas se aproximarem do bilinguismo perfeito, sendo igualmente competentes em ambas as línguas numa gama razoavelmente ampla de situações. Nesses casos, se adquiriram ambas as línguas simultaneamente na infância ou se adquiriram uma como primeira língua e a outra algum tempo depois, as pessoas podem ser classificadas, de um ponto de vista psicolinguístico, como bilíngues **compostos** ou **coordenados**, segundo os dois sistemas estejam integrados como um único em algum nível relativamente profundo de organização psicológica, ou armazenados separadamente. Até o momento, não está claro se essa dicotomia é real e, se for, quais são as suas implicações neurofisiológicas (v. Seção 8.3). Em casos de bilinguismo longe de perfeito, uma língua será **dominante** e a outra, **subordinada**; e foi sugerido que o uso da língua subordinada envolve um processo de tradução da língua dominante num nível razoavelmente superficial, embora não necessariamente consciente, de programação psicológica de enunciados.

227

Capítulo 9

A classificação de bilíngues dada anteriormente pode ou não ser bem fundada de um ponto de vista psicológico e neurofisiológico. Mas ela orientou uma boa quantidade de pesquisa recente. No mínimo, serve para enfatizar o fato de que existem muitos tipos diferentes de indivíduos bilíngues.

De modo semelhante, existem muitos tipos diferentes de comunidades bilíngues: diferentes com respeito a uma língua ser ou não claramente dominante para a maioria dos seus membros; ao fato de uma língua ser dominante para alguns, mas não para outros; ao fato de alguns membros se aproximarem ou não do bilinguismo perfeito; ao fato de ambas as línguas serem ou não adquiridas simultaneamente; e assim por diante. No entanto, independentemente de todas essas diferenças, há algo que a maioria das comunidades bilíngues, se não todas, tem em comum: uma diferenciação funcional razoavelmente clara das duas línguas com relação ao que muitos sociolinguistas denominam **domínios**. Por exemplo, um desses domínios poderia ser o lar, definindo-se em termos não simplesmente do local em si onde a conversa ocorre, mas também dos participantes, do assunto da conversa e de outras variáveis relevantes. Assim, uma língua poderia ser a língua do lar, no sentido de que seria usada ao se falar informalmente com outros membros da família, em casa, sobre assuntos domésticos. Entretanto, outra língua poderia ser usada fora do lar, ou dentro dele quando estranhos estão presentes (apesar de eles poderem ser bilíngues também), ou então quando o assunto da conversa for outro que não o doméstico. Essa noção do domínio (que pode ser vista como incluindo várias situações típicas identificáveis e recorrentes) é atraente intuitivamente. E grande parte dos trabalhos teóricos e descritivos em sociolinguística inspirados por Fishman (1965) tentou identificar as variáveis que definem esses domínios reconhecíveis intuitivamente para determinadas sociedades.

Uma mudança de situação no valor de uma das variáveis que definem um domínio pode resultar em **mudança de código**. Por exemplo, duas pessoas tratando de negócios em inglês na Tanzânia poderiam mudar para o suáíli de repente ou, se ambas são membros do mesmo grupo étnico e linguístico, para um vernáculo local, quando o assunto da conversa muda de negócio propriamente para questões mais pessoais. O mesmo tipo de mudança de código foi observado em muitas comunidades bilíngues: na Índia, entre o inglês e o híndi/urdu, bengali, tâmil ou uma de muitas outras línguas locais; no Paraguai, entre o espanhol e o guarani; na comunidade porto-riquenha de Nova York, entre o inglês e o espanhol; e assim por diante.

Até agora nesta seção vimos falando como se a diferença entre uma língua e outra fosse sempre tão nítida quanto no caso do inglês e do francês, do espanhol e do guarani, do híndi/urdu e do tâmil etc. Não é assim. Em primeiro lugar, a aplicação do termo 'língua' em relação ao termo 'dialeto' está sujeita a uma variedade de considerações políticas e culturais. Em segundo lugar, mesmo nos casos em que a diferença entre dois padrões (sejam chamados de línguas ou de dialetos) é suficientemente clara, pode haver uma gama completa de vernáculos intermediários determinados social ou geograficamente ligando-os, de tal modo que se torna impossível dizer de alguns se são relacionados mais de perto a um padrão ou a outro. Por exemplo,

Linguagem e Sociedade

embora dois padrões literários diferentes, o híndi e o urdu, tenham emergido na Índia sob o domínio britânico no século XIX (e tenham se tornado mais nitidamente diferenciados desde a independência da Índia, com a divisão política entre esta e o Paquistão), a distinção entre o híndi e o urdu como vernáculos, em termos de suas estruturas, não é realista. E existem vernáculos que são intermediários da mesma maneira entre o híndi/urdu e o bengali, ou entre quaisquer dos dois padrões regionais geneticamente relacionados que compartilham uma fronteira comum no subcontinente indiano. O mesmo se dá em muitas partes da Europa: em relação ao holandês e ao baixo-alemão (*Plattdeutsch*), ao italiano e ao francês (não padrão), ao inglês e ao escocês, ao norueguês e ao dinamarquês e assim por diante. Em grande parte da Europa ocidental, a educação e a instrução quase universal, a urbanização, o aumento da mobilidade e outros fatores resultaram na polarização de vernáculos vizinhos na direção dos padrões nacionais ou regionais com os quais as comunidades se associam, seja política, seja culturalmente. Mesmo aí permanece o fato de que, se ampliamos o âmbito de aplicação do termo 'bilinguismo' de modo a incluir competência em dois (ou mais) dialetos-não padrão da mesma língua, por um lado, ou em um dialeto-padrão e outro não padrão da mesma língua, por outro, a distinção entre monolinguismo e bilinguismo está longe de ser clara.

Logo voltaremos a essa questão. Identifiquemos primeiro um tipo particular de bilinguismo (no sentido amplo), que os linguistas, com base em Ferguson (1959), chamam hoje de **diglossia**. Existem muitas comunidades bilíngues cujos membros usam regularmente um dialeto para finalidades mais públicas ou formais e o outro em situações mais informais ou coloquiais. Dada a validade da distinção entre o formal e o coloquial (definível, talvez, para determinadas sociedades, em termos de domínios relevantes), podemos distinguir um dialeto alto (A) e um dialeto baixo (B) em termos desse critério puramente funcional. Frequentemente o dialeto A será um padrão literário, e em alguns casos o tipo de padrão literário que chamamos de **clássico**, ou um dialeto que dele se aproxima, enquanto o dialeto B será um vernáculo local. Por exemplo, o árabe clássico é relacionado funcionalmente dessa maneira, como A para B, a vários dialetos coloquiais diferentes nos vários países de língua árabe. O alemão-padrão é relacionado semelhantemente ao alemão suíço na Suíça; o francês-padrão, ao francês crioulo no Haiti; o *katharevusa* ao demótico (*dhimotiki*) na Grécia; etc. E, é claro, em grande parte da Europa pré-renascentista o latim foi o dialeto A em relação às línguas românicas emergentes.

Em todos esses casos, devemos enfatizar, a distinção entre o dialeto A e o dialeto B é mais do que uma diferença entre dois dialetos sociais. Pode bem ser que em muitos casos somente as classes instruídas tenham competência em A e B. Em certos casos, também, por questões culturais, o dialeto A pode ser considerado, de certa forma, uma versão mais correta e pura da língua em si: isso se dá eminentemente no caso do árabe clássico, a língua sagrada do Islã. Entretanto, para aqueles que têm competência suficiente em A e B, o uso de um ou de outro é determinado não pela classe social da pessoa como tal (seja qual for a definição disso para a sociedade em questão), mas pela

Capítulo 9

situação em que ela se encontra. Nessa questão, como em outras, a distinção entre dialetos e estilos perde muito de sua força (v. Seção 9.6). Do ponto de vista estrutural (isto é, em termos do grau de diferença fonológica, gramatical e lexical), A e B são dialetos; do ponto de vista funcional, no entanto, eles podem ser considerados estilos.

A maioria dos casos de diglossia referidos aqui anteriormente encontra-se em comunidades que, embora satisfaçam nossa definição ampla de 'bilinguismo', são normalmente descritas como monolíngues: como falantes de árabe, de grego etc. Em outras, em virtude da dificuldade de dizer o que conta como língua diferente, política ou culturalmente, pode não haver um consenso definitivo, mesmo na própria comunidade, quanto ao fato de seus membros serem ou não monolíngues. Por exemplo, existem aqueles que diriam que o alemão suíço é uma língua distinta relacionada, e em pé de igualdade, com o alemão-padrão; há outros que discordariam disso. É mais importante reconhecer o que os vários casos de diglossia têm em comum do que separá-los em termos de se existem ou não no que normalmente se consideram comunidades monolíngues.

Chegamos agora, talvez de maneira predizível, à questão final: além daquelas comunidades onde a diglossia obviamente existe e daquelas em que obviamente não, há muitas que se situam entre os dois extremos. Por exemplo, comunidades francesas na França em geral não são consideradas exemplos de diglossia. Mas há uma distinção razoavelmente nítida entre o dialeto A do francês-padrão ensinado nas escolas e utilizado em ocasiões formais, especialmente na escrita, e o dialeto coloquial B do dia a dia. As diferenças não se situam meramente no nível lexical, mas estão também no nível gramatical e, para alguns falantes pelo menos, no nível fonológico. Embora seja o dialeto A o que mais se aproxima do padrão literário, seria errôneo referir-se ao dialeto B dos círculos parisienses instruídos como um vernáculo não padrão.

Se o conceito de diglossia é aplicável com respeito a esses dois dialetos não vernáculos do francês, ele não parece se aplicar, na maior parte do mundo falante de inglês, a esta língua. Há uma diferença a delinear, é claro, entre o inglês-padrão e vários dialetos regionais e sociais. E dentro do inglês-padrão existem diferenças lexicais e gramaticais correlacionadas a diferenças funcionais na escala que vão do formal ao coloquial. Mas as diferenças entre o formal e o coloquial são menos nítidas para os falantes do inglês-padrão do que para os do francês-padrão. E nenhum dos dialetos-não padrão (exceto, talvez, alguns dos crioulos baseados no inglês, se forem classificados como dialetos do inglês) encontra-se na relação de B para A com respeito ao inglês. No máximo, o que encontramos são pessoas isoladas que podem mudar do inglês-padrão para um dialeto-não padrão à medida que se deslocam de uma comunidade para outra. Isso não é incomum, mas dificilmente conta como diglossia – nem mesmo como bilinguismo, dado o grau de influência do inglês-padrão sobre os vernáculos não padrão e particularmente sobre os dialetos regionais. Mais uma vez as comunidades falantes do inglês mostram-se um tanto atípicas com respeito às comunidades linguísticas do mundo.

Linguagem e Sociedade

No entanto, não existe algo como uma comunidade linguística típica – e esta é a principal lição que nos é dada pela pesquisa sociolinguística até o momento. Com efeito, não há tanta diversidade entre as comunidades linguísticas falantes de inglês que tenhamos que hesitar antes de fazer generalizações apressadas sobre o papel que o inglês desempenha nas sociedades em que é usado como língua única ou principal.

9.5 Aplicações práticas

Um dos pontos destacados em nossa discussão da distinção entre a linguística teórica e a linguística aplicada foi que, embora tal distinção seja bem diferente, em princípio, da que se faz entre microlinguística e macrolinguística, na maioria dos tipos de linguística aplicada, inclusive na aplicação das descobertas tanto da linguística teórica quanto da descritiva ao ensino de línguas, é essencial adotar um ponto de vista macrolinguístico (v. Seção 2.1). A psicolinguística tem muito a contribuir para a nossa compreensão de como as línguas são adquiridas, seja como línguas nativas na infância, seja como segunda língua depois do período normalmente considerado o período crítico para a aquisição da linguagem (v. Seção 8.4). A sociolinguística também – na medida em que a distinção entre psicolinguística e sociolinguística é mais do que uma questão de preferências metodológicas de modismos acadêmicos em mutação (v. Seção 9.1). Particularmente, muito do que foi mencionado neste capítulo, seja encarado de um ponto de vista psicológico ou sociológico, é muito relevante para áreas reconhecidas da linguística aplicada. Iniciando pelo ensino de línguas estrangeiras: apesar de a situação em muitas partes do mundo estar mudando, as línguas estrangeiras ainda tendem a ser ensinadas sem a devida consideração pela diferença entre língua escrita e falada, por um lado, e entre padrões e vernáculos, por outro. O ensino do inglês como língua estrangeira foi bastante aperfeiçoado nos últimos anos pelo treinamento de especialistas nas atitudes a capacidades importantes; e eles foram equipados de gramáticas de referência e de material didático contendo informações mais precisas acerca do inglês-padrão formal e coloquial do que era disponível anteriormente. O ensino de línguas estrangeiras em escolas e universidades no mundo de língua inglesa melhorou semelhantemente, mas ainda não em proporções iguais.

O ensino da língua materna apresenta problemas de outra natureza. Há provas de que os professores, como a maioria dos membros instruídos da comunidade, seja qual for a sua própria origem social, têm preconceito, de vários tipos, contra os dialetos-não padrão regionais e sociais. Eles podem até julgar uma criança, sem querer, como menos inteligente simplesmente porque o seu dialeto (ou mesmo sotaque) é mais forte do que o de seus companheiros. A criança em si só pode ser influenciada por julgamentos negativos desse tipo, em detrimento de suas expectativas educacionais. No mínimo, portanto, uma melhor compreensão da natureza da relação entre padrões e vernáculos pode reduzir a discriminação e a injustiça involuntária.

Capítulo 9

Mas existem questões mais profundas envolvidas que a teoria e a pesquisa sociolinguísticas podem iluminar, apesar de, no atual estado de coisas, não poderem resolver – questões altamente tópicas, com uma dimensão política. Foi argumentado que as crianças provenientes de lares das classes trabalhadoras têm um **déficit linguístico** em comparação com as crianças das classes média e alta, com base nos seguintes fundamentos: (a) o dialeto-não padrão que elas adquiriram é deficiente em comparação com o padrão; e (b) há menos discussão, e em geral um uso da linguagem funcionalmente mais restrito, no lar típico das classes trabalhadoras do que no das classes média e alta. Uma versão da teoria da deficiência linguística baseia-se na distinção feita por Bernstein (1971) entre os chamados **código restrito** e **código elaborado**. Os trabalhos de Bernstein influenciaram extremamente os educadores, mas são altamente controvertidos do ponto de vista sociolinguístico. O código restrito é tido como não explícito e dependente de contexto (por exemplo, faz mais uso de expressões elíticas e de pronomes, que subentendem a capacidade do ouvinte de fornecer informação contextual) de um modo que o código elaborado não é. Segundo essa teoria, a criança de classe trabalhadora está em desvantagem na escola, onde o código elaborado é tido como necessário, porque os membros da classe operária, diferentemente dos de classes sociais mais altas, utilizam apenas o código restrito.

Tal como foi formulada pelo próprio Bernstein, embora nem sempre por seus seguidores, a distinção entre os códigos restrito e elaborado não deve ser igualada à distinção entre dialetos-padrão e não padrão. Por outro lado, elas estão correlacionadas, na medida em que, nas situações em que a competência de crianças é testada, o padrão elaborado é comparado com o não padrão restrito. Dado que as crianças da classe operária tendem a se colocar na defensiva em confronto com pesquisadores predominantemente de classe média, elas podem ser injustas consigo mesmas no sentido de não se saírem bem em situações de testes em que as crianças da classe média, mais autoconfiantes, demonstram controle aparentemente maior do código elaborado. Além disso, argumentam os oponentes da teoria, tem havido uma confusão, na prática se não em princípio, do código restrito com os dialetos-não padrão, porque os pesquisadores mesmos tendem a ser insensíveis à complexidade estrutural e ao potencial de comunicação de um dialeto-não padrão como o *cockney* ou o inglês negro. Aqueles que defendem a posição de que os dialetos-não padrão não são deficientes, mas sim diferentes, e que o tipo de competência comunicativa na qual se baseiam habitualmente os falantes desses dialetos também é diferente daquela que as escolas exigem das crianças, conforme se alega, lutaram fortemente contra a teoria da deficiência linguística.

Ninguém nega, entretanto, que, na situação vigente, as crianças que entram na escola falando um dialeto que difere de maneira significativa do padrão enfrentam um problema que os falantes do padrão não têm. Grande parte do vocabulário e da estrutura gramatical do material didático utilizado para ensinar leitura pode lhes ser estranha. Esse problema específico talvez possa ser aliviado, até um certo ponto, pela utilização de material cuidadosamente elaborado para aproveitar a justaposição

Linguagem e Sociedade

entre o padrão e determinados dialetos regionais e sociais não padrão. Mas isso significa produzir material de leitura diferente para determinados subgrupos; e torna-se impraticável em áreas onde a população é móvel e mista. Na maioria das sociedades seria inaceitável, social e politicamente, utilizar um dialeto-não padrão como veículo de instrução, exceto, talvez, oralmente e nas escolas primárias por uma extensão de tempo limitada. Por outro lado, é possível tirar proveito do fato de que, pelo menos com relação a algumas línguas, existe uma gama de variação aceita e frequentemente despercebida dentro do padrão. Isso se dá com o inglês, apesar de ser altamente padronizado em comparação a muitas outras línguas. Seria irracional, por exemplo, um professor aumentar os problemas de leitura de um falante de um dialeto-não padrão de Edinburgh ou de Glasgow insistindo que ele use os verbos auxiliares da maneira como um falante do inglês-padrão do sul da Inglaterra normalmente o faz (v. Hughes & Trudgill, 1979:20ss).

Os problemas são particularmente graves para os filhos de imigrantes e de outras minorias étnicas. Divididos entre duas culturas, eles podem ser bilíngues de maneira imperfeita em dois dialetos-não padrão. Existem, é claro, tanto vantagens quanto desvantagens no bilinguismo e na dupla cultura, contanto que não interfiram no progresso educativo e social da criança. Hoje em dia é amplamente mais reconhecido, em muitos países, o fato de que a língua materna mais de minorias étnicas deve ser encorajada, e não desestimulada como uma barreira na sua integração na comunidade mais ampla. O que se chama comumente de **manutenção linguística** constitui hoje a política oficial de muitos países para algumas de suas línguas minoritárias, tanto nativas quanto estrangeiras, se não para todas. No entanto, é muito mais fácil formular tal política declarando-a desejável política e socialmente do que implementá-la – ou, em determinados casos, até mesmo saber como implementá-la.

A sociolinguística – teórica, descritiva e aplicada – já deu uma grande contribuição para a nossa compreensão das implicações educacionais, sociais e políticas desse e de outros aspectos do **planejamento linguístico**, não somente em relação aos países em desenvolvimento, mas também – e cada vez mais nos últimos anos – com referência particularmente às necessidades de minorias étnicas e linguísticas nas sociedades industrializadas. É provável que a contribuição venha a ser maior no futuro próximo, pois os chamados problemas linguísticos fazem parte do problema muito mais amplo da discriminação social e cultural, e isso se tornou muito mais urgente do que era em muitos países, por motivos políticos.

9.6 Variação estilística e estilística

A noção de **variação estilística** foi introduzida no Capítulo 1, onde foi contrastada, por um lado, com diferenças de sotaque e de dialeto e, por outro, com diferenças de meio (v. Seções 1.7, 1.4).

Capítulo 9

Uma maneira de abordar o fenômeno da variação estilística é considerando o fato de que um sistema linguístico fornece frequentemente aos seus usuários meios alternativos de dizerem a mesma coisa. À medida que se trata de uma questão de escolha entre lexemas, podemos falar de sinonímia. Mas a sinonímia, como vimos, raramente é completa, e dificilmente absoluta (v. Seção 5.2). Duas palavras ou sintagmas podem ser equivalentes do ponto de vista descritivo e, no entanto, diferir em termos de significação social e expressiva (v. 'pai' *vs.* 'papai'). Tais expressões sinônimas de maneira incompleta podem ser denominadas **variantes estilísticas:** mais precisamente, variantes não equivalentes estilisticamente. Se elas são ou não consideradas não equivalentes tanto semântica quanto estilisticamente depende, é claro, da adoção de uma definição mais ampla, e não mais restrita, de 'significado' e de 'semântica' (v. Seção 5.1).

Temos também que considerar expressões que são completamente, mas não absolutamente, sinônimas: isto é, expressões que (a) são semanticamente equivalentes em alguns dos seus significados, mas não em todos, ou (b) que diferem com respeito à gama de contextos em que podem ocorrer. Desses dois tipos de sinonímia não absoluta é o último – o que depende de contexto – que é mais relevante para a questão da variação estilística. É claro que, se uma de duas expressões sinônimas não pode ocorrer de modo algum em determinado contexto, a questão de haver uma escolha estilisticamente significativa entre alternativas naquele contexto simplesmente não se coloca. Entretanto, se duas ou mais expressões sinônimas são aceitáveis em determinado contexto, há mais duas possibilidades a distinguir. As expressões em questão vão ou não diferir quanto ao seu grau de aceitabilidade, propriedade e normalidade. Se elas diferirem quanto a isso, mais uma vez podemos falar em variação estilística. Se não, a variação não é significativa estilisticamente: estamos diante de um caso que poderia ser chamado de **variação completamente livre**.

A variação completamente livre, que compreende a sinonímia completa, é relativamente rara – sobretudo na literatura, em que os determinantes da aceitabilidade contextual são mais numerosos e mais diversos do que no uso diário e irrefletido da linguagem. Como já vimos, o termo 'variação livre' é normalmente utilizado por fonólogos para se referir ao que agora podemos reconhecer como um tipo particular de variação não completamente livre, no qual a noção de contraste funcional é restrita à função de distinguir uma forma de outra (v. Seção 3.4). Os linguistas da Escola de Praga sempre tiveram uma visão mais ampla da noção de contraste funcional; e isso é coerente com o interesse deles na variação estilística de todo tipo (v. Seção 7.3).

Muito do que está compreendido no termo 'contexto' é de natureza social e situa-se no âmbito da noção de **domínio** do discurso, definível do ponto de vista sociológico (v. Seção 9.4). Muitos autores incluiriam dentro do contexto social de um enunciado não apenas as variáveis sociolinguísticas mais óbvias (*status*, idade e gênero dos participantes; formalidade ou informalidade da situação; etc.), mas também os sentimentos e as intenções comunicativas do autor. Já sugeri que a personalidade é, pelo menos em parte, o produto da socialização, e que a chamada autoexpressão é a

Linguagem e Sociedade

projeção de uma ou outra imagem socialmente interpretável (v. Seção 9.2). Mas tal sugestão deixa em aberto a possibilidade de que algumas pessoas são mais capazes do que outras de explorar ou de transpor as restrições sociais associadas ao uso de determinados sistemas linguísticos. Existe uma discussão de longa data entre críticos literários e autores sobre estética quanto ao grau de restrição que os fatores sociais exercem sobre o uso reconhecidamente criativo da linguagem por escritores considerados individualmente. Sem preconceito quanto à resolução dessa discussão, podemos adotar a seguinte definição: na medida em que a variação estilística é determinada ou condicionada pelo contexto social, ela se situa no âmbito do conceito sociolinguístico de *registro*. Outras definições de sociolinguística também se encontram na literatura. Mas a que foi dada aqui é provavelmente a mais amplamente aceitável.

Variação estilística em geral e particularmente a variação de registro não são uma simples questão de vocabulário. Elas também afetam a gramática, e, tratando-se da língua falada, a pronúncia. Por exemplo, enunciados elíticos (*Been shopping?* [por *Have you been shopping?*: "(você) esteve fazendo compras?"], *Just wanted to say "Thanks" for last night* [por "*I just...*" (eu) só queria dizer "obrigado" por ontem à noite] etc.) e perguntas-apêndice (*You haven't seen my pen, have you?* ["Você não viu a minha caneta, viu?"] etc.) são mais frequentes no inglês informal do que no formal. Quanto à pronúncia, existem mais casos de assimilação, de formas '*allegro*' etc., na fala coloquial distensa do que num estilo mais formal. É importante ter consciência de que os registros mais informais do inglês e de outras línguas são **regidos por regras** da mesma maneira que os registros mais formais o são. Na maioria das vezes essas regras são imanentes e não transcendentes: é o preconceito prescritivo ou normativo da gramática tradicional que tende a obscurecer esse fato e que promoveu o ponto de vista segundo o qual o uso informal é relaxado e desorganizado (v. Seção 2.4).

É importante também não confundir os registros mais informais de uma língua com os dialetos-não padrão dessa língua (v. Seção 9.3). Falantes do inglês-padrão utilizarão o registro informal apropriado numa gama completa de situações reconhecidamente informais: conversando com amigos ou colegas, participando das refeições diárias da família e assim por diante. Dialetos-não padrão podem não ter a mesma gama de registros que o padrão simplesmente porque existem muitas situações oficiais e semioficiais em que os dialetos-não padrão geralmente não são empregados. Como já foi comentado antes, nas comunidades linguísticas onde a **diglossia** funciona, a distinção entre dialetos e estilos perde muito da sua força (v. Seção 9.4). No entanto, a distinção é válida em princípio; e ela nem sempre foi respeitada na discussão de assunto tais como a diferença entre os chamados códigos restrito e elaborado de uma língua (v. Seção 9.5).

Tudo o que foi dito antes sobre a variação estilística em relação a tipos distinguíveis de sinonímia não absoluta se aplica também a diferenças estilisticamente significativas de gramática e de pronúncia. Por exemplo, podem-se fazer perguntas em inglês enunciando uma sentença interrogativa ou, alternativamente, enunciando uma sentença declarativa com um padrão de entonação crescente distintivo:

235

Capítulo 9

(1) *Is it raining?*

["Está – pronome neutro de 3ª pessoa – chovendo?"]

(2) *It's raining?*

["pronome... está – chovendo"]

O ponto de interrogação em (2) nada mais é do que uma representação convencional em inglês escrito do seu padrão de entonação distintivo; e os linguistas podem discordar quanto à questão de (2) ser uma sentença declarativa usada para formular uma pergunta (como eu a classifiquei) ou um tipo particular de sentença interrogativa. Essa diferença de opiniões é irrelevante para a presente questão. (1) e (2) diferem em estrutura gramatical; e, como enunciados, se não como sentenças, são parciais, mas não totalmente equivalentes. Além e acima de sua função de formular uma pergunta, (2) tem a função expressiva adicional de indicar ou revelar a surpresa, tristeza, indignação etc. do falante. É claro que (1) também pode ter uma função expressiva adicional, veiculada pela superposição de determinado contorno prosódico. Mas (1) é, em si, estilisticamente mais neutra do que (2).

Outro tipo de variação estilística condicionada pelo contexto pode ser exemplificado por

(3) *We want Watney's*

["Nós queremos Watney's"]

em contraste com

(4) *What we want Watney's*

["O que nos queremos é Watney's"]

Dessas duas sentenças, (3) é estilisticamente neutra e (4), como (2) em contraste com (1), é estilisticamente **marcada** (isto é, não neutra).* Nesse caso a diferença estilística entre a construção marcada e a não marcada ou neutra não seria geralmente atribuída a variação de registro. Isso tem mais a ver com o que os linguistas da Escola de Praga chamaram de **perspectiva funcional da sentença** e que outros trataram em termos da significação temática dos enunciados ou de sua estrutura de informação (v. Seção 7.3). Embora (3) e (4) sejam equivalentes do ponto de vista das condições de verdade, e portanto tenham o mesmo significado descritivo ou enquanto proposições, elas não são equivalentes com relação aos contextos em que normalmente ocorreriam. Uma razão pela qual (4) surte mais efeito como propaganda do que (3) seria porque (4) dá a entender que pressupõe, como fornecido pelo contexto, o fato de que se sabe da pessoa ou das pessoas enunciando (4) que querem algo, presumivelmente para beber. (Outra razão, é claro, é que a construção usada em (4) produz, nesse exemplo, alteração e assonância.) Muito da variação estilística manipulada pelos linguistas em termos de perspectiva funcional de sentença, ou de

---

* Watney's é uma marca conhecida de cerveja, vendida principalmente na Grã-Bretanha, e (4) é um dos *slogans* usados em várias propagandas.

Linguagem e Sociedade

significação temática, é uma questão de ordem de palavras ou uma escolha entre construções gramaticais diferentes, juntamente com diferenças de acento e entonação associadas, no que diz respeito à língua falada.

A capacidade de um falante de controlar diferenças de registro significativas e de adaptar a estrutura de seus enunciados aos respectivos contextos, à luz de suas próprias intenções comunicativas, é parte integrante de sua competência linguística: isto é, do seu conhecimento dessa ou daquela língua. Por exemplo, qualquer um cuja competência em inglês é tal que ele reconheça tanto.

(5) *I have read that book*
["Eu li aquele livro"]

quanto

(6) *That book I have read*
["Aquele livro eu li"]

como gramaticalmente bem-formadas, mas que não saiba que (6) é estilisticamente marcada, e não seja capaz de colocá-la num contexto, é, em relação a essa situação, menos competente em inglês do que uma pessoa que tem a capacidade de usar e interpretar (5) e (6) como um falante nativo o faria. Os falantes não nativos de uma língua frequentemente revelam-se como tal pelos lapsos que cometem do tipo que chamamos de **incongruência estilística**: por exemplo, pela justaposição de duas expressões estilisticamente marcadas, uma como coloquial e a outra como literária. Por outro lado, a incongruência estilística pode ser usada como efeitos propositais por humoristas e poetas. Mas esse tipo de desvio da norma prova meramente que existe uma norma em primeiro lugar. A incongruência estilística é reconhecida pelo que é e alcança o efeito que alcança em relação às normas da congruência.

Pesquisas recentes mostraram que as normas da congruência estilística são, na sua maioria, de natureza estatística. Por exemplo, embora seja possível identificar certas expressões ou construções como formais ou informais, a diferença entre o inglês formal e o informal não é em geral uma questão de um conter expressões ou construções que o outro não contém. Depende muito mais da proporção entre alternativas mais formais ou menos formais em determinados textos ou discursos. Os falantes não mudam de um registro discreto para outro ao passarem de um tipo de situação, ou domínio, para outro.

Temos que enfatizar também que o que conta como estilisticamente marcado em relação ao que é estilisticamente neutro vai variar de acordo com o registro que é apropriado para determinados contextos. É hábito, na redação de trabalhos científicos em inglês, evitar sentenças ativas com o sujeito na primeira pessoa ('Eu resolvi...', 'Nós selecionamos cinco espécimes de cada grupo...' etc.) e fazer uso generalizado, em vez disso, de sentenças passivas impessoais ('Foi resolvido que... deveria/seria...', 'Foram selecionados cinco espécimes de cada grupo...' etc.). Embora a passiva impessoal seja estilisticamente marcada em contraste com a ativa na primeira pessoa, não

237

Capítulo 9

somente no registro informal do dia a dia, mas também na maioria dos registros formais, o contrário é verdadeiro para o que podemos identificar como inglês científico. Esse detalhe é da maior importância, pois o efeito alcançado pelo uso deliberado de uma construção ou expressão marcada estilisticamente depende de ela ser marcada estilisticamente em relação ao registro de contexto em que ocorre, e não em relação ao sistema linguístico como um todo.

Voltemo-nos agora à **estilística** como um ramo mais ou menos bem estabelecido da macrolinguística (v. Seção 2.1). Uma definição, à qual muitos adeririam, poderia ser a seguinte: estilística é o estudo da variação estilística nas línguas e nas maneiras como tal variação é explorada pelos usuários. Essa definição certamente é bastante geral: ela compreende tudo o que aqueles que usam o termo 'estilística' gostariam que compreendesse. Mas pode-se argumentar que compreende coisas demais. Sob tal definição a estilística estaria totalmente incluída no âmbito da sociolinguística (na interpretação ampla: v. Seção 9.1) e da pragmática (v. Seção 5.6). Alguns estudiosos ficariam satisfeitos com essa interpretação de 'estilística'.

No entanto, o termo 'estilística' é mais comumente restrito, com ou sem maiores qualificações, a **estilística literária**: o estudo da língua dos textos literários. Mas os termos 'literário' e 'literatura' também podem ser interpretados de maneira mais ampla ou mais restrita. A literatura, como normalmente entendemos o termo em nossa cultura, não é de modo algum universal para toda a humanidade. Existe, entretanto, uma definição mais geral de 'literatura' que não se restringe à língua escrita e nem limita o termo ao âmbito das categorias e gêneros de nossa própria cultura. Como Bloomfield colocou a questão (1935:21-2): "A literatura, seja apresentada sob a forma falada ou, como é agora costumeiro entre nós, por escrito, consiste em enunciados lindos ou notáveis por outras qualidades." Poderíamos fazer trocadilhos com os termos 'lindos' e 'notáveis'; e temos que interpretar o termo 'enunciado' de maneira que compreenda textos inteiros e não apenas os produtos de atos de enunciação únicos. Entretanto, a definição de Bloomfield tem a vantagem de nos mostrar que o que normalmente consideramos literatura em nossa própria cultura é uma manifestação particular de algo que se encontra em todas as culturas: o reconhecimento de que certos enunciados e textos são mais dignos de preservação, repetição e comentários do que outros, em virtude de suas propriedades estéticas ou dramáticas. A literatura, nesse sentido, não é apenas culturalmente universal; é uma das características definidoras de culturas mais importantes e que as distingue uma das outras.

Infelizmente, tem havido certa divisão, recentemente, entre a linguística e os estudos literários. Isso é, em grande parte, o resultado de incompreensão e preconceito, por um lado, e das reivindicações exageradas de determinados linguistas e determinados críticos literários, por outro, acerca das metas e descobertas de suas próprias disciplinas. Embora perdurem a incompreensão e o preconceito em muitos lugares, de ambas as partes, eles estão diminuindo. Os linguistas não estão mais tão declarativos quanto já foram a respeito do *status* científico de sua própria disciplina (v. Seção 2.2); e estão mais cuidadosos na sua formulação do princípio da prioridade da língua

Linguagem e Sociedade

falada e na sua crítica do preconceito literário e prescritivo da gramática tradicional (v. Seções 1.4, 2.4). E alguns críticos literários pelo menos estão cientes do fato de que a insistência do linguista de que o uso da linguagem na literatura não é o único, nem mesmo o fundamental, é perfeitamente coerente com o ponto de vista deles, segundo o qual as funções literárias da linguagem são especialmente dignas de estudo. Com efeito, existem agora muitos estudiosos trabalhando no campo da estilística literária cujos interesses profissionais compreendem tanto língua quanto literatura, tal como esses termos são comumente interpretados em nossas escolas e universidades.

Nesta seção fizemos uma referência superficial às metas da estilística literária. É óbvio, no entanto, que a definição geral de 'estilística' dada anteriormente – o estudo da variação estilística nas línguas e da maneira como é explorada por seus usuários – compreende também a estilística literária, pelo menos em princípio. Pois o uso literário das línguas pode ser visto como um em que a exploração dos seus recursos em todos os níveis de sua estrutura é particularmente vistoso e criativo. A incongruência estilística, a ambiguidade deliberada, o emprego ousado da metáfora, para não mencionar a aliteração, a assonância, a métrica, o ritmo etc., que dependem em última instância das propriedades do meio fônico – esses são apenas alguns dos recursos obviamente linguísticos a que um poeta ou orador podem recorrer na produção de "enunciados lindos ou notáveis por outras qualidades". A estilística literária impõe-se a tarefa de descrever esses recursos. Uma exemplificação será encontrada nas obras relacionadas nas sugestões para leitura adicional.

LEITURAS COMPLEMENTARES

Além das abordagens a serem encontradas nas obras mais gerais relacionadas nos Capítulos 1 e 2, as seguintes são recomendadas como introduções à sociolinguística e/ou à etnolinguística: Bell (1976); Hudson (1980); Pride (1971); Trudgil (1974).

As antologias incluem Fishman (1968); Giglioli (1972); Giles (1977); Gumperz & Hymes (1972); Laver & Hutcheson (1972); Pride & Holmes (1972).

Coleções de artigos influentes de estudiosos isolados incluem: Emeneau (1980); Ervin-Tripp (1973); Ferguson (1971); Fishman (1972a); Greenberg (1971); Gumperz (1971); Haugen (1972); Hymes (1977); Labov (1972).

Sobre sotaques e dialetos: Bailey & Robinson (1973) além dos mencionados; Chambers & Trudgill (1980); Hughes & Trudgill (1978).

Sobre o inglês negro (na América); Burling (1973); DeStefano (1973); Dillard (1972); Shuy & Fasold (1973).

Sobre *pidgins* e línguas crioulas: Hymes (1971) além dos mencionados; Todd (1974); Valdman (1977).

Sobre o bilinguismo e a diglossia: Ferguson (1959); Bell (1976), Capítulo 5. Um clássico hoje é Weinreich (1953). Ver também Vildomec (1963); Haugen (1973). Para algumas sugestões desafiadoras sobre os aspectos neurofisiológicos do bilinguismo, v. Albert & Obler (1978).

Sobre língua e classe social (com referência particular à noção de códigos restrito e elaborado): Bernstein (1971); Dittmar (1976); Edwards (1976); Lawton (1968); Robinson (1972); Rosen (1972).

Capítulo 9

Sobre planejamento linguístico: Fishman, Ferguson & Das Gupta (1968); Robin & Shuy (1973), além dos mencionados.

Sobre língua e nacionalismo: Fishman (1972c), além dos mencionados.

Sobre variação estilística: Bailey & Robinson (1973), além dos mencionados; Crystal & Davy (1969); Quir (1968); Turner (1973).

Sobre estilística literária: Chatman & Levin (1967), além dos mencionados; Culler (1975); Fowler (1966); Freeman (1970); Halliday & MacIntosh (1966); Hough (1969); Leech (1969); Love & Payne (1969); Quirk (1968); Sebeo (1960); Ullman (1964); Widdowson (1974).

As implicações educacionais e as aplicações práticas da sociolinguística e da estilística são levadas em conta em muitas das obras referidas anteriormente. Devemos nos referir também às obras relacionadas no Capítulo 2 para linguística aplicada e, além disso, a trabalhos como Mackey (1965); Widdowson (1976, 1978); Wilkins (1972). Duas leituras que focalizam especificamente as implicações educacionais da linguística, inclusive da sociolinguística e da psicolinguística, são Cashdan & Grudgeon (1972); Johnson (1976).

PERGUNTAS E EXERCÍCIOS

1. Discuta o significado social de diferenças de sotaque e de dialeto dentro de uma comunidade linguística. (Elas servem a finalidades benéficas ou nocivas de modo geral, consideradas do ponto de vista (a) da sociedade e (b) do indivíduo?)
2. Explique claramente a diferença entre RP e o inglês-padrão.
3. Os linguistas e outras pessoas falam livremente de inglês britânico, inglês americano, inglês australiano etc. Estão falando de dialetos relativamente homogêneos da mesma língua? O que é o inglês britânico ou o inglês americano ou o inglês australiano?
4. "Variação linguística no indivíduo e variação linguística na comunidade são dois lados da mesma moeda" (p. 205). Discuta.
5. Explique e exemplifique a noção de **estereótipos** relevantes sociolinguisticamente.
6. Você concorda que a personalidade, na medida em que é expressa no comportamento linguístico, é um fenômeno social?
7. Foi sugerido que toda a linguística é, ou deveria ser, sociolinguística, e também que toda a linguística é, ou deveria ser, psicolinguística. O que *você* acha?
8. Que distinção você faria, se fizesse, entre **bilinguismo** e **diglossia**?
9. Explique o que se quer dizer com a **padronização** das línguas. Deve ser encorajada? Se sim, como?
10. Em que medida os *pidgins* diferem dos **crioulos**?
11. Explique o que se quer dizer com **mudança de código**. Ela se aplica a falantes monolíngues ou não?
12. Forneça um relato crítico da teoria de Bernstein sobre **códigos restrito** e **elaborado** com referência particular à hipótese da **deficiência linguística**.
13. O que é **planejamento linguístico**? Resuma as metas e descobertas de um ou mais estudos de casos referidos nas sugestões para leitura complementar.

Linguagem e Sociedade

14. Considere as seguintes definições de estilística:
   (a) "A estilística ... é o estudo da função social da linguagem e é um ramo do que veio a ser chamado de sociolinguística" (Widdowson, 1974:202).
   (b) "A estilística é aquela parcela da linguística que se concentra na variação no uso da linguagem, frequentemente, mas não exclusivamente, com especial atenção aos usos mais conscientes e complexos da linguagem na literatura" (Turner, 1973:7).
   (c) "A estilística trata dos valores expressivo e evocativo da linguagem" (Ullman, 1962:9).
   Elas definem a mesma gama de fenômenos? Qual delas você prefere, e por quê? Que distinção você faria entre estilística literária e não literária, se fizesse?

Capítulo 10
Linguagem e Cultura

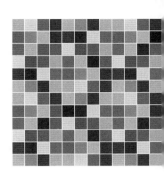

10.1 O que é cultura?

A palavra 'cultura' (e seus equivalentes em outras línguas europeias) tem vários sentidos relacionados, dois dos quais é importante mencionar e distinguir aqui.

Existe, em primeiro lugar, o sentido em que 'cultura' é mais ou menos sinônimo de 'civilização' e, numa formulação mais antiga e extrema do contraste, oposta a 'barbarismo'. É esse o sentido, em inglês, do adjetivo *cultured* ["culto"]. Baseia-se, em última instância, na concepção clássica do que constitui excelência em arte, literatura, maneiras e instituições sociais. Revivida pelos humanistas do Renascimento, a concepção clássica foi enfatizada por pensadores do Iluminismo do século XVIII e por eles associada à sua visão da história da humanidade como progresso e autodesenvolvimento.

Essa visão da história foi desafiada, como também muitas das ideias do Iluminismo, por Herder, que disse a respeito do equivalente alemão de 'cultura': "Nada é mais indeterminado do que essa palavra, e nada é mais decepcionante do que sua aplicação a todas as nações e períodos" (cf. Williams, 1976:79). Ele criticava especialmente o pressuposto de que a cultura europeia do século XVIII, dominada pelas ideias francesas e pela língua francesa, representasse o ponto alto do progresso humano. É interessante notar, em relação a isso, que a expressão *'langue de culture'* (literalmente, "língua de cultura") é comumente empregada por estudiosos franceses para distinguir as línguas consideradas culturalmente mais adiantadas das menos adiantadas. *'Kultursprache'* é usado semelhantemente em alemão. Embora não haja um equivalente aceitável em inglês, a atitude na qual se baseia o uso de tais expressões não é menos comum nas sociedades de língua inglesa. Como vimos num capítulo anterior, a maioria dos linguistas é de opinião de que não existem línguas primitivas (v. Seção 1.7).

Capítulo 10

Entretanto, vale a pena rever essa questão com referência particular ao que poderíamos chamar de concepção clássica de cultura. Faremos isso adiante (v. Seção 10.5).

No decorrer da maior parte deste capítulo, a palavra 'cultura' deve ser interpretada não no seu sentido clássico, mas no que poderia ser descrito aproximadamente como seu sentido antropológico. Na verdade, é esse o sentido em que Herder propôs que o termo fosse usado; mas foi somente uns oitenta anos depois que os antropólogos que escreviam em inglês adotaram tal uso. Nesse segundo sentido, 'cultura' é empregado sem nenhuma implicação de progresso humano uniforme do barbarismo à civilização e sem nenhum julgamento de valor *a priori* quanto à qualidade estética ou intelectual da arte, literatura, das instituições etc. de determinada sociedade. Nesse sentido do termo, que se espalhou da antropologia para as outras ciências sociais, cada sociedade tem a sua própria cultura; e diferentes subgrupos dentro de uma sociedade podem ter a sua própria subcultura distintiva. A promoção por Herder da palavra 'cultura' nesse sentido estava ligada à sua tese da interdependência da linguagem e do pensamento, por um lado, e, por outro, à sua opinião de que a língua e a cultura de uma nação eram manifestações de seu espírito ou de sua mente nacionais distintivos. Muitos outros escritores do movimento romântico tinham ideias semelhantes. Isso é apenas um fio no complexo desenvolvimento histórico da chamada hipótese Sapir-Whorf, que dominou toda a discussão de linguagem e cultura, bem como de linguagem e pensamento, há uma geração (v. Seção 10.2).

Embora o termo 'cultura' seja amplamente empregado agora nas ciências sociais, e especialmente por antropólogos, no sentido que acabou de ser identificado, ele pode ser definido, tecnicamente, de várias maneiras diferentes. Segundo a definição com a qual trabalharemos, cultura pode ser descrita como conhecimento adquirido socialmente: isto é, como o conhecimento que uma pessoa tem em virtude de ser membro de determinada sociedade (v. Hudson 1980:74). Duas observações são necessárias a respeito do uso da palavra 'conhecimento' aqui. Em primeiro lugar, deve ser entendida compreendendo conhecimento tanto prático quanto de proposições: tanto o saber fazer quanto o saber que algo é ou não assim. Em segundo lugar, quanto ao conhecimento de proposições, o que contra é o fato de algo ser considerado verdadeiro, e não a sua veracidade ou falsidade reais. Além disso, em relação à maioria das culturas, se não a todas, temos que admitir diferentes tipos ou níveis de verdade de maneira que, por exemplo, a verdade de uma afirmação religiosa ou mitológica seja avaliada diferentemente da de um relato factual direto. Encarada desse ponto de vista, a ciência em si é parte da cultura. E na discussão da relação entre linguagem e cultura não se deve dar prioridade ao conhecimento científico em detrimento do conhecimento comum, nem mesmo da superstição.

É costumeiro distinguir entre transmissão cultural e biológica (isto é, genética). No que diz respeito à linguagem, é bem possível que exista uma faculdade inata de aquisição da linguagem (v. Seção 8.4). Se isso é verdade ou não, não há dúvidas de que o conhecimento da própria língua nativa é culturalmente transmitido: é adquirido, embora não necessariamente aprendido, em virtude de o indivíduo ser membro de

Linguagem e Cultura

determinada sociedade. Além do mais, mesmo se existe uma faculdade de linguagem transmitida geneticamente, esse fato não pode resultar na aquisição e no conhecimento de uma língua a não ser que os dados com base nos quais a faculdade de linguagem funciona sejam fornecidos pela sociedade em que a criança cresce e, pode-se argumentar, sob condições que não afetem seriamente o desenvolvimento cognitivo e emocional da criança. Isso significa que o cultural e o emocional na linguagem são interdependentes. Com efeito, torna-se óbvio, depois de alguma reflexão, que a competência linguística de uma pessoa, independentemente de sua base biológica, se encontra no âmbito de nossa definição de cultura. E pode bem ser que outros tipos de conhecimento adquirido socialmente – inclusive mitos, crenças religiosas etc. – tenham uma base biológica específica da espécie na mesma proporção que a linguagem tem. Devemos ter esse ponto em mente quando levamos em conta a aquisição e a estrutura da linguagem em termos da oposição entre o biológico e o cultural. Não é mais possível pensar em termos de uma distinção nítida entre natureza e educação.

10.2   A hipótese Sapir-Whorf

O grande linguista e antropólogo norte-americano Edwar Sapir (1844-1939) e seu discípulo Benjamin Lee Whorf (1897-1941) foram herdeiros de uma tradição no pensamento europeu (medida, muito provavelmente, por Franz Boas: 1848-1942) que, como vimos, desempenhou um papel importante no desenvolvimento do estruturalismo (v. 7.2). A tradição remonta no mínimo a Herder e tinha em Wilhelm von Humboldt um de seus primeiros e mais influentes representantes (v. Seção 8.1). Ela é marcada pela sua ênfase no valor positivo da diversidade linguística e cultural e, de um modo geral, pela sua ligação com os princípios do idealismo romântico.

Embora hostil ao classicismo, universalismo e intelectualismo excessivo do Iluminismo, a tradição Herder-Humboldt não levou a sua hostilidade ao ponto de proclamar que não existem universais da linguagem e cultura. Humboldt, pelo menos, acentuou tanto o universal quanto o particular na linguagem. Ele viu a diversidade estrutural das línguas (sua forma interna) como o produto da faculdade, universalmente operante e especificamente humana, da mente. É por essa razão que Chomsky pôde reconhecer em Humboldt ("que se situa diretamente nas correntes cruzadas do pensamento racionalista e romântico e cuja obra é, de várias maneiras, a culminância bem como o ponto terminal desses desenvolvimentos"; Chomsky, 1966:2) os primórdios do gerativismo e, mais particularmente, de sua própria noção de criatividade (v. Seção 7.4). Seja como for, a versão da concepção de Herder-Humboldt da relação entre linguagem e pensamento, que foi rotulada por linguistas, antropólogos e psicólogos norte-americanos de "hipótese Sapir-Whorf" na década de 1950, é normalmente associada à tese da **relatividade linguística**. Embora não necessariamente concomitante com o estruturalismo enquanto tal, essa tese constitui uma das características mais notáveis de suas versões norte-americanas, inclusive da escola pós-bloomfieldiana.

Capítulo 10

Herder, como vimos antes, falava da interdependência de linguagem e pensamento (v. Seção 8.1). Humboldt aproxima-se mais do **determinismo linguístico**. A hipótese Sapir-Whorf, como é normalmente apresentada, combina determinismo linguístico ("A linguagem determina o pensamento") e relatividade linguística ("Não há limites para a diversidade estrutural das línguas"). Na sua versão mais extrema, a hipótese Sapir-Whorf pode ser colocada como se segue:

> (a) Nós estamos, em todo o nosso pensamento e para sempre, "à mercê da língua determinada que se tornou o meio de expressão para a [nossa] sociedade", porque só podemos "ver e ouvir e experimentar de outras formas" em termos das categorias e distinções codificadas na linguagem; (b) as categorias e distinções codificadas em um sistema são exclusivas àquele sistema e incomparáveis aos de outros sistemas.

Não está claro se Sapir ou Whorf concordariam com a hipótese sob essa forma. Embora eu tenha incorporado as próprias expressões de Sapir na formulação da tese do determinismo linguístico apresentada anteriormente, a famosa passagem de onde elas foram tiradas (Sapir, 1947:162) contém igualmente várias expressões qualificativas que reduzem a sua força.

Vale observar que, embora formulada de maneira forte, a versão extrema da hipótese que acabou de ser apresentada não exclui em si a possibilidade de bilinguismo. Poderia ser argumentado que o bilíngue tem duas vistas incompatíveis do mundo e que ele muda de uma para outra à medida que muda de uma língua para outra. No entanto, se verdadeira, a hipótese em sua versão forte está em conflito com o fato evidente de que os bilíngues não manifestam nenhum sintoma óbvio de estarem trabalhando com visões do mundo radicalmente incompatíveis e afirmam frequentemente ser capazes de dizer a mesma coisa em ambas as línguas. Os tradutores, também, concordarão com muita frequência, se não sempre, que o que foi dito ou escrito em uma língua pode ser dito ou escrito em outra. (A qualificação "com muita frequência se não sempre" será retomada presentemente.)

Provavelmente ninguém defenderia nem o determinismo extremo nem a relatividade extrema hoje em dia. Mas há muito a ser dito em favor de uma versão mais fraca – e filosoficamente menos interessante – da hipótese Sapir-Whorf, na qual ambas as teses constituintes estão modificadas. Comecemos com o determinismo.

O interesse dos psicólogos na influência da linguagem no pensamento antecede a formulação da hipótese Sapir-Whorf como tal. Já era sabido há muito que a memória e a percepção são afetadas pela disponibilidade de palavras e expressões apropriadas. Por exemplo, experiências demonstraram que memórias visuais tendem a ser distorcidas de modo a corresponderem mais de perto a expressões comumente usadas; e que as pessoas tendem a observar (e lembrar-se de) coisas que são codificadas em sua língua, isto é, coisas que se enquadram no âmbito de palavras e expressões disponíveis imediatamente. A possibilidade de ser codificado é, nesse sentido, uma questão de grau. Algo que se situa no âmbito da denotação de uma única palavra

Linguagem e Cultura

comum (por exemplo, 'tio') é mais altamente passível de codificação do que algo cuja descrição requer um sintagma especialmente construído (por exemplo, 'irmão do pai ou da mãe').

É bastante sabido que os vocabulários das línguas tendem a ser, em maior ou menor grau, não isomórficos (v. Seção 5.3). Na medida em que isso é verdadeiro, algumas coisas serão mais altamente passíveis de codificação em uma língua do que em outra. Por exemplo, assim como se diz do esquimó que não tem uma palavra única para a neve, mas muitas palavras diferentes para muitos tipos de neve, parece que a maioria das línguas australianas não tem uma palavra que significa "areia", mas diversas palavras que denotam vários tipos de areia. A razão para isso é suficientemente óbvia em cada caso. A diferença entre um tipo e outro de neve ou areia é de grande importância na vida diária do esquimó, por um lado, e do aborígine australiano, por outro. O inglês não tem palavras mais específicas do que 'snow' ["neve"] e 'sand' ["areia"]. Entretanto, os esquiadores, por exemplo, que podem ter tanto interesse quanto um esquimó nos vários tipos de neve, podem usar expressões como 'neve poenta', 'neve primaveril' etc., que, em virtude do uso frequente e da denotação fixa dentro de determinado grupo, se aproximam do *status* de lexemas e tornam certos fenômenos mais altamente codificáveis para aqueles desportistas do que para os membros da comunidade de língua inglesa em geral.

A observação que acabou de ser feita deve-se ter em mente. A possibilidade de codificação não é necessariamente constante nem uniforme por toda uma comunidade linguística – sobretudo quando lidamos com uma comunidade tão complexa, difusa e diversificada quanto a dos falantes nativos de inglês. Com demasiada frequência a correlação entre língua e cultura é feita num nível muito geral, e com o pressuposto tácito ou explícito de que os que falam a mesma língua têm necessariamente que compartilhar a mesma cultura. Tal pressuposto é manifestamente falso com relação a muitas línguas e muitas culturas. Não menos importante é o fato de que a possibilidade de codificação não é uma simples questão da existência de lexemas de uma palavra só. Não obstante, contanto que não esqueçamos que estamos falando, em princípio, de determinados grupos, e não de nações inteiras, e que os recursos produtivos do sistema linguístico podem capacitar os membros de um grupo a aumentar por conta própria a possibilidade de codificação daquilo que lhes interessa particularmente, podemos continuar a utilizar o conceito de possibilidade de codificação como se fosse uma propriedade global de sistemas linguísticos.

Quando a hipótese Sapir-Whorf foi investigada por psicólogos na década de 1950, demonstrou-se que a maior possibilidade de codificação de certas distinções de cores em uma língua do que em outra tinha o efeito esperado na memória e na percepção. Por exemplo, falantes monolíngues de zuni, uma língua indígena americana, que não codifica a diferença entre laranja e amarelo, tinham mais dificuldade do que falantes monolíngues de inglês ou do que falantes de zuni que também sabiam inglês de tornar a identificar, depois de certo tempo, objetos de uma cor que era imediatamente codificável em inglês, mas não em zuni. Entretanto, o efeito não era tal que os

Capítulo 10

falantes de zuni fossem incapazes de perceber a diferença entre um objeto amarelo e um laranja, se se pedisse que os comparassem.

As experiências em questão podem ser consideradas como tendo confirmado em parte a hipótese Sapir-Whorf, mas elas não forneceram dados em favor de sua versão forte. E o mesmo é verdade de outras experiências que foram conduzidas na década de 1950 e no início da década de 1960, inclusive uma experiência particularmente interessante que foi projetada para testar o efeito de diferenças de estrutura gramatical, em vez de puramente lexical (cf. Slobin, 1971:131ss). No entanto, elas confirmaram de fato uma versão mais fraca: a de que a estrutura da língua de um indivíduo influencia a percepção e a lembrança. E isso não deve ser esquecido. Pode não ser surpreendente que deveria ser mais fácil fazer certas distinções em uma língua do que em outra. Contudo isso é verdade; e essa diferença parece ter uma influência limitada na percepção e na memória através das línguas, e no nosso pensamento do dia a dia.

Como a tese do determinismo linguístico não é mais discutida intensivamente como era há uma geração, é difícil saber para onde pende a balança da opinião especializada em relação a ela. É provavelmente justo dizer que a maioria dos psicólogos, linguistas e filósofos aceitaria que a linguagem tem o tipo de influência indicado aqui anteriormente na memória, na percepção e no pensamento, mas estariam céticos a respeito de qualquer versão mais forte da hipótese de que a linguagem determina as categorias ou os padrões do pensamento. Eles bem poderiam acrescentar que muito da argumentação que Whorf e outros usaram em favor de uma versão mais forte e metafisicamente mais interessante da tese está desvirtuado por tradução e circularidade. Por exemplo, o próprio Whorf defendeu o fato de que os índios hopis, cuja língua não tem a categoria gramatical de tempo [presente, passado, futuro etc.], trabalham com um conceito radicalmente diferente de tempo [real] do que aquele com o qual os falantes de línguas europeias trabalham. Mas ele não apresenta nenhum dado independente satisfatório que evidencie as diferenças no comportamento daqueles falantes, nem nos seus padrões de pensamento, que justifique aquela reivindicação. Pode-se argumentar também que ele exagerou a diferença entre a categoria gramatical de modo em hopi e o que é tradicionalmente classificado como tempo [gramatical] nas línguas europeias. De maneira semelhante, a ausência de numerais de valor maior do que quatro em muitas línguas australianas tem sido considerada com frequência prova da inabilidade dos falantes de tais línguas de lidarem com o conceito de número. Mas resulta que os aborígines australianos que aprendem inglês como segunda língua não têm dificuldades com os numerais e são capazes de utilizá-los para contar e efetuar cálculo tão prontamente quanto o falante nativo médio de inglês (cf. Dixon, 1980:107). Resumindo, pareceria que, apesar das afirmações em contrário por proponentes do determinismo extremo, ainda não foi encontrado nenhum bom motivo para descartar a opinião mais tradicional de que falantes de línguas diferentes têm essencialmente a mesma visão do mundo, ou modelo conceitual, no que diz respeito a conceitos mais profundos e filosoficamente mais interessantes tais como tempo, espaço, número, matéria etc.

Linguagem e Cultura

Não se segue, no entanto, que falantes de línguas diferentes tenham a mesma visão do mundo com respeito a outros conceitos menos básicos. Pois muito dos conceitos com que lidamos são vinculados à cultura, no sentido de que dependem, para a sua compreensão, do conhecimento transmitido socialmente, tanto conhecimento prático quanto propositivo, e variam consideravelmente de cultura para cultura. Consideremos, por exemplo, conceitos tais como os de "honestidade", "pecado", "parentesco", "honra" etc. É tão aceito que conceitos desse tipo vinculados à cultura são, no mínimo, mais altamente passíveis de codificação em algumas línguas do que em outras. Os proponentes da tese da relatividade linguística diriam que muitas das diferenças de estrutura gramatical e lexical encontradas nas línguas são de tal natureza que algumas coisas que podem ser ditas em uma língua não podem ser ditas em outra. Isso é verdade?

Como vimos, é frequentemente possível aumentar a possibilidade de codificação baseando-se nos recursos de um sistema linguístico e construindo expressões que, em virtude do uso continuado em determinados contextos, podem adquirir então a mesma especificidade de significado do que os lexemas. Os nossos exemplos foram 'neve poenta', 'neve primaveril' etc., para grupos de esquiadores. O processo de aumentar a possibilidade de codificação desse modo depende da produtividade dos sistemas linguísticos e do que Chomsky chamou de criatividade regida por regras (v. Seção 7.4). É um processo constante no comportamento linguístico diário. Muitas das expressões complexas construídas dessa forma vêm a ser empregadas mais amplamente ('corrida armamentista', 'esgotamento nervoso', 'oferta e procura' etc.), e chega uma hora em que um lexicógrafo dirá, bastante racionalmente, que elas entraram para o vocabulário com todo o direito, por assim dizer. Esse processo é um aspecto do que foi referido antes como capacidade de amplificação e modificação das línguas (v. Seção 1.2). Observaremos que, embora em seus estágios iniciais não se possa dizer que tenha algum efeito sobre o sistema linguístico, tal capacidade terminará por resultar em uma ampliação do vocabulário. Obviamente temos que rejeitar qualquer versão da tese da relatividade linguística – e, pelo mesmo motivo, qualquer argumento que signifique refutá-la – que despreze esse tipo de amplificação e modificação.

Outra maneira de ampliar o sistema linguístico em si é tomar emprestados lexemas de outras línguas (v. Seção 6.4). Particularmente interessante, no presente contexto, entretanto, é a chamada tradução por empréstimo. O tipo mais óbvio de tradução por empréstimo envolve a tradução das partes constituintes de uma palavra ou de um sintagma estrangeiros. Por exemplo, uma vez que o sintagma inglês *'summit conference'* ["conferência de cúpula"] havia sido mais ou menos lexicalizado, primeiramente no uso de diplomatas e de jornalistas, pelo processo esboçado no parágrafo anterior, ele foi retomado em muitas outras línguas por meio da tradução de palavra por palavra: em francês *'conférence au sommet'*, em alemão, *'Gipfelkonferenz'* etc.

Esse exemplo ilustra a questão importante seguinte, de que a tradução por empréstimo é facilitada pela existência de palavras formalmente relacionadas, apesar de que as palavras em questão pudessem não ter exatamente o mesmo significado

Capítulo 10

em contextos que não aqueles criados pelo processo da tradução por empréstimo em si. A escolha de *'conférence de presse'*, *'Pressekonferenz'*, *"press conference"* ["entrevista à imprensa"] foi sem dúvida influenciada pela existência de sua relação formal com *'conference'*; e todas as três palavras são, falando diacronicamente, palavras emprestadas ao latim.

Como será explicado numa seção posterior, existem tipos mais sutis e menos óbvios de tradução por empréstimo que acontecem em virtude de contato cultural (v. Seção 10.5). O que se quer colocar aqui é o fato de que a ampliação do vocabulário de uma língua por meio de empréstimo e a modificação do significado de palavras e sintagmas existentes por meio de uma tradução por empréstimo envolvem mudanças na estrutura lexical do sistema linguístico. Se essa questão é admitida, imediatamente demonstra-se que não apenas algumas coisas são mais passíveis de codificação em algumas línguas do que em outras, mas que existem certas coisas que não podem ser ditas de todo em determinadas línguas simplesmente porque o vocabulário necessário para dizê-las não existe. Por exemplo, há milhares de línguas nas quais *"They are playing cricket"* ["Eles estão jogando críquete"] não pode ser dito por essa razão, e em todas as línguas em que pode ser dito, exceto o inglês, isso sucede porque a palavra *'cricket'* ou o seu significado foi tomado emprestado e, na maioria dos casos, também a palavra *'play'* ou o seu significado. E modificar o vocabulário por empréstimo ou por tradução por empréstimo é mudar a língua para outro meio diferente. Pode parecer à primeira vista que essa questão é um tanto trivial, mas, como veremos mais tarde, tem consequências maiores do que se avalia em geral. Pois grande parte do que conta como tradução normal é, necessariamente, tradução por empréstimo. O fato de não se ter em conta que isso é o que ocorre encorajou a opinião de que existe um grau maior de possibilidade de tradução mútua entre as línguas do que realmente há (v. Seção 10.5).

Não são apenas diferenças de estrutura lexical (inclusive, é óbvio, **lacunas lexicais**: a ausência de palavras apropriadas) que tornam a tradução exata entre as línguas difícil e às vezes impossível. As línguas podem ser, e normalmente são, gramaticalmente não isomórficas com respeito a categorias semanticamente relevantes tais como tempo [gramatical], modo, número. O fato de que isso ocorre pode não ser tão importante, do ponto de vista filosófico, quanto Whorf e seus adeptos achavam – para não mencionar precursores tais como Trendelenburg, citado antes (v. Seção 8.1) Mas as consequências são as mesmas do não isomorfismo lexical, no que diz respeito à possibilidade de ser traduzido.

Eis um exemplo simples: é rigorosamente impossível traduzir para o russo (ou mesmo para a maioria das línguas do mundo) qualquer sintagma nominal do inglês que contém o artigo definido, já que o russo não gramaticaliza a distinção, ou distinções, semântica(s) que é(são) gramaticalizada(s) em inglês pela presença ou ausência de um determinante, por um lado, e pela oposição entre um artigo definido e um indefinido, por outro. O que acontece na prática é que o tradutor geralmente omite por completo a informação veiculada pelo artigo definido. Se esta não pode ser recuperada a partir do contexto e é considerada de tal importância que tem de ser

Linguagem e Cultura

transmitida na tradução, ele é obrigado a acrescentar algo além e acima do que está dito de fato no original. Por exemplo, ele poderia usar um adjetivo demonstrativo que significa "esse" ou "aquele". Na maioria dos contextos os adjetivos demonstrativos em inglês e em outras línguas têm um significado mais específico do que o artigo definido.

Poderíamos dar exemplos mais notáveis. Boas (1911), na introdução imensamente influente com a qual contribuiu para o *Handbook of American Indian Languages*, enfatizou diferenças de estrutura tanto gramaticais quanto lexicais. (Foi Boas, aliás, quem utilizou aqui o exemplo das várias palavras para a neve em esquimó, que tem sido repetido desde então em inúmeros livros didáticos e em discussões gerais sobre linguagem e cultura. Boas tem vários outros exemplos igualmente persuasivos de diferenças relevantes de estrutura lexical.) Quanto a diferenças gramaticais, ele partiu da sentença simples do inglês '*The man is sick*' [O homem está doente] e mostrou como a sua tradução para três línguas indígenas americanas (kwakiutl, esquimó e ponca) obrigaria o tradutor a acrescentar informação (e informação diferente para cada língua) que não está contida no original: por exemplo, para indicar, pela escolha de uma categoria gramatical e não de outra, se a pessoa a que se está fazendo referência está ou não visível para o falante, se ela está deitada de frente, se está parada ou em movimento e assim por diante; ou, ainda, para indicar se o próprio falante pode garantir a informação por ele mesmo com base na observação direta ou se está confiando no que ouviu falar.

Seguindo o exemplo de Boas, muitos outros linguistas, inclusive Sapir e Whorf em várias de suas publicações, apresentaram a mesma opinião geral e demonstraram a sua validade de maneira convincente. O que não foi demonstrado, no entanto, é que há qualquer correlação entre diferenças de estrutura gramatical e diferenças na mentalidade dos falantes de línguas gramaticalmente diferentes. Do momento em que fazemos tal qualificação e nela insistimos, temos que concordar com uma versão modificada da tese da relatividade linguística, levando em conta os dados que temos atualmente.

Já que estamos interessados antes de mais nada em linguagem e cultura neste capítulo, devemos acrescentar que em hipótese alguma todas as diferenças lexicais e gramaticais entre as línguas podem ser atribuídas de maneira plausível a diferenças culturais atuais, ou mesmo passadas, entre os respectivos falantes. A possibilidade de tradução pode falhar, haja ou não diferenças correlatas de culturas em duas comunidades linguísticas. Por exemplo, seria difícil justificar a opinião de que a presença ou ausência de um artigo definido (cf. o inglês e o russo) está correlacionada a uma diferença cultural identificável. Mas existem, é claro, muitas diferenças tanto de estrutura gramatical quanto de estrutura lexical que podem ser correlacionadas a diferenças nas culturas com as quais determinadas línguas estão associadas. Essa questão será ilustrada por meio de dois exemplos um tanto diferentes nas próximas duas seções. Estaremos, portanto, em uma posição melhor para avaliar o papel do componente cultural na determinação da estrutura das línguas.

Capítulo 10

10.3 Termos que denominam cores

Existem várias razões para examinarmos o vocabulário das cores em relação à tese da relatividade linguística. Até recentemente, essa foi a principal área utilizada por estruturalistas para demonstrar o fato de que as línguas humanas são não isomórficas lexicalmente. A demonstração é mais fácil, e o seu efeito mais impressionante, por podermos sem muita dificuldade isolar o significado puramente descritivo dos termos usados para denominar as cores de seus significados expressivo e social. Além disso, o significado descritivo desses termos parece estar relacionado ao mundo físico da experiência do dia a dia, em termos de denotação, de um modo muito mais direto do que o significado descritivo dos lexemas em muitos outros campos semânticos (v. Seção 5.3). Foi por esse motivo, também, que o vocabulário das cores foi escolhido pelos psicólogos na década de 1950 em sua investigação da hipótese Sapir-Whorf (v. Seção 10.2).

O espectro visível é um *continuum* físico. É também um *continuum* visual, no sentido de que qualquer cor distinguível se matiza gradual e, nos limites da discriminação visual, imperceptivelmente com as cores vizinhas. Por exemplo, o azul matiza-se gradual e imperceptivelmente, nesse sentido, com o verde; o verde, com o amarelo; e assim por diante. Todas as línguas, supostamente, fornecem aos seus usuários palavras que os capacitam a se referir a certas áreas desse *continuum* visual: em inglês, termos básicos para cores como *'black'* [preto], *'white'* [branco], *'red'* [vermelho], *'green'* [verde], *'blue'* [azul], *'brown'* [marrom] etc., e termos não básicos ou secundários como *'turquoise'* [turquesa], *'vermilion'* [vermelhão], *'puce'* [carmim] etc. O que conta como termo básico para cores em contraste com não básico, ou secundário, está aberto a discussão, uma vez que há vários critérios possíveis a serem aplicados. Por exemplo, *'orange'* [laranja], em virtude de sua associação com a cor da fruta, poderia não ser considerado um termo básico para designar cor: do mesmo modo como *'lemon'* [limão] ou *'apricot'* [abricó] contaria como não básico. Assim também, outros critérios – incluindo frequência de uso enquanto termo designativo de cor e familiaridade de tal uso para membros médios da comunidade linguística – certamente nos levariam a afirmar que *'orange'* é um termo básico em inglês. É possível que, a partir de certos critérios, algumas línguas não tenham nenhum termo básico designativo de cor. No entanto, a maioria delas os tem e, em geral, é fácil decidir quais são. Vamos considerar, então, pacífica a distinção entre termos básicos e não básicos para denominar as cores.

É fato conhecido e indiscutível que as línguas diferem no número de termos que têm para designar as cores básicas. Independentemente desse fato, é também bastante sabido que a tradução palavra por palavra dos termos designativos das cores através das línguas é frequentemente impossível porque nenhuma palavra em uma das línguas corresponde exatamente a uma palavra na outra. Por exemplo, não há nenhuma palavra em francês que compreenda tudo o que *'brown'* compreende em inglês; não há nenhuma palavra única em russo, espanhol ou italiano que corresponda a *'blue'*; nenhuma palavra em húngaro que corresponda a *'red'*; e assim por

Linguagem e Cultura

diante. Fatos desse tipo eram citados com frequência, até o final da década de 1960, como prova, não apenas da incomensurabilidade estrutural, ou não isomorfismo, de diferentes sistemas lexicais, mas também da arbitrariedade das divisões que os diferentes sistemas linguísticos fazem dentro do que dissemos ser um *continuum* físico e também visual (isto é, psicofísico).

Como existe hoje algum motivo para duvidar de que essas divisões sejam arbitrárias, enfatizamos igualmente que a incomensurabilidade estrutural dos vocabulários de determinadas línguas em relação aos termos por elas utilizados para designar as cores básicas não foi desmentida, nem mesmo questionada. Por exemplo, a sentença do inglês *'My favourite colour is blue'* ["A minha cor favorita é o azul"] não pode ser traduzida para o russo (em qualquer sentido comum da palavra 'tradução') de outro modo que não seja decidindo arbitrariamente entre *'sinij'* e *'goluboj'*, grosso modo "azul-escuro" e "azul mais claro", respectivamente. Na prática, os tradutores frequentemente são obrigados a tomar decisões arbitrárias desse tipo; e, para as finalidades em questão, isso normalmente não tem consequências. Geralmente imaginamos a tradução como um processo que mantém constante pelo menos o contexto do que é dito, em termos das proposições envolvidas, mas grande parte da tradução comum não faz isso, e, dada a natureza das coisas em questão, nem pode fazê-lo.

Em 1969 Berlin e Kay publicaram um livro importante, *Basic Color Terms* ["Termos básicos designativos de cores"], no qual apresentaram dados como provas de que as semelhanças e diferenças entre as línguas com relação à maneira como elas dividem o espectro visual não são tão arbitrárias quanto já se pensou. Em primeiro lugar, eles chamaram atenção para a importância de considerar o que chamaram de **significado focal** de um termo, ao invés de seu significado periférico. Quanto aos termos designativos das cores, o seu significado focal pode ser verificado pedindo-se aos falantes para apontar num mostruário de cores o que eles considerariam um bom exemplo da cor em questão. Sucede que, feito isso, há um alto grau de concordância entre os falantes nativos quanto ao significado focal dos termos básicos designativos das cores em sua língua, enquanto eles podem sentir grandes dificuldades para dizer onde se encontra a fronteira entre um termo e outro, ou discordar entre si quanto aos resultados de qualquer tentativa de situar a fronteira em determinado lugar no *continuum*. Por exemplo, falantes de inglês podem não ser capazes de concordar a respeito de onde colocar a fronteira entre o azul e o verde num mostruário de cores (ou da utilização das palavras para "verde" e "azul" no dia a dia), mas eles não têm dificuldade em dizer o que é azul ou verde típico, ou focal. Até agora, o que Berlin e Kay descobriram está corrente com a opinião de que cada língua impõe as suas próprias divisões arbitrárias no *continuum* visual, opinião esta partilhada pela maioria dos estruturalistas.

No entanto, eles também descobriram que as diferentes línguas tendem a concordar quanto às áreas focais de determinados termos designativos de cores e que isso é verdade independentemente do número de termos para cores existentes nos sistemas. Por exemplo, não apenas a área focal para o *'red'* [vermelho] do inglês e o *'rouge'*

253

Capítulo 10

[vermelho] do francês é a mesma (o inglês e o francês têm o mesmo número de termos básicos para as cores), mas uma língua com um número bem menor de termos desse tipo pode ter uma cuja área focal coincida com a de 'red' ou 'rouge'. Mais impressionante ainda é o fato – e trata-se de um fato – de que existe uma ordenação parcial, ou hierarquia, universal entre os termos designativos das cores, em potencial, das línguas. Por exemplo, qualquer língua com apenas três termos para designar as cores terá termos cujos focos correspondem aos de preto, branco e vermelho; quaisquer línguas com seis termos para cores terão, além desses três, termos cujos focos sejam os mesmos dos de verde, amarelo e azul. Diz-se que o foco do sétimo termo designativo de cor num sistema de sete termos é marrom. (O francês, como foi observado anteriormente, não tem uma palavra única para *brown* [marrom]; mas 'brun' [marrom], com restrições contextuais, e adicionalmente, 'marron' [castanho], podem ser considerados como denotando a área focal de 'brown'.) Depois disso vêm roxo, rosa, laranja e cinza, mas sem nenhuma ordem dentro do conjunto: isto é, um sistema de oito termos poderia ter um termo para roxo, um outro para rosa e assim por diante.

A hipótese Berlin-Kay despertou uma boa quantidade de controvérsia quanto à sua base experimental, mas até o momento, independentemente de detalhes que não mencionamos aqui, ela resistiu a outros testes empíricos. Existem dois aspectos gerais que podem ser destacados com referência à hipótese, ambos relevantes para a tese da relatividade e para a relação entre linguagem e cultura.

O primeiro é que, embora possa existir uma subestrutura universal no vocabulário das cores, existe nitidamente uma superestrutura não universal também. A diferença entre línguas com um sistema relativamente rico em termos básicos de cores e línguas com um sistema relativamente pobre em tais termos ainda permanece. Além disso, prova como as que temos em favor de uma ordenação parcial universal no conjunto de termos básicos para cores são restritas, como vimos, às seis ou sete cores mais comumente rotuladas. Dado que essas áreas, e mais precisamente os focos a elas associadas, são perceptualmente evidentes para os seres humanos, em virtude, pelo menos em parte, de sua constituição neurofisiológica, há outras áreas não universais e perceptualmente menos evidentes no *continuum* das cores que são reconhecidas lexicalmente e integradas completamente com as áreas mais evidentes universalmente no vocabulário de cores de determinadas línguas. É bastante claro, a partir das discussões de cores por antropólogos, tanto em relação à hipótese Berlin-Kay quanto independentemente dela, que a evidência cultural, bem como a perceptual com base biológica, desempenha um papel na identificação dos termos designativos de cores; e, como vimos, o biológico e o cultural são, em geral, interdependentes na aquisição da linguagem (v. Seção 8.4). Finalmente, existem muitos usos cotidianos de termos de cores – e não apenas os mais obviamente simbólicos (branco para pureza, vermelho para perigo, preto para luto etc.) – que são dependentes de cultura, no sentido de que não se pode adquiri-los sem adquirir simultaneamente o conhecimento social relevante. A importância desse fato foi subestimada por muitos linguistas, psicólogos e filósofos que discutiram a hipótese Berlin-Kay. O que é verdadeiro em relação ao

Linguagem e Cultura

vocabulário de cores parece sê-lo também em relação a qualquer domínio lexical que se escolha. Se existe uma subestrutura universal de distinções semânticas no âmbito de tal domínio, haverá também uma superestrutura dependente de cultura, não universal e talvez muito mais ampla.

O segundo aspecto tem a ver com a noção de áreas focais, ou focos. Embora tenhamos iniciado falando sobre cores em termos de um *continuum* visual, tornou-se claro que existe um sentido importante no qual isso não é verdade. Os seres humanos têm uma constituição tal (assim como os animais) que respondem neurofisiologicamente a determinados estímulos e não a outros. Essa pode ser a base, pelo menos em parte, para a maior saliência de alguns focos de cores e sua universalidade (v. Clark & Clark, 1977:526ss). Esses focos servem de pontos de referência em relação aos quais impomos estrutura sobre o restante do *continuum* físico, enquanto impomos estrutura sobre ele. E eles servem de protótipos na aquisição dos termos designativos de cores. Por exemplo, aprendemos o significado de 'vermelho' primeiramente pela sua associação com o respectivo foco e em seguida pela ampliação da denotação para fora do seu foco, por uma área um tanto indeterminada. Mas o significado prototípico ou focal de 'vermelho' continua a servir de ancoradouro para o termo depois disso; e tenderemos a associá-lo a algo que nos seja familiar em nosso ambiente diário: por exemplo, 'vermelho' poderia ser definido, prototipicamente, nesse sentido, com referência a sangue ou fogo (como muitos dicionários o definem de fato). Mais uma vez, o que é verdadeiro para os termos designativos das cores também o é para o vocabulário em geral. O mundo da experiência não se nos apresenta como um *continuum* indiferenciado. Como vimos num capítulo anterior, ele é por nós categorizado, pelo menos até certo ponto, naquilo que é tradicionalmente denominado **tipos naturais** (v. Seção 5.3).

Vimos também que, em primeiro lugar, a maioria dos lexemas em todas as línguas não denota tipos naturais; e, em segundo lugar, que aqueles que o fazem requerem apoio cultural. O fato de que determinadas substâncias constituem tipos naturais, em virtude de sua composição física (o sal, por exemplo), ou determinadas espécies biológicas, em virtude de sua capacidade de criar e de reproduzir a sua casta (os tigres, por exemplo), é irrelevante, quanto à estrutura lexical da língua, a não ser que tais substâncias ou espécies sejam reconhecidas culturalmente como tal. Trabalhos recentes, tanto em semântica filosófica quanto em psicolinguística e em sociolinguística, chamaram atenção para o papel de protótipos instruídos culturalmente na definição do significado das palavras, denotem elas tipos naturais, no sentido tradicional do termo, ou não.

10.4 Pronomes de tratamento

O fenômeno que nos interessa nesta seção tem sido muito discutido, por linguistas e outros, tanto em si mesmo quanto como exemplo de uma gama mais ampla de

255

Capítulo 10

distinções culturalmente determinadas em línguas diferentes. Foi escolhido aqui porque, à primeira vista pelo menos, o tipo de significado envolvido, social e expressivo, contrasta fortemente com o significado descritivo dos termos designativos de cores.

Na maioria das línguas europeias modernas, embora não no inglês-padrão (tal como é usado pela maioria dos grupos para a maioria das finalidades), existe uma distinção entre o que se chama convencionalmente de pronomes de tratamento polidos e familiares: em francês, *'vous'*: *'tu'*; *'du'*; em alemão, *'Sie'*: *'du'*; em italiano, *'lei'*: *'tu'*; em russo, *'vy'*: *'ty'*; em espanhol, *'usted'*: *'tu'* etc. As origens dessa distinção são incertas. Entretanto, diz-se que teve como fonte o latim do período final do Império Romano ou do início da Idade Média, e que foi assumida, em vários períodos, pelas outras línguas. É bem claramente, em sua distribuição atual pela maioria das línguas da Europa, resultado de empréstimo. Com efeito, houve empréstimo em vários níveis, já que a distinção nem sempre foi tirada diretamente do latim, em primeiro lugar, e que, no decorrer dos séculos, as línguas que faziam a distinção sofreram influência modificadora de outras línguas que também a faziam. Nesse caso, como quase sempre, o empréstimo é consequência de **difusão cultural** (v. Seção 10.5). Para nossa conveniência e de acordo com a prática comum hoje em dia, vamos nos referir aos pronomes familiares e polidos, independentemente da língua de que estivermos tratando, como T e V, respectivamente.

Os psicólogos sociais investigaram o uso de T e V em termos dos conceitos de poder e solidariedade, por um lado, e de uso recíproco e não recíproco, por outro. Falando de um modo geral, podemos dizer que o uso não recíproco indica uma diferença de *status* reconhecida. Em sociedades onde existe o uso não recíproco, uma pessoa socialmente superior, ou mais poderosa de outra maneira, usará T para os seus inferiores, mas será tratada por eles como V. Mas o uso não recíproco tem declinado na maioria das línguas europeias desde o século XIX, exceto no caso de adultos e crianças que não são membros da mesma família e em um ou outro caso mais especial. Isso se explica historicamente em parte pela propalação de atitudes mais igualitárias ou democráticas nas sociedades ocidentais e em parte pela importância crescente do fator solidariedade, marcada não simplesmente pelo uso recíproco como tal, mas mais particularmente pelo uso recíproco de T. Em muitos países da Europa, e especialmente na França, o uso recíproco de T entre colegas e conhecidos aumentou bastante nos últimos anos, em todos os níveis sociais, mas sobretudo entre os jovens e aqueles de visão politicamente mais liberal ou esquerdista. É muito raro hoje em dia, por exemplo, marido e mulher usarem V um para o outro, ou pais e filhos fazerem uso da alternativa não recíproca. Entretanto, essa era a prática em todas as famílias francesas de classe alta antigamente; e ainda não desapareceu por completo.

Deve ser enfatizado que as generalizações que acabamos de fazer a respeito da mudança gradual de poder para solidariedade, como fator dominante na mudança que ocorreu no uso T/V nas línguas europeias nos últimos cem anos mais ou menos, são de natureza estatística. Não se trata certamente de poder prever com precisão

Linguagem e Cultura

total se duas pessoas usarão T ou V em dada situação com base exclusiva em informação sobre sua classe social, idade, gênero, tendências políticas etc. Além disso, existem diferenças dentro do que parece constituir grupos sociais comparáveis em diferentes países da Europa, com relação à liberdade com a qual T é utilizado. No entanto, a mudança descrita aqui anteriormente sem dúvida sucedeu em tempos ligeiramente diferentes e em proporções diferentes.

O exemplo foi escolhido para ilustrar o fato de que há, ou pode haver, tanto sincrônica quanto diacronicamente, uma correlação entre estrutura social e não apenas o vocabulário, mas também a estrutura gramatical das línguas. Tal correlação é muito mais ampla em outras línguas, como o japonês, o híndi ou o javanês, do que é em qualquer das línguas europeias. Mas vale observar que em italiano e em espanhol, diferentemente do francês, do alemão ou do russo, existe, em certas construções gramaticais, uma distinção imperativo/subjuntivo relacionada com a distinção T/V; que em certos dialetos do italiano do sul há mais uma distinção, no âmbito de V, por assim dizer, entra '*lei*' e '*voi*'; que em algumas, mas não em todas, as línguas que fazem a distinção T/V existe uma distinção singular/plural a ela relacionada; e assim por diante. Quando se trata de dizer o que T ou V significa em determinada língua, é necessário fornecer muito mais detalhes acerca de estrutura social e funções sociais do que está compreendido nas noções globais de poder e solidariedade. Tem que se dar informação também sobre a interpretação de T e V na estrutura gramatical de cada língua e do uso desses pronomes com ou sem títulos, nomes e outros termos de tratamento. Contudo, a questão geral está clara: o significado social e expressivo de T e V é obviamente dependente de cultura; é um caso de conhecimento socialmente adquirido. E o conhecimento é prático e não baseado em proposições: situa-se dentro do escopo do conhecimento social.

T e V podem diferir um pouco em significado de língua para língua. Provas bastante notáveis disto podem ser encontradas na literatura russa do século XIX, sobretudo nos romances de Tolstói (v. Friedrich, 1968). A questão é que existia diglossia naquele tempo entre os membros da aristocracia russa, sendo o francês a língua A e o russo a língua B (v. Seção 9.4). Quando falavam francês entre si, usavam V, independentemente de laços de família ou amizade que pudessem uni-los. Mas quando falavam russo, usavam seja T seja V, reciprocamente entre eles, e não reciprocamente com seus inferiores sociais e subordinados. O uso recíproco dos pronomes era determinado por fatores tanto de efeito mediato quanto de efeito imediato. Os do primeiro tipo eram o que foi identificado globalmente como solidariedade, baseada em parentesco, amizade, casamento etc. O efeito era que tanto homens como mulheres tratavam ou não os seus conhecidos em termos de T. Os do segundo eram o estado do espírito ou a emoção do momento: o russo, diferentemente do francês, por exemplo, permitia que se passasse com bastante liberdade do T de efeito mediato da solidariedade e da intimidade para um V de efeito imediato altamente significativo, de raiva e distanciamento; e também, embora isso não nos interesse aqui, o russo permitia que a solidariedade de curto alcance atravessasse as barreiras sociais, por

257

Capítulo 10

assim dizer, em certos momentos altamente emocionais e triunfasse em relação ao padrão de uso não recíproco a longo prazo.

Tolstói tinha consciência das diferenças entre a distinção T/V em russo e em francês, já que ela se aplicava à fala da classe à qual pertencia. Não somente ele respeitava essas diferenças ao escrever, mas oportunamente ele chamava explicitamente a atenção dos seus leitores para elas. A razão pela que ele fazia isso era, especialmente nas últimas novelas, que grande parte do diálogo, embora apareça em russo no original, devia ser interpretada como se fosse em francês. Normalmente é possível, com base em dados internos, inclusive no conhecimento das variáveis sociolinguísticas, inferir se determinada parte do texto deve ou não ser interpretada como representando o francês. Um dos indícios é o pronome de tratamento empregado. Por exemplo, em *Anna Karenina*, em diálogos envolvendo qualquer um dos personagens principais, uma forma T (com apenas algumas exceções, explicáveis pelo contexto) é uma indicação certa de que se está falando russo (v. Lyons, 1980). O uso de uma forma V, entretanto, não implica, em si, que a conversa deve ser interpretada como sendo em francês. Em primeiro lugar, nem todos os personagens principais tratam-se mutuamente por T. Em segundo lugar, não somente ocorrem transições que indicam uma mudança de longo alcance de V para T, em determinados momentos identificáveis e altamente significativos, mas, como mencionamos anteriormente, mudanças de T para V podem ocorrer durante desavenças expressas em russo – indicando-se a reconciliação ou ternura seguintes pelo retorno a T.

Os russos da classe a que pertencia Tolstói, e para quem ele escrevia no período em questão, reagiriam a essas pistas mais ou menos automaticamente. Eles eram bilíngues em russo e em francês e, quanto à distinção T/V, utilizavam dois sistemas bastante diferentes e incomensuráveis na sua vida cotidiana de modo que, sabendo se uma forma V do texto tinha o significado do V francês ou do V russo, reagiriam sem hesitar e, na maioria das vezes inconscientemente, aos casos em que a transição ocorre de um V para um T russos ou vice-versa. Muitas dessas transições têm grande importância e muitas delas, mas não todas, são anotadas explicitamente como tais pelo autor. Os leitores modernos de sua obra perderão muito a não ser que sejam capazes de adquirir a sensibilidade para reagir apropriadamente da maneira como os contemporâneos do próprio Tolstói, falantes de russo, reagiam.

Ora, qualquer pessoa que leia uma tradução em inglês não pode evitar perder as transições significativas: não há meios de transpô-las para o inglês – a não ser utilizando *'thou'* [vós]: *'you'* [tu] para representar T : V consistentemente no decorrer do texto. Mas isso dificilmente poderia ser considerado uma tradução. Nem tampouco poderia ser alcançado efeito semelhante acrescentando-se termos carinhosos ou outras expressões de tratamento, tais como pronomes, ao texto. Traduções em inglês-padrão fazem isso ocasionalmente, mas pode-se demonstrar imediatamente que elas falham na tentativa de obter o efeito desejado (v. Lyons, 1980).

Poder-se-ia achar que uma tradução francesa tivesse possibilidade de lidar melhor com o problema; e de certa forma tem – fazendo consistentemente o que fez Tolstói,

Linguagem e Cultura

ao contrário. Mas, enquanto o leitor russo da época de Tolstói era bilíngue tanto em russo quanto em francês, o leitor francês médio de Tolstói não é. E qualquer um que leia uma tradução francesa que usa *'vous'* consistentemente para o *'vy'* russo e *'tu'* para o *'ty'* russo tem que interpretar alguns dos pronomes em termos do sistema russo e alguns em termos do sistema francês, bastante diferente – não o sistema francês de hoje, mas o de cem anos atrás. Ele não precisa ser bilíngue, mas certamente tem que ser bicultural, até certo ponto, e no que diz respeito às questões importantes.

E esta é a finalidade do exemplo. A maioria das línguas, se não todas, apresentam distinções em sua estrutura gramatical ou lexical que derivam o significado que têm em virtude de sua correlação com distinções funcionais na cultura ou subcultura na qual a língua é utilizada. O significado é comumente, embora não necessariamente, social e expressivo em vez de descritivo. Mas o que foi dito na seção anterior a respeito da combinação de uma subestrutura possivelmente universal com uma superestrutura dependente de cultura, não universal, é válido com relação a esse tipo de significado também. Como vimos, a distinção russa entre T e V difere da distinção francesa entre T e V. Mas a diferença pode se tornar clara, até um certo ponto, para aqueles que não sabem nem russo nem francês, em termos de noções bem gerais, se não universais, que têm a ver com *status* social, parentesco, amor, amizade etc. De maneira praticamente idêntica, antropólogos, sociolinguistas e comentaristas literários podem tornar claro para outros, mais ou menos adequadamente, o significado de expressões dependentes de cultura, desconhecidas, de outra língua. Esse argumento será retomado e generalizado na próxima seção. O que tem que ser enfatizado aqui, no entanto, é que a habilidade de explicar uma distinção gramatical ou lexical dependente de cultura, de modo mais ou menos satisfatório, por intermédio de outra língua que não tem a distinção, não implica que ela pode ser representada em tradução. Explicação metalinguística não pode ser confundida com tradução.[1]

10.5 Justaposição cultural, difusão cultural e possibilidade de tradução

No decorrer deste capítulo, e, com efeito, no decorrer deste livro, vimos desenvolvendo e exemplificando a visão de que a linguagem é tanto um fenômeno biológico quanto cultural. As diferentes línguas, assim parece, têm uma subestrutura universal, certamente em gramática e vocabulário e talvez também em fonologia, e uma superestrutura não universal que não apenas se constrói sobre tal subestrutura, mas é completamente integrada a ela.

---

[1] O termo 'metalinguístico' é comumente empregado hoje em dia significando "pertencente à descrição ou à análise da linguagem ou de uma língua" (v. 'metalinguagem': 5.6). Foi igualmente estruturalistas pós-bloomfieldianos utilizado pelos com referência ao estudo das línguas em seus contextos culturais. Portanto, ambos os sentidos são aplicáveis aqui.

Capítulo 10

A subestrutura universal é determinada em parte pelas faculdades cognitivas da mente humana, geneticamente transmitidas, e, o que é igualmente importante, pelos impulsos e apetites humanos, geneticamente determinados; e em parte pela interação desses fatores cognitivos e não cognitivos, determinados biologicamente, com o mundo físico, tal como este se apresenta aos seres humanos. Se existe ou não, também, uma faculdade de aquisição da linguagem enquanto tal até agora é incerto (v. Seção 8.4). Entretanto, o processo de aquisição da linguagem é de tal natureza que a transmissão de tudo o que é universal em linguagem depende também, para o seu sucesso, do processo de transmissão cultural.

Quanto a superestrutura não universal nas línguas, trata-se muito mais obviamente de uma questão de transmissão cultural – e em dois sentidos. Não somente faz parte da competência linguística transmitida de geração em geração por meio das instituições de determinada sociedade, mas o que é transmitido é em si um componente importante na cultura daquela sociedade. Se a competência em determinada língua implica a habilidade de produzir e compreender sentenças daquela língua, então constitui inquestionavelmente parte da cultura: isto é, do conhecimento social (v. Seção 10.1). Pois grande parte do significado de expressões, inclusive os seus significados descritivos, bem como social e expressivo, é não universal e dependente de cultura. Esse argumento foi apresentado com relação a dois exemplos bem diferentes nas duas seções anteriores. Entretanto, também o foi o argumento não menos importante de que, embora possa ser impossível traduzir todas as sentenças de uma língua em sentenças de outra, sem distorções ou substitutos conciliadores, normalmente é possível conseguir que uma pessoa que não conhece nem a língua nem a cultura do original entenda, mais ou menos satisfatoriamente, até mesmo aquelas expressões dependentes de cultura que resistem à tradução em qualquer língua com a qual ela esteja familiarizada.

Isso é possível porque, entre quaisquer duas sociedades, haverá um grau maior ou menor de **justaposição cultural**. No caso-limite, essa justaposição pode não ir além do que é predizível a partir daquilo que é culturalmente universal em virtude da constituição biológica do homem e das amplas semelhanças de ambiente em todas as partes do mundo habitável. Mas, por vários motivos, inclusive o que os antropólogos denominam **difusão cultural**, o grau de justaposição está longe de ser mínimo. Falando em termos gerais, a possibilidade de tradução é uma função do grau de justaposição cultural. Mas, como vimos no caso dos pronomes de tratamento russos e franceses em Tolstói, embora eles não possam ser traduzidos satisfatoriamente em inglês, o seu uso pode ser explicado para os falantes monolíngues de inglês em termos de noções razoavelmente gerais que se aplicam também, embora com diferenças de detalhes, na descrição da própria cultura dos falantes de inglês.

O mesmo argumento poderia ser utilizado, quanto aos termos de tratamento, em relação a línguas que têm um conjunto grande de **honoríficos** (por exemplo, o javanês, o coreano, o grupo tais e muitas línguas do Sudeste Asiático); ou a línguas que, como o japonês, também têm pronomes honoríficos, mas que fazem mais uso de

Linguagem e Cultura

termos de parentesco e de títulos do que de pronomes. À primeira vista isso parece muito diferente de qualquer coisa que pode ser encontrada em comunidades falantes de inglês. Mas os parâmetros culturais que determinam o uso não recíproco – superioridade social, idade, parentesco, gênero etc. – também funcionam na cultura daquelas comunidades, embora em grau limitado e sem o mesmo efeito na estrutura gramatical, bem como no vocabulário, do inglês. Por exemplo, não apenas o uso recíproco e não recíproco de nomes e títulos é determinado, em muitas sociedades da língua inglesa, por esses mesmos fatores, mas existem circunstâncias em que (como ocorre em geral no japonês) os superiores, mas não os inferiores, podem se referir a si próprios com o mesmo termo de parentesco ou título pelo qual são tratados (cf. o uso de *'daddy'* [papai] ou *'mummy'* [mamãe] ou *'teacher'* [professora]: *Didn't daddy/mummy/ teacher tell you to put your books away?* [O papai/a mamãe/a professora não disse para você guardar os seus livros?]). A justaposição cultural desse tipo e nesse grau permite-nos compreender, de modo geral, as descrições da estrutura semântica de outras línguas que aparecem na literatura sociolinguística e antropológica (v. Hymes, 1964). Seria um erro supor, no entanto, que a compreensão geral da estrutura semântica de outras línguas que podem ser adquiridas dessa forma ultrapassa a superficialidade. A compreensão total dos vários tipos de significado que são codificados na gramática e no vocabulário de uma língua só é lograda com a compreensão total da cultura, ou culturas, na qual ela funciona.

O que acabou de ser dito é lugar-comum, não apenas em sociolinguística e em etnolinguística, mas também em crítica literária. E o estudo de línguas estrangeiras selecionadas em nossas escolas e universidades – todas consideradas com o *status* de línguas de cultura (*'langues de culture'*: v. Seção 10.1) no sentido mais restrito de 'cultura' – é justificado tradicional e legitimamente nas mesmas bases, essencialmente. Determinadas línguas estão associadas historicamente a determinadas culturas, e especialmente às suas literaturas; as línguas em si só podem ser completamente entendidas no contexto das culturas nas quais estão encaixadas inextricavelmente; assim, linguagem e cultura são estudadas juntas. Não se pode apontar erro nesse argumento, em nível de princípio geral. A questão de se as metas e os métodos mais tradicionais do ensino de línguas se baseiam numa concepção de cultura suficientemente ampla é discutível, sem dúvida. Mas isso é outro assunto. O aprendizado de uma língua pode e deve ser dirigido a determinadas finalidades. Uma delas é a de adquirir e de participar tão completamente quanto possível (de) uma cultura diferente daquela em que a pessoa foi criada.

Existem certos aspectos da interdependência de linguagem e cultura que não são tão amplamente considerados quanto deveriam ser. Um deles, que é muito relevante no que toca à questão da possibilidade de tradução, é o grau em que a difusão cultural reduz, e às vezes dissimula, diferenças semânticas entre línguas. As consequências linguísticas mais óbvias da difusão cultural já foram mencionadas: empréstimo e tradução por empréstimo (v. 10.2). O que nos interessa é um tipo de tradução por empréstimo não tão identificável de imediato: um fenômeno que não seria

Capítulo 10

considerado como tal de um modo geral, ainda mais sendo difícil distingui-lo, em muitos casos, da tradução comum, por um lado, e da criatividade no uso da linguagem, por outro, criatividade que, embora possa não ser regida por regra, se enquadra no escopo da competência linguística do falante comum.

Suponhamos, por exemplo, que estejamos traduzindo do grego clássico para o inglês e que nos deparamos com a palavra *'sophia'*. Ela é convencionalmente traduzida por *'wisdom'* [sabedoria, sensatez]; e em muitos contextos o termo é, e mais frequentemente poderia parecer, um equivalente perfeitamente satisfatório. Por exemplo, suponhamos que uma sentença contendo o adjetivo *'sophos'*, relacionado sintática e semanticamente a *'sophia'* como *'wise'* o é a *'wisdom'*, ocorra no texto de um autor como Platão e seja traduzido para o inglês sob a forma *'Homer was wiser than Hesiod'* [Homero era mais sábio do que Hesíodo]. Fora de contexto, alguém que não tenha um bom conhecimento de grego ou um conhecimento suficiente do ambiente social e cultural poderia perfeitamente interpretar essa afirmação como se *'wise'* estivesse sendo usado com o mesmo significado do que em, digamos, *'Shakespeare was wiser than Marlowe'* [Shakespeare era mais versado do que Marlowe]. Mas estaria mesmo? Fora de contexto a resposta é incerta, já que *'sophia'* sem dúvida compreende, e seria a palavra utilizada para referir ao que, no inglês atual, seria identificado como *wisdom*. Mas *'sophia'* e *'wisdom'* não possuem a mesma gama de significados. Em muitos contextos, a melhor tradução inglesa para a sentença grega seria *'Homer is a better poet than Hesiod'* –Homero é melhor poeta do que Hesíodo]. Com efeito, pode-se argumentar que essa tradução é a que mais se aproxima do significado grego, quando *'sophos'* é usado no seu sentido prototípico. Se um sapateiro ou um carpinteiro é um bom profissional, faz-se referência a eles por meio de *'sophos'*, da mesma forma que no caso de um bom médico, poeta ou homem de estado. Pode-se argumentar que não é possível ser um homem de estado competente, nem um bom médico, se não se é *wise*, mas o que normalmente é chamado de *wisdom* em inglês não é uma atribuição essencial ao bom sapateiro, nem ao carpinteiro nem ao poeta.

Mas a tradução de uma língua para outra não pode respeitar sempre o uso normal. Se alguém estiver traduzindo uma dentre muitas passagens nos diálogos de Platão, em que a pergunta em questão, tal como formulada tradicionalmente em inglês, é "*Is virtue teachable?*" [Pode-se ensinar a virtude?] (relacionada ao famoso paradoxo socrático segundo o qual ninguém erra conscientemente, e a muitas outras teses igualmente famosas, não apenas da filosofia grega, mas também de toda a tradição filosófica ocidental que dela deriva), esse tradutor se verá obrigado a usar *'wisdom'* para *'sophia'* (e *'virtue'* [virtude] ou *'goodness'* [bondade], para *'arete'* em grego) ou outra palavra que, seja qual for, será inapropriada, no seu sentido normal, em muitas construções em que ocorre. Se ele não a traduz de maneira consistente em tais trechos, a estrutura do argumento ficará escondida e os exemplos utilizados em seu apoio perderão sua relevância. O que isso significa, na prática, é que a tradução é relativa à finalidade para a qual determinada tradução é planejada, bem como ao

Linguagem e Cultura

conhecimento da situação por parte daqueles que a utilizarão. É por esse motivo que a chamada tradução literal às vezes é mais apropriada do que a tradução livre.

Mas o que é a tradução literal? Em alguns casos é o tipo de tradução que não se ajusta às diferenças de simbolismo e metáfora nas duas línguas. Em muitos casos, no entanto, como seria se *'sophia'* for traduzido consistentemente por *'wisdom'* (e *'arete'* por *'virtue'*) nos trechos dos diálogos platônicos referidos aqui anteriormente, consiste simplesmente no uso mais ou menos deliberado de tradução por empréstimo; a diferença entre sentido literal e metafórico, ou simbólico, não é relevante no caso do presente exemplo. O que está envolvido é uma diferença no conteúdo descritivo das palavras e nos protótipos dependentes de cultura com os quais elas estão associadas. Em vez de usar a palavra *'wisdom'* do inglês, poderíamos usar igualmente bem a palavra grega *'sophia'* no texto em inglês. Daria no mesmo; e sem dúvida é o que se poderia bem fazer em uma tradução destinada principalmente ao uso de estudantes de filosofia falantes de inglês, com conhecimento suficiente da cultura grega mas inadequado do grego, para poderem ler o texto original. Entretanto, basta um momento de reflexão, reforçado, se possível, por alguma prática em tradução, para ver que não é apenas a palavra esquisita, como *'sophia'* (ou *'arete'*), que cria problemas e tende a obliterar a distinção entre tradução por empréstimo e tradução comum. O significado de palavras como *'sophia'* e *'arete'* foi discutido longamente em virtude da importância filosófica – e, no sentido mais restrito de 'cultura', da importância cultural – dos textos em que elas aparecem. Portanto, o tradutor torna-se muito mais sensível à necessidade de traduzi-las com cuidado.

Exemplos igualmente óbvios podem ser encontrados em quaisquer outras línguas clássicas do mundo. Por exemplo, a palavra *'dharma'*, do sânscrito, pode ser traduzida de maneira diferente em contextos diferentes: por 'dever', 'costume', 'lei' 'justiça' etc. Mas o seu significado prototípico, no seu desenvolvimento posterior e enquanto palavra tomada emprestada por outras línguas, é tão dependente de cultura, sobretudo em sociedades híndi e budistas, que ela passou para o inglês e outras línguas europeias com esse significado. De modo semelhante, a palavra *'kismet'* foi tomada emprestada ao arábico pelo turco e pelo persa com o que pode ser chamado de seu significado islâmico prototípico. Presumivelmente, essas palavras passaram para as outras línguas como palavras emprestadas porque sentiu-se que traduzir *'dharma'* por *'dever'* e *'kismet'* por 'fado' ou 'destino' seria deixar de representar as suas implicações dependentes de cultura altamente importantes. '*Sophia*', e outras palavras do grego, também poderia ter sido tomada emprestada pelo inglês como tal, se tivesse havido contato nos tempos modernos com uma sociedade onde essa palavra grega fosse usada e, digamos, a *sophia* de uma pessoa fosse determinada pela sua casta, como a sua *dharma*, numa sociedade hindu. Mas o grego, é claro, exerceu, tanto direta quanto indiretamente, através do latim, a mesma influência contínua nas línguas da Europa que o sânscrito e o arábico exerceram durante séculos em muitas das línguas da Ásia e da África.

Capítulo 10

Os antropólogos enfrentam o mesmo problema constantemente em relação a línguas que, diferentemente do grego, do sânscrito ou do arábico, não serviram como línguas de importância cultural reconhecida, em escala mundial e durante séculos: isto é, como línguas de cultura no sentido de '*langues de culture*'. Eles têm que decidir se deveriam tomar emprestada alguma palavra como tal à língua da sociedade que estão descrevendo (como 'tabu' foi tomada emprestada de uma das línguas polinésias, o tongo, no século XVIII, e generalizada subsequentemente) ou utilizar uma palavra existente, e adaptá-la mais ou menos deliberadamente, por tradução por empréstimo, à finalidade de descrever a sociedade com a qual estão lidando. Não há diferença, em última análise, entre o que o antropólogo, ou qualquer outra pessoa, faz quando amplia o sentido das palavras de sua língua nativa por tradução por empréstimo dessa forma e o que o tradutor faz constantemente quando traduz de uma língua para outra fora da área de justaposição cultural.

Além disso, não há diferença, em última instância, entre tradução por empréstimo desse tipo mais ou menos deliberado e o uso que um falante nativo faz de sua língua ao ampliar o significado das palavras além dos limites do seu sentido prototípico, em situações novas. Por exemplo, ele pode trazer para o âmbito de denotação de '*cap*' [boné], '*hat*' [chapéu] ou '*bonnet*' [gorro] vários tipos de abrigos para a cabeça que poderiam ser característicos de outras culturas, mas não da sua própria; ele pode trazer para o âmbito de denotação de '*boat*' [barco], ao encontrá-los pela primeira vez, não apenas canoas, mas também *catamarans* [jangadas] (tomando ou não emprestadas as palavras locais); ele pode aplicar a palavra '*wedding*' ou '*funeral*' [respectivamente, "casamento" e "funeral"] a uma gama ampla de práticas que pouco se assemelham a qualquer coisa que contaria, prototipicamente, como um casamento ou um funeral para a maioria dos falantes de inglês.

Ora, acontece que o inglês e as outras línguas principais da Europa, como foi enfatizado no capítulo sobre linguagem e sociedade, não são, sob vários aspectos, nada representativos das línguas do mundo. O inglês, particularmente, tem sido usado na administração de um império de grande diversidade cultural. É uma língua falada como língua nativa por membros de muitos grupos étnicos diferentes e seguidores de muitas religiões, que vivem em várias partes do mundo. É largamente utilizada por antropólogos, missionários e escritores de todo tipo, não apenas na descrição de cada sociedade conhecida, mas também em novelas, peças de teatro etc., que se passam em países e sociedades nos quais o inglês normalmente não é falado. Isso significa que o inglês, mais do que outras línguas europeias, foi ampliado e modificado por tradução por empréstimo em quase todas as áreas de seu vocabulário. As correlações entre a estrutura semântica e as culturas dos seus falantes nativos são, portanto, muito mais complexas e diversas do que as correlações entre língua e cultura na grande maioria das sociedades humanas. Também é mais fácil para um falante nativo de inglês ou de uma das línguas principais da Europa achar que todas as línguas humanas podem ser traduzidas umas pelas outras do que para um falante da maioria das outras línguas. É importante ter isso em mente ao se ler discussões

Linguagem e Cultura

teóricas sobre a natureza da linguagem com exemplos exclusivos de uma ou de outra língua europeia principal.

Voltamo-nos agora para a última questão. Os linguistas proclamam frequentemente, pelo menos à guisa de hipótese de trabalho, o princípio de que não existem línguas primitivas: de que todas as línguas são de complexidade mais ou menos equivalente e que são igualmente bem adaptadas às finalidades comunicativas a que elas servem nas sociedades em que funcionam (v. Seção 2.4). Esse princípio em si não compromete o linguista com a opinião de que todas as línguas são igualmente adequadas para todas as finalidades de comunicação. Com efeito, como acabamos de ver, algumas línguas, em virtude de seu papel como línguas internacionais, têm uma flexibilidade e uma versatilidade que a maioria das línguas não possui. Outras, sejam ou não línguas internacionais também, estão associadas à cultura no sentido mais restrito, ou clássico, do termo (v. Seção 10.1). Seria paradoxal, se não absurdo, interpretar o princípio da igualdade das línguas com a implicação de que a língua que uma pessoa fala não surte efeito na qualidade de sua vida intelectual e artística, para não mencionar a sua carreira e suas pretensões econômicas (v. Seção 9.5). Existem razões eminentemente defensáveis pelas quais algumas línguas e não outras são amplamente ensinadas nas escolas e universidades inglesas. Os linguistas que insistem na igualdade das línguas não aderem necessariamente à visão de que todas as culturas merecem, igualmente, o tipo de difusão deliberada que chamamos de educação. Essa é uma questão acerca da qual os linguistas, enquanto indivíduos, podem ter as suas opiniões pessoais próprias. Não há opinião profissional coletiva.

LEITURAS COMPLEMENTARES

Em geral, como para o Capítulo 9. Entre as obras introdutórias mencionadas então, Hudson (1980) e Trudgill (1974) são especialmente recomendados para os assuntos tratados neste capítulo; quanto aos compêndios, Hymes (1974). Ver também Burling (1970), uma introdução que compreende tanto sociolinguística quanto etnolinguística do ponto de vista antropológico, em vez de sociológico ou sociopsicológico; e Ardener (1971), para uma obra mais abrangente. Também, para abordagens diferentes de etnolinguística, Crick (1976); Greenberg (1968, 1971); Tyler (1969).

Sobre a hipótese Sapir-Whorf: ainda Black (1959, 1969); Caroll (1953b); Cooper (1973), Capítulo 5; Henle (1958); Hoijer (1954); Saporta (1961); Slobin (1971); Whorf (1956).

Sobre a hipótese Berlin-Kay, possibilidade de codificação e protótipos semânticos (incluindo alguns trabalhos anteriores relevantes, além dos relacionados anteriormente, para a hipótese Sapir-Whorf em geral): Berlin & Kay (1969); Brown (1958a,b); Clark & Clark (1977); Lloyd (1972); Lyons (1977b:245-50); Osgood, May & Miron (1975), Capítulo 6, Rosch (1973, 1974, 1975, 1976).

Sobre tradução: Browner (1966); Catford (1965); Nida & Taber (1969); Olshewsky (1969), Capítulo 9; Savory (1957); Steiner (1975). Sobre tradução da Bíblia: Beckman & Callow (1974); Nida (1945, 1964, 1966).

Sobre pronomes de tratamento e a distinção T/V: Adler (1978); Brow & Ford (1961); Brown & Gilman (1960); Friedrich (1968, 1972). Um relato mais completo do uso de pronomes de tratamento por Tolstói em *Anna Karenina* pode ser encontrado em Lyons (1980).

Capítulo 10

Sobre a etnografia da fala: Bauman & Sherzer (1974); Goody (1978); Hymes (1977).

Sobre jogos verbais e virtuosismos linguísticos: Bauman & Scherzer (1974); Burling (1970), Capítulos 10, 11; Hymes (1964), Parte 6. Ver também os trabalhos recomendados para o inglês negro no Capítulo 9 e, mais especialmente, Abrahams (1974). E, além disso, Hale (1971).

Sobre alfabetização e sua importância cultural: Basso (1974); Goodoy (1968); Goody & Watt (1962).

PERGUNTAS E EXERCÍCIOS

1. "É... algo como uma contradição, no mínimo uma ironia, que tenhamos hoje uma linguística geral que se justifica em termos de compreender o caráter distintivo do homem, mas que nada tem a dizer, enquanto linguística, sobre a vida humana. A voz é a voz do humanismo, do idealismo racional; a mão, teme-se, é a do mecanicismo" (Hymes, 1977:147). Comente essa opinião à luz de seu próprio posicionamento em relação às metas e metodologia da linguística.

2. Que distinção você faria, se fizesse, entre uma abordagem **biológica** e uma abordagem **cultural** do estudo da linguagem?

3. Forneça um relato da **hipótese Sapir-Whorf** fazendo referência particular a alguma área do vocabulário que não seja a das cores.

4. Explique e exemplifique (com exemplos diferentes dos do texto) o processo de **tradução por empréstimo**.

5. Discuta a validade da noção de **possibilidade de codificação** e sua impotência para as teses de (a) **relatividade linguística** e (b) **determinismo linguístico**.

6. "As línguas diferem entre si ilimitadamente e de modos imprevisíveis" (Joos, 1966:228). Discuta essa afirmação fazendo referência específica à teoria chomskiana dos **universais linguísticos** (v. Seção 7.4).

7. Discuta a aplicabilidade da noção de significado focal, ou **prototípico**, a áreas do vocabulário das línguas naturais diferentes da da terminologia das cores.

8. Que distinção você faria, se fizesse, entre uma **tradução literal** e uma **tradução livre**? Você pode dar uma definição precisa do termo 'literal' neste contexto?

9. "Toda a experiência cognitiva e sua classificação pode ser veiculada em qualquer língua existente. Quando há alguma deficiência a terminologia pode ser qualificada e ampliada, por palavras tomadas emprestadas ou por tradução por empréstimos, por neologismos ou trocas semânticas, e, finalmente, por perífrases" (Jakobson, 1966:234). Comente essa afirmação, exemplificando cada um dos meios de qualificação e amplificação mencionados e calculando os efeitos destes sobre a língua existente.

10. "A gama não igualada de traduções da Bíblia, incluindo como inclui, não somente as principais línguas do mundo, mas centenas de línguas 'primitivas☐, fornece uma riqueza de dados e de fundamentos de experiência nos problemas básicos da comunicação ..." (Nida, 1966:12). Por que a tradução da Bíblia é tão especial? Os pontos de vista teológicos do tradutor fazem alguma diferença para o que conta, para ele, como tradução fiel? Se faz, sob que aspectos?

11. Que sentido você atribui à expressão 'língua de cultura' ('*langue de culture*', '*Kultursprache*'), se é que atribui algum?

12. Leia um dos casos de estudo em **etnografia da fala** publicados ou citados em Bauman & Sherzer (1974) e faça um resumo de 1.200 palavras incluindo um breve comentário seu.

13. Se você conhece uma língua com a distinção T/V e tem acesso aos falantes nativos, tente determinar e formular o mais precisamente possível os determinantes sociolinguísticos/estilísticos do seu

Linguagem e Cultura

uso. Avalie os resultados à luz das generalizações feitas sobre **poder e solidariedade** em Brown & Gilman (1960), Brown & Levinson (1978) e nos livros de sociolinguística referidos no Capítulo 9.

14. "Falantes de todas as línguas em todas as partes do mundo atribuem a alguns de seus compatriotas habilidades linguísticas superiores, e aqueles reconhecidos como mais habilidosos são respeitados de maneira especial" (Burling, 1970:150). Forneça um relato de um tipo de virtuosismo linguístico dessa natureza (diferente do que normalmente contaria como composição literária em nossa cultura): por exemplo, fazer trocadilhos, rimar, decifrar enigmas e outras variedades de jogos verbais; glossolalia (dom de falar línguas desconhecidas); falar na "língua do pê"; usar trocadilhos etc. Discuta o papel desse tipo de virtuosismo linguístico na cultura em que ocorre e calcule a sua importância para uma teoria geral da estrutura e do uso da linguagem.

Bibliografia

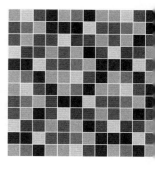

A presente lista inclui todas as obras a que se faz referência no texto e nas "Leituras Complementares" ou "Perguntas e Exercícios". Exceto alguns poucos casos, as obras escritas em outras línguas que não o inglês não foram mencionadas, a menos que houvesse uma tradução inglesa das mesmas.* Os artigos de revistas especializadas só foram citados se reimpressos em coletâneas ou antologias. Como a bibliografia em si é bastante intensa, marquei com um asterisco um número mais reduzido de livros didáticos e compilações. Aos iniciantes na área de linguística aconselho que consultem vários textos para que obtenham uma perspectiva mais equilibrada do assunto.

Abercrombie, D.

1966 *Elements of General Phonetics*. Edinburgh: Edinburgh University Press & Chicago: Aldine.

1967 *Problems and Principles in Language Study*. London: Oxford University Press.

Abrahams, R.D.

1974 "Black talking on the streets". In Bauman & Sherzer (1974).

Alder, M.K.

1978 *Naming and Addressing: A Sociolinguistic Study.* Hamburg: Buske.

Aitchison, J.

1976 *The Articulate Mammal*. London: Hutchinson.

*1978 *Linguistics*, 2. ed. London: Teach Yourself Books. (1. ed., 1972.)

1981 *Language Change: Progress or Decay?* London, Fontana.

Akmajian, A. & Henry, F.W.

1975 *An Introduction to the Principles of Transformational Syntax*. Cambridge, Mass.: MIT Press.

Akmajian, A., Demers, R.A. & Harnish, R.M.

1979 *Linguistics: An Introduction to Language and Communication*. Cambridge, Mass. & London: MIT Press.

Albert, M.L. & Obler, L.K.

---

* Mencionamos traduções em língua portuguesa de que temos conhecimento para algumas obras.

Bibliografia

1978 *The Bilingual Brain: Neuropsychological Aspects of Bilingualism.* New York, San Francisco, London: Academic Press.

Allen, H.B. (org.)

*1964 *Readings in Applied English Linguistics*, 2. ed. New York: Appleton-Century-Crofts.

Allen, J.P.B. & Corder, S.P. (orgs.)

*1975a *The Edinburgh Course in Applied Linguistics*, Vol. 1: *Readings for Applied Linguistics.* London: Oxford University Press. (1. ed., 1973.)

1975b *The Edinburgh Course in Applied Linguistics*, Vol. 2: *Papers in Applied Linguistics.* London: Oxford University Press.

1975c *The Edinburgh Course in Applied Linguistics*, Vol. 3: *Techniques in Applied Linguistics.* London: Oxford University Press. (1. ed., 1974.)

Allerton, D.J.

1979 *Essentials of Grammar: A Consensus View of Syntax and Morphology.* London, Boston: Routledge & Kegan Paul.

Alwood, J., Anderson, L-G. & Dahl, O.

1977 *Logic in Linguistics.* Cambridge: Cambridge University Press.

Anderson, W.L. & Stageberg, N.C. (orgs.)

*1966 *Introductory Readings on Language*, rev. ed. New York: Holt, Rinehart & Winston.

Apresjan, J.D.

1974 *Leksiceskaja Semantika.* Moscou: "Nauka".

Ardener, R. (org.)

1971 *Social Anthropology and Language.* London: Tavistock Press.

Bach, E.

1974 *Syntactic Theory.* New York: Holt, Rinehart & Winston. [Ed. bras.: *Teoria Sintática.* Trad. de Marilda W. e Paulo H. Britto, Rio: Zahar, 1981.]

Bailey, C.-J.N. & Shuy, R.W. (orgs.)

1973 *New Ways of Analysing Variation in English.* Washington: Georgetown University Press.

Bailey, R.W. & Robinson, J.L. (orgs.)

1973 *Varieties of Present Day English.* New York: Macmillan.

Baker C.L.

1978 *Introduction to Generative-Transformational Syntax.* Englewood Cliffs, N.J.: Prentice-Hall.

Barber, C.L.

1972 *The Story of Language*, rev. ed. London, Sydney: Pan Books.

Basso, K.H.

1974 "The ethnography of writing". In Bauman & Sherzer (1974).

Baugh, A.C.

1965 *History of the English Language*, 2. ed. London: Kegan Paul; New York: Appleton-Century-Crofts.

Bauman, R. & Sherzer, J. (orgs.)

1974 *Explorations in the Ethnography of Speaking.* London, New York: Cambridge University Press.

Beckman, J. & Callow, J.

1974 *Translating the Word of God. Grant Rapids*, Michigan: Zondervan.

Bibliografia

Bell, R.T.
1976 *Sociolinguistics: Goals, Approaches and Problems.* London: Batsford.

Bergenholtz, H. & Mugdan, J.
1979 *Einführung in die Morphologie.* Stuttgart: Kohlhammer.

Berlin, B. & Kay, P.
1969 *Basic Color Terms.* Berkeley: University of California Press.

Bernstein, B.
1971 *Class, Codes and Control*, Vol. 1: *Theoretical Studies Towards a Sociology of Language.* London: Routledge & Kegan Paul.

Berry, M.
1975 *Introduction to Systemic Linguistics I: Structures and Systems.* London: Bastford.
1977 *Introduction to Systemic Linguistics II: Levels and Links.* London: Batsford.

Black, M.
1959 "Linguistic relativity: the views of Benjamin Lee Whorf". *Philosophical Review* 68:228-38. Reimp. in Black, M. (1962), *Models and Metaphors.* Ithaca, N.Y.: Cornell University Press.
1969 "Some problems with 'Whorfianism'". In Hook (1969).

Blakemore, C.
1977 *Mechanics of the Mind.* Cambridge: Cambridge University Press.

Bloch, B. & Trager, G.L.
1942 *Outline of Linguistic Analysis.* Baltimore: Linguistic Society of America/Waverly Press.

Bloomfield, L.
1935 *Language.* London: Allen & Unwin. (Ed. norte-americana, New York: Holt, Rinehart & Winston, 1933.)

Boas, Franz
1911 *Handbook of American Indian Languages.* Washington, D. C.: Smithsonian Institute. (Introd. resumida in Hymes, 1964.)

Bobrow, D.G. & Collins, A. (orgs.)
1975 *Representation and Understanding: Studies in Cognitive Science.* New York: Academic Press.

Boden, M.A.
1977 *Artificial Intelligence and the Natural Man.* Hassocks, Sussex: Harvester; New York: Basic Books.
1980 *Piaget.* London: Fontana/Collins; New York: Viking Penguin.

Bolinger, D.L. (org.)
1972 *Intonation.* Harmondsworth: Penguin.
*1975 *Aspects of Language*, 2. ed. New York: Harcourt Brace Jovanovich. (1. ed., 1968.)

Bright, W. (org.)
1966 *Sociolinguistics.* The Hague: Mouton.
1968 *Sociolinguistics.* The Hague: Mouton.

Brosnahan, L.F. & Malmberg, B.
1970 *Introduction to Phonetics.* London, New York: Cambridge University Press.

Brower, R.A. (org.)
1966 *On Translation.* London, New York: Oxford University Press. (1. ed., 1959.)

271

Bibliografia

Brown, E.K. & Miller, J.E.

1980   *Syntax: A Linguistic Introduction to Sentence Structure*. London: Hutchinson.

Brown, G.

1977   *Listening to Spoken English*. London: Longman.

Brown, P. & Levinson, S.

1978   "Universals in language usage". In Goody (1978).

Brown, R.

1958a   "How shall a thing be called?". *Psychological Review* 65:14-21. Reimp. in Oldfield & Marshall (1968).

1958b   *Words and Things*. Glencoe, Ill.: Free Press.

1970   *Psycholinguistics*. New York: Free Press.

Brown, R. & Ford, M.

1961   "Address in American English". *Journal of Abnormal and Social Psychology* 62:375-85. Reimp. in Hymes (1964); Laver & Hutcheson (1972).

Brown, R. & Gilman, A.

1960   "The pronouns of power and solidarity". In Sebeok (1960). Reimp. in Fishman (1968); Giglioli (1972); Laver & Hutcheson (1972).

Brown, R. & Lenneberg, E.H.

1954   "A study of language and cognition". *Journal of Abnormal and Social Psychology* 49:452-60. Reimp. in Brown (1970); Saporta (1961).

Burgess, A.

1975   *Language Made Plain*, 1. ed. London: Fontana/Collins.

Burling, R.

1970   *Man's Many Voices: Language in its Cultural Context*. New York: Holt, Rinehart & Winston.

1973   *English in Black and White*. New York: Holt, Rinehart & Winston.

Bynon, T.

1977   *Historical Linguistics*. Cambridge: Cambridge University Press.

Carroll, J.B.

1953a   *The Study of Language*. Cambridge, Mass.: Harvard University Press.

1953b   *Language and Thought*. Englewood Cliffs, N.J.: Prentice-Hall.

Cashdan, A. & Grudgeon, E. (orgs.)

1972   *Language in Education: A Source Book*. London & Boston: Routledge & Kegan Paul, em coedição com The Open University Press.

Catford, J.C.

1965   *A Linguistic Theory of Translation: An Essay in Applied Linguistics*. London: Oxford University Press.

1977   *Fundamental Problems in Phonetics*. Edinburgh: Edinburgh University Press.

Chambers, J.K. & Trudgill, P.

1980   *Dialectology*. Cambridge: Cambridge University Press.

Chao, Y.R.

*1968   *Language and Symbolic Systems*. London, New York: Cambridge University Press.

Charniak, E. & Wilks, Y.A. (orgs.)

Bibliografia

1976   *Computational Semantics: An Introduction to Artificial Intelligence and Natural Language Comprehension.* Amsterdam: North Holland.

Chatman, S. & Levin, S.R. (orgs.)

1967   *Essays on the Language of Literature.* Boston, Mass.: Houghton Mifflin.

Cherry, C.

1957   *On Human Communication.* Cambridge, Mass.: MIT Press. (Reimp., New York: Science Editions, 1959.)

Chomsky, N.

1957   *Syntactic Structures.* The Hague: Mouton.

1959   Review of B.F. Skinner, *Verbal Behavior. In Language* 35:26-58. Reimp. in Fodor & Katz (1964); Jakobovits & Miron (1967).

1965   *Aspects of the Theory of Syntax.* Cambridge, Mass.: MIT Press.

1966   *Cartesian Linguistics.* New York: Harper & Row. [Ed. bras.: *Linguística cartesiana.* Trad. de Francisco M. Guimarães.]

1972a   *Language and Mind*, 2. ed. ampliada. New York: Harcourt Brace. (1. ed., 1968).

1972b   *Problems of Knowledge and Freedom.* London: Barrie & Jenkins.

1976   *Reflections on Language.* London: Temple Smith.

1979   *Rules and Representations.* New York: Columbia University Press. (Ed. inglesa, Oxford: Blackwell, 1980.) [Ed. bras.: *Regras e Representações – A Inteligência Humana e seu Produto.* Trad. de Marilda W. Averbug, Paulo H. Britto e Regina Bustamante, Rio, Zahar, 1981.]

Chomsky, N. & Halle, M.

1968   *The Sound Pattern of English.* New York: Harper & Row.

Clark H.H. & Clark, E.V.

1977   *Psychology and Language*: An Introduction to Psycholinguistics. New York: Harcourt Brace Jovanovich.

Cook, W.A.

1969   *Introduction to Tagmemic Analysis.* Washington, D.C.: Georgetown University Press.

Cooper, D.E.

1973   *Philosophy and the Nature of Language.* London: Longman.

Corder, S.P.

1973   *Introducing Applied Linguistics.* Harmondsworth: Penguin.

Crick, M.

1976   *Explorations in Language and Meaning*: Towards a Semantic Anthropology. London: Malaby.

Criper, C. & Widdowson, H.G.

1975   "Sociolinguistics and language teaching". In Allen & Corder (1975b).

Crystal, D.

*1971   *Linguistics.* Harmondsworth: Penguin.

1976   *Child Language, Learning and Linguistics*: An Overview for the Teaching and Therapeutic Professions. London: Arnold.

Crystal, D. & Davy, D.

1969   *Investigating English Style.* London: Longman.

Culicover, P.W.

1976   *Syntax.* London, New York: Academic Press.

Bibliografia

Culler, J.
1973 "The linguistic basis of structuralism". In Robey (1973).
1975 *Structuralist Poetics*. London: Routledge & Kegan Paul.
1976 *Saussure*. London: Fontana/Collins.

Curme. G.O.
1935 *A Gramar of the English Language.* Boston: Ginn.

Dale, P.S.
1976 *Language Development: Structure and Function,* 2. ed. New York, London: Holt, Rinehart & Winston.

DeStefano, J.S.
1973 *Language, Society and Education: A Profile of Black English*. Worthington, Ohio: Charles Jones.

Dik, S.C.
1978 *Functional Grammar*. Amsterdam, New York & London: North Holland.

Dillard, J.L.
1972 *Black English: Its History and Usage in the United States*. New York: Random House.

Dillon, G.
1977 *An Introduction to Contemporary Linguistic Semantics.* Englewood Cliffs, N.J.: Prentice-Hall.

Dinnean, F.P.
1967 *An Introduction to General Linguistics*. New York: Holt, Rinehart & Winston.

Dinnsen, D. (org.)
1979 *Current Approaches to Phonological Theory*. Bloomington & London: Indiana University Press.

Dittmar, N.
1976 *Sociolinguistics: A Critical Survey of Theory and Application*. London: Arnold.

Dixon, R.M.W.
1980 *The Languages of Australia.* Cambridge: Cambridge University Press.

Donaldson, M.
1978 *Children's Minds*. London: Fontana/Collins.

Eco, U.
1976 *A Theory of Semiotics*. London & Bloomington, Ind.: Indiana University Press.

Edwards, A.D.
1976 *Language in Culture and Class*. London: Heinemann.

Edwards, P.
1967 *Encyclopaedia of Philosophy*. New York, London: Collier & Macmillan.

Ehrman, J. (org.)
1970 *Structuralism*. New York: Doubleday.

Elliot, A.
1981 *Child Language.* Cambridge: Cambridge University Press.

Elson, B. & Pickett, V.
1962 *An Introduction to Morphology and Syntax*. Santa Ana, Calif.: Summer Institute of Linguistics.

Emeneau, M.S.
1980 *Language and Linguistic Area*. Seleção e introd. por A.S. Dil. Stanford, Calif.: Stanford University Press.

Bibliografia

Ervin-Tripp, S.

1973 *Language Acquisition and Language Choice*. Seleção e introd. por A.S. Dil. Stanford, Calif.: Stanford University Press.

Falk, J.S.

*1973 *Linguistics and Language*. Lexington, Mass. e Toronto: Xerox College Publishing.

Ferguson, C.A.

1959 "Diglossia". *Word* 15:325-40. Reimp. in Giglioli (1972); Hymes (1964).

1971 *Language Structure and Language Use*. Seleção e introd. por A.S. Dil. Stanford, Calif.: Stanford University Press.

Fink, S.R.

1977 *Aspects of a Pedagogical Grammar Based on a Case Grammar and Valence Theory*. Tübingen: Niemeyer.

Firth, J.R.

1957 *Papers in Linguistics 1934-51*. London: Oxford University Press.

Fischer-JØrgensen, E.

1975 *Trends in Phonological Theory: A Historical Introduction*. Copenhague: Akademisk Forlag.

Fishman J.A.

1965 "Who speaks what language to whom and when". *La Linguistique* 2. 67-88. Versão revista "The relationship between micro and macrossociolinguistics in the study of who speaks what language to whom and when". In Pride & Holmes (1972).

1968 (org.) *Readings in the Sociology of Language*. The Hague: Mouton.

1970 *Sociolinguistics: A Brief Introduction*. Rowley, Mass.: Newbury House.

1972a *The Sociology of Language*. Rowley, Mass.: Newbury House.

1972b (org.) *Advances in the Sociology of Language*, 2 vols. The Hague: Mouton.

1972c *Language and Nationalism*. Rowley, Mass.: Newbury House.

Fishman, J.A., Ferguson, C.A. & Das Gupta, J. (orgs.)

1968 *Language Problems of Developing Nations*. New York: Wiley.

Fletcher, Paul & Garman, Michael (orgs.)

1979 *Language Acquisition*. Cambridge: Cambridge University Press.

Fodor, J.A.

1975 *The Language of Thought*. New York: Crowell & Hassocks, Sussex: Harvester.

Fodor, J.D.

1977 *Semantics: Theories of Meaning in Generative Linguistics*. New York: Crowell & Hassocks, Sussex: Harvester.

Fodor, J.A. & Katz, J.J. (orgs.)

1964 *The Structure of Language: Readings in the Philosophy of Language*. Englewood Cliffs, N.J.: Prentice-Hall.

Fowler, R.

*1964 *Understanding Language: An Introduction to Linguistics*. London: Routledge & Kegan Paul.

1966 (org.) *Essays on Style and Language*. London: Routledge & Kegan Paul.

Francis, W.N.

1967 *The English Language: An Introduction*. London: English Universities Press.

Freeman, D.C. (org.)

275

Bibliografia

197C   *Linguistics and Literary Style*. New York: Holt, Rinehart & Winston.

Friedrich, P.

196E   "Structural implications of Russian pronominal usage". In Bright (1968).

1972   "Social context and semantic feature: the Russian pronominal usage". In Gumperz & Hymes (1972).

Fries, C.C.

1952   *The Structure of English. An Introduction to the Construction of English Sentences*. New York: Harcourt Brace.

Fromkin, V. & Rodman, R.

*1974   *An Introduction to Language*, 2. ed. New York: Holt, Rinehart & Winston. (1. ed., 1974.)

Fry, D.B.

1977   *Homo loquens*. Cambridge: Cambridge University Press.

197S   *The Physics of Speech*. Cambridge: Cambridge University Press.

Fudge, E.C.

197C   "Phonology". In Lyons (1970).

1973   (org.) *Phonology*. Harmondsworth: Penguin.

Gaeng, P.A.

1971   *Introduction to the Principles of Language*. New York: Harper & Row.

Garvin, P.L. (org.)

1964   *A Prague School Reader on Aesthetics, Literary Structure and Style*. Washington, D.C.: Georgetown University Press.

Gelb, I.J.

1963   *A Study of Writing*, 2. ed. Chicago: University of Chicago Press. (1. ed., 1952.)

197€   "Writing, Forms of". *Encyclopaedia Britannica*, 15. ed.

Giglioli, P.P. (org.)

1972   *Language and Social Context*. Harmondsworth: Penguin.

Giles, H. (org.)

1977   *Language, Ethnicity and Social Context*. London: Academic Press.

Gimson, A.C.

197C   *Introduction to the Pronunciation of English*, 2. ed. London: Arnold.

Gleason, H.A.

*1961   *Introduction to Descriptive Linguistics*, 2. ed. Nova York: Holt Rinehart. (1. ed., 1955.)

1965   *Linguistics and English Grammar*. New York: Holt, Rinehart & Winston.

Goody, E.N. (org.)

1978   *Questions and Politeness: Strategies in Social Interaction*. Cambridge: Cambridge University Press.

Goody, J.

1968   *Literacy in Traditional Societies*. Cambridge: Cambridge University Press.

Goody, J. & Watt, I.

1962   "The consequences of literacy". *Comparative Studies in Society and History* 5: 304-26; 332-45. Extratos in Giglioli (1972).

Greenberg, J.

Bibliografia

1968 *Anthropological Linguistics.* New York: Random House.

1971 *Language, Culture and Communication.* Seleção e introd. por A.S. Dil. Stanford, Calif.: Stanford University Press.

Greene, J.

1972 *Psycholinguistics: Chomsky and Psychology.* Harmondsworth: Penguin.

Gumperz, J.J.

1971 *Language in Social Groups.* Seleção e introd. por A.S. Dil. Stanford, Calif.: Stanford University Press.

Gumperz, J.J. & Hymes, D.H. (orgs.)

1972 *Directions in Sociolinguistics: The Ethnography of Communication.* New York: Holt, Rinehart & Winston.

Haas, W.

1976 "Writing: the basic options". In Haas, W. (org.) *Writing without Letters.* Manchester: Manchester University Press.

Hacking, I.

1975 *Why Does Language Matter to Philosophy?* Cambridge: Cambridge University Press.

Hale, K.

1971 "A note on a Walbiri tradition of antonymy". In Steinberg & Jakobovits (1971).

Hall, R.A.

1964 *Introductory Linguistics.* Philadelphia & New York: Chilton Books.

1968 *An Essay on Language.* Philadelphia & New York: Chilton Books.

Halliday, M.A.K.

1970 "Language structure and language function". In Lyons (1970).

1973 *Explorations in the Functions of Language.* London: Arnold.

1976 *System and Function in Language: Selected Papers*, org. G.R. Cress. London: Oxford University Press.

Halliday, M.A.K. & McIntosh, A. (orgs.)

1966 *Patterns in Language: Papers in General, Descriptive and Applied Linguistics.* London: Longman.

Halliday, M.A.K., McIntosh, A. & Strevens, P.D.

1964 *The Linguistic Sciences and Language Teaching.* London: Longman.

Hamp, E.P., Householder, F.W. & Austerlitz, R.

*1966 *Readings in Linguistics II.* Chicago: University of Chicago Press.

Harman, G. (org.)

1974 *On Noam Chomsky: Selected Essays.* New York: Doubleday.

Harris, Z.S.

1951 *Methods in Structural Linguistics.* Chicago: University of Chicago Press. (Reimp. *Structural Linguistics*, 1951.)

Haugen, E.

1972 *The Ecology of Language.* Seleção e introd. por A.S. Dil. Stanford, Calif.: Stanford University Press.

1973 "Bilingualism, language contact, and immigrant languages in the United States: A research report 1956-1970". In Sebeok, T.A. (org.) *Current Trends in Linguistics*, Vol. 10. The Hague: Mouton.

Hawkes, T.

277

Bibliografia

1977   *Structuralism and Semiotics*. London: Methuen.

Hayden, D.E., Alworth, P.E. & Tate, G.

1967   *Classics in Linguistics*. New York: Philosophical Library.

Helbig, G. (org.)

1971   *Beiträge zur Valenztheorie*. The Hague: Mouton.

Henderson, E.J.A.

1971   "Phonology". In Minnis (1971).

Henle, P. (org.)

1958   *Language, Thought and Culture*. Ann Arbor: University of Michigan Press.

Hewes, G.W.

1977   "Language origin theories". In Rumbaugh (1977).

Hill, A.A.

*1958   *Introduction to Linguistic Structures*. New York: Harcourt, Brace & Co.

Hinde, R. A. (org.)

1972   *Non-Verbal Communication*. London, New York: Cambridge University Press.

Hockett, C.F.

*1958   *A Course in Modern Linguistics*. New York: Macmillan.

1960   "Logical considerations in the study of animal communication". In Lanyon, W.E. & Tavolga, W.N. (orgs.) *Animal Sounds and Communication*. Washington, D.C.: American Institute of Biological Sciences. Reimp. in Hockett, C.F. (1977) *The View from Language: Selected Essays 1948-1974*. Athens, Georgia: University of Georgia Press.

Hockett, C.F. & Altmann, S.

1968   "A note on design features". In Sebeok (1968).

Hogins, J.B. & Yarber, R.E. (orgs.)

*1969   *Language: An Introductory Reader*. New York: Harper & Row.

Hoijer, H. (org.)

1954   *Language in Culture*. Chicago: University of Chicago.

Hook, S. (org.)

1969   *Language and Philosophy*. New York: New York University Press.

Hough, G.

1969   *Style and Stylistics*. London: Routledge & Kegan Paul.

Householder, F.W.

1971   *Linguistic Speculations*. Cambridge: Cambridge University Press.

1972   (org.) *Syntactic Theory 1: Structuralist. Selected Readings*. Harmondsworth: Penguin.

Huddleston, R.

1976   *An Introduction to English Transformational Syntax*. London: Longman.

Hudson, R.A.

1971   *English Complex Sentences: An Introduction to Systemic Grammar*. Amsterdam: North Holland.

1976   *Arguments for a Non-Transformational Grammar*. Chicago: University of Chicago Press.

1980   *Sociolinguistics*. Cambridge: Cambridge University Press.

Hughes, A. & Trudgill, P.

Bibliografia

1979   *English Accents and Dialects*: *An Introduction to Social and Regional Variation in British English*. London: Arnold.

Hungerford, H., Robinson, J. & Sledd, J.

*1970   *English Linguistics*: *An Introductory Reader*. Glencoe, Ill.: Scott, Foresman.

Hyman, L.

1974   *Phonology*: *Theory and Analysis*. New York: Holt, Rinehart & Winston.

Hymes, D.H. (org.)

1964   *Language in Culture and Society*. New York: Harper & Row.

1971   *Pidginization and Creolization of Language*. Cambridge: Cambridge University Press.

1977   *Foundations in Sociolinguistics: An Ethnographic Approach*. London: Tavistock Publications. (Ed. norte-americana, Philadelphia: University of Philadelphia Press, 1974.)

International Phonetic Association

1949   *Principles of the International Phonetic Association*, rev. ed. London: International Phonetic Association.

Ivié, M.

1965   *Trends in Linguistics*. The Hague: Mouton.

Jacobs, R.A. & Rosenbaum, P.S. (orgs.)

1970   *Readings in English Transformational Grammar*. Waltham, Mass.: Ginn & Co.

Jakobovits, L.A. & Miron, M.S.

1967   *Readings in the Psychology of Language*. Englewood Cliffs, N.J.: Prentice-Hall.

Jakobson, R.

1966   "On linguistic aspects of translation". In Brower (1966).

1973   *Six leçons sur le son et le sens* (com prefácio de C. Lévi-Strauss). Paris: Minuit. Trad. ingl.: *Six Lectures on Sound an Meaning*. Hassocks, Sussex: Harvester (1978).

Jespersen, O.

1909-   *A Modern English Grammar on Historical Principles*. Heidelberg: Winter; Copenhague: Munksgaard.
1949

1922   *Language: Its Nature, Development and Origin*. London: Allen & Unwin.

Johnson, Nancy A. (org.)

1976   *Current Topics in Language*. Cambridge, Mass.: Winthrop.

Johnson-Laird, P.N. & Wason, P.C. (orgs.)

1977   *Thinking: Readings in Cognitive Science*. Cambridge: Cambridge University Press.

Jones, D.

1975   *An Outline of English Phonetics*, 9. ed. Cambridge: Cambridge University Press.

Jones, W.E. & Laver, J. (orgs.)

1973   *Phonetics in Linguistics*. London: Longman.

Joos, M. (org.)

*1966   *Readings in Linguistics I*. Chicago: University of Chicago Press. (1. ed., 1957.)

Kempson, R.M.

1977   *Semantic Theory*. London, New York: Cambridge University Press. [Ed. bras.: *Teoria Semântica*. Trad. Waltensir Dutra, Rio, Zahar, 1980.]

Bibliografia

Kenstowicz, M. & Kisseberth, C.
1979　*Generative Phonology*. Bloomington & London: Indiana University Press.

Keyser, S.J. & Postal, P.M.
1976　*Beginning English Grammar*. New York & London: Harper & Row.

Klima, E. & Bellugi, U.
1978　*The Signs of Language*. Cambridge, Mass.: Harvard University Press.

Koutsoudas, A.C.
1966　*Writing Transformational Grammars*. New York: McGraw-Hill.

Labov, W.
1972　*Sociolinguistic Patterns*. Philadelphia: University of Philadelphia Press & Oxford: Blackwell.

Ladefoged, P.
1962　*Elements of Acoustic Phonetics*. Chicago & London: Chicago University Press.
1974　"Phonetics". In *Encyclopaedia Britannica*, 15. ed.
1975　*A Course in Phonetics*. New York: Harcourt Brace Jovanovich.

Lane, M. (org.)
1970　*Structuralism: A Reader*. London: Cape.

Langacker, R.W.
1963　*Language and Its Structure*, 2. ed. New York: Harcourt, Brace & World. [Ed. bras.: *A linguagem e sua estrutura*. Trad. de Gilda M. Corrêa de Azevedo, Petrópolis, Vozes, 1975.]
1972　*Fundamentals of Linguistic Analysis*. New York: Harcourt Brace Jovanovich.

Lass, R. (org.)
1969　*Approaches to Historical English Linguistics: An Anthology*. New York: Holt, Rinehart & Winston.

Laver, J. & Hutcheson, S.
1972　*Communication in Face to Face Interaction*. Harmondsworth: Penguin.

Lawton, D.
1968　*Social Class, Language and Education*. London: Routledge & Kegan Paul.

Leech, G.N.
1969　*A Linguistic Guide to English Poetry*. London: Longman.
1971　*Semantics*. Harmondsworth: Penguin.
1976　*Meaning and the English Verb*. London: Longman.

Lehmann, W.P.
1973　*Historical Linguistics: An Introduction*, 2. ed. New York: Holt, Rinehart & Winston.

Lenneberg, E.H.
1967　*Biological Foundations of Language*. New York: Wiley.

Lepschy, G.
1970　*A Survey of Structural Linguistics*. London: Faber & Faber. [Ed. original italiana, *La linguistica strutturale*. Turim: Einaudi, 1966.]

Leroy, M.
1963　*Les grands courants de la linguistique moderne*. Bruxelas & Paris: Presses Universitaires. Trad. ingl.: *The Main Trends in Modern Linguistics*. Oxford: Blackwell, 1967. [Ed. bras.: *As grandes correntes da linguística moderna*, São Paulo, Cultrix, 1971.]

Bibliografia

Levinson, S.

1981   *Pragmatics*. Cambridge: Cambridge University Press.

Lieberman, P.

1975   *On the Origins of Language: An Introduction to the Evolution of Human Speech*. New York: Macmillan.

Linden, E.

1976   *Apes, Man and Language*. London, New York: Penguin. (1. ed., New York: Dutton, 1975.)

Lloyd, B.B. (org.)

1972   *Perception and Cognition: A Cross Cultural Perspective*. Harmondsworth: Penguin.

Lockwood, D.G.

1972   *Introduction to Stratificational Linguistics*. New York: Harcourt Brace.

Loncagre, R.E.

1964   *Grammar Discovery Procedures: A Field Manual*. The Hague: Mouton.

Lounsbury, F.L.

1969   "Language and culture". In Hook (1969).

Love G.A. & Payne, M. (orgs.)

1969   *Contemporary Essays on Style*. Glenview, Ill.: Scott, Foresman.

Lyons, J.

1962   "Phonemic and non-phonemic phonology". *International Journal of American Linguistics* 28:127-33. Reimp. in Jones & Laver (1973).

*1968   *Introduction to Theoretical Linguistics*. London. New York: Cambridge University Press.

1974   "Linguistics". In *Enciclopaedia Britanica*, 15. ed.

1977a   *Chomsky*, 2. ed. London: Fontana; New York: Viking/Penguin. (1. ed., 1970.)

1977b   *Semantics*, 2 vols. London, New York: Cambridge University Press

1980   "Pronouns of address in *Anna Karenina:* the stylistics of bilingualism and the impossibility of translation". In Greenbaum, S., Leech, G. & Svartvik, J. (org.) *Studies in English Linguistics: For Randolph Quirk*. London: Longman.

1981   *Language, Meaning and Context*. London: Fontana/Collins.

1970   (org.) *New Horizons in Linguistics*. Harmondsworth: Penguin. [Ed. port.: *Novos horizontes em linguística*, trad. de Geraldo Cintra, Carlos Vogt, Edward Lopes, Jesus Antonio Durigan, 1976.]

Mackey, W.F.

1965   *Language Teaching Analysis*. London: Longman.

McNeill, D.

1970   *The Acquisition of Language: The Study of Developmental Psycholinguistics*. New York: Harper & Row.

Makkai, V.B.

1972   *Phonological Theory, Evolution and Current Practice*. New York: Holt, Rinehart & Winston.

Makkai, A. & Lockwood, D.G. (org.)

1973   *Readings in Stratificational Linguistics*. Alabama: University of Georgia Press.

Malmberg, B.

1963   *Phonetics*. New York: Dover.

1964   *New Trends in Linguistics*. Estocolmo: Naturmetodens Språkinstitut. [Ed. bras.: *As novas tendências da linguística*. Trad. de Francisco da Silva Borba, São Paulo: Cia. Ed. Nac./USP, 1964.]

281

Bibliografia

1968   (org.) *A Manual of Phonetics*. Amsterdam: North Holland.

Martinet, A.

1949   *Phonology as Functional Phonetics*. London: Oxford University Press.

*1960   *Eléments de linguistique générale*. Paris: Colin. Trad. ingl.: *Elements of General Linguistics*. London: Faber, 1964.

1962   *A Functional View of Language*. Oxford: Clarendon Press.

Matthews, P.H.

1974   *Morphology: An Introduction to the Theory of Word Structure*. London, New York: Cambridge University Press.

1979   *Generative Grammar and Linguistic Competence*. London: Allen & Unwin.

1981   *Syntax*. Cambridge: Cambridge University Press.

Miller, G.A.

1967   *The Psychology of Communication: Seven Essay*. New York: Basic Books.

Miller, G.A., Galanter, E. & Pribram, K.H.

1960   *Plans and the Structure of Behavior*. New York: Holt, Rinehart & Winston.

Minnis, N. (org.)

*1971   *Linguistics at Large*. London: Gollancz.

Minsky, M.L. (org.)

1968   *Semantic Information Processing*. Cambridge, Mass.: MIT Press.

Mohrmann, C., Sommerfelt, A. & Whatmough, J. (orgs.)

1961   *Trends in European and American Linguistics 1930-1960*. Utrecht & Antwerp: Spectrum.

Morton, J. (org.)

1971   *Biological and Social Factors in Psycholinguistics*. London: Logos/Elek Books.

Nash, W.

1971   *Our Experience of Language*. London: Batsford.

Nida, E.A.

1945   "Linguistics and ethnology in translation-problems". *Word I*: 194-208. Reimp. in Hymes (1964).

1949   *Morphology: The Descriptive Analysis of Words*, 2. ed. Ann Arbor: University of Michigan Press.

1964   *Towards a Science of Translating. With Special Reference to Principles and Procedures Involved in Bible Translating*. Leiden: Brill.

1966   "Principles of translation as exemplified by Bible translating". In Brower (1966).

Nida, E.A. & Taber, C.R.

1969   *The Theory and Practice of Translation*. Leiden: Brill.

Nilsen, D.L.F. & Nilsen, A.P.

1975   *Semantic Theory: A Linguistic Perspective*. Rowley, Mass.: Newbury House.

Norman, F. & Sommerfelt, A. (orgs.)

1963   *Trends in Modern Linguistics*. Utrecht & Antwerp: Spectrum.

O'Connor, J. D.

1973   *Phonetics*. Harmondsworth: Penguin.

Oldfield, R.C. & Marshall, J.C. (orgs.)

1968   *Language: Selected Readings*. Penguin.

Bibliografia

Olshewsky, T. A. (org.)
1969 *Problems in the Philosophy of Language.* New York & London: Holt, Rinehart & Winston.

Osgood, C.E., May, W.H. & Miron, M.S.
1975 *Cross-Cultural Universals of Affective Meaning.* Urban, Chicago & London: Chicago University Press.

Palmer, F.R. (org.)
1970 *Prosodic Analysis.* London: Oxford University Press.
1971 *Grammar.* Harmondsworth: Penguin.
1974 *The English Verb.* London: Longman.
1976 *Semantics: A New Outline.* Cambridge: Cambridge University Press.

Paul, H.
1920 *Prinzipien der Sprachgeschichte,* 5. ed. Tübigen: Niemeyer. Trad. ingl. da 2. ed.: *Principles of Language History.* London, 1890. Rev. reed., Maryland: McGrath, 1970.

Piaget, J.
1968 *Le structuralisme.* Paris: Presses Universitaires de France. Trad. ingl.: *Structuralism.* London: Routledge & Kegan Paul, 1971.

Piattelli-Palmarini, M.
1979 *Théories du langage. Théories de l'apprentisage. Le débat entre Jean Piaget et Noam Chomsky.* Paris: Seuil. Trad. ingl.: *Language and Learning: The Debate between Jean Piaget and Noam Chomsky.* Boston: Harvard University Press; London: Routledge & Kegan Paul, 1980.

Poter, S.
1950 *Our Language.* Harmondsworth: Penguin.
*1967 *Modern Linguistics,* 2. ed. London: Oxford University Press.

Poutsma, H.
1926 *A Grammar of Late Modern English.* Groningen: Nourdhoff.

Premack. D.
1977 *Intelligence in Ape and Man.* New York: Wiley.

Pride, J.B.
1971 *The Social Meaning of Language.* London: Oxford University Press.

Pride, J.B. & Holmes, J. (orgs.)
1972 *Sociolinguistics.* Harmondsworth: Penguin.

Quirk. R.
1968 *The Use of English,* 2. ed. London: Longman. (1. ed., 1962.)

Quirk, R., Greenbaum, S., Lecch, G.N. & Svartvik, J.
1972 *A Grammar of Contemporary English.* London: Longman.

Reibel, D.A. & Schane, S.E. (orgs.)
1969 *Modern Studies in English: Readings in Transformational Grammar.* Englewood Cliffs, N.J.: Prentice-Hall.

Ritchie, G.D.
1980 *Computation Grammar.* Brighton, Sussex: Harvester & Totowa, N.J.: Barnes & Noble.

Robey, D. (org.)
1973 *Structuralism.* London: Oxford University Press.

Bibliografia

Robins, R.H.
1970 "The structure of language". In Minnis (1971).
1974 "Language". In *Encyclopaedia Brittannica*, 15. ed.
1979a *General Linguistics: An Introductory Survey*, 3. ed. London: Longman. (1. ed., 1964.)
1979b *A Short History of Linguistics*, 2. ed. London: Longman. (1. ed., 1967.)

Robinson, D.F. (org.)
1975 *Workbook for Phonological Analysis*, 2. ed. Huntington Beach, Calif.: Summer Institute of Linguistics. (1. ed., 1970.)

Robinson, W.P.
1972 *Language and Social Behaviour*. Harmondsworth: Penguin.

Rosch, E.
1973 "On the internal structure of perceptual and semantic categories". In Moore, T.E. (org.) *Cognitive Development and the Acquisition of Language*. London & New York: Academic.
1974 "Linguistics relativity". In Silverstein, E. (org.) *Human Communication*. Hillsdale: Erlbaum. Reimp. in Johnson-Laird & Wason (1977).
1975 "Universals and cultural specifics in human categorization". In Brislin, R., Lonner, W. & Bochner, S. (orgs.) *Cross-Cultural Perspective in Learning*. New York: John Willey.
1976 "Classification of real world objects: origins and representations in cognition". In Johnson-Laird & Wason (1977).

Rosen, H.
1972 *Language and Class: A Critical Look at the Theory of Basil Bernstein*. Bristol: Falling Wall Press.

Rubin, J. & Shuy, R. (orgs.)
1973 *Language Planning: Current Issues and Research*. Washington, D.C.: Georgetown University Press.

Rumbaugh, D.M. (org.)
1977 *Language Learning by a Chimpanzee*. London, New York: Academic.

Russell, C. & Russell, W.M.S.
1971 "Language and animal signals". In Minnis (1971).

Ryle, G.
1949 *The Concept of Mind*. London: Hutchinson. (Reed., Harmondsworth: Penguin, 1963.)

Samarin, W.J.
1967 *Field Linguistics*. New York: Holt, Rinehart & Winston.

Sampson, Geoffrey
1975 *The Form of Language*. London: Weidenfeld & Nicolson.
1980 *Making Sense*. Oxford: Oxford University Press.

Sanders, Carol
1979 *Cours de linguistique générale de Saussure*. Paris: Hachette.

Sapir, E.
1921 *Language*. New York: Harcourt Brace. [Ed. bras.: *A linguagem, introdução ao estado da fala*. Trad. de Joaquim Mattoso Câmara Jr., Rio: INL, 1921.]
1947 *Selected Writings in Language, Culture and Personality*. D.G. Mandelbaum (org.) Berkeley & Los Angeles: University of California Press.

Saporta, S. (org.)

Bibliografia

1961   *Psycholinguistics. A Book of Readings*. Em colaboração com J. Bastian. New York: Holt, Rinehart & Winston.

Saussure, F. de

1916   *Cours de linguistique générale*. Paris: Payot. (Ed. crítica por De Mauro, 1978. Trad ingl.: *Course in General Linguistics*. New York: McGraw, 1959; London: Peter Owen, 1960.) (Ed. bras.: *Curso de linguística geral*, São Paulo: Cultrix, 1969.)

Schane, S.

1973   *Generative Phonology*. Englewood Cliffs, N.J.: Prentice-Hall.

Savory, T.

1857   *The Art of Translation*. London: Cape.

Sebeok, T.A.

1960   (org.) *Style in Language*. Boston, Mass.: MIT Press; London: Wiley.

1968   (org.) *Animal Communication: Techniques of Study and Results of Research*. Bloomington: Indiana University Press.

1974a   (org.) *Current Trends in Linguistics*, vol. 12. The Hague: Mouton.

1974b   "Semiotics: A survey of the state of the art". In Sebeok (1974a).

1977   (org.) *How Animals Communicate*. Bloomington: Indiana University Press.

Sebeok, T.A. & Ramsey, A.

1969   *Approaches to Animal Communication*.

Sebeok, T.A., Hayes, A.S. & Bateson, M.C. (orgs.)

1964   *Approaches to Semiotics*. The Hague: Mouton.

Shuy, R. W. & Fasold, W.

1973   *Language Attitudes: Current Trends and Prospects*. Washington, D.C.: Georgetown University Press.

Sinclair, J. McH.

1972   *A Course in Spoken English: Grammar*. London: Oxford University Press.

Siple, P. (org.)

1978   *Understanding Language through Sign Language Research*. New York: Academic Press.

Skinner, B.F.

1957   *Verbal Behavior*. New York: Appleton Crofts.

Slobin, D.I.

1971   *Psycholinguistics*. Glenview, Ill.: Scott, Foresman.

Sloman, A.

1978   *The Computer Revolution in Philosophy: Philosophy, Science and Models of Mind*. Hassocks, Sussex: Harvester; New York: Humanistics Press.

Smith, N.V. & Wilson, D.

*1979   *Modern Linguistics: The Results of the Chomskyan Revolution*. Harmondsworth: Penguin.

Sommerstein, A.H.

1977   *Modern Phonology*. London: Arnold.

Southworth, F.C. & Daswani, C.J.

*1974   *Foundations of Linguistics*. New York.: Macmillan.

Stam, J.H.

1977   *Inquiries into the Origin of Language: The Fate of a Question*. New York, London: Harper & Row.

Bibliografia

Steinberg, D.D. & Jakobovits, L.A. (orgs.)
1971   *Semantics: An Interdisciplinary Reader in Philosophy, Linguistics & Psychology.* Cambridge: Cambridge University Press.

Steiner, G.
1975   *After Babel: Aspects of Language and Translation.* London: Oxford University Press.

Stockwell, R.P.
1977   *Foundations of Syntactic Theory.* Englewood Cliffs, N.J.: Prentice-Hall.

Stokoe, W.C.
1961   *The Study of Sign Language.* Silver Spring, Md.: National Association for the Deaf.

Strang, B.M.H.
1970   *A History of English.* London: Methuen.

Tesnière, L.
1959   *Éléments de syntaxe structurale.* Paris: Klincksieck.

Thorpe, W.
1974   *Animal Nature and Human Nature.* London: Methuen & New York: Doubleday.

Todd, L.
1974   *Pidgins and Creoles.* London: Routledge.

Traugott, E.C.
1972   *A History of English Syntax.* New York: Holt, Rinehart & Winston.

Trubetzkoy, N.S.
1939   *Grundzuge der Phonologie.* Prague. Trad. ingl.: *Principles of Phonology.* Berkeley: University of California Press.

Trudgill, P.
1974   *Sociolinguistics: An Introduction.* Harmondsworth: Penguin.
1975   *Accent, Dialect and the School.* London: Arnold.
1978   (org.) *Sociolinguistics Patterns in British English.* London: Arnold.

Turner, G.W.
1973   *Stylistics.* Harmondsworth: Penguin.

Tyler, S.A.
1969   *Cognitive Anthropology.* New York: Holt, Rinehart & Winston.

Uldall, H.J.
1944   "Speech and writing". *Acta Lingüística* (Copenhague) 4.11-16. Reimp. in Hamp *et al.* (1966).

Ullmann, S.
1962   *Semantics.* Oxford: Blackwell.
1964   *Language and Style.* Oxford: Blackwell.

Vachek, J.
1949   "Some remarks on writing and phonetic transcription". *Acta Linguistica* (Copenhague) 5:86-93. Reimp. in Hamp *et al.* (1966).
1964   (org.) *A Prague School Reader in Linguistics.* Bloomington: Indiana University Press.
1966   *The Linguistics School of Prague.* Bloomington: Indiana University Press.
1973   *Written Language: General Problems and Problems of English.* The Hague: Mouton.

Bibliografia

Valdman, A. (org.)

1977   *Pidgin and Creole Languages.* Bloomington: Indiana University Press.

Vildomec, V.

1963   *Multilingualism.* Leyden: Sythoff.

Villers, P.A. de & Villiers, J.G. de

1979   *Early Language.* London: Fontana/Open Books.

Waldron, R.A.

1979   *Sense and Sense Development,* 2. ed. London: Deutsch. (1. ed., 1967.)

Weinreich, U.

1953   *Languages in Contact.* New York: Linguistic Circle & The Hague: Mouton.

Wescott, R.W. (org.)

1974   *Language Origins.* Silver Spring, Md.: Linstok Press.

Whiteley, W.H. (org.)

1964   *Language Use and Social Change: Problems of Multilingualism with Special Reference to Eastern Africa.* London: Oxford University Press.

Whorf, B.L.

1956   *Language, Thought and Reality.* Textos escolhidos, J.B. Carroll (org.) Cambridge, Mass.: MIT Press; New York: Wiley.

Widdowson, H.G.

1974   "Stylistics". In Allen & Corder (1975c).

1976   *Language in Education.* London: Oxford University Press.

1978   *Teaching Language as Communication.* London: Oxford University Press.

Wilkins, D.A.

1972   *Linguistics in Language Teaching.* London: Arnold.

Wilks, Y.A.

1972   *Grammar, Meaning and the Machine Analysis of Natural Language.* London: Routledge & Kegan Paul.

Williams, R.

1976   *Keywords: A Vocabulary of Culture and Society.* London: Fontana/Croom Helm.

Winograd, T.

1972   *Understanding Natural Language.* New York: Academic Press & Edinburgh: Edinburgh University Press.

Zabeeh, F., Klemke, E.D. & Jacobson, A. (orgs.)

1974   *Readings in Semantics.* Urbana, Ill. & London: University of Illinois Press.

Índice

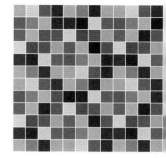

A

Adjacência, princípio de, 101
Afixação, 84
Alfabeto Fonético Internacional, 56
Alofones, 67
Ambiguidade, 89
Análise
    componencial, 125
    fonológica, 67
Analogia, 162
Antonímia, 126
Arbitrariedade, 84
    da língua, 15
Arrulho, 204
Articulações, modo de, 62
Articuladores, 60
Artigo definido, 99
Árvore
    genealógica
        conceito, 170
        diagrama convencional, 151
        modelo tradicional, 154
        teoria, 170
    rotulada, 99
Assimilação, 167
Atos de fala, 115

B

Balbucio, 204
Behaviorismo, 184, 193

Bilingues
    compostos, 227
    coordenados, 227
Bilinguismo, 171, 227

C

Cadeias
    de palavras, 84
    de unidades, 104
Campos lexicais, 126
Canal de comunicação, 14
Caso, 91
Categorias
    flexionais, 91
    gramaticais, 88, 91
Ciência cognitiva, 210
Círculo
    de Viena, 33
    Linguístico de Praga, 173
Classes formais, 36, 88, 96
Clichês, 119
Código, 14
    elaborado, 232
    mudança de, 228
    restrito, 232
Colchetes, 97
    rotulados, 99
Coloquial, 13
Competência, 8, 131
Comportamento
    linguístico, 7

Índice

semiótico, 114
Compósito, 93
Comunhão fática, 116
Comunidade linguística, 8
Concordância verbal, 95
Conotações, 122
Consoantes
   alveolares, 61
   bilabiais, 61
   dentais, 61
   fricativos, 60
   glotais, 61
   labiais, 61
   oclusivas, 60
   palatais, 61
   velares, 61
Constituintes
   descontínuos, 100
   estrutura de, 95
   finais, 97
   imediatos, 97
Construto teórico, 33
Contorno prosódico, 85
Contraste funcional, 68
Controlador, 94
Cordas vocais, 58
Correferência, 137
Correspondências sistemáticas formais no latim e em outras línguas românicas, 156
Criatividade regida por regras, 184
Crioulização, 171

D

Déficit linguístico, 232
Dêixis, 136
Denotação, 124
Dependência, 81
   da estrutura, 197
Deriva fonética, 168
Derivação, 83, 96
Descontinuidade da língua, 15
Descrever, 37
Descrição
   estrutural, 92
   sincrônica, prioridade de, 42
Descritivismo, 174
Desempenho, 8, 131
Determinantes, 100
Diacríticos, 56
Dialeto, 19, 217
Diglossia, 171, 224, 227

Discurso, partes do, 48, 88
Distribuição complementar, 69
Domínio, 228, 234
Dualidade da língua, 16
Dualismo, 193
Duplas lexicais, 166

E

Emissor, 14
Empirismo, 32
Empiristas, 196
Empréstimo, 162, 165
Entrada lexical, 118
Enunciado, significado de, 114
Escola(s)
   de Praga, 71
   e movimentos modernos, algumas, 173-189
      estruturalismo, 175
      funcionalismo, 179
      gerativismo, 182
      historicismo, 173
Estereótipos, 222
Estilística, 42
   incongruência, 237
   literária, 238
Estilo, 21
Estímulo, 184
Estrutura
   fonológica, 76
   hierárquica interna da palavra, 97
Estruturalismo, 47, 175
   de Saussure, 76
Etimologia, 43
Etnolinguística, 215
Eufemismo, 123
Expressão(ões)
   fixas, 119
   referenciais, 136
   sintagmática, 118

F

Fala, 9
   atos de, 115
   órgãos da, 59
   prioridade histórica sobre a escrita, 10
   sons da, 53
Falácia etimológica, 43
Famílias de línguas, 149
Fenômenos
   paralinguísticos, 18

Índice

prosódicos, 18
Figuras de linguagem, 132
Flexão, 81, 96
Fonema, 36, 67
Fonética, 53
    articulatória, 13, 58
Fonologia, 53
Forma(s), 49
    base, 82
    de citação, 82
    flexionais, 82
    livre mínima, 96
    mínimas, 91
    nominais, 89
    presa, 96
    subjacente, 83
    verbais, 89
    vocabulares, 82, 91
Função
    demarcadora, 180
    descritiva, 115
    distintiva, 71, 179
    expressiva, 180
Funcionalismo, 179
Futuro, 91

G

Gerativismo, 88, 182
Glotalização, 60
Glote, 58
Gramática
    conceitos gramaticais, 92
    de concatenação, 104
    de estado finito, 103
    de estrutura sintagmática, 103
    estrutura de constituintes, 95
    gerativa, 71, 88, 101
    partes do discurso, classes formais e categorias gramaticais, 88
    sintaxe, flexão e morfologia, 81
    tradicional, 30
    transformacional, 103
    universal e sua relevância, 191
Gramaticalidade, 49, 84
    produtividade e arbitrariedade, 84

H

Hábito, 4
Haplologia, 167
Harmonia vocálica, 74

Herança pós-bloomfieldiana, 71
Hipercorreção, 40, 167
Hiponímia, 126
Historicismo, 173
Homogeneidade, ficção da, 19
Homografia, 57
Homógrafos, 57
Homonímia, 118, 119
Homônimos, 58
Homorgânicos, segmentos, 67

I

Idade crítica, 200
Idealismo, 194
Idioleto, 21, 217, 221
Imperativo, 91
Inatismo, 194
Incongruência estilística, 237
Informações proprositivas, 115
Inteligência artificial, 210
Intenção, 14
Inventário, 48
IPA (International Phonetic Alphabet), 56
Isomórfica, sentença escrita, 10

J

Jargão, 36

L

Labialização, 60
Lateralização, 200
Lei(s)
    de Grimm, 158
    de Verner, 160
    sonoras, 158
Letras, 56
Lexema, 82
Léxico, 84
Língua(s), 9
    ancestral, 147
    arbitrariedade da, 15
    banto, 154
    crioulas, 23, 225
    descontinuidade da, 15
    descrição diacrônica e sincrônica, 28
    dominante, 227
    dualidade da, 15, 16
    escrita, 4
    falada, 4
        prioridade

291

Índice

        biológica, 11
        estrutural da, 10
        funcional, 11
    famílias de, 149
        camito-semítico, 154
    germânicas, 150
    -mãe, 147
    natural, 2
    nigero-congolesa, subfamília, 154
    -objeto, 139
    pidgins, 23
    primitivas, 21
    produdividade da, 15
    sons da, 53-79
    subordinada, 227
    tonais, 76
Linguagem
    aquisição da, 163, 169, 202
    cérebro e, 199
    corporal, 2
    das abelhas, 2
    de sinalização, 2
    definições, algumas, 3
    estágio
        pré-operacional, 198
        sensório-motor, 198
    figuras de, 132
    formais, 102
    mente e a, 191-213
    o que é?, 1
    período
        holofrástico, 205
        telegráfico, 205
    sociedade e, 215-241
Linguística, 1, 27-51
    aplicada, 28
    descritiva, 27
    é uma ciência?, 29
    empírica, 30
    estrutura e sistema, 46
    geral, 27
    histórica, 145
    prioridade da descrição sincrônica, 42
    ramificações da, 27
    teórica, 28
    terminologia e notação, 36
Literalismo, 135
Literário, 13

M

Macrolinguística, 28
Manutenção linguística, 233

Marcadores sintagmáticos, 104
Materialismo, 193
Meio(s)
    fônico
        acústico, 53
        articulatório, 53
        auditivo, 53
    transferências de, 9
Mensagem, 14
Mentalismo, 184, 194
Metalíngua, 139
Método comparativo, 146, 155
Microlinguística, 28
Modo, 91, 128
Monismo, 194
Morfemas, 84, 91
    gramaticais, 92
    lexicais, 92
Morfologia, 81, 83, 96
Mudança
    linguística, 145-172
        causas, 167
    sonora condicionada foneticamente, 159
Multifuncionalidade, 181

N

Neogramáticos, 149
Nome, 27
Notação, 36
Núcleo, 100
Número, 91, 128

O

Objeto, 95, 127
Ondas, teoria das, 170
Oração, 93
Ordem de sequência, 101

P

Padrão(ões), 223
    entoacionais da língua falada, 47
    literário clássico, 229
Palatização, 60
Palavra, 89
    estrutura hierárquita interna da, 97
Paralinguísticos, fenômenos, 18
Particípios, 89
Passado, 91

Índice

Pessoa, 128
Pidginização, 171, 226
Pidgins, 225
Planejamento linguístico, 42, 233
Plural, 91
Polissemia, 118, 119
Ponto de articulação, 60
Positivismo, 32
Praga, escola de, 179
Predicado, 95
Preposição, 99
Prepositional phrase, 99
Prescrever, 37
Princípio(s)
    da autonomia da linguística, 177
    de adjacência, 101
    de verificação, 32
Produtividade, 84, 88
    da língua, 15
Proposição, 139
Prosódias, 75
Prosódicos, fenômenos, 18
Protoindo-europeu, 151
Protolíngua, 149
Protorromance, 149
Psicolinguística, 206, 215

R

Racionalismo, 194
Racionalistas, 32, 196
Radical, 91
Raiz, 91
Reações em cadeia, 168
Realidade psicológica, 207
Receptor, 14
Reconstrução interna, 169
Recursividade, propriedade, 183
Reducionismo, 195
Reestruturação, 169
Referência, 136
    dêitica, 138
Referente, 130
Reflexos germânicos, 159
Regência, 94
Regente, 94
Regra(s)
    imanentes, 38
    recursiva, 98
    transcendentes, 38
Relação(ões)
    de constituição, 94

    de sentido, 126
    gramatical, 94
    sintagmáticas, 76
    substitutivas, 76
Relatividade linguística, 178
Relativismo, 178
Representação(ões)
    ortográfica, 55
    rotuladas, 99
    sem rótulo, 99
Resposta, 184

S

Segmentos da fala, 65
Semântica
    de condição de verdade, 138
    diversidade do significado, 111
    e gramática, 127
    formal, 138
    significado
        de sentença e de enunciado, 133
        lexical, 118, 123
Semiótica, 14
Sentença(s)
    bem-formada, 49
    complexas, 93
    compostas, 93
    declarativas, 93
    elíticas, 134
    imperativas, 93
    interrogativas, 93
    performativas explícitas, 140
    perspectiva funcional da, 181, 236
    simples, 93
Sentido
    figurado, 118
    incompatibilidade de, 126
    literal, 118
Significado, 14
    afetivo, 116
    de enunciado, 114
    de sentença, 114
    descritivo, 115
    diversidade do, 111
    emotivo, 116
    expressivo, 116
    gramatical, 114
    lexical, 114, 118
    não descritivo, 115
Sílabas, 77
Símbolos linguísticos, 4

Índice

Sinal(is)
  acústico, 55
  conceito de, 14
Singular, 91
Sinonímia, 118, 120
  descritiva, 122
Sintagma(s), 77, 98
  preposicional, 99
Sintaxe, 81, 83
Sistema(s)
  de comunciação, 3
  linguístico, 7, 8
  semióticos, 7
  vocal, 58
Socialização, produto da, 222
Sociedade, linguagem e, 215-241
Sociolinguística, 215
Som(ns)
  classes
    africadas, 67
    glides, 67
    líquidas, 67
  não aspirados, 60
  não nasais, 583
  nasais, 59
  sonoro, 58
  surdo, 58
Sotaque, 19, 217
Subjuntivo, 91
Substantivo, 89
Sujeito, 95, 127
Suprassegmental, 67

T

Tabus, 122
Tempo, 91

Teoria(s)
  das ondas, 170
  de estímulo e resposta, 4
  fonêmica
    americana clássica, 68
    da fonologia, 68
  prosódica, 75
Terminologia, 36
Traço(s)
  articulatórios, 65
  distintivos, 71
  distintos, 179

U

Universais
  da linguagem, 174
  formais, 170
  implicativos, 182
  linguísticos, 185
Universalismo, 178
Uso característico, 134

V

Valência, 95
Valor-verdade, 115
Variação(ões)
  completamente livre, 234
  estilística, 233
  livre, 70
Velarização, 60
Verbo(s)
  causativo, 129
  intransitivos, 95
  predicadores, 95
  transitivos, 95

Pré-impressão, impressão e acabamento

grafica@editorasantuario.com.br
www.graficasantuario.com.br
Aparecida-SP